C000299082

びゃくやこう

白夜行

〔日〕东野圭吾 著

刘姿君 译

南海出版公司

新经典文化股份有限公司
www.readinglife.com
出　品

白夜行

第一章

1

出了近铁布施站之后，沿着铁路往西走。已经十月了，天气仍然闷热难当，地面却是干的。每当卡车疾驰而过，扬起的尘土极可能会飞进眼睛，让人又皱眉又揉眼睛。

笹垣润三的脚步说不上轻快。他今天本不必出勤。很久没休假了，还以为今天可以悠游地看点书。为了今天，他特地留着松本清张的新书没看。

公园出现在右边，大小足以容纳两场三垒棒球开打，丛林越野游戏、秋千、滑梯等公园常见的游乐设施一应俱全。这座公园是附近最大的一座，正式名称叫真澄公园。

公园后面有一栋兴建中的七层建筑，乍看之下平淡无奇，但笹垣知道里面几乎空无一物。在调到大阪府警本部之前，他就待在管辖这一带的西布施分局。

看热闹的人动作很快，已经聚集在大楼前，停在那里的好几辆警车几乎被看客团团围住。

笹垣没有直接走向大楼，而是在公园前右转。转角数来第五家店挂着“烤乌贼饼”的招牌，是一家店面宽度不到两米的小店。烤乌贼饼的台子面向马路，后面坐着一个五十岁左右的胖女人，正在看报。店内看来是卖零食的，但没见到小孩子的身影。

“老板娘，给我烤一片。”笹垣出声招呼。

中年妇人急忙合起报纸。“好，来了来了。”

妇人站起身，把报纸放在椅子上。笹垣衔了根和平牌香烟，擦火柴点着，瞄了一下那份报纸，看到“厚生省公布市场海鲜汞含量检查结果”的标题，旁边以小字写着“大量食用鱼类亦不致达到该含量”。

三月时，法院对熊本水俣病[①]作出判决，与新潟水俣病、四日市哮喘病、痛痛病[②]合称四大公害的诉讼，就此全数结案。结果，每一桩诉讼均是原告胜诉，这使得民众莫不对公害戒慎恐惧。尤其是日常食用的鱼类遭汞或 PCB（多氯联苯）污染疑虑未消，使大众人心惶惶。

乌贼不会有问题吧？笹垣看着报纸想。

烤乌贼饼的两片铁板由铰链连在一起，夹住裹了面粉和蛋汁的乌贼，再利用铁板加热。烧烤乌贼的味道激起了食欲。

充分加热后，老板娘打开铁板，又圆又扁的脆饼黏在其中一片铁板上。她涂上薄薄的酱汁，对折，再以咖啡色纸包起来，说声“好了”，把饼递给笹垣。

笹垣看了看写着“烤乌贼饼四十元”的牌子，付了钱。老板娘亲切地说：“多谢。”然后拿起报纸，坐回椅子。

笹垣正要离开，一个中年女子在店门口停下脚步，向老板娘打招

①1956年左右发生于日本熊本县水俣市的公害疾病，起因于工厂排放有机汞至海中，人类食用海鲜后，汞便在人体中累积，至一定程度后便发病。症状为手足麻痹和运动、听力、语言障碍，严重者会造成死亡。1973年，汞排放方被判败诉。

②20世纪50年代，日本富山县稻米受到镉污染，导致食用者骨质疏松及肾衰竭，由于关节与脊骨极度疼痛，而有“痛痛病”之称。

呼。她手上提着购物篮,看样子是附近的家庭主妇。“那边好像很热闹,是不是出了什么事呀？”她指着大楼问。

“好像是,刚才来了好多警车,不知是不是小孩受伤了。”老板娘说。

“小孩？”笹垣回头问,“大楼里怎么会有小孩？”

“那栋大楼已经成了小孩的游乐场。我早就担心迟早会有人玩到受伤，结果真的出事了，不是吗？”

“哦，在那样的大楼里，能玩些什么？”

“谁知道他们的把戏！反正我早就觉得该把那里整顿一下，太危险了。”

笹垣吃完烤乌贼饼，走向大楼。在他身后的老板娘眼里，想必会认为他是个游手好闲、爱看热闹的中年人。

穿着制服的警察在大楼前拉起警戒线阻挡看热闹的人。笹垣钻过警戒线，一个警察用威吓的眼神看他，他指了指胸口，表明警察手册在这里。那个警察明白了他的手势，向他行注目礼。

大楼有个类似玄关的地方，原本的设计也许是装设玻璃大门，但目前只用美耐板和角材挡住。美耐板有一部分被掀开了，以便进入。

向看守的警察打过招呼后，笹垣走进大楼。不出所料，里面十分幽暗，空气里飘荡着霉味与灰尘混杂的气味。他站住不动，直到眼睛适应了黑暗。不知从何处传来了谈话声。过了一会儿，逐渐可以辨识四周景象了，笹垣这才明白自己站在原本应该是等候电梯的穿堂，因为右边有两道并排的电梯门，门前堆着建材和电机零件。

正面是墙，不过开了一个四方形洞口出入，洞的另一边暗不见物，也许是原本建筑规划中的停车场。左边有个房间，安装了粗糙的胶合板门，感觉像是临时充数的，上面用粉笔潦草地写着“禁止进入”，大概是建筑工人所为。

门开了,走出两个男人,是同组的刑警。他们看到笹垣便停下脚步。

“哦，辛苦了。难得的休假，你真倒霉呀。”其中一个对笹垣说，他比笹垣大两岁。另一个年轻刑警调到搜查一科还不到一年。

“我一大早就有预感，觉得不太妙，这种第六感何必这么准呢？”说完，笹垣又压低声音道，“老大心情怎么样？”

对方皱起眉头，摇摇手。年轻刑警在一旁苦笑。

“这样啊。也难怪，他才说想轻松一下，就出了这种事。现在里面在做什么？”

“松野教授刚到。”

“哦。”

“那我们去外头转转。”

“好，辛苦了。”

看来他们是奉命出去问话。笹垣目送他们离开，然后戴上手套，缓缓打开门。房间约有十五叠。阳光透过玻璃窗照进来，室内不像穿堂那么暗。

调查人员聚在窗户对面的墙边。有几张陌生面孔，多半是管区西布施分局的人，其他都是看腻了的老相识，其中与笹垣交情最深的那个率先看向这边。他是组长中冢，头发剃成五分平头，戴着金边眼镜，镜片上半部呈淡紫色，眉心那道皱纹就算笑的时候也不会消失。

中冢没有说“辛苦了”或“怎么这么晚”，只微微动了动下巴，示意他过去。笹垣走了过去。

房间内没有像样的家具，靠墙摆着一把黑色人造革长椅，挤一挤大概可以坐三个成人。

尸体就躺在上面，是名男子。

近畿医科大学的松野秀臣教授正在检视尸体，他担任大阪府法医已超过二十年了。

笹垣伸长脖子，看了看尸体。

死者年约四十五到五十出头，身高不到一百七十厘米。以身高而言体形稍胖，穿咖啡色上衣，没有系领带，衣物像均为高级货。胸口有直径十厘米大小的深红色血迹。此外还有几处伤痕，但没有严重的出血现象。

就笹垣所见，并没有打斗的迹象。死者衣着整齐，没有分线、全部向后梳拢的头发也几乎没有紊乱变形。

个头矮小的松野教授站起身来，面向调查人员。

"是他杀，错不了。"教授肯定地说，"有五处刺伤。胸部两处，肩部三处。致命伤应该是左胸下方的刺伤，在胸骨往左几厘米的地方。凶器应该是穿过肋骨的间隙，直达心脏。"

"当场死亡？"中冢问。

"大概一分钟之内就死了，我想是冠状动脉出血压迫心脏，引起心包膜填塞。"

"凶手身上溅到血了吗？"

"不，我想应该没有多少。"

"凶器呢？"

教授翘起下唇，略加思考之后才开口："是细而锐利的刀刃，可能比水果刀更窄一点。反正不是菜刀或开山刀之类。"

"推定死亡时间呢？"这个问题是笹垣提出的。

"死后僵直已经遍及全身，而且尸斑不再位移，角膜也相当混浊，可能已经过了十七个小时到快一整天，就看解剖可以精确到什么程度。"

笹垣看了看表，现在是下午两点四十分，单纯地倒推时间，死者便是昨天下午三点左右到晚上十点之间遇害的。

"那马上送去解剖吧。"

中冢提出的这个意见，松野教授也赞成："这样比较好。"

这时，年轻刑警古贺进来了。"死者的妻子到了。"

“总算来了。那就先让她认人，带她进来。”

听到中冢的指示，古贺点点头，离开了房间。

笹垣小声地问身边的后进刑警：“已经知道死者的身份了？”

对方轻轻点头。“死者身上有驾照和名片，是这附近当铺的老板。”

“当铺？被拿走什么东西？”

“不知道，但是没有找到钱包。”

有声音响起，古贺再次进来，朝后面说着“这边请”。刑警们离开尸体两三步。

古贺背后出现了一名女子。首先映入笹垣眼帘的是鲜艳的橘色，原来这名女子穿着橘黑相间的格子连衣裙，足蹬一双近十厘米高的高跟鞋。另外，长发造型完美，简直像刚从美容院出来一般，用浓妆刻意强调的大眼睛望向墙边的长椅。她将双手举到嘴边，发出了沙哑的声音。就这样，身体的动作静止了几秒。刑警们深知在这种情况下多言无益，都默默注视着现场。

终于，她开始慢慢靠近尸体，在长椅前停下脚步，俯视躺在上面的男子的面孔。连笹垣都看得出她的下颚微微颤抖。

“是你先生吗？”中冢问。

她没有回答，双手覆住脸颊，缓缓移动，遮盖住面容，双膝像支撑不住似的一弯，蹲在地上。好像在演戏呀，笹垣心想。

哀泣的声音从她手后传了出来。

2

被害人桐原洋介是“桐原当铺”的老板，店铺兼自宅距现场约一公里。

经死者的妻子弥生子确认身份后，尸体便被迅速移出现场。筱垣帮鉴定科的人把尸体移上担架。这时，一个东西引起了他的注意。

“被害人是吃饱后遇害的？”他喃喃道。

“什么？”在他身边的古贺反问。

“这个啊。”筱垣指向被害人系的皮带，“你看，皮带系的孔比平常松了两扣。”

“啊，果然。”

桐原洋介系的是咖啡色的华伦天奴皮带。皮带上留下的扣环痕迹和已经拉长变形的孔，显示他平常用的是自尾端数起第五个孔。然而，尸体上所扣的却是尾端数来第三个。

筱垣交代身旁一个年轻的鉴定人员对这个部分拍照。

尸体运走后，参与现场勘验的调查人员陆续离开，以进行侦讯工作。留下来的人除了鉴定人员外，只剩筱垣与中冢。

中冢站在房间中央，再次环顾室内。他左手叉腰，右手抚着脸颊，这是他站着思考时的习惯。

“筱垣，”中冢说，“你觉得呢？是什么样的凶手？”

“完全看不出来。”筱垣的视线也扫了一圈，“现在顶多知道是被害人认识的人。”

衣着、头发整齐，没有打斗迹象，正面遇刺，这几点便是证据。

中冢点点头，表情表示同意。“问题是被害人与凶手在这里做什么。”

筱垣再次一一检视房内所有物品。大楼在施工时，这个房间似乎被当作临时办公室。尸体横躺的那把黑色长椅也是那时留下来的。此外，还有一张铁质办公桌、两把铁椅和一张折叠式会议桌，全都靠墙放置。每件东西都生了锈，上面积了一层灰尘，活像撒了粉似的。工程早在两年半前便中止了。

笹垣的视线停留在黑色长椅旁墙上的某一点。通风管的四方形洞穴就在天花板下方，本应覆着金属网，现在上面当然空空如也。

如果没有通风管，或许尸体会更晚才被发现，因为发现尸体的人正是从通风管来到房内的。

据西布施分局调查，发现尸体的是附近小学三年级的学生。今天是星期六，学校的课只上到中午。下午，六个男孩在这栋大楼里玩。他们玩的并不是躲避球或捉迷藏，而是把大楼里四通八达的通风管当作迷宫。对男孩而言，在复杂蜿蜒的通风管里爬行或许的确是一种能够激发冒险精神的游戏。

虽然不清楚他们的游戏规则，但其中一人似乎在半途走上另一条路。男孩与同伴走失，焦急地在通风管里四处爬行，最后来到这个房间。据说，男孩一开始并没有想到躺在长椅上的男人已经死了，还怕自己爬出通风管跳下时会吵醒他。然而，男子却一动也不动。男孩感到纳闷，便蹑手蹑脚地接近男子，才赫然发现他胸口的血迹。男孩将近一点时回到家，把情况告诉家人。但是，他母亲花了二十分钟左右才把儿子的话当真。根据记录，向西布施分局报案的时间是下午一点三十三分。

"当铺啊……"中冢冒出这句，"当铺的老板，有什么事得和人约在这种地方碰面呢？"

"大概是不希望被别人看到，或是被看到了不太妥当的人吧。"

"就算是这样，也不必特地选这种地方啊，可以避人耳目私下密谈的地点多的是。如果真的怕被看见，应该会尽量离家远一点，不是吗？"

"的确。"笹垣点头，摸了摸下巴，手心里有胡茬的触感。今天赶着出门，连剃须的时间都没有。

"对了，他老婆的打扮真夸张。"中冢提起另一个话题，说起了桐原洋介的妻子弥生子，"差不多三十出头吧，被害人的年龄是五十二岁，感觉差太多了。”

“她应该做过那一行。”筐垣小声回应。

“嗯……”中冢缩了缩双下巴，“女人真是可怕！现场离家根本没有几步路，却还化了妆才来。不过，她看到丈夫尸体时哭的那个样子真是有意思。”

“哭法和化妆一样，太夸张了，是吗？”

“我可没这么说。”中冢坏笑了一下，立刻恢复正经，“应该差不多问完他老婆了，筐垣，不好意思，可以麻烦你送她回家吗？”

“好。”筐垣低头行礼，转身走向门口。

来到大楼外，看热闹的人少多了。但开始出现记者的身影，电视台的人好像也来了。

筐垣望向停在大楼前的警车，桐原弥生子就在从面前数第二辆警车的后座。她身旁坐着刑警小林，前座是古贺。筐垣走过去敲了敲后座的玻璃窗，小林打开车门出来。

“情况怎样？”筐垣问。

“大致问过了，刚问完。不过说实在的，情绪还是有点不太稳定。”小林以手掩口说。

“她确认过随身物品了吗？”

“确认过了。果然，钱包不见了，还有打火机。”

“打火机？”

“听说是高级货登喜路。”

“哦。那，她先生什么时候失去联系的？”

“她说昨天两三点出的门，去哪里不知道。到今天早上还没回来，她很担心。本想再不回来就要报警，结果就接到发现尸体的通知。”

“她先生是被人叫出去的吗？”

“她说不知道，她不记得先生出门前有没有接到电话。”

“她先生出门时的样子呢？”

“说是没什么不对劲的地方。”

笹垣用食指挠挠脸颊，问到的话里完全没有线索。

“照这个样子，也不知道谁可能行凶了。”

“是啊。”小林皱着眉点头。

“她知道这栋大楼吗？有没有什么线索，问过了吗？”

“问过了。她以前就知道这栋大楼，但这是什么样的建筑，她完全不知道，今天才第一次踏进去，也从来没听她先生提过这栋大楼。”

笹垣不由得苦笑。“从头到尾都是否定句啊。”

“对不起。”

“这不是你的错。”笹垣拍了拍后进的胸口，“我来送她，让古贺开车，可以吗？”

“好的，请。”

笹垣坐上车，吩咐古贺驶向桐原家。

“稍微绕一下再去，媒体那些人还没察觉被害人的家就在附近。”

“好的。”古贺回答。

笹垣转身朝向一旁的弥生子，正式自我介绍。弥生子只是微微点头，看来并不想费力去记警察的姓名。

“府上现在有人在吗？”

“有，有人在看店，我儿子也从学校回来了。”她头也不抬地回答。

“你有儿子啊，几岁了？”

“读小学五年级。”

这么说就是十至十一岁了。笹垣在心里计算，再次看了看弥生子。虽然她以化妆来掩饰，但是皮肤状况不太好，细纹也颇明显，就算有这么大的孩子也不足为奇。

“听说你先生昨天什么都没交代就出门了，这种情况常有吗？”

“有时候，都是直接去喝酒。昨天我也以为是那样，没怎么放在心上。”

“会到天亮才回家？”

“很少。”

“这种情况下他不会打电话回家吗？”

“他很少打。我要他晚归的时候打电话，不知道说了多少次，他总是嘴上答应，也不打，我也习惯了。可是，万万没想到他会被杀……”弥生子伸手捂住嘴巴。

笹垣一行人坐的车随处绕了一阵后，停在标示了“大江三丁目”的电线杆旁。独栋住宅沿着狭窄的道路两旁林立。

“在那边。”古贺隔着挡风玻璃指着前方。约二十米远处，出现了桐原当铺的招牌。媒体似乎还没有掌握被害人的身份，店门口不见人影。

“我送桐原太太回家，你先回去吧。”笹垣吩咐古贺。

当铺的铁门拉下了一半，高度大约在笹垣面部。笹垣跟在弥生子身后钻进门去。铁门之后是商品陈列柜和入口。入口大门装了毛玻璃，用金色的书法字体写着店名。

弥生子打开门进去，笹垣跟在后面。

“啊，回来了。”待在柜台的男子出声招呼。此人约四十岁，身形细瘦，下巴很尖，乌黑的头发梳成毫厘不差的三七分。

弥生子叹了口气，在一把应该是待客用的椅子上坐下来。

“怎么样？”男子问，视线在她和笹垣之间来回移动。

弥生子把手放在脸上，说：“是他。”

“怎么会……”男子一脸沉郁，眉心出现一道深色的线条，“果然是被……被杀的吗？”

她轻轻点头：“嗯。”

“岂有此理！怎么会发生这种事？”男子遮住嘴，视线下垂，像是在整理思绪，不断眨眼。

“我是大阪府警笹垣。这件事真的很令人遗憾。”笹垣出示警察手册，自我介绍，“你是这里的……”

“我姓松浦，在这里工作。”男子打开抽屉，取出名片。

笹垣点头致意，接过名片。这时，他看到男子右手小指戴着一枚白金戒指。一个大男人，这么爱漂亮啊，笹垣想。

男子叫松浦勇，头衔是“桐原当铺店长”。

“你在这里待很久了吗？”笹垣问。

“嗯，已经是第五年了。”

笹垣想，五年不算长。以前在哪里工作？是在什么因缘之下来这里工作的？笹垣很想问这些问题，但决定先忍下来，因为还会再来这里好几次。

“听说桐原先生是昨天白天出门的。”

“是的，我记得应该是两点半左右。”

“他没有提起要去办什么事？”

“没有。我们老板有些独断，很少跟我讨论工作的事。”

“他出门时，有没有跟平常不同的地方？例如服装的感觉不太一样，或者带着没见过的东西之类的。”

“这个嘛，我没有注意。”松浦歪着头，左手搔了搔后脑勺，“不过，好像很在意时间。”

“哦，在意时间。”

“他好像看了好几次手表。不过，可能是我想太多了。”

笹垣若无其事地环视店内。松浦背后有一扇紧闭的和式拉门，后面多半是和室客厅，柜台左边有个脱鞋处，从那边上去是住房。上去之后左边有一道门，若说那是置物间，位置很奇特。

“昨天店里营业到几点？”

“这个，”松浦看着墙上的圆形时钟，“平常六点打烊，不过，昨天拖拖拉拉的，一直开到快七点。”

“看店的只有松浦先生一人吗？”

“是的，老板不在的时候大多是这样。”

“打烊之后呢？”

“我就回家了。”

“府上在哪里？”

“寺田町。”

“寺田町？开车上班吗？”

“不是，我搭电车。”

如果搭电车，包括换车时间，到寺田町差不多要三十分钟。如果七点多离开，最晚八点也应该到家了。

“松浦先生，你家里有些什么人？”

“没有。我六年前离婚，现在一个人住公寓。”

“这么说，昨晚你回去之后，也都是一个人了？”

“是啊。”

换句话说，就是没有不在场证明了，笹垣在内心确认。不过，他不动声色。

“桐原太太，你平常都不出来看店吗？”笹垣问坐在椅子上、手按额头的弥生子。

“因为店里的事我都不懂。”她以虚弱的声音回答。

“昨天你出门了吗？”

“没有，我一整天都在家。”

“一步都没有出门？也没有去买东西？”

“嗯。”她点头，然后一脸疲惫地站起来，“不好意思，我可以去休息了吗？我累得连坐着都不舒服。”

“当然，不好意思。你请休息吧。”

弥生子脚步踉跄地脱了鞋，伸手扶着左侧拉门的把手打开门，里面是楼梯。原来如此，笹垣这才明白那扇门的用处。

她上楼的脚步声从关上的门扉后传来。当声音消失后，笹垣来到松浦跟前：“桐原先生没回家的事，你是今天早上听说的？”

“是的。我和老板娘都觉得很奇怪，也很担心。结果就接到警察的电话……”

“想必很吃惊。”

“当然啊！”松浦说，“怎么会呢？我还是不敢相信，老板竟然会遭人杀害……一定是哪里弄错了。”

“那么，你完全没有头绪？”

“哪来的头绪呢？”

“可是，你们是做这一行的，上门的客人也有千百种吧。有没有客人为了钱和老板发生争执？”

“当然，我们是有些特别的客人。明明是借钱给人反而被怨恨，这种事也不是没有。但是，再怎么样也不至于要杀老板……”松浦回视笹垣的脸，摇摇头，“我实在很难想象。”

“也难怪，你们是做生意的，不能说客人的不是。不过，这样我们就无从调查了。如果能借看最近的客户名册，对我们会很有帮助。”

“名册啊……”松浦为难地皱眉。

“一定有吧，不然就不知道钱借给了谁，也没办法管理典当品了。”

“当然，名册是有的。”

“不好意思，跟你借一下。”笹垣伸出摊平的手掌，“我把正本带回去，复印之后马上奉还。当然，我们会非常小心，不让其他人看到。”

“这不是我可以决定的……”

“那好，我在这里等，可以麻烦你去征求老板娘同意吗？”

“唔。”松浦皱着眉想了一会儿，最后点了头，“好吧。既然这样，东西可以借给你们，但是，请千万好好保管。”

“谢谢，不用先征求老板娘同意吗？”

“应该可以出借，回头我再告诉她。仔细一想，老板已经不在了。”

松浦坐在椅子上转了九十度，打开身边的文件柜，里面排列着好几份厚厚的文件夹。正当笹垣往前探看时，眼角扫到楼梯的门无声地开了，他往那边看去，心头一震。

门后站着一个男孩，十岁左右，穿着长袖运动衫、牛仔裤，身材细瘦。

笹垣心头一震，并不是因为没有听到男孩下楼的声音，而是在眼神交会的一刹那，为男孩眼里蕴含的阴沉黑暗所冲击。

“你是桐原先生的儿子？”笹垣问。

男孩没有回答。

松浦回头说：“哦，是的。”

男孩一言不发，开始穿运动鞋，脸上毫无表情。

“小亮，你要去哪儿？今天最好还是待在家里。”

男孩对松浦的询问不加理会便出门了。

“真可怜，他一定受到了不小的打击。”笹垣说。

“也许吧。不过，那孩子有点特别。”

“怎么说？”

“这个，我也说不好。”松浦从文件柜里取出一本文件夹，放在笹垣面前，“这是最近的客户名册。”

“那我就不客气了。”笹垣收下，开始翻阅里面一大排男男女女的名字。他眼里看着资料，心里回想起男孩阴郁的眼神。

3

尸体被发现的翌日下午，解剖报告便送到设于西布施分局的搜查本部。报告结果证实，被害人的死因和推定死亡时间与松野教授的看法大同小异。只是，看了胃部化验的相关记录，笹垣不禁纳闷。记录上写的是“未消化的荞麦面、葱、鲱鱼，食用后 2~2.5 小时”。

“如果化验没错，那皮带的事该怎么解释？”笹垣低头看着双臂抱胸而坐的中冢。

“皮带？”

“皮带孔放松了两扣，一般吃过饭后才会这么做，既然过了两个小时，应该会扣回来。”

“大概是忘了，常有的事啊。”

“可是，我检查过被害人的裤子，和他的体格比起来，裤腰的尺寸相当大。要是皮带松了两扣，裤子自会往下掉，不好走路才对。”

“唔。”中冢含糊地点了点头。他皱着眉头，盯着摆在会议桌上的解剖报告。“如果是这样，笹垣，你觉得他为什么会松开皮带扣？”

笹垣看看四周，把脸凑到中冢身边：“我看，是被害人到了现场后，做了需要解开长裤皮带的事。然后系回来的时候放了两扣。不过，系回来的是本人还是凶手就不知道了。”

“什么事需要松开皮带？”中冢抬眼看笹垣。

“这还用问吗？松开皮带，就是要脱裤子嘛。”笹垣笑得很贼。

中冢靠在椅子上，铁椅发出嘎吱声。“好好的成年人，会特地到那种满是灰尘的肮脏地方幽会吗？”

“这个，的确有些不自然。”

听到筂垣支支吾吾的回答，中冢像赶苍蝇似的挥挥手。“听起来挺有意思，不过在运用直觉之前，要先搜集资料才对。去查出被害人的行踪，首先是荞麦面店。”

既然负责人都这么说了，筂垣也不能唱反调，说声“知道了”，行过礼便离开了。

没多久便找到了桐原洋介用餐的荞麦面店。弥生子说他经常光顾布施车站商店街那家“嵯峨野屋”，调查人员立刻前去询问，证实星期五下午四点左右，桐原的确去过。

桐原在嵯峨野屋吃了荞麦面。照消化状态倒推，推定死亡时间为星期五下午六点到七点之间。调查不在场证明时，将时间再拉长，以下午五点到八点为重点。

然而，照松浦勇和弥生子的说法，桐原是两点半时离家。他去嵯峨野屋之前的一个多小时，又去了哪里呢？由他家到嵯峨野屋，走得再慢，用时也不会超过十分钟。

这一点在星期一便得到了答案。一个打到西布施分局的电话揭开了谜底。来电的是三协银行布施分行的女职员，她在电话中表示，上星期五营业时间结束前，桐原洋介到过银行。

筂垣和古贺立刻赶到位于近铁布施站南口对面的那家分行。

来电的是负责银行柜台业务的女职员，一张讨人喜欢的圆脸，配上一头短发，非常好看。筂垣他们和她面对面在用屏风隔开的会客处坐下。

“昨天在报纸上看到名字，我心里就一直在想，会不会就是那位桐原先生？所以今天早上再度确认姓名，跟上司商量以后，我就鼓起勇气打了电话。”她背脊挺得笔直。

“桐原先生是什么时候来的？”筂垣问。

“快三点的时候。”

“来办什么事？”

听到这个问题，女职员略显迟疑，可能是难以判断客户的机密可以透露到什么程度。但是，最后她还是开口了：“他提前取出了定期存款。”

“金额有多少？”

她再度犹豫，舔了舔嘴唇，瞄一眼在远处的上司后，小声说：“一百万元整。”

“哦……”笹垣翘起嘴唇。这是一笔不像会随身携带的大数目。“桐原先生没有提到要把这笔钱用在什么地方吗？”

“没有，他完全没有提过。”

“那桐原先生把一百万元装在哪里？”

“我不清楚……印象中，好像是放在我们银行提供的袋子里。”她有点困惑地偏着头。

“以前，桐原先生曾经像这样突然将定期存款解约，领走几百万吗？”

“就我所知，这是第一次。不过，我自去年底起才经手桐原先生的定期存款业务。”

“桐原先生取款时看起来如何？是觉得可惜，还是很开心？”

“不清楚。”她又偏着头说，“不像是觉得可惜的样子。不过他说，过不久他会再存一笔金额差不多的款项。”

“不久……哦。”

向搜查本部报告这些情况后，笹垣和古贺赶往桐原当铺，想就桐原洋介提款一事询问弥生子与松浦。然而，来到桐原家附近，两人便停下了脚步。当铺前聚集了穿着丧服的人。

“对了，今天办葬礼。”

“一时忘了。现在看到才想起，早上听说过。”

笹垣和古贺一起在稍远的地方察看葬礼的情况，看样子正好赶上出殡，灵车行驶到桐原家门前。

店门敞开着，桐原弥生子第一个走出门外。她看起来脸色比上次差，身形也瘦了许多，但另一方面却令人感觉多了几分妖冶，或许是来自丧服不可思议的魅力。她显然穿惯了和服，就连走路的方式也仿佛经过精心设计，好让自己看来楚楚动人。如果她想扮演一个年轻貌美、哀恸欲绝的未亡人，那么她的确将角色诠释得非常完美——笹垣略带讽刺地想。警方查出她曾经在北新地做陪酒女招待。

桐原洋介的儿子抱着加了框的遗像，跟在她身后出来。“亮司”这个名字已经输入笹垣脑海，尽管他们还没有交谈过。

桐原亮司（Kirihara Ryouji）今天仍面无表情。阴郁深沉的眼眸没有浮现任何感情波纹。他那双有如义眼般的眼睛看向走在前方的母亲脚边。

到了晚上，笹垣与古贺再度前往桐原当铺。和上次来时一样，铁门半开着，但内侧的门却上了锁。门旁就有呼叫铃，笹垣按了铃，听到里面传来蜂鸣器的声音。

“是不是出门了？”古贺问。

“要是出门，铁门应该会拉下吧。”

不久，传来开锁的声音。门打开二十厘米左右，门缝中露出松浦的脸。

“啊，刑警先生。”松浦的表情略显惊讶。

“有点事想请教，现在方便吗？”

“呃……我看看。我去问问老板娘，请稍等。”松浦说完，关上了门。

笹垣和古贺对视一眼，古贺偏着头。

门再度打开。“老板娘说可以，请进。”

笹垣说声“打扰了”，走进店里。屋里弥漫着线香的味道。

“葬礼顺利结束了？”笹垣问，他记得松浦是抬棺人。

“嗯，还好，虽然有点累。”松浦说着抚平头发。他身上穿着参加葬礼时的衣服，却没有系领带，衬衫的第一、第二颗纽扣松开着。

柜台后的格子门开了，弥生子走出来。她已经换下丧服，穿着一件深蓝色连衣裙，盘起的头发也放了下来。

“很抱歉，你这么累还前来打扰。”笹垣点头施礼。

“哪里。”她微微摇头，“查出什么了吗？”

“我们正在搜集信息，发现了一个疑点，所以前来请教。”笹垣指着格子门，“在此之前，可以让我上炷香吗？我想先向往生者致意。”

一瞬间，弥生子脸上出现了慌张的表情。她先把目光转向松浦，再回到笹垣身上。“好的，那个，没有关系。”

“不好意思。那我就打扰了。”

笹垣在柜台旁的脱鞋处脱了鞋，正要跨过门槛，突然看到旁边藏住楼梯的门，门把手旁边挂着铁锁。看来，从楼梯那一面无法开门。

“冒昧一问，这个锁是做什么的？”

“哦，那个啊，”弥生子回答，“是为了防小偷半夜从二楼进来。”

“从二楼进来？”

“这附近住家密集，小偷从二楼潜入的可能性很高，附近的钟表行就是这样被偷的。所以我先生装了这道锁，万一真的被盗，小偷也下不来。”

“要是小偷来到下面，会损失惨重吗？”

“因为保险箱在下面，”松浦在后头回答，“客人寄放的东西也全放在一楼保管。”

“这么说，晚上楼上都没有人？”

“是的，我叫儿子也睡一楼。”

“原来如此。”筐垣摩挲着下巴点头，“我明白为什么要上锁了，可是为什么现在也上锁呢？白天也会锁吗？”

“唔，那个啊，”弥生子来到筐垣身边，打开锁，“因为锁惯了，顺手锁上而已。”

“哦。”筐垣想，也就是说上面没有人。

拉开格子门，里面是一间六叠大的和室。后面似乎还有房间，但也用格子门隔了起来，看不见。筐垣猜那里应该是夫妇俩的居室。照弥生子的说法，亮司也和他们一起睡，那么夫妇性事怎么处理呢？他不禁感到好奇。

灵位设在西面墙边，旁边一个小小的相框里框着桐原洋介身着西装微笑的照片，看上去比现在年轻一些。筐垣上了香，合掌闭目默祷了大约十秒。

弥生子泡了茶端过来。筐垣以跪坐的姿势行礼，伸手取过茶杯，古贺也照做了。

筐垣问弥生子有没有想起什么与命案有关的线索。她立刻摇头，坐在椅子上的松浦也没有开口。

筐垣沉着地说出桐原洋介从银行提出一百万元的事。对此，弥生子和松浦都显得相当吃惊。

“一百万！这件事我从未听我先生提过。”

“我也一样，”松浦也说，“老板虽然独断独行，但如果是为了店里动用这么大的金额，应该会告诉我一声。”

“桐原先生有没有从事很花钱的娱乐？例如赌博。”

“他从来不赌，也没有什么特定的嗜好。”

“老板是那种把做生意当作唯一嗜好的人。”松浦从旁插嘴。

“唔，”筐垣稍微迟疑了一下才问，“那方面呢？”

“哪方面？”弥生子皱起眉头。

“就是那个——异性关系。”

“哦。”她点点头，看来并没有受到刺激的样子，“我不相信他在外面有女人，他不是会做那种事的人。”她说得很笃定。

“你对你先生很放心啊。”

“这算是放心吗……”弥生子句尾说得很含糊，就这么低下头。

又问了几个问题，筐垣他们便起身告辞。实在说不上有所收获。

穿鞋时，脱鞋处有双脏运动鞋映入眼帘，应该是亮司的。原来他在二楼。

看着挂着锁的门，筐垣想，不知男孩在上面做什么。

4

随着调查工作的进行，桐原洋介遇害当天的行踪逐渐明朗。

星期五下午两点半左右离开自宅后，他先到三协银行布施分行提出一百万元现金，到附近的嵯峨野屋吃了鲱鱼荞麦面，四点多离开。

问题是在那之后。店员的证词指出，桐原洋介似乎朝车站的反方向走。如果这是事实，那么桐原极可能没有搭电车，他之所以走到布施车站，完全是为了提取现金。

搜查本部成员以布施车站周围与陈尸现场一带为中心持续调查。结果，在一个意想不到的地方发现了桐原洋介的踪迹。

有个貌似桐原洋介的男子曾到过位于布施车站前商店街一家叫“和音”的连锁蛋糕店。他问店员“有没有上面有很多水果的布丁”。他指的应该是什锦水果布丁，那正是和音的招牌商品。

但很不巧，当时什锦水果布丁卖完了。他便问店员在哪里可以买到同样的东西。年轻的女店员告诉他，大道上也有一家和音，建议他到那里试试，还拿出地图，指出地点。那时，他确认了那家店的位置，说了这样的话："闹了半天，原来这里也有一家！离我要去的地方很近嘛，早点问清楚就好了。"

女店员指引的店位于大江西六丁目。调查人员火速前往该店，证实星期五傍晚果然有个貌似桐原洋介的男子光顾过。他买了四份什锦水果布丁，但此后去了哪里就不得而知。

他不可能为了要与男性碰面而买四份布丁，调查人员一致认为，桐原要见的一定是女性。

警方不久便排查出一个名叫西本文代的女子，她的名字登记在桐原当铺的名册上，住在大江西七丁目。

笹垣与古贺前去拜访西本文代。

由铁板与现成木板随意拼凑、杂乱无章的密集建筑中，有一幢叫"吉田公寓"的住宅。像被烟熏过的灰色外墙沾满了深黑色的污渍，水泥涂抹的痕迹蜿蜒如蛇行般布于墙面，想必是严重龟裂的地方。

西本文代住在一〇三室。由于紧邻隔壁建筑，一楼几乎无采光可言。昏暗潮湿的通道上停放着生锈的自行车。

笹垣绕过每道门前放置的洗衣机寻找着。从前面数来第三道门上贴了一张纸，上面用记号笔写着"西本"。笹垣敲敲门。

门后传来"来了"的声音，像是女孩。但门并没有打开，而是出声问道："请问哪位？"

看样子，是小孩在看家。

"你妈妈在不在啊？"笹垣隔着门问。

里面的人没有回答，而是再度问道："请问是哪位？"

笹垣看着古贺苦笑。大概是被大人叮嘱，如果是不认识的人，绝对不能开门。当然，这并非坏事。笹垣调整音量，让门后的女孩听得到，但不致传到邻居家里。“我们是警察，有点事想问你妈妈。”

女孩沉默了，笹垣将之解释为不知所措。依声音推测，她不是小学生就是初中生。这个年龄的孩子听到警察自然会紧张。

开锁的声音响起，门开了，但链条仍挂着。在十厘米左右的门缝中露出一张有着大眼睛的女孩的脸，雪白脸颊上的肌肤如瓷器般细致。

“我妈妈还没回来。”女孩的口气十分坚定。

“去买东西了？”

“不是，去工作了。”

“她平常什么时候回来？”笹垣看看手表，刚过五点。

“应该快了。”

“哦，那我们在这里等一下。”

听笹垣这么说，她轻轻点头，关上了门。笹垣伸手从外套内侧的口袋取出香烟，低声向古贺说：“很懂事的孩子。”

“是啊，”古贺回答，“而且……”

年轻刑警话说到一半，门又打开了。这次链条解开了。

“可以让我看看那个吗？”女孩问。

“什么？”

“手册。”

“哦。”笹垣了解她的目的后，不由得露出微笑。“好的，请看。”他拿出警察手册，翻到贴有照片的身份证明那一页。

她对照过照片与笹垣的面孔后，说声“请进”，把门开得更大一些。

笹垣有点惊讶。“不了，叔叔在这里等就可以。”

她却摇摇头。“在外面等，附近的人反而会觉得奇怪。”

笹垣和古贺又对看一眼，很想苦笑，但忍住了。

笹垣说声“打扰了”，走进屋里。正如从外观便可想见的，里面的隔间要让一家人住是太狭窄了。一进门是五叠左右的木质地板，有个小流理台。里面是和室，顶多有六叠。

木头地板上摆了一组粗糙的餐桌和椅子。在女孩的招呼下，两人在椅子上坐下。椅子只有两把，女孩似乎是和母亲两个人生活。餐桌上铺着粉红色与白色相间的塑料格纹桌布，边缘有香烟烧焦的痕迹。

女孩在和室背靠着壁橱坐下，开始看书。书的封底贴着标签，看来是在图书馆借的。

“你在看什么？”古贺向她搭话。

女孩默默地出示书的封面，古贺把脸凑过去看。“哦……”发出了佩服的声音，“看这么难的书啊。”

“什么书？”笹垣问古贺。

“《飘》。”

“咦？”这下换笹垣惊讶了，“那个我看过电影。”

“我也看过，真是部好电影。不过，我从来没想过要看原著。”

“我最近都没看书。”

“我也是。自从《小拳王》完结篇之后，我连漫画都很少看了。”

“是吗？终于连《小拳王》都结束了啊。”

“今年五月结束了。《巨人之星》和《小拳王》之后，就没东西可看了。”

“那不是很好吗？好好一个大人看漫画，实在不太像话。”

“这倒也是。”

笹垣他们对话的时候，女孩头也不抬地继续看书，可能认为那是愚蠢的大人在讲废话消磨时间。或许古贺也感觉到这一点，便没再开口。他双手好像闲得发慌，以指尖敲餐桌，发出笃笃的声响。女孩抬起头来，一脸不悦地注视，他不得不停止手指的动作。

笹垣若无其事地环顾室内。只有最基本的家具和生活必需品，完全没有一样算得上奢侈品的东西。既没有书桌，也没有书架。窗边虽然摆了一台电视，但型号非常老旧，必须装设室内天线。他想象得到，电视大概是黑白的，打开之后，得等上好一阵子才有画面出现，而且，出现的影像多半会有好几条碍眼的横线。

不仅是东西少，这里明明是女性的住处，却没有丝毫明亮精美的气氛。整个房间之所以令人感到昏暗，显然不光是因为天花板上的日光灯旧了。

两个叠在一起的纸箱就摆在笹垣身边，他挑开纸箱盖，往里头看了一下。里面塞满了橡胶青蛙玩具，压下去就会跳的那种，常在庙会时的夜市售卖。看来是西本文代的家庭代工。

“姑娘，你叫什么名字？”笹垣问女孩。他一般会叫小姑娘，但觉得对她不适用。

她的眼睛还是没有离开书本，答道：“西本雪穗。”

“雪穗。嗯，怎么写呢？”

“下雪的雪，稻穗的穗。”

“哦，雪穗，真是个好名字，是不是？”他征求古贺的同意。

古贺点头称是，女孩没有反应。

“雪穗，你知道有一家叫桐原当铺的店吗？”笹垣问。

雪穗没有立刻回答，她舔舔嘴唇，轻轻点头。“我妈妈有时候会去。”

“嗯，好像是。你见过那家店的叔叔吗？”

“见过。”

“他来过你家吗？”

听到这个问题，雪穗偏着头回答：“好像来过。”

“你在家的时候，有没有来过？”

“可能有吧。不过，我不记得了。”

“他来做什么呢？”

“我不知道。”

在这里逼问这个女孩可能并非上策。笹垣觉得，以后还会有不少问她话的机会。他再度环顾室内，并没有什么特定目的。但是，当他看到冰箱旁的垃圾桶时，不禁睁大了眼睛。已堆满的垃圾最上方，是印着和音商标的包装纸。笹垣转眼看雪穗，和她的眼神撞个正着。她立刻转移视线，又回到看书的姿势。

笹垣的直觉告诉他，她也在看同样的东西。

过了一会儿，女孩突然抬起头，合上书，望向玄关。

笹垣竖起耳朵，听见有人拖着凉鞋走路的脚步声。古贺似乎也注意到了，微微张开嘴巴。脚步声越来越近，在房门前停了下来。门口传来一阵金属撞击声，好像是在拿钥匙。雪穗走到门边说：“门没锁。”

“怎么不锁呢？太危险了。”说话声响起的同时，门打开了。一个穿着浅蓝色衬衫的女子走进来，大约三十五岁，头发扎在脑后。西本文代立刻注意到笹垣他们。她一脸惊慌，看看女儿，又看看两名陌生男子。

“他们是警察。”女孩说。

“警察……”文代脸上露出怯色。

“我是大阪府警，敝姓笹垣。这位是古贺。”笹垣站起来打招呼，古贺也起身相迎。

文代显然相当忐忑，脸色发青，一副不知所措的样子，拿着纸袋愣在那里，门也忘了关。

“我们在调查一件案子，有些事想请教西本太太，便前来打扰。很抱歉，在你外出时进了屋。”

“调查案子……”

“好像是当铺那个叔叔的事。”雪穗在旁边说。

一瞬间，文代似乎倒抽了一口气。根据她俩的神情，笹垣确信她们已经知道桐原洋介的死讯，并且私下讨论过。

古贺站起来，说："请坐。"请文代在椅子上坐下。文代惶恐不安的脸色完全没有稍减，就这么坐在笹垣对面。

一个五官端正的女人，这是笹垣的第一印象。眼角已微现皱纹，但若好好打扮，一定会被归为美女，而且属于那种冰山美人。雪穗显然长得像妈妈。中年男子应该有不少会为她倾倒，笹垣想。桐原洋介五十二岁，就算有不良居心也不足为奇。

"不好意思，请问你先生……"

"七年前过世了。在工地工作的时候发生意外……"

"哦，那真是令人同情。现在你在哪里高就？"

"我在今里一家乌冬面店工作。"

她说店名叫"菊屋"，工作时间从星期一到星期六，早上十一点到下午四点。

"那家店的乌冬面好吃吗？"可能是为了缓和对方的情绪，古贺笑着问。文代却只是带着僵硬的表情歪了歪头，说了声"不知道"。

"呃，桐原洋介先生不幸遇害的事，你知道吧？"笹垣切入主题。

"知道，"她小声回答，"非常令人意外。"

雪穗绕过母亲身后，走进六叠大的房间，然后和刚才一样，靠着壁橱坐下。笹垣观察她的动作后，目光再度回到文代身上。

"桐原先生很有可能是被什么事情牵连了，我们正在调查上星期五白天他离开家后的动向，结果查到他好像往府上来了，所以来确认一下。"

"没有，那个，我这边……"

"当铺的叔叔来过吧，"雪穗打断文代支支吾吾的话语，插嘴说，"带和音布丁来的，就是那个叔叔，不是吗？"

笹垣非常清楚文代有多狼狈。她的嘴唇微微颤动后，总算发出了声音。"啊，是的。星期五桐原先生曾经来过。"

“大概几点？”

“我记得好像是……”文代看向笹垣的右方，那里有一台双门冰箱，上面放着一个小时钟。“我想……是快五点的时候。因为我刚到家，他就来了。”

“桐原先生是为了什么事来找你？”

“我想他没什么事。他说因为来到附近顺便过来什么的。他很清楚我们母女俩在经济上有困难，有时候会过来，很多事我也会向他请教。”

“他到附近？这就奇怪了。”笹垣指着垃圾桶里的和音蛋糕店包装纸，“这是桐原先生带来的吧？桐原先生本来打算在布施车站前的商店街买。也就是说，他在布施车站附近的时候，已经准备来这里了。这里离布施有一段距离，照理说，他应该是一开始就打算到府上拜访，这样推论比较合理。”

“话是这么说，可是桐原先生都那样讲了，我也没办法，他说他来到附近，顺便过来……”文代低着头说。

“我明白。那我们就当作是这样吧，桐原先生在这里待到几点？”

“六点……我想是快六点的时候回去的。”

“快六点的时候，你确定？”

“应该没错。”

“这么说，桐原先生在这里待了大约一个小时。你们谈了些什么？”

“谈了什么啊……就是闲话家常。”

“闲话家常也有很多种，像是天气啦，钱啦。”

“哦，那个，他提到战争……”

“战争？太平洋战争？”

桐原洋介曾在二战时入伍。笹垣以为他是谈这件事，文代却摇摇头。“是国外的战争。桐原先生说，这次石油一定会再涨。”

“哦，中东战争啊。”看来是指这个月初开打的第四次中东战争。

“他说，这下日本的经济又要不稳了。不单这样，石油相关产品也会涨价，最后可能会买不到。以后的世界，就比谁更有钱有势。”

“哦。”

看着低头垂目的文代，笹垣想，这一番话可能是真的。问题是桐原为什么要特地对她说这些？笹垣想象，桐原或许在暗示：我有钱有势，为了自己着想，你最好还是跟着我。根据桐原当铺的记录，西本文代从来没有将典当的东西赎回过。桐原极有可能是看准了她的贫苦。

笹垣瞄了雪穗一眼。“那时令爱在哪里？”

“哦，她在图书馆……对吧？”她向雪穗确认。

雪穗“嗯”了一声。

“哦，那本书就是那时借回来的啊。你常去图书馆？”他直接问雪穗。

“一星期一两次。”她回答。

“放学后去的？”

“是的。”

“去的日子固定吗？比如周一、周五或是周二、周五之类。”

“不。”

“这样妈妈不会担心吗？女儿没回来，也不知道是不是去图书馆了。”

“啊，可是，她六点多一定会回家。”文代说。

“星期五也是那时候回来的？”他再度问雪穗。

女孩没说话，点了点头。

“桐原先生走后，你一直待在家里？”

“没有，那个，我出去买东西了。去‘丸金屋’。”

丸金屋超市距离这里只有几分钟路程。

“你在超市遇到熟人了吗？”

文代略一思索后回答：“遇到了木下太太，雪穗同班同学的妈妈。”

“你有她的联系方式吗？”

“应该有。”文代拿起电话旁的通讯簿，在餐桌上翻开，指着写了“木下”的地方，“就是这个。”

看着古贺将电话号码抄在手册上，筐垣继续问道：“你去买东西的时候，女儿回来了吗？”

“没有，那时候她还没有回来。”

“你买完东西回来时几点了？”

“大概刚过七点半吧。”

“那时你女儿呢？”

“嗯，已经回来了。”

“此后就没有再外出？”

“是的。”文代点头。

筐垣看看古贺，以眼神询问：还有没有其他问题？古贺轻轻点头，表示没有问题了。

“不好意思，打扰了这么久。以后可能还会有问题要请教，到时还请多多帮忙。”筐垣站起来。

文代送两位刑警来到门外。趁雪穗不在，筐垣又问了一个问题：“西本太太，这个问题可能有点冒昧，不过，可以请你别太介意吗？”

“什么问题？”文代脸上立刻浮现不安。

“桐原先生是否曾经请你吃饭，或者约你出去见面？”

筐垣的话让文代睁大了眼睛，她用力摇头：“从来没有过这种事。”

“这样啊。我是在想，桐原先生为什么对你们这么好？”

“我想他是同情我们。请问警察先生，桐原先生遇害的事，警方是不是怀疑我？”

“没有没有，没这回事。我只是确认一下。”筱垣致意之后，举步离去。转了弯，看不到公寓时，他对古贺说：“很可疑。”

年轻刑警也表示同意，说：“的确很可疑。”

“我问文代星期五桐原是不是来过，一开始她好像要回答没来。但因为雪穗在旁边提醒她布丁的事，她只好说实话。雪穗也一样，本来也是想隐瞒桐原来过的事，不过，因为我注意到布丁的包装纸，她才判断说谎反而会出问题。”

“是啊，那女孩看来很机灵。”

“文代从乌冬面店下班回家，大概都是五点左右，那时桐原来了。而雪穗恰巧去了图书馆，在桐原走后才回家。我总觉得时间太过凑巧。”

“文代会不会是桐原的情妇？妈妈跟男人在一起的时候，女儿就在外面耗时间。”

“也许。不过，如果是情妇，多少可以拿到一点钱，那就没有做家庭代工的必要了。”

“也许桐原正在追求她？”

“有可能。”

两人赶回设在西布施分局的搜查本部。

“可能是一时冲动下的手。”向中冢报告完后，筱垣说，“桐原可能把刚从银行取出来的一百万元给文代看。”

“因此，为了那笔钱杀了他，是吗？但要是在家里动手，她没法把尸体运到大楼。”中冢说。

“所以她可能找了个借口，跟他约在那栋大楼。他们应该不会一起走过去。”

“验尸结果显示，即使是女人，也有可能造成尸体上的伤口。”

“而且如果是文代，桐原便不会有戒心。”

“先确认文代的不在场证明再说吧。”中冢谨慎地说。

当时，筐垣心中对文代的印象极接近黑色地带，她那种畏畏缩缩的态度也令人生疑。桐原洋介的推定死亡时间为上星期五下午五点到八点，文代那时是有机会的。

然而，调查的结果却为搜查本部带来完全出乎意料的消息——西本文代拥有几近完美的不在场证明。

5

丸金屋超市正门前有个小公园，小小的空间无法玩球，只有秋千、滑梯和沙坑，正好方便妈妈购物时留下年幼的孩子在此玩耍。这座公园也是主妇们闲话家常、交换信息的场所，有时她们会把孩子托给认识的人，自己去买东西。到丸金屋购物的主妇有不少都是贪图这个好处。

桐原洋介遇害当天下午六点半左右，住在附近的木下弓枝在超市遇到西本文代。文代似乎已经买好东西，正要去结账。木下弓枝则刚进超市，篮子还是空的。她们交谈了两三句便道别了。

木下弓枝买完东西离开超市时已过了七点。她准备骑停在公园旁的自行车回家，当她跨上车时，却看到文代坐在秋千上。文代似乎在思考些什么，正呆呆地荡着秋千。

当警察要她确认看到的人是否真的是西本文代时，木下弓枝笃定地保证绝对没错。

仿佛要再度证明这段证词一般，警方又找到了其他看到文代坐在秋千上的人——超市门口烤章鱼丸摊的老板。将近八点，超市快打烊时，他看到有一个主妇在附近荡秋千，深感惊讶。他记忆中的主妇模样，应该就是文代。

同时，警方也获得了桐原洋介行踪的新消息。药店老板在星期五傍晚六点多时，看到桐原独自走在路上。药店老板说，他本想叫住桐原，但看桐原行色匆匆，便作罢了。他看见桐原的地点，正好在西本文代居住的吉田公寓和陈尸现场之间。

桐原的推定死亡时间为五点到八点，要是文代荡完秋千立刻赶到现场行凶，并非不可能。但是，调查人员大多认为这样的可能性极低。原本将推定死亡时间延到八点就有些牵强。以未消化食物判断的死亡时间本来就极为准确，有时甚至可以精确至几点几分。事实上，死亡时间以六点到七点之间的可能性最高。

此外，还有一项依据可以推断行凶时间最晚不会超过七点半，那便是现场的状况。陈尸的房间并无照明设备，白天还好，但一到晚上，里面便漆黑一片。对面建筑物的灯光只会为室内带来微弱的光线，亮度大约是眼睛适应后能辨识对方长相的程度，而且对面建筑物七点半熄灯。若文代事先准备好手电筒，就实际环境而言也有可能行凶。只是考虑到桐原的心理，在那种情况下，很难想象他会毫无戒心。

虽然文代形迹可疑，但警方不得不承认，她下手的可能性极低。

当西本文代的嫌疑逐渐减轻的同时，其他调查人员得到了关于桐原当铺的新线索。依名册对最近上门的顾客进行调查，发现桐原洋介遇害当天傍晚，有人来到桐原当铺。

那是一名妇人，她住在巽——大江南边数公里的一个地方。这名独居的中年妇人自前年丈夫病故后便经常光顾桐原当铺。她之所以选择离家有段距离的店铺，据说是不希望进出当铺时被熟人撞见。她在命案发生的星期五当天，带着以前与丈夫一起购买的对表，于下午五点半左右来到桐原当铺。

这妇人说，当铺虽在营业中，门却上了锁。她按了呼叫铃，却无人回应。她无可奈何地离开当铺，到附近市场购买晚餐的食材，此后在回家路上，再度前往桐原当铺。当时约为六点半，但那时门依旧上锁。她没再按铃，死心回家。三天后，对表在别家当铺变现。她没有订报，直到接受调查人员访查，才知道桐原洋介遇害一事。

这些信息自然使搜查本部转而怀疑桐原弥生子与松浦勇，他们曾供称当天营业至晚上七点。

于是，笹垣、古贺和另外两名刑警再度前往桐原当铺。

看店的松浦双眼圆睁："请问究竟有什么事？"

"请问老板娘在吗？"笹垣问。

"在。"

"可以麻烦你叫她一下吗？"

松浦露出惊讶的表情，将身后的格子门拉开一点："警察来了。"

里面传出声响，格子门开得更大了，身穿白色针织上衣与牛仔裤的弥生子走出来。她皱着眉望向刑警们。"有什么事？"

"可以耽误你一点时间吗？有事想请教一下。"笹垣说。

"可以是可以……什么事呢？"

"想请你跟我们一道出去一下。"一名刑警说，"到那边的咖啡馆，不会花太多时间。"

弥生子的表情略显不悦，但仍回答"好"，随后穿上凉鞋，怯怯地瞄了松浦一眼。笹垣将这些都看在眼里。

那两名警察带着弥生子离去。他们一出门，笹垣便靠近柜台："我也有事想请教松浦先生。"

"什么事？"松浦脸上虽然带着友善的笑容，却显得有所防备。

"命案那天的事。我们调查之后发现，有些事与你的话互相矛盾。"笹垣故意说得很慢。

"矛盾？"松浦的笑容看起来有点僵了。

笹垣说出住在巽的女顾客的证词，松浦听着听着，脸上的微笑完全消失了。

“这是怎么回事？贵店一直营业到七点，可是有人说五点半到六点半之间，店门上了锁。这怎么说都很奇怪，不是吗？”笹垣直视着松浦的眼睛。

“呃，那时候，”松浦双臂抱胸，说了这句话之后啪的一下双手互击，“对了！是那时候！我想起来了。我进了保险库。”

“保险库？”

“在里面的保险库。我想我曾说过，客人寄放的物品，特别贵重的我们都放在那里。等一下你们看过之后就知道，那就像座有锁的坚固仓库。我想确认一些事情，就到里面去了。在那里面有时会听不见呼叫铃。”

“像这种时候，都没有人看店吗？”

“平常有老板在，但那时只有我一个人，就把门锁了。”

“老板娘和她儿子呢？”

“他们都在客厅。”

“既然这样，他们俩一定都听到呼叫铃了吧？”

“哦，这个……”松浦半张着嘴，沉默了几秒才说，“他们是在里面的房间看电视，可能没听到。”

笹垣望着松浦颧骨凸出的脸，向古贺说：“你去按一下铃。”

“好。”古贺走到门外。蜂鸣声旋即在头顶响起，声音可以用略显刺耳来形容。

“声音很大嘛。”笹垣说，“我想，就算看电视再专注，也不可能听不到。”

松浦的表情变了，却扭曲着脸露出了苦笑。“老板娘向来完全不碰生意。即使有客人来，她也很少招呼，小亮也从来不看店。那时他们也许听到了蜂鸣声，但置之不理。”

“哦，置之不理啊。”

不管是那个叫弥生子的女人，还是那个叫亮司的男孩，的确都不像会帮忙照料店里生意的样子。

“请问警察先生，你们在怀疑我吗？你们好像在说是我杀了老板……”

“没事没事，”筐垣挥挥手，“一旦发现有矛盾，不管是什么鸡毛蒜皮的小事都得调查清楚，这是我们办案的基本要求。如果你们能明白这一点，我们就好办事了。”

“是吗？不过，不管警方怎么怀疑，我都无所谓。”松浦露出泛黄的牙齿，挖苦地说。

“也说不上怀疑，不过最好还是有明确的证据可以证明。那么，那天六点到七点之间，有没有什么可以证实你的确在店里？”

“六点到七点……老板娘和小亮可以当证人，这样不行吗？”

“所谓的证人，最好是完全无关的人。”

“这种说法，简直是把我们当共犯！”松浦怒目圆睁。

“刑警必须考虑所有的可能性。”筐垣淡淡地回应。

“笑死人了！杀了老板对我又没有什么好处。老板虽然在外面挥霍无度，可是根本没有什么财产。”

筐垣没有作答，只是微笑以对，心想让松浦一气之下多漏点口风也不错，但松浦却没有再多说什么。

“六点到七点？如果是通电话算不算？”

“电话？和谁？”

“公会的人，讨论下个月聚会的事。”

“电话是松浦先生打过去的？”

“这个嘛，不是，是他们打过来的。”

“几点？”

“第一个是六点，差不多过了三十分钟又打了一次。”

“打了两次？”

“是的。”

笹垣在脑海里整理时间轴。若松浦所言属实，那么六点到六点半左右他便有不在场证明。他以此为前提，思考松浦行凶的可能性。

很难，他得出这个结论。

笹垣问了公会来电者的姓名和联系方式，松浦拿出名片夹寻找。就在这时，楼梯的门开了。稍微打开的门缝中露出了男孩的脸。

发现笹垣的视线，亮司立刻把门关上，随后传来快步上楼的脚步声。

“少东家也在啊。”

“咦？哦，刚刚放学回来了。”

“我可以上去一下吗？”笹垣指着楼梯。

“去二楼？”

“嗯。”

“这个……我想应该没什么关系吧。”

笹垣吩咐古贺：“抄完公会联系方式，请松浦先生带你看看保险库。”然后开始脱鞋。打开门，抬头看向楼梯，昏昏暗暗的，充满像是涂墙灰泥的气味，木质楼梯的表面多年来被袜子磨得又黑又亮。笹垣扶着墙，小心翼翼地上楼。

来到楼梯尽头，两个房间隔着狭窄的走廊相对，一边是和式拉门，一边是格子门。走廊尽头也有道门，但多半不是储藏室就是卫生间。

“亮司君[①]，我是警察，可以问你几个问题吗？”笹垣站在走廊上问道。

等了一会儿没有回应。笹垣吸了一口气，准备再次询问，忽听咔

①在日本，“君”可用在姓名后，多用于长辈对晚辈男性、同辈男性之间、对小男孩的称呼。

嗒一声从拉门那边传来。

笹垣打开拉门。亮司坐在书桌前，只看得到他的背影。

“可以打扰一下吗？”笹垣走进房间。那是间六叠大小的和室，房间应是面向西南，充足的日光从窗户洒进来。

“我什么都不知道。”亮司背对着他说。

“没关系，不知道的事说不知道就是，我只是作为参考。我可以坐这里吗？”笹垣指着榻榻米上的坐垫。

亮司回头看了一眼，回答说：“请坐。”

笹垣盘腿坐下，抬头看着坐在椅子上的男孩。“你爸爸的事……真的很可怜。”

亮司没有回应，还是背对着笹垣。

笹垣观察了一下室内，房间整理得算是相当干净。就小学生的房间而言，甚至给人有点冷清的感觉。房内没有贴山口百惠或樱田淳子的海报，也没有装饰超级跑车图片。书架上没有漫画，只有百科全书、《汽车的构造》《电视的构造》等儿童科普书籍。

引起笹垣注意的是挂在墙上的画框，里面是剪成帆船形状的白纸，连细绳都一根根精巧细致地表现出来。笹垣想起在游园会上见过的剪纸工艺表演，但这个作品精致得多。“这个真棒！是你做的吗？”

亮司瞄了画框一眼，微微点头。

“哦！”笹垣发自心底地惊叹一声，“你的手真巧，这都可以拿去展售了。”

“请问你要问我什么问题？”亮司似乎没有心情与陌生中年男子闲聊。

“说到这个，”笹垣调整了坐姿，“那天你一直在家吗？”

“哪天？”

“你爸爸去世那天。”

“哦……是啊，我在家。”

“六点到七点你在做什么？”

“六点到七点？”

“嗯，不记得了？”

男孩歪了歪头，然后回答：“我在楼下看电视。”

“你自己一个人？”

“跟妈妈一起。”男孩的声音始终没有一丝畏惧。

“哦。”笹垣点点头，“不好意思，你可以看着我这边讲话吗？”

亮司呼了口气，慢慢把椅子转过来。笹垣想，他的眼神一定充满叛逆。然而，男孩低头看警察的目光中却没有那种味道。他的眼神甚至可以用无机质来形容，也像是正在进行观察的科学家。他是在观察我吗？笹垣有这种感觉。

“是什么电视节目？”笹垣刻意以轻松的口吻询问。

亮司说了节目的名称，那是一出针对男孩观众的连续剧。笹垣问了当时播映的内容，亮司沉默了一会儿后才开口。他的说明非常有条理，简洁易懂。即使没看过那个节目，也能理解大致的内容。

“你看到几点？”

“大概七点半吧。”

“然后呢？”

“跟妈妈一起吃晚饭。”

“这样啊。你爸爸没回来，你们一定很担心吧。”

“嗯……”亮司小声地回答，然后叹了一口气，看着窗户。受他的影响，笹垣也看向窗外，黄昏的天空是红色的。

“打扰你了，好好用功吧。”笹垣站起来，拍了拍他的肩膀。

笹垣与古贺回到搜查本部，和侦讯弥生子的警察两相对照，并没有在弥生子与松浦的陈述中发现重大矛盾。如同松浦所说，弥生子也声称女客人来的时候，自己在里面和亮司一起看电视。她的说法是也许曾听到呼叫铃，但她没有印象，接待客人不是她的工作，便也没把这事放在心上。还说，她不知道自己看电视的时候松浦在做些什么。另外，弥生子描述的电视节目内容也和亮司所说大致相同。

如果只有弥生子和松浦两个，要事先串供并不难。但是当死者之子亮司也在内，就另当别论了。或许他们说的是实话——这种气氛在搜查本部内越来越浓。

这件事很快便得到证明。松浦所说的电话经过确认，的确是当天六点、六点半左右打到桐原当铺的。打电话的当铺同业公会干事证实，与他通话的人确实是松浦。

调查再度回到原点，以桐原当铺的常客为主，继续进行基本排查工作。时间无情地流逝。职棒方面，读卖巨人队达成中央联盟九连霸。江崎玲於奈因发现了半导体的穿隧效应而获得诺贝尔物理学奖。同时，受中东战争影响，日本原油价格逐渐高涨。全日本笼罩着风雨欲来的态势。

当调查人员开始感到焦躁的时候，搜查本部获得了一条新线索，是由调查西本文代的刑警找出的。

6

入口装了白木条门的菊屋是一家清爽整洁的乌冬面店。店门挂着深蓝色的布条，上面用白字写着店名。生意颇为兴隆，不到中午便有客人上门，过了一点，来客依然络绎不绝。

到了一点半，一辆白色小货车停在离店门稍远处。车身以粗黑体漆了“扬羽商事”的字样。

一个男子从驾驶座下车，他身穿灰色夹克，体形矮壮，年龄看上去约四十岁。夹克里穿着白衬衫，打领带。他略显匆促地走进菊屋。

“消息果然没错，真的在一点半左右现身了。”筵垣看着手表，佩服地说。他在菊屋对面的咖啡馆，从那里可以透过玻璃眺望外面。

“还有个附带消息，他正在里面吃天妇罗乌冬面。”说话的是坐在筵垣斜对面的刑警金村。他微笑着，清楚地露出嘴里缺了一颗门牙。

“哦，亏他吃不腻。”筵垣将视线转回菊屋。提到乌冬面让他饿了起来。

西本文代虽有不在场证明，但她的嫌疑并未完全排除。由于桐原洋介生前最后见到的是她，搜查本部始终对她存疑。若她与桐原命案有关，首先想到的便是她必然有共犯。守寡的文代是否有年轻的情夫——警察们以此推论为出发点撒下调查网，网住了寺崎忠夫。寺崎以批发贩卖化妆品、美容用品、洗发精与清洁剂等为业。不仅批发给零售店，也接受客人直接下单，并且亲自送货。公司虽叫扬羽商事，但并无其他员工。

警察之所以会盯上寺崎，出于在西本文代住的吉田公寓附近打听出的闲话。附近的主妇几度目击驾驶白色小货车的男子进入文代的住所。该名主妇说，小货车上似乎写了公司名字，只是她并未仔细端详。警察持续在吉田公寓附近监视，但传闻中的小货车一直没有出现。后来，在另外一个地方发现了疑似车辆。每天到文代工作的菊屋吃午饭的男子开的便是白色小货车。从扬羽商事这个公司名称，立刻查明了男子的身份。

“啊，出来了。”古贺说。

寺崎踱出菊屋，但并没有立刻回到车上，而是站在店门口。这也和金村等人的报告相同。不久，围着白色围裙的文代从店里出来。和寺崎说了几句话之后，文代返回店内，寺崎走向汽车，都没有表现出在意旁人目光的样子。

“好，走吧。”在烟灰缸中摁熄了和平牌香烟，笹垣站起身。

寺崎刚打开车门，古贺便叫住了他。寺崎惊讶得双眼圆睁，接着又看到笹垣和金村，表情都僵了。警察提出问话的要求，寺崎相当配合。问他是不是要找家店坐，他说在车里更好。于是，四人坐进了小货车。寺崎坐驾驶座，前座是笹垣，后座是古贺与金村。

笹垣首先问他是否知道大江发生当铺老板命案，寺崎目视前方点头。“我在报纸和电视上看到了。但是，这件命案跟我有什么关系？”

“遇害的桐原先生最后出现的地方便是西本太太的住处。你认识西本太太吧？”

看得出寺崎咽了一口唾沫，他正在思考应该如何回答。“西本太太……你是说，在那家乌冬面店工作的女人？对，我算是认识她。”

“我们认为，西本太太可能跟命案有关。”

“西本太太？别傻了。”寺崎露出仅有嘴角上扬的笑容。

“哦，很傻吗？”

“当然，她怎么可能跟那种命案有关。”

“你们的交情只不过算是认识，你却这么帮西本太太说话啊。”

“我并没有帮她说话。”

“有人经常在吉田公寓旁看到白色小货车，还说驾驶员经常进出西本太太家。寺崎先生，那就是你吧？”

笹垣的话显然让寺崎狼狈不已。他舔舔嘴唇，说：“我是为了工作才去找她的。”

“工作？”

“我是把她买的东西送过去，像化妆品和清洁剂之类的，就这样而已。”

“寺崎先生，别再说谎了。这种事一查马上就知道。目击者说，你去她那里相当频繁，不是吗？化妆品和清洁剂有必要那么常送吗？”

寺崎双臂抱胸，闭上眼睛，大概是在思考该怎么回答。

“我说寺崎先生，你现在说谎，这个谎就得一直说下去。我们会继续牢牢监视你，直到你跟西本太太见面。这样你怎么处理？你一辈子不跟她见面了吗？你办不到吧？请说实话，你跟西本太太的关系不寻常吧？”

寺崎还是沉默了一段时间。笹垣不再说话，要看对方如何反应。

寺崎吐了一口气，睁开眼睛。“我想这应该没什么关系吧，我单身，她老公也死了。”

“可以解释成男女关系？”

“我们是认真交往的。”寺崎的声音有点尖锐。

“从什么时候开始？”

“连这个都非说不可吗？”

“不好意思，作个参考。”笹垣露出和气的笑容。

“大概是半年前。”寺崎板着脸回答。

“什么机缘下开始的？”

“没什么特别的机缘。在店里常碰面，就熟了，如此而已。”

“西本太太是怎么跟你说桐原先生的？”

“只说他是她经常光顾的当铺老板。”

“西本太太跟你提过他常到她家去吗？”

“她说他去过几次。”

“听到她这么说，你怎么想？”

笹垣的问题让寺崎不悦地皱起眉头：“什么意思？”

“你不认为桐原先生别有居心吗？”

“想那些又有什么用？文代小姐又不可能理会他。”

“但是，西本太太似乎受到桐原先生不少照顾，说不定也接受他金钱方面的资助。这么一来，要是对方强行逼迫，不是很难拒绝吗？”

“这事我从来没听说过。请问你到底想说什么？”

“我们依常理推论，有个男人经常出入和你交往的女子家，这女子因为经常受到他的照顾，不能随便敷衍。后来男人得寸进尺逼迫她，她的男友要是知道这种状况，一定相当生气吧？”

“所以我一时气昏了头，就杀人，对吗？请别胡说八道了，我没那么蠢。”寺崎扯高嗓门，震动了狭小的车内空间。

“这纯粹只是猜想，要是让你心里不爽快，我很抱歉。对了，这个月十二日星期五下午六点到七点，你在哪里？”

“调查不在场证明吗？”寺崎气得眼角都吊了起来。

“是啊。”筐垣对他笑。因为警匪片走红，“不在场证明”一词也成了一般用语。

寺崎取出小小的记事本，打开日程那一栏。“十二日傍晚在丰中那边，因为要送东西给客人。”

“那是几点呢？”

“我想，到那边差不多是六点整。”

如果这是事实，那么他便有不在场证明。这个也落空了，筐垣想。“那么，你把货交给客户了？”

“没有，不巧跟客人错过了。”寺崎突然含糊起来，“对方不在家，我便把名片插在玄关门上就回来了。”

“对方不知道你要过去吗？”

“我以为联系好了。我事先打电话说十二日要过去，可是好像没有联系好。”

“这么说，你谁也没有见到就回来了，对吗？”

“不错，不过我留下了名片。”

筐垣一边点头，一边思索，这种事在事后怎么布置都行。向寺崎问过他拜访的客人的住址与联系方式后，笹垣让他离开。

回搜查本部汇报后，中冢照例问笹垣的印象。

“一半一半吧。”笹垣如实回答，“没有不在场证明，又有动机。要是和西本文代联手犯案，应该可以顺利进行。只是有一点比较奇怪：如果他们真的是凶手，那他们后来的行动也太过轻率了。一般应该会认为在命案风头过去前，尽量不要接触才对。可是寺崎却和之前一样，一到中午就到文代工作的店里去吃乌冬面。这一点我想不明白。”

中冢默默地听部下的话。两端下垂紧闭的嘴唇证明他认同这个意见。

警方针对寺崎展开了彻底调查：他独自住在平野区的公寓，结过婚，于五年前协议离婚。客户对他的评价极佳——动作利索，任何强人所难的要求都会照办，价格还很低。对零售店老板而言，他是求之不得的供货商。当然，并不能因此就认定他不会犯下杀人案。不如说，因为他的生意只能勉强支撑，挖东墙补西墙的经营状态反而引起警方的注意。

“我想桐原缠着文代不放，固然引起他的杀机，而当时桐原身上的一百万元，也极有可能让他眼红。”调查寺崎经营状况的警察在调查会议上如此分析，获得了绝大多数人的同意。

经过确认，证实寺崎没有不在场证明。调查人员到他宣称留下名片的人家调查，查出该户人家当天外出拜访亲戚，直到晚上将近十一点才返回。玄关门上的确夹了一张寺崎的名片，但无法判断他何时前来。此外，该户主妇对于十二日是否与寺崎有约的问题，回答：“他说会找时间过来，可是我不记得跟他约好十二日。”她甚至还加了这么一句话：“我记得我在电话里跟寺崎先生说过，十二日我不方便。”

这一句证言具有重大意义。寺崎可能明知该户人家出门不在，却于犯案后前往该处留下名片，意欲制造不在场证明。

调查人员对寺崎的怀疑，可说是到了几近黑色的灰色地带。

然而，警方没有任何物证。现场采集的毛发当中，没有任何一项与寺崎一致。此外没有指纹，也没有有力的目击证言。假如西本文代与寺崎是共犯，两人应该会有所联系，却也没有发现这样的形迹。有些经验老到的警察主张先行逮捕再彻底侦讯，也许凶手会招供，但这种情形下，警方实在无法申请逮捕令。

7

在毫无进展的状况下，一个月过去了。多日留宿办案的搜查本部成员渐渐开始回家，笹垣也泡进了睽违已久的自家浴缸。他和妻子两人住在近铁八尾站前的公寓，妻子克子比他年长三岁，两人没有孩子。

睡在自家被窝里的翌日早上，笹垣被一阵声音吵醒，克子正忙着更衣，时钟的指针刚过七点。

“这么早，忙什么啊？要去哪里？”笹垣在被窝里问。

“啊！抱歉，吵醒你了。我要去超市买东西。”

“买东西？这么早？”

“不这么早去排队，可能会来不及。”

“来不及……你到底要买什么？”

“这还用问吗？当然是卫生纸呀。”

“卫生纸？”

“我昨天也去了。规定一人只能买一条，其实我很想叫你一起去。”

“买那么多卫生纸干吗？”

“现在没空跟你解释，我先出去了。”穿着开襟羊毛衫的克子拿起钱包匆匆出门。

笹垣一头雾水。最近满脑子都是办案、调查，对世上发生了什么事几乎毫不关心。供油吃紧的事他是听说了，但他不明白为什么要去买卫生纸，还得一大早去排队。等克子回来再仔细问她好了，他心里这么想，再次闭上眼睛。不一会儿，电话铃响了。他在被窝里翻个身，伸手探向放在枕边的黑色电话。头有点疼，眼睛也有些睁不开。“喂，笹垣家。”

过了十几秒，他整个人从被窝里弹了起来，睡意登时消失无踪。

那个电话是通知他寺崎忠夫死亡的消息。

寺崎死在阪神高速公路大阪守口线上。转弯的角度不够，撞到护墙上，是典型的行驶中精神不济所致。当时他的小货车上载有大量肥皂和清洁剂。后来笹垣才知道，继卫生纸之后，民众也开始抢购囤积这类商品，因为顾客想多进一点货，寺崎不眠不休地到处张罗。

笹垣等人到寺崎的住处进行搜索，试图寻找杀害桐原洋介的相关物证，但无法否认，那是一次令人备感徒劳的行动。即使有所发现，凶手也已不在人世。

不久，一名警察自小货车车厢内发现重大物证——登喜路打火机，长方形，棱角分明。所有搜查本部成员都记得，同样的东西从桐原洋介身边消失了。然而，这个打火机上却没有验出桐原洋介的指纹。准确地说，上面没有任何人的指纹——似乎用布或类似东西擦拭过。

警方让桐原弥生子察看那个打火机，但她迷惑地摇头，说，东西虽像，但无法肯定就是同一个。

警方叫来西本文代再度侦讯。刑警心急如焚，想尽方法逼她承认。审讯官甚至不惜说出一些话，暗示那个打火机确实为桐原所有。

“再怎么想，寺崎有这种东西实在奇怪。不是你从被害人身上偷来给寺崎，就是寺崎自己偷的，只有这两种可能。到底是哪一种？说！”

审讯官让西本文代看打火机，逼她招认。

但西本文代一再否认，态度没有丝毫动摇。寺崎的死讯应该让她受到不小的打击，但从她的态度中却感觉不出一点迟疑。

一定是哪里弄错了，我们走上了一条完全错误的路——旁观侦讯过程的笹垣这么想。

8

看着体育新闻版，田川敏夫回想起昨晚的比赛，恶劣的情绪再度涌上心头。读卖巨人队输了也无可奈何，问题是比赛的经过。

在关键时刻，长岛又失灵了。向来支撑着常胜军巨人队的第四棒击球手，整场始终表现平平，让观众看得心头火起。在最需要他的时候一定不负众望，这才是长岛茂雄！即使挥棒被接杀，也会挥出让球迷心满意足的一棒，这才是人称“巨人先生”的本事啊！

但这个赛季却很反常。

不，两三年前就出现了前兆，但田川不想接受残酷的事实，才一直故意视而不见，告诉自己这种事不可能发生在巨人先生身上。然而看到现在的状况，即使自孩提时代便是长岛迷的田川，也不得不承认任谁都有老去的一天，再了不起的著名选手，总有一天也必须离开球场。

看着被三振出局的长岛皱着眉头的照片，田川想，也许就是今年了。虽然赛季刚开始，但照这种势头，不到夏天，大家应该就会开始对长岛退役一事议论纷纷。若巨人无法夺冠，事情可能会成为定局，田川有不祥的预感，今年要夺冠大概很难。巨人队去年虽以压倒性气势创下九连霸的辉煌纪录，但很难不察觉到整支球队开始出现疲态，长岛就是象征。

随意浏览过中日龙队赢球的报道后，他合上报纸。看看墙上的钟，下午四点多了。今天大概不会有人来了，他想。发薪日之前，不太可能有人来付房租。

打哈欠的时候，他看到贴了公寓告示的玻璃门后面有个人影。看脚就知道不是成年人。人影穿着运动鞋，田川想，大概是放学回家的小学生为了耗时间，站在那里看告示。但是几秒钟后，玻璃门开了。衬衫外套着开襟毛衣的女孩，露出一张怯生生的脸蛋，一双大眼睛令人联想到名贵的猫咪，给人深刻的印象，看样子是小学高年级的学生。

“有什么事呢？”田川问，连自己都觉得声音很温柔。如果来人是附近常见的那种浑身肮脏又贼头贼脑的小鬼，他的声音可是冷漠得很，和现在不可同日而语。

“您好，我姓西本。”她说。

“西本？哪里的西本？”

“吉田公寓的西本。”她口齿清晰，这在田川耳里听来也很新奇。他认识的小孩净是些说起话来使他们低劣的头脑和家教无所遁形的家伙。

“吉田公寓……哦。”田川点点头，从身边的书架上抽出档案夹。吉田公寓住了八户人家，西本家承租的一〇三室位于一楼正中。田川确认西本家已经两个月没付房租，是该打电话催了。“这么说，”他的目光回到眼前的女孩身上，“你是西本太太的女儿？”

“是的。”她点头。

田川看了看入住吉田公寓的住户登记表。西本家的户主是西本文代，同住者一人，为女儿雪穗。十年前入住的时候还有丈夫秀夫，但不久便亡故了。“你是来付房租的吗？”田川问。西本雪穗垂下视线，摇摇头。田川想，我就知道。“那么，你有什么事呢？”

“想请您帮忙开门。”

“开门？”

“我没有钥匙，回不了家，我没有带钥匙。”

“哦。”田川总算明白她要说什么了，“你妈妈锁了门出去了吗？”

雪穗点头，低头抬眼的表情蕴含的美艳令人忘记她是个小学生，霎时间田川不禁为之心动。“你不知道妈妈到哪里去了？”

“不知道。我妈妈说她今天不会出去……所以我没带钥匙就出门了。”

“嗯。”田川想，该怎么办呢？看了看钟，这个时间要关店太早了。身为店主的父亲昨天便去了亲戚家，要到晚上才会回来。但总不能把备用钥匙直接交给雪穗。使用备用钥匙时必须有田川不动产的人在场，他们与公寓所有权人的契约当中有这一条。等一下你妈妈就回来了——若在平常他会这么说，但看着雪穗一脸不安地凝视着他，要说出这种袖手旁观的话变得很困难。

“既然这样，我去帮你开门好了。你等我一下。”他站起来，走近收放出租住宅备用钥匙的保险箱。

从田川不动产的店面走到吉田公寓大约需要十分钟。田川敏夫看着西本雪穗苗条的背影，走在草草铺设的小巷里。雪穗没有背小学生书包，而是提着红色塑料手提书包。每动一下，她身上便传出叮当作响的铃声。田川对于那是什么铃铛感到好奇，用心去看，但从外表看不出来。仔细观察她的穿着，绝非富裕家庭的孩子。运动鞋鞋底已磨损，毛衣也挂满毛球，好几个地方都开线了，格子裙也一样，布料显得相当旧。

即使如此，这女孩的身上仍散发出一种高雅的气质，是田川过去鲜有机会接触的。他感到不可思议，这是为什么呢？他和雪穗的母亲很熟，西本文代是个阴郁而不起眼的女人，而且和住在这一带的人一样，一双眼睛隐隐透露粗鄙的念头。和那样的母亲同吃同住，却出落得这般模样，田川不由得感到惊讶。“你念哪所小学？”田川在后面问。

“大江小学。”雪穗没有停下脚步，稍微回过头来回答。

“大江？哦……”他想，果然。本区几乎所有孩子都上大江这所公立小学，该校每年都会有几个学生因为顺手牵羊被逮到，几个学生因为父母连夜潜逃而失踪。下午经过时会闻到营养午餐剩菜剩饭的味道，一到放学时间，便有一些来路不明的可疑男子推着自行车出现，想拐骗小朋友的零用钱。只不过，大江小学的小朋友可没有天真到会上这些江湖骗子的当。

依西本雪穗的气质，田川实在不认为她会上那种小学，故而才有此一问。其实只要想一想，就知道凭她的家境，她不可能上私立学校。他想，她在学校里一定与别人格格不入。

到了吉田公寓，田川站在一〇三室门前，先敲了敲门，然后叫“西本太太”，但无人回应。“你妈妈好像还没回来。”他回头对雪穗说。

她轻轻点头，身上又传出了叮当的铃声。

田川把备用钥匙插进钥匙孔，向右拧，听到咔嗒一声开锁的声音。就在这一瞬间，一种异样的感觉向他袭来，不祥的预感掠过他心头。但他不予理会，直接转动把手，打开门。田川刚踏进房间，便看到一个女人躺在里面的和室里。女人穿着淡黄色毛衣和牛仔裤，横卧在榻榻米上。看不清楚长相，但应该就是西本文代。

搞什么，明明在家嘛……刚想到这里，他闻到一股怪味。

“煤气！危险！”他伸手制止身后想进门的雪穗，捂住口鼻，随后立刻转头看就在身边的流理台。煤气炉上放着锅，开关开着，炉上却没有火。

他屏息关上煤气总开关，打开流理台上方的窗户，再走进里面的房间，一边瞄着倒在矮桌旁的文代，一边打开窗户，然后把头探出窗外，大口深呼吸。脑袋深处感觉麻木。

他回头看西本文代，她脸色发青，肌肤完全感觉不到生气。没救了——这是他的直觉。

房间角落里有一部黑色电话，他拿起听筒，开始拨号。但是，这一刻，他犹豫了。要打一一九吗？不，还是应该打一一〇吧……[①] 他脑中一片混乱。除了病死的祖父之外，他没见过尸体。拨了一、一之后，他犹豫着把食指伸进〇键。就在这时——

“死了吗？”从玄关传来声音。

一看，西本雪穗还站在脱鞋处。玄关的门开着，逆光让他看不清她的表情。“我妈妈死了吗？”她又问了一次，话里夹杂着哭声。

“现在还不知道。”田川把手指从〇移到九，拨动转盘。

①在日本，119既是火警也是急救电话，110是报警电话。

第二章

1

钟响过几分钟后，开始传来嘈杂的人声。

秋吉雄一右手拿着单反相机，弯腰向外窥探。果然，女学生成群结队地走出清华女子学园初中部正门。他把相机拿到胸前，逐一检视众多少女的脸孔。

他正藏身在一辆卡车的车厢上，卡车停在距离正门约五十米的路旁。这是个绝佳位置，因为放学时分，绝大多数清华女子学园的学生都会从他眼前经过，而且车厢上还蒙了布。对雄一来说，要达成今天的目的，没有比这里更理想的藏身之处了。如果可以顺利拍到照片，也不枉费他逃了第六节课跑来这里。

清华女子学园初中部的制服是水手服，夏天的制服是白底的，只有领子是浅蓝色，细褶的学生裙也是同一颜色。不知有多少女学生晃动着浅蓝色的裙摆，从躲在布后偷看的雄一眼前经过。其中有些少女脸蛋稚嫩得令人以为是小学生，也有些已经开始步入成熟女人的阶段。每当后者接近的时候，雄一都很想按下快门，但怕关键时刻底片不够，便强忍住。

以这样的姿势盯着路过的少女将近十五分钟后，他的眼睛找到了唐泽雪穗的身影，便急忙拿好相机，透过镜头追随她的动向。

唐泽雪穗照例和朋友并肩走在一起。她的朋友是个戴着金属框眼镜、瘦巴巴的女孩，下巴很尖，额头上有青春痘，加上皮包骨身材，雄一并不想把她当作拍摄的目标。

唐泽雪穗的头发略带棕色，发长及肩，发丝仿佛有一层薄膜包覆，绽放出耀眼的光泽。以自然的动作撩拨头发的手指非常纤细，身体也同样纤细，但胸部和腰部的曲线却女人味十足。她的仰慕者当中有不少人认为这是她最有魅力的地方。她那双令人联想到娇贵猫咪的眼睛看向身边的朋友，下唇稍厚的小嘴露出了可爱的笑容。

雄一调整好相机，等待唐泽雪穗接近。他想拍更贴近的特写镜头。他喜欢她的鼻子。

雄一的家是窄巷独栋住宅中最里边的一户。打开拉门，一进屋右边就是厨房。因为是三十多年的老房子，老旧的墙壁和柱子上吸附了大酱汤、咖喱等食物混杂而成的奇异气味。他讨厌这种气味，认为这是老街的味道。

“菊池来了哦。”雄一的母亲面向流理台，边准备晚餐边说。看她的手边，今晚显然又是炸马铃薯，雄一不由得感到厌烦。自从几天前妈妈的故乡送来一大堆马铃薯，餐桌上隔不到三天就一定会出现它。

上了二楼，菊池文彦正坐在五叠不到的房间正中看着电影介绍。那是雄一四天前去看的《洛基》的小册子。

“这部电影好看吗？”菊池抬起头来问雄一，介绍册正好翻到史泰龙的特写。

“很好看，挺感人的。”

“噢，每个人都这么说。”

菊池弓着背，回头盯着册子猛看。雄一知道他很想要，却默不作声，开始换衣服。那本册子不能给他，想要，自己去看电影就有了。

“可是电影票够贵的。”菊池冒出这么一句。

“嘿。”雄一从运动背包里拿出照相机放在书桌上，然后抱着椅背跨坐在椅子上。菊池是他的好朋友，但他不太喜欢和菊池提到钱的事。菊池没有爸爸，从穿着就看得出他过得很苦。自己家里至少有爸爸工作赚钱，这就该感到庆幸了。雄一的父亲是铁路公司的职员。

“又去照相了？”看到相机，菊池问道。他露出意味深长的笑容，应该知道雄一去拍什么。

“嘿。”雄一也以别有含意的笑容回应。

“拍到好照片了吗？”

“还不知道，不过，我很有把握。”

“这下又可以赚一笔了。”

“这能卖多少钱啊，材料也要花钱，扣掉有剩就不错了。”

“可是，有这种专长真好，真令人羡慕。”

“这算不上什么专长。连这台相机的用法我都还没搞清楚，只是随便拍、随便洗而已。再怎么说，这些都是别人给的。”

雄一现在的房间以前是他叔叔住的。叔叔的兴趣是摄影，拥有不少相机，也有简单的工具，能够冲洗黑白照片。叔叔结婚搬走时，把其中一部分留给了雄一。

“真好，有人给你这些东西。”

察觉菊池又要说一些艳羡忌妒的话，雄一不禁有点郁闷。他向来避免让话题转到那个方向，但菊池不知有意还是无意，经常主动提及与贫富有关的话题。但今天不同，菊池说：“上次，你不是给我看你叔叔拍的照片吗？”

“马路上的照片？”

“嗯，那个还在吗？”

“在啊。”

雄一把椅子转了一百八十度面向书桌，伸手去拿插在书架边缘的一本剪贴簿，那也是叔叔留下来的东西。里面夹着几张照片，全是黑白照，看起来都是在附近拍的。上星期菊池来玩的时候聊到摄影的事，雄一就顺手拿给他看。

拿到剪贴簿，菊池便十分热切地翻看起来。

“你到底要干吗？”雄一俯视着菊池微胖的身躯问。

“嗯，也没什么。”菊池没有正面回答，而是从剪贴簿里抽出一张照片，“这张照片可不可以借我？”

“哪张？”

雄一注视菊池手上的照片。拍的是路上，一对男女走在一条眼熟的小巷子里，电线杆上的海报随风飘动，随时会掉下来的样子，不远处的塑料水桶上蹲着一只猫。“你要这种照片干吗？”雄一问。

“嗯，我想拿去给一个人看。”

“给人看？谁？”

“到时候再告诉你。”

“哦。”

“借我啦，可以吧？”

“可以是可以，不过你也真奇怪。”雄一看着菊池，把照片递给他。菊池拿起照片，小心地放进书包。

当晚吃过饭，雄一便躲进房间冲洗白天拍的照片。要在房里冲洗照片，只要在充当暗房的壁橱里把底片放进专用容器，接下来的步骤便可以在明亮的地方进行。显像完成后，他从容器里取出底片，到一楼的洗脸台冲水。原本应当以流动的水冲泡一个晚上，但妈妈看到一定会唠叨，雄一对此再清楚不过。

冲到一半，雄一透过日光灯察看底片。确认唐泽雪穗头发的光泽呈现出清晰的阴影，他感到很满足。他有把握——没问题，顾客一定会满意。

2

就寝前写日记是川岛江利子多年来的习惯。她从升上小学五年级开始写，前后也快五年了。除此之外，她还有好几个习惯，例如上学前为院子里的树浇水，星期日早上打扫房间等等。不需要写什么戏剧性的大事，平铺直叙也无妨，这是江利子五年来学会的写日记要领。即使是一句“今天一如往常”亦无不可。但是，今天有很多事要写。因为放学后，她去了唐泽雪穗家玩。

她和雪穗初三时才同班。但是，她早在初一时就知道雪穗这个人了。透着聪慧的面容，高雅而无可挑剔的举止……从她身上，江利子感觉到一些自己与周遭朋友欠缺的东西，这种感觉可以称为憧憬。她一直想着，有没有什么办法可以和她成为朋友。

“你愿意和我交朋友吗？”

对此，唐泽雪穗没有丝毫惊异的模样，而是露出超乎江利子期待的笑容。“如果你不嫌弃的话，当然可以。”

江利子可以清楚感受到，对一个突然和她搭话的人，唐泽尽可能地展现了善意。而一直害怕对方不搭理的江利子，对这个微笑甚至感到激动。

“我是川岛江利子。”

“我是唐泽雪穗。”她缓缓说出姓名后，轻轻点了一下头。对自己所说的话确认似的点头，是唐泽的习惯，这一点江利子稍后才知道。

唐泽雪穗是一个比江利子私下爱慕想象的更加美好的“女性”。她富于感性，江利子觉得光是和她在一起，自己对许多事物便会有全新的认识。而且雪穗天生具有能让谈话非常愉快的才能。和她说话，甚至会觉得自己也变得能言会道。江利子经常忘记唐泽与自己同龄，在日记里经常以女性来形容她。

江利子为拥有这么出色的朋友感到骄傲，当然，想和她成为朋友的同学不在少数，她身边总是围绕着许多人。每当这时，江利子总不免有些忌妒，觉得好像自己的宝贝被抢走了。

但是，最令人不愉快的，莫过于附近初中的男生注意到雪穗，简直像追逐偶像般在她身边出没。前几天上体育课时，就有男生爬到铁丝网上偷看。他们一看到雪穗，嘴里就不干不净起来，几乎毫无例外。

今天也是，放学时有人躲在卡车车厢上偷拍雪穗。虽然只瞄到一眼，但看得出那是个满面痘痘、一脸不健康的男生，显然是那种满脑子下流妄想的人。一想到他可能会拿雪穗的照片来当他妄想的材料，江利子就恶心得想吐。但雪穗本人毫不介意。“不用理他们啦，反正他们要不了多久就会腻了。”然后仿佛故意要做给那个男生看似的，她做出拨头发的动作。

那个男生急忙举起相机的样子，江利子都看在眼里。“可是，你不觉得不舒服吗？没征求你的同意就乱拍。”

“是不舒服啊，可是要是生气去抗议，还得跟他们打交道，那才更讨厌呢。”

“那倒也是。”

“所以不要理他们就好了。”

雪穗直视前方，从那辆卡车前经过。江利子紧跟在她身旁，想尽量妨碍那个男生偷拍。

江利子便是随后说好要去雪穗家玩的。因为雪穗说前几天向她借的书忘了带，问她要不要去家里。书还不还无所谓，但她不想错过造访雪穗房间的机会，便毫不犹豫地答应了。

上了公交车，在第五站下车后走了一两分钟。唐泽雪穗的家位于幽静的住宅区。房子本身不算大，却是一栋高雅的日式房屋，有着小巧精致的庭院。

雪穗和母亲两人住在这里。进入客厅，她母亲出来了。看到她，江利子感到有些困惑。她是个长相和身段都很有气质、和这个家极为相配的人，但是年龄看起来足以当她们的祖母，而这个印象并非来自于她身上颜色素雅的和服。江利子想起最近听到的一些令人不愉快的传闻，与雪穗的身世有关。

"慢慢坐。"雪穗的母亲以安详的口吻说了这句话，便起身离开。她在江利子心中留下体弱多病的印象。

"你妈妈看起来好温柔哦。"只剩下她们俩时，江利子说。

"嗯，很温柔呀。"

"你家门口挂了里千家[1]的牌子呢！你妈妈在教茶道吗？"

"嗯，教茶道，也教花道。还有，应该也教日本琴吧。"

"好厉害哦！"江利子身子后仰，惊讶地说，"真是女超人！那，那些你都会喽？"

"我是跟着妈妈学茶道和花道。"

"哇！好好哦！可以上免费的新娘课程！"

"可是，相当严格哦。"雪穗说着，在母亲泡的红茶里加了牛奶，啜饮一口。

江利子也依样而为。红茶的味道好香，她想，这一定不是茶包冲

---

①日本抹茶道流派之一。自千利休（1522－1591）创千家茶道，至其孙宗旦后分为三家：里千家、表千家与武者小路千家。

泡的。

“喏，江利子，”雪穗那双大眼睛定定地凝视她，“那件事，你听说了吗？”

“哪件事？”

“就是关于我的事，小学时的事。”

突如其来的问题让江利子慌了手脚。“啊，呃……”

雪穗微微一笑。“你果然听说了。”

“不是的，其实不是那样，我只是稍微听到有人在传……”

“不用隐瞒，不用担心我。”

听她这么说，江利子垂下眼睛。在雪穗的凝视下，她无法说谎。

“是不是传得很凶呀？”她问。

“我想还好，应该没有多少人知道，跟我讲的那个同学也这么说。”

“可是，既然会出现这种对话，表示已经传到某种程度了。”

雪穗道出重点，让江利子无话可说。

“喏，”雪穗把手放在江利子膝上，“你听到的是什么内容？”

“内容啊，没什么大不了的，很无聊。”

“说我以前很穷，住在大江一栋脏兮兮的公寓里？”

江利子陷入沉默。

雪穗进一步问道：“说我亲生母亲死得很不寻常？”

江利子忍不住抬起头来：“我一点都不相信！”

或许是她拼命辩解的口气很可笑，雪穗笑了。“不必这么拼命否认呀，再说，那些话也不全是假的。”

“嗯？”江利子轻呼一声，转头看向好友，“真的吗？”

“我是养女，上初中时才搬来这里。刚才的妈妈并不是我的亲生母亲。”雪穗的语气很自然，没有故作坚强的样子，仿佛毫不在意一般。

“啊，这样啊。”

“我住过大江是真的，以前很穷也是真的，因为我爸爸很早就死了。还有一件事，我母亲死得很不寻常也是真的，那是我小学六年级时发生的事。”

“死得很不寻常……”

“煤气中毒，”雪穗说，“是意外去世。不过，曾经被怀疑是自杀，因为我家实在很穷。”

“哦。”江利子感到迷惘，不知该如何回应才好，但雪穗也不像揭露重大秘密的样子。当然，这一定是她体贴的习性，不想让朋友尴尬为难。

“现在的妈妈是我爸爸的亲戚，我以前偶尔会自己来玩，她很疼我。我变成孤儿，她觉得我很可怜，立刻收养我。她自己独居好像也很寂寞。”

“原来是这样啊，你一定吃了不少苦吧？”

“还好啦，不过，我认为我很幸运，因为我本来会进孤儿院的。”

“话是这么说……”

同情的话差点脱口而出，江利子把话咽了回去。她觉得，这时不管说什么，只会让雪穗瞧不起而已。她吃过的苦，一定不是无忧无虑地长大的自己所能体会的。但是，分明历经如此艰难的过去，雪穗又怎能如此优雅呢？江利子钦佩不已。或者正因为有这些体验，才让她从内而外散发出光芒。

“其他还说了我什么？”雪穗问。

“我不知道，也没问。”

“我想一定是一些没影的事。”

“没什么好在意的，那些乱传的人只是忌妒你。”

“我并不是在意，只是好奇，不知道这些话是谁传出来的。”

“不知道，反正一定是哪个长舌妇啦！”江利子故意说得很粗鲁，她想尽快结束这个话题。

江利子听到的传闻其实还包括另一则插曲，说雪穗的生母是某人的小老婆，那个男人被杀的时候，她母亲还被警方怀疑过。传闻还绘声绘色地添油加醋，说她母亲自杀是因为警方认定她是凶手。

这些话当然不能让雪穗知道，这一定是忌妒她受欢迎的人造的谣。

之后，雪穗把她最近热衷的拼布作品拿给江利子看，有坐垫套、单肩包等用品。色彩缤纷的碎布组合展现出雪穗的绝佳品位。其中只有一个尚未完成的作品用色有所不同，那个袋子看来是用来装小杂物的，用的全是黑色、蓝色等冷色系的布。“这种配色也不错呢。”江利子由衷称赞。

3

教语文的女老师目光只在课本与黑板之间来回。她在机械地上课的同时，似乎一心祈祷这地狱般的四十五分钟早点过去。她从不叫学生朗读课本，也不点学生回答问题。

大江初中三年级八班的教室内分成前后两个集团。多少还有点心想上课的人坐在教室的前半部，完全不想上课的人利用教室后半部的空间为所欲为。有人玩扑克和花纸牌，有人大声聊天，有人睡觉，不一而足。

老师们曾经训斥这些妨碍上课的学生，但随着时间流逝，他们便什么都不再说了。当然，原因在于老师深受其害。某位英文老师没收了学生上课时看的漫画，打学生的脑袋训诫，结果几天后遭人袭击，断了两根肋骨。这肯定是报复，但受到训斥的学生有不在场证明。还有一位年轻的数学女老师，看到一整排黑板粉笔槽里摆的东西后吓得惊声尖叫。粉笔槽里摆的是内含精液的保险套。在那之前不久，她说过一些批评不良学生的话。身怀六甲的她差点因为过度惊吓而流产。发生这件事后，她立刻办理停薪留职。大家都认为，在这届初三生毕业之前，她应该不会回来任教。

秋吉雄一坐在教室正中央的位置。在那里，他想上课时就能上课，也能够轻易加入妨碍的一方。他很喜欢这个可以视心情转换立场、有如墙头草般的位置。

牟田俊之进来的时候，语文课已经上了将近一半。他用力打开门，丝毫不在意他人的目光，大摇大摆地走向自己的座位——靠窗的最后一个。女老师似乎想说什么，目光追随着他，但看到他在椅子上坐下，还是继续上课。

牟田把两脚跷在桌子上，从书包里拿出色情杂志。“喂！牟田，你可别在这里打炮啊。”一个同伴说。牟田那张狰狞丑陋的脸上露出了阴森的笑容。

语文课一结束，雄一便从书包里拿出一个大信封，走近牟田。牟田两手插在口袋里，盘腿坐在桌上。他背对着雄一，雄一看不见他的表情。但是，从他同伴的笑脸推测，他的心情应该不错。他们正在聊最近流行的电子游戏，他听到“打砖块”这个词。他们今天大概又打算溜出学校，直奔电子游乐场吧。

牟田对面的男生看到了雄一，随着他的目光，牟田回过头。剃掉的眉根青青的，坑坑洼洼的脸上有两处凹陷的深处，是一双小而锐利的眼睛。

“这个。”说着，雄一把信封递出去。

“什么东西？”牟田问，声音很低沉，气息里夹杂着烟味。

“昨天我去清华拍的。”

牟田似乎明白了，戒备的神色从脸上退去。他一把抢走雄一手上的信封，看了看里面。

信封里装的是唐泽雪穗的照片，今天早上天还没亮，雄一就起床冲洗的自信之作。虽然是黑白照，但拍出来的东西能够看出肌肤和头发的颜色。

牟田以一副垂涎欲滴的表情看着照片，旋又抬头看雄一，一边脸颊挤出一个让人发毛的笑容。“拍得不错嘛。”

“不错吧？费了我好大一番心血。”看到顾客满意的样子，雄一松了口气。

“不过也太少了吧，只有三张？”

“我只先带你可能会喜欢的来。”

“还有几张？”

“还不错的有五六张。”

“很好，明天全部带来。”说着，牟田把信封放在身边，没有要还雄一的意思。

“一张三百,三张是九百。”雄一指着信封说。

牟田皱着眉头，从斜下方轻蔑地瞪着雄一，右眼下的伤疤显得更为凶悍。“钱等照片全部拿到再给，这样你没话说了吧？”他的口气充满威胁意味。雄一当然没话说，只说句“好啊”，便欲离去。

牟田却说“喂，慢着”，叫住了他。“秋吉，你知道藤村都子吗？”

“藤村？”雄一摇摇头，“不认识。”

“也是清华三年级的，跟唐泽不同班。”

“我不知道这个人。”雄一再度摇头。

“你去帮我拍她的照片，我出同样的价钱。”

“可我不认识她呀。”

“小提琴。”

“小提琴？”

“她放学后都会在音乐教室拉小提琴，看了就知道。”

“音乐教室里面看得到吗？”

“这种事你去看不就知道了。”说着，牟田一副交代完毕的样子，把脸转向同伴。

雄一知道这时候再多嘴会让牟田发怒，默默地离开了。

牟田从上学期开始注意清华女子学园初中部的女生，那所学校的女生以家境好、气质佳闻名。看来他们那些不良分子正流行追清华的女生，只不过到底有没有人如愿以偿，就不得而知了。

拍摄他们中意女生的照片，是雄一向牟田提议的，因为雄一听说他们想要那些女生的照片。雄一有他的原因，因为零用钱不足以让他继续摄影这个兴趣。

牟田一开始要他拍唐泽雪穗。雄一感觉牟田真的很喜欢雪穗，证据是即使照片拍得有点瑕疵，他也照单全收。正因如此，当他提出藤村都子这个名字的时候，雄一有点意外。也许是因为唐泽雪穗实在太高不可攀，所以转移了目标，雄一这么想。无论牟田喜欢的是谁，都与雄一无关。

午休时，雄一刚吃完饭，把空饭盒收进书包，菊池就来到他身边，手上还拿着一个大信封。

“你现在跟我一起到天台好不好？”

“天台？干吗？”

“就这个啊。”菊池打开信封口，里面放着昨天雄一借他的照片。

“哦。”雄一开始感兴趣，“好啊，我陪你去。”

“好，那走吧。”在菊池的催促下，雄一站起来。

天台上空无一人。不久前，这里还是不良学生聚集的地点，但校方发现这里有大量烟蒂，此后训导老师经常来巡视，便再也没人来了。

过了几分钟，楼梯间的门开了，出现的是雄一的同班男生。雄一知道他姓什么，但几乎没有和他说过话。他姓桐原，叫什么就不记得了。

其实不止雄一，他似乎和同学不相往来。无论做什么，他都不起眼，上课时也极少发言，午休和下课时间总是一个人看书。阴沉的家伙——这是雄一对他的印象。

桐原走到雄一和菊池面前站定，一一凝视他们。他的眼神透露出以前从未显现的锐利光芒，雄一陡然一惊。

“找我干吗？”桐原语气不悦，看样子是菊池找他来的。

“我有东西要给你看。”菊池说。

“什么？”

“就是这个。”菊池从信封里拿出照片。

桐原以提高警惕的模样靠近，接过黑白照片瞥了一眼，随即睁大眼睛。“这是什么？”

“我想，搞不好可以拿来当参考，”菊池说，“就是四年前的案子。”

雄一看着菊池的侧脸。四年前什么案子？

“你想说什么？”桐原瞪着菊池。

“你看不出来吗？这张照片上的人是你妈。”

“咦？”发出惊呼声的是雄一。桐原狠狠瞪他一眼，再度把锐利的目光转向菊池：“不是，那不是我妈。”

“怎么不是？你看清楚，明明就是你妈，跟她走在一起的是你家以前的店员啊。”菊池有点光火了。

桐原又看了一次照片，缓缓摇头。“我不知道你在说什么。反正，照片上的人不是我妈。你少胡说八道！”他说完把照片还给菊池，转身就要离开。

“这是在布施车站附近吧？离你家也很近。”菊池在桐原背后飞快地说，“而且，这张照片是四年前拍的，看电线杆上贴的海报就知道了，那是《无语问苍天》。”

桐原停下脚步，但似乎没有和菊池细谈的意思。“你真烦。”他稍稍扭过头来说，“跟你有什么关系？”

“我是好心才跟你说的。”菊池回了这句话，但桐原只瞪了他们俩一眼，便径直走向楼梯间。

“本来想说可以拿来当线索的。”桐原的身影消失后，菊池说道。

“什么线索？”雄一问，“四年前有什么案子？”

听到雄一这么问，菊池一脸不可思议地看着他，然后点点头。“也对，你跟他读的不是同一所小学，所以不知道那件案子。”

“到底是什么案子！”雄一不耐烦了。

菊池环顾四周之后才说：“秋吉，你知道真澄公园吗？在布施车站附近。”

“真澄公园？啊……”雄一点点头，“以前去过一次。”

“那个公园旁边有栋大楼，记不记得？说是大楼，其实盖到一半就停工了。”

“不太清楚，那楼怎么了？”

“四年前桐原的爸爸就是在那栋大楼里被杀的。”

“咦……”

“钱不见了，他们说应该是劫匪干的。那时候闹得多大啊！每天都有警察四处走来走去。”

“抓到凶手了吗？”

“警察怀疑一个男的可能是凶手，可什么都没查出来。因为那人死了。”

“死了？被杀了？”

“不不不，”菊池摇头道，“出了车祸。警察查他的东西，找到一个打火机，跟桐原他爸爸丢的一模一样。”

“哦，找到打火机，那一定是他干的嘛。”

“这就很难讲了。只知道是一样的打火机，又不能确定就是桐原他爸的。所以问题就来了。”菊池朝楼梯间瞄了一眼，压低声音说，“过了不久，开始有人在传。”

“传什么？”

“说凶手或许是他太太。”

“他太太？”

“就桐原他妈啊。有人说，他妈跟店员有一腿，嫌他爸碍事。”菊池说，桐原家是开当铺的，店员指的就是以前在当铺做事的男子。

但是，对雄一而言，虽然是朋友的叙述，却像听电视剧剧情一般，一点真实感都没有。“跟店员有一腿”这种话，听了也没感觉。“后来怎样？”雄一要他继续说下去。

“这传了很久。可是没什么根据，后来就不了了之，我也忘了。不过，这张照片，”菊池指着刚才的照片，“你看，后面是宾馆！这两个人一定是从宾馆出来的。”

“有这张照片，会有什么不同吗？”

“当然有！这是桐原他妈和店员搞外遇的证明啊！也就是说，他们有杀他爸的动机。我就是这样想，才拿照片给桐原看。”

菊池经常借阅图书馆的书，随口便能说出“动机”之类的字眼，多半是受惠于此。

“说是这样说，可是站在桐原的立场，他怎么会怀疑自己的妈妈呢？”雄一说。

“那种心情我能理解，可是，有时候不管多么不愿意承认，还是得把事情弄个水落石出，不是吗？”菊池极为热切地说完后，轻轻地叹了一口气，又道，“算了，我会想办法证明这张照片里拍的就是桐原他妈。这样，他就不能再装了。要是把这张照片拿去给警察看，他们一定会重新调查。我认识调查这件案子的警察，我要把照片拿去给那个大叔看。”

“你干吗对这件案子这么认真？”雄一觉得很纳闷。

菊池一边收照片，一边抬眼看他。“发现尸体的是我弟弟。”

“你弟弟？真的？”

“嗯。”菊池点头，“我弟跟我讲，我也跑去看。结果真的有尸体，我们才去告诉我妈，叫她报警。”

“是这样啊。”

“因为尸体是我们发现的，所以被警察问了好几次话。可是，警察问的不单单是发现尸体时的事。”

“什么意思？”

“警察想，被害人的钱不见了，照理是凶手拿的。但是，也有被第三方拿走的可能。”

“第三方……”

“听说发现尸体的人报警前先拿走值钱的东西，好像不是什么稀奇的事。”菊池嘴角露出冷笑，说，“不止这样，警察想得更多。自己杀了人，再叫儿子去发现尸体，这也有可能。”

“怎么会……”

“很扯吧，可这都是真的。就因为我们家穷，他们从一开始就用怀疑的眼光看我们。还有，因为我妈去过桐原他们店里，警察就不放过我们。”

“可是，嫌疑都洗清了吧？”

菊池哼了一声：“这不是重点。”

听了这些话，雄一不知道该说些什么才好，只是紧握着双手站在那里。就在这时，他们听到开门的声音，一个中年男老师从楼梯间走出来，眼镜后的双眼显得怒气冲冲。“你们在这里做什么？”

“没什么。”菊池冷冷地回答。

“你！那是什么？你拿着什么？”老师盯上菊池的信封，“给我！”

他似乎怀疑那是色情照片，菊池不耐烦地把信封交给老师。老师看了照片，眉间的力道霎时松开。看在雄一眼里，那反应有几分是脱了力，也有几分出乎意料。

“这是什么照片？”老师狐疑地问菊池。

“以前在路上拍的，我向秋吉借的。”

老师转向雄一：“真的吗？”

“真的。”雄一回答。

老师看看照片，又看看雄一，过了一会儿才把照片放回信封。“和课业无关的东西不要带到学校来。”

“知道了，对不起。”雄一道歉。

男老师看看他们四周的地面，大概是在查看有没有烟蒂，所幸没有找到。他没再说话，把信封还给菊池。

紧接着，午休结束的铃声响了。

放学后，雄一又来到清华女子学园。但是，他今天的目标不是唐泽雪穗。他沿着墙走了一段路。

他停下脚步，因为耳朵已经捕捉到了要找的声音——小提琴。

他观察四周，确认没人后毫不犹豫地爬上铁丝网。灰色的校舍就在眼前，雄一的前方就是一楼的窗户。窗户紧闭，窗帘却敞开着，里面的情形一览无余。

太好了！雄一在心中欢呼，这里就是音乐教室。

雄一改变身体的角度，探出头去。钢琴的另一头站着一个人，身穿水手服，拉着小提琴。

那就是藤村都子啊！

她看起来比唐泽雪穗娇小。是短发吧？他想看清楚她的长相，但教室光线很暗，玻璃窗的反射也阻碍了视线。正当他把脖子伸得更长的时候，小提琴的声音戛然而止。不仅如此，还看到她往窗边走来。

雄一面前的玻璃窗被打开了，一个一脸好强的女生直直地瞪着他。因为事出突然，他甚至来不及从铁丝网上爬下。

“害虫！”那个想必是藤村都子的女生大喊。有如被她的叫声压倒一般，雄一的手松开了。总算是双脚先着地，虽然一屁股跌在地上，但并未受伤。里面有人大声喊叫。糟了！快逃！雄一拔腿就跑。

直到逃离险境、松了口气的时候，他才意识到那个女生喊的是“害虫”。

4

每星期二、星期五晚上，川岛江利子都和唐泽雪穗一起上英文会话补习班。当然，她这是受到雪穗的影响。

上课时间从七点到八点半。补习班距离学校十分钟路程，但江利子习惯放学后先回家，吃过晚饭再出门。这段时间，雪穗去参加话剧社的练习。平常总是和雪穗形影不离的江利子，总不能到了初三才加入话剧社。

星期二晚上，补习结束后，两人像平常一样并肩走着。走到一半，来到学校旁时，雪穗说要打电话回家，便进了公共电话亭。江利子看了看手表，已经快九点了，这是她们在补习班教室里聊个没完的结果。

“久等了，”雪穗打完电话出来，“我妈妈叫我赶快回家。”

“那我们得加快脚步了。”

“嗯，要不要抄近路？”

“好啊。”

平常她们都会沿着有公交车行驶的大路走，现在两人转进小路。走这条路等于走三角形的第三边，可以节省不少时间。平常她们很少这么走，因为这里路灯昏暗，而且大都是仓库和停车场，少有住户。她们走到堆放着许多木材、看似木材厂仓库的建筑物前面。

“咦！”雪穗停下脚步，望向仓库的方向。

“怎么了？”

“掉在那里的，是不是我们学校的制服？”雪穗指着某个地方。

江利子顺着她指的方向看去，靠墙堆放的角材旁，有一块白布般的东西掉在那里。

“咦！是吗？”她歪着头，“不就是一块布吗？”

“不对，那是我们学校的制服。”雪穗走过去捡起那块白布，“你看，果然没错。”

她说得对，虽然破了，但的确是制服。浅蓝色的衣领正是江利子她们所熟悉的。“怎么会有制服掉在这里呢？”江利子说。

“不知道……啊！”正在查看制服的雪穗叫了一声。

“什么？”

“这个。”雪穗让她看制服的胸口部位。

名牌被安全别针别在那里，上面写着“藤村”。

江利子没来由地感到恐惧，只觉一阵战栗爬过背脊，一心只想立刻离去。

雪穗却拿着破了的制服四处张望。她发现旁边仓库有扇小门半掩着，大胆地往里面看。

“我们赶快回家吧！”江利子说这句话的时候，只听到雪穗尖叫一声，用手掩住嘴，踉跄倒退。

“怎么了？”江利子问，声音在颤抖。

"有人……倒在那里，可能已经死了。"雪穗说。

倒在地上的是清华女子学园初中部三年级二班的藤村都子，但并没有死。虽然双手双脚遭到捆绑，塞住嘴巴的布绑在脑后，而且已失去知觉，但获救之后她很快便恢复了意识。

发现她的是江利子和雪穗，救她的则另有其人。她们以为发现了尸体，报警之后不敢靠近仓库，两人握住对方的手，一个劲儿地发抖。

藤村都子上半身赤裸，下半身除了裙子，所有衣物都被脱掉，丢弃在她身旁。此外，还找到了一个黑色塑料袋。

火速赶来的救护人员将都子送上救护车，但以她的状况根本无法说话。即使看到江利子两人，她也没有任何反应，双眼空洞无物。

江利子和雪穗一同被带到附近的警察局，在那里接受了简单的侦讯。江利子第一次搭警车，但由于刚目睹藤村都子的惨状，实在无心兴奋。

对她们提出种种问题的，是一个将白发剃成五分平头的中年男子，看上去像个寿司店厨师，但身上散发出来的气质却截然不同。即使明知他顾虑她们的感受，已尽量表现得温和，他犀利的眼神还是让江利子有所畏惧。

警察的问题最后集中在她们发现都子的经过，以及对于事件是否有什么头绪。关于经过，江利子和雪穗不时互望对方，尽可能准确描述，警察似乎也没有发现疑点。但说到有没有头绪，她们两人却无法提供任何线索。由于夜路危险，学校向来劝导学生若因社团活动晚归，一定要结伴走公交车行经的大道，但实际上她们从未听说发生过意外。

"你们放学回家的时候，有没有见过奇怪的人，或是有谁在路边埋伏？不是你们自己遇到的也没关系，你们的朋友有没有类似的经历？"旁边的女警问道。

“我没有听说过这类事情。”江利子回答。

“不过，”在她旁边的雪穗说，“有人偷窥学校里的情况，或是等我们放学时偷拍，对不对？”她看着江利子，寻求赞同。

江利子点点头，她把他们忘了。

“是同一个人吗？”警察问。

“偷看的有好几个，拍照的人……我不知道。”江利子回答。

“但是，我想都是同一所学校的。”

“学校？是学生吗？”女警睁大了双眼。

“我想是大江初中的人。”雪穗说。她笃定的语气让江利子也有些惊讶地望着她。

“大江？你确定？”女警需要确认。

“我以前住在大江，认得出来。我想，那的确是大江初中的校徽。”

女警与中年警察对望一眼。“其他还记得什么？”

“如果是上次偷拍我的人，我知道他姓什么，那时候他胸前别了名牌。”

“姓什么？”中年警察眼睛发亮，一副逮到猎物的表情。

“我记得应该是秋吉。秋冬的秋，吉利的吉。”

江利子听着对话，感到很意外。之前，雪穗可说完全无视于那些人的存在，但原来她连对方的名字都看得那么仔细。江利子不记得那人身上是否别有名牌。

“秋吉……是吗？”

中年警察在女警耳边悄悄说了几句话，女警站了起来。

“最后，想请你们看一下。”中年警察取出塑料袋放在她们面前，“这是掉落在现场的东西，你们有印象吗？”

塑料袋里装的东西似乎是钥匙圈的吊饰，小小的不倒翁上系着链子，但链子断了。

“没有。”江利子说，雪穗也给出相同的回答。

5

“咦，你的链子断了。”雄一看到菊池的钱包后说道。正值午休，他们在小卖部买面包。菊池站在雄一前面，手里拿着钱包，但平常挂在上面的钥匙圈吊饰不见了。雄一记得是一个小不倒翁。

“对呀，我昨天傍晚才发现。”菊池悻悻地说，“我还很喜欢那个呢。”

“掉了？”

“好像是。不过，这种链子有这么容易断吗？”

便宜货嘛！雄一把这句差点说出口的话生吞回去。对菊池严禁要这种嘴皮子。

“对了，”菊池降低音量，“昨天，我去看《洛基》了。”

“哦，那很好啊。”雄一望向他，心道，没多久之前，他明明还在为昂贵的电影票哀叹。

“我从一个意想不到的地方拿到了电影院的特别优待券。”菊池仿佛看穿了雄一的疑问，“客人给我妈的。”

“哦，那真是太幸运了。”雄一知道菊池的母亲在附近的市场工作。

“可是，我一看才发现昨天到期，便匆匆忙忙赶去。还好赶上最后一场，真险。其实仔细想想，要不是快到期，别人也不会拿来送人。”

“也许吧，电影怎么样？”

“太酷了！”

他们开始热烈地讨论电影。

午休即将结束，回到教室的时候，一个同班同学叫住雄一，说班主任找他。他们的班主任是绰号叫“大熊”的理科老师，姓熊泽。

到了教师办公室，熊泽正一脸严肃地等着雄一。“天王寺分局的警察来了，有事要问你。”

雄一大吃一惊。“问我什么？”

“听说你偷拍清华女生。”熊泽混浊的眼珠狠狠盯着雄一。

“啊，我……”面对突然的诘问，雄一张口结舌，说不出话来，无异于不打自招。

“真是的。”熊泽啧了一声，站起身，“人蠢还专干蠢事，真是学校之耻！”他动动下巴，示意雄一跟他走。

会客室里有三名男子正在等候。其中一个是上次在天台上遇到的训导老师，他隔着眼镜瞪视雄一。另外两个是陌生人，一个很年轻，另一个已届中年，两人都穿着朴素的深色西装。看样子这两位就是警察了。

熊泽向他们介绍雄一。警察每一寸都不放过似的盯着他。

“在清华女子学园初中部附近偷拍学生照片的就是你吗？”中年警察问道，语气听起来很温和，却隐约透露出老师们没有的剽悍。光是他的声音便足以让雄一畏怯。

“呃，我……”舌头好像打了结。

“人家都看到你的名牌了。”警察指着雄一胸口，“据说因为你的姓氏很特别，就记住了。”

不会吧，雄一想。

“怎么样？你最好还是老实说，你去拍了吧？”警察再次问道，他身旁的年轻警察也瞪着雄一。训导老师的表情难看到极点。

“拍了……”雄一无奈地点头，熊泽重重地叹了口气。

“做这种事你不觉得丢脸吗？”训导老师气得都快口吃了，发线退后的额头开始涨红。

“别这样，别这样。”中年警察做了安抚的手势，目光重新回到雄一身上，“拍照的对象是固定的吗？”

“是的。”

“你知道她叫什么名字吗？”

“知道。”雄一的声音都哑了。

“可以帮我把名字写在这里吗？”警察拿出纸笔。

雄一写下“唐泽雪穗”，警察看了，露出会意的表情。

“其他呢？”警察问道，“还有别人吗？就只拍她？”

“是的。”

“你喜欢她？”警察不怀好意地笑了笑。

“不是……不是我喜欢，是我朋友喜欢。我只是帮他拍。”

“你朋友？你干吗特地帮他拍？”

雄一低着头，咬着嘴唇。看到他这个模样，警察似乎有所发现。

“哈哈！”警察饶有趣味地说，“你拿那些照片去卖，对吧？”

说中了，雄一不由得颤了一下。

“你这家伙！”熊泽爆出一句，“你白痴啊！”

“拍照的只有你吗？还有没有别人跟你一样？”中年警察问。

“我不知道，应该没有。”

“这么说，经常偷看清华操场的也是你喽？那里的学生说常有人去偷看。”

雄一抬起头。“我没有，真的，我只有拍照。”

“那偷看的是谁？你知不知道？”

多半是牟田他们，雄一心里这么想，嘴上却没作声。要是被他们得知是他说的，天知道下场会有多凄惨。

“看来你知道，但不想说。隐瞒不说对你可不是什么好事。好吧，没关系。现在请你告诉我昨天放学后都做了什么，越详细越好。”

“这……”

“昨天的行动啊。怎么？不能讲吗？”

“请问到底发生了什么事？”

“秋吉！”熊泽咆哮，“你只要回答就是！”

“哎，没关系。”中年警察再次安抚激动的老师，带着一丝微笑看着雄一。“有个清华的女生在学校附近差点就被欺负了。”

雄一感到自己的脸僵了。“我什么都没做。”

“没有人说是你干的，只是那里的学生提到你。”警察的语气还是一样平静，但充满一种意味——目前就数你最有嫌疑。

“我不知道，真的……”雄一摇头。

“那你昨天在哪里、做了什么，没什么不能说的吧？”

“昨天……放学后，我去了书店和唱片行。”雄一边回想边说，“那时候是六点多，后来就一直待在家里。”

“你在家的时候，家人也在？”

“是，我妈也在家。大概九点的时候，我爸也回来了。”

“没有家人以外的人？”

“没有……”雄一回答，心想，家人的证明不算数吗？

“好啦，该怎么办？”中年警察以商量的口气低声向身边的年轻警察说，“秋吉说，照片不是自己想要才拍的，可我们又没法证实他的话。”

“就是啊。”年轻警察表示同意，嘴角露出令人厌恶的浅笑。

“我真的是帮朋友拍的。”

“既然这样，就请你告诉我那个朋友的名字。”中年警察说。

“这个……”雄一很犹豫，但若再不说，自己便无法洗清嫌疑。他可不愿那样。

警察审时度势，恰到好处地说：“别担心，我们不会告诉任何人是你说的。”

这句话简直说到了雄一的心坎上，让他下定了决心。他畏畏缩缩地说出牟田的名字。训导老师立刻露出厌烦至极的表情。可以想见，每次出事都少不了这个名字。

“偷看清华操场的人里面，也有这位牟田？”中年警察问。

“这我不知道。”雄一舔舔干涩的嘴唇。

“牟田只托你拍唐泽的照片吗？有没有要你拍其他女生？”

“其他的，嗯……”雄一不知该不该说，但决定老实招供。到了这个地步，透露多少都没有差别了。“最近，他要我拍另一个人。”

“谁？”

“藤村都子，不过我不知道她是谁。”

话音未落，雄一感觉到房内的空气顿时紧张起来，警察的表情也出现变化。

“所以，你拍了她的照片？”警察低声问道。

“还没有。”

警察点点头，哦了一声。

“别再去拍了。”熊泽从旁气呼呼地说，“你就是做这种蠢事，才会被怀疑。”

雄一默默点头。

“我们还想确认一件事。”警察取出一个塑料袋，“你有没有见过这里面的东西？”

袋子里有个小不倒翁。雄一大吃一惊，那正是菊池的钥匙圈吊饰！

“看样子你是知道了。”警察注意到他的表情。

雄一的心又开始动摇了。如果供出菊池，会造成什么后果？会换成菊池被怀疑吗？可是，要是这时候说谎，或许会让事情变得更糟。而且，就算自己不说，他们迟早也会查明真相……

“怎么样？”警察以手指头笃笃有声地敲着桌子催他回答。那声响如针一般，声声刺痛雄一的心。

雄一吞了一口唾沫，小声地说出不倒翁的主人。

6

因社团活动等原因留校时，最晚不得超过五点离校——学校在星期四早上发出这样的通知。开班会时，班主任再次强调。

这还用说吗？这是川岛江利子的感想。想想前天发生的事，不要说五点，所有学生都应该一放学就回家。

然而，其他学生对这道突如其来的指令愤愤不平，这是因为前天的事情被隐瞒得滴水不漏。对于那天晚上学校附近的仓库里发生了什么，她们毫不知情。

当然，学生之间传出不少臆测，其中不乏接近事实的。例如，“有人在放学途中差点被变态非礼”之类。但是，这类谣传，也必然是由学校的通知推理衍生出来的。老师们不可能泄露内情，江利子她们也保持缄默，所以她们发现被害人一事，应该没有同学知道。

江利子对此事只字不提，并不是出自校方的指示。如果她是个爱说八卦的长舌妇，谣言想必已经满天飞了。因为校方的应变速度就是这么慢。

要江利子对事情保持沉默的是唐泽雪穗。事发当晚，江利子回家之后便接到她的电话。

“遇到那种事，我想藤村一定受到很大的打击。如果这件事被全校同学知道，她可能会自杀。所以，我们小心一点，什么都不要说，别让事情传出去，好不好？”

雪穗的提议合情合理。江利子说，她也打算这么做。

江利子和藤村都子初二时同班，藤村功课好、个性积极，在班上居于领导地位。只不过江利子有点不知如何与她相处，因为只要自尊受到一点伤害，她就会立刻翻脸。同时，贬低别人的话她说来却毫不在乎。当然，看她不顺眼的人也不在少数，这件事要是被这些人知道了，一定会立刻传遍学校。

这天午休，江利子和雪穗一起吃便当。她们的座位靠窗，一前一后，附近没有别人。

"现在，对外说是藤村出了车祸，暂时请假。"雪穗小声说。

"哦，这样啊。"

"好像没有人觉得奇怪，但愿可以顺利隐瞒下去。"

"是啊。"江利子点头。

吃完饭，雪穗边拿出拼布的材料，边看窗外。"今天那些奇怪的人好像没来。"

"奇怪的人？"

"平常在铁丝网外面偷看的人。"

"哦。"江利子也向外看。平常像壁虎般攀在铁丝网上的男生，今天却不见踪影。"也许是这次的事件传出去，被警告了吧。"

"也许吧。"

"这次的歹徒会不会就是他们？"江利子小声问。

"不知道。"雪穗说。

"那些人上的学校，不是烂得要命吗？"江利子皱着眉头说，"要是我，绝对不想进那种学校。"

"可是，其中有些人可能是不得已才上那所学校的。"雪穗说。

"会吗？"

"像是因为家境等等的。"

"这我可以理解啦。"江利子含糊地点头，看着雪穗的手微笑。前几天去雪穗家时看到的那个小杂物袋已经缝得差不多了。“就快完成了呢。”

“嗯，只要再做最后的修饰就好了。”

“可缩写是 RK 呢。”江利子看着绣在上面的字母，“唐泽雪穗（Karasawa Yukiho）不应该是 YK 吗？”

“对呀，不过，这是要送我妈妈的礼物，我妈妈叫礼子（Reiko）。”

“哦，这样啊。嗯，你真孝顺。”江利子看着雪穗灵巧运针的手指说道。

7

菊池文彦因清华女子学园初中部学生遇袭事件遭到警方怀疑，是显而易见的事。首先，星期四早上，他在会客室接受警察问话。警方问了什么、他如何回答，他并没有告诉任何人，回到教室后，仍沉着脸一言不发。当然，也没有人找他说话。警察连日造访的异常情况，使每个人都感到非比寻常。

雄一也没有和菊池说话，向警察透露钥匙圈的事让他感到内疚。

星期五早上，菊池又被传唤，离开教室。穿过桌椅走向出口时，他没有看向任何人。

“好像是清华的女生遭到袭击了，”菊池出去后，有个同学说，“所以警方怀疑他，听说他的东西掉在现场。”

“你听谁说的？”雄一问。

“有人跑去偷听老师聊天，事情好像很严重。”

“被袭击是怎样？是被强暴了吗？”有个男生问，眼里满是好奇。

“一定的嘛！听说钱也被抢了。”打开话匣子的人压低声音传播消息。

雄一察觉四周的人全都露出恍然大悟的表情，大概是想起菊池窘迫的家境。“可是，菊池说不是他，”雄一试探地说，“他说那时候去看电影了。”

有人说，这实在可疑。好几个人点头附和。也有人说，他当然不可能老实招认。

看到桐原也和大家围在一起，雄一感到有些意外，他本以为桐原不会凑这种热闹。莫非因为前几天照片的事，桐原对菊池产生了兴趣？

雄一脑中转着这些念头，看着桐原，不久便和他对上了眼神。桐原注视了雄一一两秒钟，便起身离开。

8

事件发生四天后的星期六，江利子和雪穗到藤村都子家去探望她。这提议出自雪穗。但是，她们在客厅等了又等，都子并没有露面，只有她母亲出来，万分抱歉地说都子还不想见任何人。

“伤势很严重吗？”江利子问。

“伤势其实也还好……只是啊，精神上的打击就很……”都子的母亲轻叹了一口气。

“查出歹徒了吗？”雪穗问，“警察问了我们好多事情。”

都子的母亲摇摇头。“现在还什么都不知道，给你们添了不少麻烦。”

“我们没关系……藤村没看清歹徒的长相吗？”雪穗轻声说。

“关于这一点，因为是突然从后面被套上黑色塑料袋，什么都没看见。后来头部又挨打，昏了过去……”都子的母亲眼圈红了，双手掩口，“她为了准备文化节，每天都很晚回来，我就替她担心。这孩子是音乐社社长，放了学也总是留在学校……”

看到她哭泣，江利子觉得很难过，甚至想早点离去。雪穗似乎也有同感，看了看她说：“那我们还是先回去好了。”

“是啊。”江利子准备起身。

“真的很对不起，难为你们特地来探望她。”

“哪里。希望藤村能够早点振作起来，也早日康复。”雪穗说着，站起身来。

“谢谢。啊！不过，”这时候，都子的母亲突然睁大了眼睛，“虽然遇到了那种事，但她只是被脱掉衣服，那个……她还是清白的。你们一定要相信这一点。”

江利子非常清楚她想说什么，因此有点惊讶地与雪穗互望一眼。她们虽然都没有说出口，但每次提起这件事时，都以都子遭到性侵犯为前提。

“当然，我们当然相信。”雪穗回答的语气却好像从没那么想过似的。

“还有，”都子的母亲说，“之前，你们两位好像都把这起事件当作秘密，以后也拜托你们继续保守这个秘密。再怎么说，这孩子往后还有好长的路要走。这种事要是被知道了，不知道背地里会被说成什么样子。”

“好的，我们知道。”雪穗坚定地回答，“我们绝不会向任何人提起的。即使以后有什么谣言，只要我们否认就没事了。请转告藤村，我们一定会保密，请她放心。”

“谢谢你们。都子有这么好的朋友真是幸福，我会要她一辈子都把你们的恩情牢记在心。”都子的母亲含泪说。

9

菊池似乎是在星期六洗清嫌疑的，之所以用“似乎”，是因为雄一直到星期一才听说此事。这在同学之间已经成为话题了，他们说，今天早上换成牟田俊之接受警察盘问。

一听此事，雄一便去问菊池本人。菊池狠狠瞪了他一眼，然后望向黑板，冷冷地回答：“嫌疑是洗清了，那件事就算跟我无关了。”

“那不是很好吗？”雄一高兴地说，“你是怎么证明清白的？”

“我什么都没做，只是证明那天我真的去看了电影。”

“怎么证明的？”

“这很重要吗？”菊池双臂抱胸，重重地叹了口气，“不然你希望我被抓是不是？”

“你在乱说什么啊，我怎么可能这么想？”

“既然这样，就不要再提这事了。光是想起来，我就直冒怒火。”菊池依然望着黑板，不看雄一一眼，显然对他怀恨在心。菊池多半隐约察觉到，是谁向警方透露了不倒翁的主人。

雄一思忖着能让菊池开心的方法，便说：“那张照片，如果你想调查，我陪你。”

“你在说什么？”

“就是……拍到桐原他妈和男人在一起的那张照片啊，不是挺有意思吗？”

然而，菊池对这个提议的反应却不如雄一预期。

“那个啊，”菊池歪歪嘴，“我不想弄了。”

“啊？”

“我没兴趣了。仔细想想，跟我根本没什么关系。那么久以前的事，现在也没有人记得了。”

“可那是你——”

“再说，”菊池打断了雄一，“那张照片不见了。”

“不见了？”

“好像是丢了。也可能是上次打扫家里的时候，不小心扔掉了。”

“怎么这样……”

那是我的东西！雄一很想这么说，但看到菊池如能剧面具般毫无表情的脸孔，什么话都说不出口。弄丢了别人的宝贝照片，菊池完全没有抱歉的意思，像是在说“不必为了这点小事向你道歉”。

“那种照片，丢了也没事吧。”说着，菊池看了雄一一眼，眼神可以用瞪来形容。

“嗯，哦，是没什么关系。”雄一只好这么回答。

菊池起身离开，似乎表明不想再交谈下去。

雄一疑惑地目送菊池的背影。这时，他感觉到来自另一个方向的目光。他望过去，是桐原在看他。那种冰冷的、观察事物般的眼神，霎时让雄一感到一阵寒意。但桐原很快便低下头，读起文库本。他的桌上放了一个布质杂物袋，是以拼布做成的袋子，上面绣了缩写“RK”。

当天放学后，雄一刚走出学校不远，右肩突然被人抓住，一回头，只见牟田俊之一脸憎恨地站在那里，身后还有两个同伴，表情也毫无二致。

“来一下。”牟田的声音低沉清晰。声音虽然不大，但隐含的威力足以让雄一心脏收缩。

雄一被带进一条窄巷。牟田的两个同伴把他夹在中间，牟田站在他对面。

牟田抓住雄一的领口，像勒住脖子般往上提，个子不高的雄一不得不踮起脚尖。

“说！秋吉！”牟田恶狠狠地说，“是不是你出卖了我？”

雄一拼命摇头，害怕得脸都抽搐起来。

“骗子！”牟田圆睁双眼，龇牙咧嘴地逼来，“除了你还会有谁？”

雄一继续摇头。“我什么都没说，真的。”

“还在撒谎，白痴！”左边的男生说，“你找死啊！”

“老实说，说！”牟田用双手晃动雄一的身体。

雄一被顶在墙壁上，背上传来水泥冰冷的触感。

“真的，我没骗你，我什么都没说。”

“真的吗？”

“真的。”雄一身体后仰，点了点头。

牟田瞪着他，过了一会儿，松开了手。右侧那个男生啧了一声。

雄一按住喉咙，吞了一口口水。得救了，他想。

但是，下一瞬间，牟田的脸便纠结成一团。一眨眼的工夫都不到，雄一便被撞倒，四肢着地趴在地上。

冲撞的力道留在脸上，明白了这一点时，雄一发现自己挨打了。

“除了你还有谁？”随着牟田暴怒的吼叫，一个东西塞进雄一嘴里。直到他歪向一边，才知道那是鞋尖。牙齿咬破了嘴，血的味道扩散开来。他正想着“好像在舔十元硬币”，剧烈的疼痛便席卷而来。雄一遮住脸，缩成一团。

在他的腰腹上，牟田等人的拳脚如雨点般落下。

第三章

1

一开门，头顶上一个大大的铃铛便叮当作响。

对方指定的咖啡馆是家狭窄的小店，除了短短的吧台，只有两张小桌，其中一张还是两人台。

园村友彦扫了店内一眼，考虑片刻后在两人台边坐下。他会犹豫，是因为四人台旁唯一的客人是张熟面孔。虽然没有交谈过，但友彦知道他是三班的，姓村下。村下身形瘦削，轮廓有点外国人的味道，外表想必颇受女生青睐。可能是因为玩乐团的关系，他蓄着烫卷的长发。灰衬衫配黑色皮背心，下着紧身牛仔裤，凸显出一双修长的腿。

村下正在看漫画周刊《少年 Jump》。友彦进来时，他抬了一下头，但视线马上又回到漫画上去了，大概因为来的不是他等的人。桌上放着咖啡杯和红色烟灰缸。烟灰缸上有根点着的香烟，显然是看准了高中训导老师不至于巡视到这里来。这里距离他们高中有两站地铁车程。

这里没有女服务生，有点年纪的老板从吧台里走出，把水杯放在友彦面前，默默微笑。

友彦没有伸手拿桌上的菜单，便说："我要咖啡。"

老板点了点头，回到吧台。

友彦喝了口水，又瞄了村下一眼。村下仍在看漫画，不过当吧台里的那部录音机播放的曲子从奥莉薇亚·纽顿·约翰的作品变成后醍醐乐队的《银河铁道999》时，他的眉头明显地皱了一下，可能是不喜欢日本的流行乐。

难道，友彦想，他也是基于相同的理由来这里吗？如果是这样，他们等的可是同一个人。

友彦环视店内。这年头每家咖啡馆都会有的"太空侵略者"（Space Invaders）桌面式电动游戏，这里却没有。但是，他并不怎么感到遗憾，太空侵略者他已经玩腻了。要在什么时机击落飞碟才能得高分，这类攻略法他了如指掌，而且随时都有留下最高分纪录的把握。他对太空侵略者还有兴趣的部分只剩下计算机程序，但最近他也几乎摸透了。

为了打发时间，他翻开菜单，才知道这里是一家咖啡专卖店。菜单上列了几十种咖啡品名，他很庆幸刚才没看菜单，否则一定会不好意思只说要咖啡，而会点哥伦比亚或摩卡，然后多花五十元或一百元。现在的他连花这一点小钱都会心疼。如果不是和别人约好，连这种咖啡馆他都不会进来。

都是那件夹克太失算了——友彦想起上上星期的事。他和朋友在男性服饰精品店顺手牵羊，被店员发现。顺手牵羊的手法很简单，假装试穿牛仔裤，把一起带进试衣间的夹克藏在自己的纸袋里。可是，当他们把牛仔裤放回货架、准备离开时，却被年轻的男店员叫住了。那一刻，他真的吓得差点心脏停搏。

所幸男店员对于逮住窃贼不如增加业绩热衷，所以把他们当作"不小心把商品放进自己纸袋的客人"，没有惊动警察。家里和学校也不知情，但友彦必须支付夹克的定价——两万三千元。他付不出，店员便扣了他的学生证，让他回家拿钱。友彦急忙赶回家，拿出所有的财产——一万五千元，再向朋友借了八千方才付清。

就结果而言，他得到了一件最新款的夹克，一点都不吃亏。但是，那本不是他不惜花钱也想买的衣服，只是认为有顺手牵羊的好机会，没有细看就随便挑了一件。从一开始，他进那家店就没打算买东西。

要是那两万三千元还在就好了——这不知道是友彦第几十次后悔，这样就可以随意购物，还可以看电影。可是现在，除了每天早上妈妈给的午餐费，他几乎没有半分钱，竟还欠朋友八千块。

老板端来两百元一杯的综合咖啡，友彦小口小口地啜饮。味道很好。

如果真的是“挺不错的工作”就好了，友彦看着墙上的钟思索。所谓挺不错的工作，是约他到这里的桐原亮司的用词。

桐原在下午五点整准时出现。

一进店门，桐原先看到友彦，然后把视线转向村下，哼一声笑了出来。“干吗分开坐啊。”

这句话让友彦明白村下果然也是被桐原叫来的。

村下合上漫画周刊，手指插进长发里搔了搔。“我想过他可能跟我一样，可万一不是，他不是会觉得我很怪吗？所以我就假装没事，看我的漫画。”

看样子，他对友彦并非视而不见。

“我也是。”友彦说。

“早知道就跟你们说有两个人。”桐原在村下对面坐下，朝着吧台说，“老板，我要巴西。”

老板默默点头。友彦想，桐原看来是这家店的熟客。

友彦端着咖啡杯移到四人台，在桐原示意下，坐在村下旁边。

桐原稍稍抬眼望着对面的两人，右手食指敲着桌面。那种有如在称斤论两的眼神让友彦略有不快。

“你们两个没有吃大蒜吧？”桐原问。

“大蒜？”友彦皱起眉头，“没有，干吗？”

“哎，原因很多，没吃就好。村下呢？”

“大概四天前吃过煎饺。”

“你脸凑过来一点。”

“这样？”村下探身将脸靠近桐原。

“吐一口气。”桐原说。

村下略显羞涩地吐气之后，桐原指示道：“大口一点。”

桐原嗅了嗅村下用力呼出的气，微微点头，从棉质长裤的口袋里拿出薄荷口香糖。“我想应该没问题，不过离开这里后，嚼一下这个。”

“嚼是可以，不过到底要干吗，讲清楚好不好？这样太诡异了。”村下焦躁地说。

友彦发现这家伙似乎也不知道详情，和他一样。

“我不是说过了吗，就是到一个地方，陪女人说说话。就这样。”

“究竟……”

村下没有把话说完，因为老板端来了桐原的咖啡。桐原端起杯子，先细品了一番香气，才缓缓啜了一口。“老板，还是一样好喝。”

老板笑眯眯地点点头，回到吧台。

桐原再度望着友彦和村下。“一点都不难。你们两个绝对没问题，所以我才会找你们。”

“我就是在问你，是什么没问题？”村下问。

桐原亮司从牛仔外套胸前的口袋拿出红色纸盒的云雀烟，抽出一根叼在嘴里，用芝宝打火机点火。

“就是讨对方欢心。”桐原薄薄的嘴唇露出笑容。

“对方……女人？”村下低声说。

“没错，不过，不用担心。没有丑到让你想吐，也不是皱巴巴的老太婆。是姿色平平的普通女人，不过年纪大一点就是了。”

“工作内容就是跟那个女人说话？”友彦问。

桐原朝着他吐出烟。“对，她们有三个人。”

“听不懂，你再讲详细一点。要到什么地方？跟什么女人？说什么话？”友彦稍稍提高了声音。

“到那边就知道了。更何况，要说什么我也不知道，要看情况。说你们最拿手的就好，她们一定会很高兴。”桐原扬起嘴角。

友彦困惑地看着桐原。照他的说明，根本不清楚究竟是怎么回事。

“我不干了。”村下突然说。

“噢？”桐原并不怎么惊讶。

“不清不楚，乱七八糟，光听就觉得有问题。”村下准备站起来。

“时薪三千三！”桐原边端起咖啡杯边说，“准确地说，是三千三百三十三——三小时一万。报酬这么优厚的工作，别的地方找得到吗？”

“可那不是什么正经事吧？”村下说，“我不会去碰那种事的。”

“没什么不正经。只要你不到处乱说，也不会惹上麻烦，这一点我可以保证。另外，我可以再保证一件事，结束之后你们一定会感谢我。这么好的打工机会，就算翻遍整个工读求职栏也绝对找不到。这工作谁都想做，但可不是谁想做就能做。你们能被我相中实在很走运。”

“可是……”村下露出踌躇的表情看向友彦，大概是想知道友彦如何决定。

时薪三千元以上，三小时一万——这对友彦来说非常有吸引力。“我可以去，”他说，“但是，我有一个条件。”

“什么？”

“告诉我是去哪里见谁，我要有心理准备。”

“根本没这个必要。”桐原在烟灰缸里摁熄了烟，“好吧，出去就告诉你。不过，只有园村一个不行，如果村下不干，这件事就当我没提过。”

友彦抬头看着半起身的村下，只见他维持这个不上不下的姿势，一脸不安。

“真不是什么不正当的事？”村下向桐原确认。

“放心，只要你不想，就不会变成那样。”

听了桐原意味深长的说法，村下似乎仍无法下定决心。但是，或许是感觉到抬头看他的友彦目光中带着不耐和不屑，最后他点了头：“好，我就跟你们一起去。”

“真聪明。”桐原一面伸手插进棉质长裤的后口袋，一面站起来，掏出咖啡色皮夹，“老板，算账。”

老板露出询问的表情，指着他们的桌子画了一个大大的圆。

“对，三个人一起。”

老板点点头，在吧台里面写着什么，再把小纸片递给桐原。

看着桐原从皮夹里拿出千元钞，友彦暗想，早知道他要请客，就点三明治了。

2

园村友彦上的集文馆高中没有制服。在大学学运盛行的时候，这所高中的学长发起废除制服运动，而且成功地付诸实践。旧式学生服算是他们的标准服装，但会穿来上学的人不到两成。尤其在升入二年级后，几乎所有学生都改穿自己喜欢的衣服。此外，虽然禁止烫发，但遵守这条校规、忍耐着不去烫头发的可谓绝无仅有。关于女生化妆的规定也一样，所以女生一身流行杂志模特儿打扮、带着浓烈的化妆品香味坐在教室里上课的情景，在他们学校司空见惯，只要不妨碍上课，老师们也就睁一只眼闭一只眼。

穿着便服，放学后即使在闹市流连，也不必担心会被辅导。万一有人问起，只要坚称是大学生便可蒙混过关。像今天天气这么好的星期五，放学后直接回家的学生应该少之又少。

园村友彦也一样，平常他会和几个同伴成群结队，到女生常去游荡的闹市，或是直奔引进新机种的电子游乐场。他今天没有这么做，无非是因为顺手牵羊事件让他大失血。

桐原亮司来找他时，他因为那件事，放了学也没回家，正在教室一角看《花花公子》。感觉有人站在面前，抬头一看，桐原的嘴角挂着不明所以的笑容。

桐原是他的同班同学，然而升上二年级快两个月了，他们却几乎没有交谈过。友彦不算怕生，已经和大多数同学混熟了。桐原身上却有一种刻意与人保持距离的气质。

“今天有空吗？”这是桐原的第一句话。

“有啊……”友彦回答。桐原便悄声说：“有个挺不错的工作，你要不要试试？只是跟女人说说话就能赚一万元。怎样？不错吧？”

“就只说话？”

“要是有兴趣，五点到这里。”桐原给他一张便条。

纸上的地图标示的店，就是刚才那家咖啡专卖店。

“对方那三位应该已经在那里等了。”桐原不动声色地对友彦和村下说。

离开咖啡馆后，他们搭上地铁。车上没什么乘客，空位很多，但桐原却选择站在门边，似乎是不想让别人听到他们对话。

“客人是谁？”友彦问。

“名字不能讲，就叫她们兰兰、好好、美树好了。”说了去年解散的三人偶像团体[①]成员的昵称，桐原贼贼地笑了笑。

“别闹了，你答应要告诉我。”

“我可没说连名字都要说。还有，你别搞错了，两边都不说名字是为大家好。我也没讲你们的名字。我再强调一次，不管她们怎么问，绝对不能把真名和学校告诉她们。”桐原眼里射出冷酷的目光，友彦顿时畏缩了。

“要是她们问怎么办？”村下提出问题。

“跟她们说校名是秘密啊，名字随便用个假名就是。不过，我想不会有自我介绍这种事，她们不会问的。”

“到底是什么样的女人？”友彦换个方式问。

不知为何，桐原的脸色稍显和缓。“家庭主妇。”他回答。

“家庭主妇？”

“应该说是有点无聊的少奶奶吧，既没有嗜好也没有兴趣，一整天难得说一句话，闷得很，老公也不理她们。为了打发时间，想和年轻人聊聊天。”

桐原的描述让友彦想起不久前相当卖座的情色片——《公寓娇妻》，他脑海里浮现出部分画面，尽管他并没有看过。

“光说话就有一万元？我总觉得奇怪。”友彦说。

“世上怪人多的是，不必放在心上。人家既然要给，就不必客气，收下就是了。”

“为什么要找我和村下？”

①指由伊藤兰、田中好子、藤村美树三人组成的Candies组合，于1978年解散。

“因为长得帅啊，这还用问吗？你自己不也这样想？”

桐原直截了当说出来，友彦不知道该怎么回答。他的确认为自己凭长相要进演艺圈并不是难事，对身材也很有自信。

“我不是说了吗，这不是谁都能做的工作。”说着，桐原像是同意自己的话似的点点头。

“你说过她们不是老太婆哦。”村下好像还记得桐原在咖啡馆里说过的话，确认似的说。

桐原别有意味地笑了。“不是老太婆，但也不是二十几岁的少妇，三四十吧。”

“跟那种大婶说什么才好？”友彦打从心底担心。

“这种事你用不着去想，反正只会讲些没营养的。对了，出了地铁，把头发梳一梳，喷点发胶，免得弄乱了。”

“我没带那些东西。”友彦说。

闻言，桐原打开自己的运动背包给他看，里面有梳子和发胶，连吹风机都带了。

“既然要去，就打扮成超级帅哥秀一下吧，嗯。”桐原扬起了右嘴角。

他们在难波站从地铁御堂筋线换乘千日前线，在西长堀站下车。友彦来过这里好几次，因为中央图书馆就在这一站。一到夏天，想利用自习室的考生还得排队入场。他们从图书馆前面经过，又走了几分钟。桐原在一栋小小的四层公寓前停下。“就是这里。”

友彦抬头看建筑物，吞了一口口水，觉得胃有点痛。

“你那什么表情，那么僵！”听到桐原的苦笑，友彦不禁摸摸脸颊。

公寓没有电梯。他们爬楼梯到三楼，桐原按了三〇四室的门铃。“喂？”一个女人的声音从对讲机里传出。

“是我。”桐原说。

开锁的声音随即响起，门开了，出现一个穿着领口敞开的黑色衬衫、灰黄格子裙的女子，手还握着门把。她个子娇小，脸也很小，留着短发。

“你好。”桐原笑着招呼。

“你好。”女子回应。她眼睛四周化了浓妆，耳垂上还挂着鲜红色的圆形耳环。虽然已尽力修饰，但看起来果然不像二十几岁，眼睛下方也已浮现小细纹。女子把视线移到友彦他们身上。友彦觉得她的目光如复印机的曝光灯一般，把他俩快速地从头到脚扫描了一遍。

“你朋友啊？”女子对桐原说。

“是，两个都是帅哥吧？”

听到他的话，女子呵呵地笑了，然后说声“请进”，把门开大了一些。

友彦跟着桐原进入室内，进了玄关就是厨房兼餐厅。里面有餐桌和椅子，但除了一个固定的架子，连碗柜之类的东西也付之阙如，也没看到烹饪用具，一台个人用的小冰箱和放在上面的微波炉也毫无生活气息。友彦推测，这套房子平常没有人住，只是租来别有他用。

短发女子打开里面的和式拉门。屋里有两间六叠大的和室，但是隔间的拉门已经移除，形成了一个细长的房间，房间尽头有一张简易铁床。

房间中央有一台电视，前面坐着另外两名女子。其中一个很瘦，棕色头发扎成马尾，但针织长裙的胸部丰满地鼓起。另一个穿着牛仔迷你裙，上身套着牛仔外套，圆脸庞，及肩的头发烫成大波浪。三人中她的五官看起来最平板，不过这可能是其他两人妆太浓的缘故。

“怎么这么慢呀。”马尾女子对桐原说，不过并不是生气的语气。

“对不起，因为有很多事情要一步步来。”桐原笑着道歉。

“什么事情？一定是解释在等他们的是什么样的大婶对不对？”

“怎么会呢？”桐原踏进房间，在榻榻米上盘腿坐下，然后以目光示意友彦他们也坐下来。友彦和村下都坐下后，桐原却立刻起身，让位给短发女子。这么一来，友彦和村下便被夹在三个女人之间。

“请问三位，喝啤酒好吗？”桐原问她们。

“好呀。”三人点头回答。

“你们两个，啤酒可以吧？”不等友彦他们回答，桐原就进了厨房，随即传出开冰箱拿啤酒瓶的声音。

“你常喝酒吗？”马尾女问友彦。

“偶尔。”他回答。

“酒量好吗？”

“不太好。”他带着和善的笑容摇头。

友彦发现女人们在交换眼色。他不知道她们是什么意思，但是看样子，她们对桐原带来的两个高中生的外表并无不满，所以暂时可以放心。友彦觉得房间很暗，原来玻璃窗外还有防雨窗，而且照明全靠一个罩了藤质灯罩的灯泡。友彦想，可能是为了掩饰女子的年纪，才把房间弄得这么暗。马尾女的皮肤和他的女同学完全不同，在身边近看时一目了然。

桐原用托盘端来三瓶啤酒、五个玻璃杯，以及盛了柿种米果和花生的盘子。他把这些东西放在众人面前，又立刻回到厨房，接着送来一个大比萨。“你们两个饿了吧？”桐原说着看看友彦和村下。

女子和友彦他们互相斟酒，开始干杯。桐原在厨房翻找着包。友彦想，他不喝啤酒吗？

“有没有女朋友？”马尾女又问友彦。

“唔，没有。”

“真的？为什么？”

“为什么啊……不知道，就是没有。”

“学校里应该有很多可爱的女生吧？”

“有吗？”友彦拿着玻璃杯，歪着头。

“我知道了，一定是你眼光很高。”

“哪有，我才没有呢。”

“照我看，你要交几个女朋友都没问题，你就放手去追嘛。”

“可是，真的没几个可爱的。”

“是吗？真可惜。”说着，马尾女把右手放在友彦大腿上。

和女子的对话，正如桐原先前所说，你来我往的都是没有意义的话语。这样真的就有钱可拿吗？友彦觉得不可思议。

话很多的是短发女和马尾女，牛仔女只是喝啤酒，听大家聊天，笑容也有点不自然。短发女和马尾女殷勤地劝酒，友彦来者不拒。半路上桐原交代过，若是对方劝烟劝酒，尽可能不要回绝。

“大家好像聊得很开心，来一点余兴节目吧。”过了三十分钟左右，桐原说。此时友彦已微有醉意。

“啊！新片？”短发女看着他，眼睛闪闪发光。

“是啊，不知道大家喜不喜欢。”

友彦早就发现桐原在餐桌上组装小型投影仪，他正想问桐原要做什么。“什么片子？”

“这个嘛，看了就知道了。”桐原不怀好意地一笑，按下投影仪开关。机器发射出来的强光立刻在五人面前的墙壁上形成一个大四方形，看来是要直接将白色墙面当作屏幕。桐原对友彦说：“不好意思，帮忙关灯。”

友彦探身关掉开关。这时，桐原开始播放影片。

那是八毫米的彩色电影，没有声音。但没播多久友彦就明白了是哪一类电影，因为径直就出现赤裸的男女，而且一般电影中绝对不能拍出来的部分也一览无余。友彦心跳加速，这并不只是喝啤酒有了醉意的结果。他虽然看过类似的照片，但影像还是第一次。

“哇！好夸张！”

“哦，原来有这种做法啊。”

女人们可能是要掩饰尴尬，嬉闹着发出评语，她们并不是对彼此说，而是朝向友彦和村下。马尾女在友彦的耳边轻声说：“你做过这种事吗？”

“没有。”他这样回答的时候，声音不中用地发抖。

第一部影片大约十分钟便结束了，桐原迅速更换录像带。在这个空当，短发女说：“怎么好像变热了。”她脱下衬衫，上身只穿着胸罩。投影仪的光线把她的肌肤照得发白。

就在她脱完衣服后，牛仔女突然站起来。“那个，我……”才说了这几个字，嘴巴就闭上了，好像不知道说什么好。

调整机器的桐原问道：“要走吗？”

女人默默点头。

“是吗？真遗憾。”

在大家注视下，牛仔女走向玄关，刻意不和任何人的目光接触。她走后，桐原锁好门回转。

短发女哧哧笑着说：“对她大概太刺激了吧。”

“一定是三对二，只有她落了单。都要怪亮没有好好招呼她啦。”马尾女说，声音里夹杂着优越感。

“我是在观望，不过，她好像没办法接受。”

“亏我还特地找她来。”短发女说。

“有什么关系。好啦，继续吧。”

“好，马上来。”桐原打开投影仪的开关，墙面再度出现影像。

马尾女在第二部电影放到一半时脱掉长裙。衣服一脱掉，她便把身体靠过来，往友彦身上磨蹭，小声耳语：“没关系，你可以摸。”

友彦勃起了。但是，这是因为被半裸的女人勾引，还是因为看了太过刺激的影片，他自己也不清楚。只是到了这一刻，他方才明白这份工作真正的内容。他感到不安，并不是因为想逃避即将发生的事情，他担心的是到底能不能做好这份工作。

他还是处男。

3

友彦家位于国铁阪和线美章园站旁，坐落在小小的商店街之后第一个转角，一栋两层木质日式住宅。

“你回来啦，真晚。晚饭呢？”看到他，母亲房子便这么问。已经将近十点了，以前晚归会被唠叨，但上高中后，很少再被说什么。

“吃过了。”简短地回答后，友彦回到自己的房间。一楼一间三叠的和室是他的房间。以前是储藏室，他上高中时，重新装修作为他的房间。

友彦一进房间在椅子上坐下，第一件事就是打开眼前机器的电源，这是他每天的例行公事。

机器指的是个人电脑，时价将近一百万元。东西当然不是他买的，是他从事电子机械制造工作的父亲利用关系便宜买来的二手货。当初他父亲想学电脑，但才碰了两三次便束之高阁。反而是友彦对其产生了兴趣，靠着看书自学，现在已经会写一些小有程度的程序了。

确认电脑开启后，友彦打开旁边录音机的电源，敲了敲键盘。不一会儿，录音机开始转动，从喇叭传出的不是音乐，而是混杂了杂音和电子音的声音。他把录音机作为记忆装置，将长长的程序转换为电子信号，先以卡带记录，使用时再输入电脑。比起过去使用的纸带，卡带虽然方便，但有输入费时的缺点。

花了将近二十分钟输入后，友彦再度敲键盘。十四英寸的黑白画面上显示出“WEST WORLD”的字幕，接着，提出“PLAY? YES=1 NO=0”的问题。友彦按下“1”，又按下回车键。WEST WORLD是他自行制作的第一个电脑游戏，一边躲避紧追不舍的敌人，一边寻找迷宫的出口，灵感来自尤·伯连纳主演的同名电影。他玩这个游戏有双重乐趣，一重来自游戏本身，一重为改造之乐。他总是边玩边寻找更有趣的创意，脑海里一出现任何灵感，便暂停游戏，立刻着手改良程序。使原本单纯的游戏日渐复杂的过程，让他得到培育生物般的喜悦。

过了一会儿，他的手指连续敲击数字键，这是操作屏幕上人物的控制器。然而，今天他完全无法专心玩游戏，玩到一半就腻了。即使因为一些不该犯的失误被敌人打败，他也一点都不懊悔。

他叹了一口气，双手离开键盘，身体瘫在椅子上，仰望斜前方。墙上贴着偶像明星的泳装海报，他对大胆暴露的胸口和大腿看得出神，想象抚摸沾着水滴的肌肤的触感，分明不久前才经历过那么异常的体验，却仍感觉到阳具即将产生变化。

异常的体验——难道不是吗？他在脑海里回味短短数小时前发生的事，总觉得不真实。但是，那既不是梦境，也不是幻想，他非常清楚。

看完三段八毫米影片后，性行为开始了。友彦，恐怕村下也一样，完全由女人主导。友彦和马尾女在床上，村下和短发女在被窝里，双双互相交缠。两个高中生在各自的对象指导下，经历了有生以来的第一次性行为。在离开那儿之后，村下才说他也是处男。

友彦两度在马尾女体内射精。第一次他浑浑噩噩的，第二次就稍微有点知觉了。自慰时从未体验过的快感将他完全包围，有一种精液大量迸射的感觉。其间女人们曾讨论是否要换对象，但马尾女不想换人，所以并没有实行。

提出“差不多该结束了”的是桐原。友彦看看时钟，距离他们到公寓正好过了三个小时。

桐原从头到尾都没有参与，她们也没有要他加入，估计是一开始就说好的。但是，他也没有离开房间的意思。当友彦他们汗水淋漓地和女子相拥时，他就坐在餐厅的椅子上。友彦在第一次射精后，呆呆地望向餐厅方向。桐原在昏暗中跷着脚，面向墙壁，静静地抽着烟。

一离开公寓，他们便被桐原带到附近的咖啡馆，付了他们现金八千五百元。

“明明说好一万元……”友彦和村下不约而同地抗议。

“我只是扣掉餐饮费。比萨吃了，啤酒也喝了，不是吗？这样才一千五，已经很便宜了。”

村下接受了这番说辞，友彦也不能再说什么，而且刚经历了初体验，心情相当亢奋。

“要是觉得还不错，以后还要请你们帮忙。她们好像很满意，以后或许还会找你们。”桐原满意地说，但随即神色一厉，“我先警告你们，绝对不能私下跟她们见面。这种事情，当成生意的时候很少会出什么意外；要是动歪脑筋，去个人交易，马上就会变调。现在就答应我，绝对不私下跟她们见面。”

“不会的。”村下立刻应允。这么一来，友彦连表示为难的机会都没有了。“好，我也不会。”他回答。桐原满意地大大点头。

友彦回想着桐原当时的表情，伸手插进牛仔裤后口袋。里面有一张纸，他拿出来，放在书桌上。

纸上有一行数字，总共有七位，显然是电话号码。下面只写着“夕子”。

那是他离开房间时马尾女迅速塞给他的。

4

有些醉了。多少年没有独自喝酒了？她找不到答案，久得让她想不起来。可悲的是没有半个男人来向她搭讪。

回到公寓，打开房间的灯，玻璃门映出自己的身影，因为她出门时没有拉上窗帘。西口奈美江走近玻璃门，心情更加沉重。牛仔短裙、牛仔外套配红色T恤，一点都不适合她。就算把以前的衣服翻出来故作年轻，也只是让自己更难堪罢了，那些高中生一定也这么想。

她拉上窗帘，随手把外衣脱掉，全身上下只剩下内衣之后，跌坐在梳妆台前。镜子里有一张肌肤已失去光泽的女人的脸庞，眼中毫无神采。那是一张徒然度日、年华老去的女人的脸。

她拉过包，取出里面的香烟和打火机，点着火，把烟吹向梳妆台。镜子里的女人面孔登时如蒙了纱一般。如果什么时候看都是这样就好了，她想，这样就看不到小细纹了。

刚才公寓里播放的淫秽影片在脑海里复苏。

"你要不要来一次试试看？一定不会后悔的。每天过着一成不变的日子又有什么意义呢？放心，保证好玩。不偶尔接触一下年轻人会老得更快的。"

前天，职场前辈川田和子来邀她。若是平时，她一定一口回绝，但是，有件事在她背后推了一把。那就是，如果不趁现在改变自己，可能会后悔一辈子的想法。虽然犹豫再三，她还是答应了，和子为此异常兴奋。

然而，奈美江终究逃走了，她无法置身那种异常的世界。眼看着和子她们使出浑身解数色诱高中生的模样，让她产生一种反胃般的不快。

不过，她不认为那有什么不好。有些女人在那种情境下能放松身心，只是她并不是那种人。

她望着墙上的日历，明天又要工作了，为这种无聊的事情浪费了宝贵的休假。西口小姐昨天去约会吗？上司和后进一定会语带讽刺地这样问。一想到他们的表情，心情就很沉重。明天要第一个上班，然后全心投入工作。这么一来，他们应该很难找她说话吧？把闹钟时间调早一点……

钟？

拿起梳子梳了两三下头发，奈美江的手停了下来，她注意到一件事。霍然一惊的她打开身旁的包，翻遍了里面的东西，就是找不到。

糟糕！奈美江咬着嘴唇。看来她忘记带回来了，而且还把它留在了一个很要命的地方。

她的手表不见了。那不是什么高档货，她向来出门时都戴着，因为她认为弄丢了也不会心疼。神奇的是它始终没有丢，就这样慢慢便产生了感情——就是这样一只表。

她想起来了，一定是上厕所时掉的。她在洗手时照例不假思索地拿下来，事后便忘了。她拿起电话听筒。只好麻烦川田和子了，不通过她无法联络上那个叫亮的年轻人。

她当然不想这么做。她临阵脱逃，和子一定不满，但这件事她不能不处理。奈美江从包里拿出电话簿，边确认号码边拨动转盘。

幸好和子已经到家。听到是奈美江，她好像颇为意外，“哎呀”一声，其中也包含几分奚落。

“刚才真对不起，”奈美江说道，“我也不知道是怎么回事，就是有点……不想参加了。”

“没关系，没关系。”和子的语气很轻松，“对你来说，可能有点太勉强了。对不起，应该是我道歉才对。”

那种小场面就落荒而逃，你真没用啊——听在奈美江耳里有此感觉。

“那个，其实……”奈美江说出手表的事。她说应该是放在洗脸台，不知和子有没有看到。

和子予以否认：“要是有人注意到，应该会跟我说，我就会帮你收起来。”

“这样啊……”

“你确定是落在那里了？不然，我请人帮你看看好了。”

“不用了，先这样吧。也不一定是落在那里，我再找找。”

“是吗？那找不到再告诉我。”

“好的，不好意思，这么晚打扰你。”奈美江飞快地挂上电话，长叹一声。怎么办？

如果不管那只表，事情就简单了。本来，她一直认为丢了也无所谓。这次也一样，若是掉在别的地方，她大概早就毫不犹豫地死心了。但这次情况不同，不能把那只表掉在那个地方。奈美江后悔不已，明知道要去那种地方，为什么要戴那只去呢？她有好几只手表啊。

抽了几口后，她在烟灰缸里熄掉烟，凝视着空中的某处。只有一个办法，她在脑海里反复思考会不会太过莽撞。最后，她觉得这个办法似乎可行。至少，应该不会有危险。

她看了梳妆台上的钟，刚过十点半。

十一点多，奈美江离开住处。为避人耳目，时间越晚越好，但若是太晚，会赶不上最后一班地铁。距离她公寓最近的车站是四桥线花园町站，到西长堀站必须在难波换车。车厢很空。一坐下来，对面车窗便映出她的身影——一个戴着黑框眼镜、穿着运动衫配牛仔裤、打扮毫无女人味、显然已三十好几的女人。还是这样自在多了，她想。

到了西长堀，便沿着白天和川田和子一同走过的路线前进。那时和子非常兴奋，说她好期待，不知道来的会是什么样的男生。奈美江嘴上虽然附和，但那时心里已经打了退堂鼓。

她顺利找到那栋公寓，上了三楼，站在三〇四室门前。她按下门铃，心怦怦直跳。没人响应。她又按了一次，还是悄无声响。

奈美江松了一口气，同时心情也紧张起来，一边注意四周，一边打开位于门旁的水表盖。白天，她看到川田和子从水管后面拿出备用钥匙。

“成了常客之后，就会告诉我们备用钥匙放在哪里。”和子开心地说。

奈美江伸手到同一个地方，指尖碰到了什么。她不由得安心地呼了一口气，用备用钥匙开了锁，畏畏缩缩地推开门。室内灯开着，但玄关没有鞋，果然没有人在。即使如此，她还是小心翼翼地走进屋，不敢发出声音。

白天整理得干干净净的餐桌如今一片凌乱。奈美江虽然不太明白，但看得出那是精密的电子元件和计数器。是音响吗？她想，还是在修理投影仪？无论如何，都像有人工作尚未完成的样子。她有点着急，一定要在那个人回来前找到手表。她到小小的洗脸台前寻找。手表却不在那里。有人发现了吗？如果是这样，为什么没有交给川田和子？

她开始不安。难道是哪个高中生看到了，却故意隐匿不说，好偷偷据为己有？也许以为拿去当铺之类的地方，多少可以换点钱。

奈美江感到周身发热，该怎么办才好？她极力要自己镇静，先调整呼吸，回想记错的可能性。她以为忘在洗脸台，但可能是记错了。也许她把取下来的手表拿在手上，回到房间，不经意地放在某处。

她离开盥洗室，走进和室。榻榻米很干净，是那个叫亮的年轻人整理的吗？他究竟是什么人？

白天拆下来的和式拉门已经装了回去，看不到有床的那个房间。她轻轻打开拉门。

一个奇异的东西首先映入眼帘，是个电视屏幕。房间中央放着宛若电视的物品，正播放着影像。那不是一般的影像，她把脸靠过去。那是……

好几个几何图形在屏幕上移动。一开始她以为纯粹是图形变化，其实不然。仔细一看，中央有个火箭形状的东西，一边闪躲前方飞来的圆形或四方形障碍物，一边设法前进。

应该是一种电视游戏机吧，奈美江想。她玩过几次太空侵略者。

屏幕里的动作并没有太空侵略者那么流畅。但是，火箭成功躲避接二连三袭击而来的障碍物，令人看得入神。事实上，她一定是看得入了神，才没注意到细微的声响。

“看样子，你很喜欢嘛。”

突然有人从背后发话，奈美江吓得发出一声轻呼。一回头，是那个叫亮的年轻人。“啊，对不起。那个，我东西忘了拿，所以，呃，川田小姐跟我说过备用钥匙的事……”奈美江很狼狈，说起话来结结巴巴。

但他像没听到她的话，沉默着示意她走开，自己在屏幕前盘腿坐下，接着把摆在一旁的键盘放在膝盖上，双手敲了几个键。屏幕上的动作立刻发生变化，障碍物的速度加快，色彩也变得更丰富。他继续敲键盘，火箭一一躲开障碍物。

奈美江也看出是他在操纵火箭的动作，刚才自行移动的火箭，在他的手指掌控下，前后左右地移动。

不久，圆形障碍物与火箭撞击，火箭变成一个大大的叉，屏幕上随即出现“GAME OVER”字样。

他啧了一声。“速度还是太慢，顶多只能这样了吧。”

他指的是什么，奈美江听不懂。她一心想早点离开。

“那个，我要回去了。”她说着站起身来。

听她这么说，他头也不回地问：“东西找到了？”

“哦……好像不在这里。对不起。”

“是吗？”

“那，我走了，再见。”

奈美江转身准备离开，他的声音忽从背后传来：“任职十周年纪念，大都银行昭和分行……你的工作还真死板。”

她停下脚步，回头，他几乎在同一时间站起。

他把右手伸到她面前，手表就垂在手下。“你忘的就是这个吧？”

一时之间，她本想装傻，但还是收了下来。“……谢谢。”

他沉默着走向餐桌，上面放着一个超市购物袋。他坐下来，取出袋子里的东西——两罐啤酒和盒装便当。

“晚餐？”她问。

他没有回答，好像想到什么似的，举起一罐啤酒。“喝吗？”

“啊……不了。”

“哦。”他打开拉环，白色泡沫冒出来。他像是要接住泡沫似的喝起来，显然不想再理会她。

“那个……你不生气吗？”奈美江问，“我擅自进来。”

他抬头看了她一眼。“哦，嗯。”然后打开便当的包装。

奈美江其实大可直接离开，却有点迟疑。部分原因是对方已知道了自己的工作场所，自己却对他一无所知。但更重要的，是如果就这么离开，她会觉得自己没出息。

“你气我半路跑掉吗？”她问。

“半路？哦……”他好像明白了她在说什么，“没有，那种事偶尔会有。”

“我不是害怕，本来我就不怎么想来，是被硬邀来的……”

她才说到一半，他拿着筷子的手开始挥动。“不用解释了，那些不重要。”

奈美江无话可说，沉默着看向他。他无视她的存在，吃起猪排饭。

“我可以喝啤酒吗？”奈美江问。

随便你——他扬了扬下巴，似乎是对她这么说。她在他对面坐下，打开一罐，大口喝起来。

“你住在这里？”

他默默吃着。

“你没跟爸妈住一起吗？”她进一步问。

“一下子生这么多问题出来啊。”他轻笑一声，看来无意回答。

“你为什么要打那种工？为了钱？”

“不然呢？”

“你自己不下场？”

“必要的时候会。像今天，如果大姐你没回去，就由我来陪。”

“你很庆幸不必和我这种大婶上床？”

“少了收入，失望都来不及。”

“好大的口气，根本就只是小孩子在玩。”

“你说什么？”他狠狠地瞪着她，“再说一次看看。”

奈美江咽了一口口水。他的眼里蕴藏着意想不到的狠劲，但是，她不想让他以为他的气势压倒了她：“你只是当太太夫人的玩具当得很高兴而已吧？恐怕对方还没满足，自己就先忍不住了。”

亮喝着啤酒，没有回答。但是，把啤酒罐放在桌上的一刹那，他站了起来，以野兽般的敏捷扑向她。

“住手！你干什么！”

奈美江被拖到和室，一下倒在地上。她的背脊撞到榻榻米，一瞬间无法呼吸。她想挣扎起身时，他再度扑过来，牛仔裤的拉链已经拉下。

“有本事就让它射啊！”他双手夹住奈美江的脸，把阳具顶到她面前，“用手用嘴随便你，要用下面也可以。你以为我撑不了多久，是不是？那你就试试看！”

他的阳具迅速在眼前勃起，开始鼓动，血管毕露。奈美江双手挡住他的大腿，头使劲后仰。

“怎么？被小孩的阴茎吓着了？”

奈美江闭上眼睛，呻吟般地说：“别这样……对不起。”

几秒后，她的身体被推开。抬头一看，他正拉起拉链走向餐桌。他坐下来，继续吃饭。从筷子的动作看得出他的烦躁。

奈美江调整呼吸，把凌乱的头发往后拢，心跳依然极为剧烈。

相邻房间的电视屏幕映入眼帘，画面上仍呈现 GAME OVER 的字样。

“为什么……”她开口问道，“你应该还有很多别的工作可以做啊。”

“我只是卖我能卖的东西。”

“能卖的东西……是吗？”奈美江站起来，边走边摇头，“我不懂，我果然已经是大婶了。”

正当她经过餐桌、往玄关走的时候——

“大姐。”他叫住她。

奈美江正准备穿鞋的脚悬在半空，她维持这个姿势直接回头。

“有件好玩的事，要不要加入？”

“好玩的事？”

“对，”他点头，“卖能卖的东西。”

5

暑假快到了，今天是七月的第二个星期二。

听到名字上前领回英文考卷，才一瞥就让友彦想闭上眼睛。虽早有心理准备，仍万万没想到竟如此凄惨——这次期末考每一科都惨不忍睹。

不必多想，原因他心知肚明，因为他完全没有准备。他虽然偶尔会顺手牵羊，算不上什么品学兼优的模范生，好歹是个考前会抱抱佛脚的普通学生，从来没有像这次毫无准备便应考。准确地说，他并不是没有准备。他也曾坐在书桌前，试图至少猜猜题。可是，他完全定不下心，就连猜题都做不到。无论他如何想尽办法专心念书，脑袋似乎只会提醒他那件事，不肯接收最重要的课业内容。结果就是这种下场。

得小心别让老妈看到——他叹了口气，把考卷收进书包。

放学后，友彦来到位于心斋桥新日空酒店大厅里的咖啡馆。那里明亮宽敞，透过玻璃可以望见酒店中庭。

他一抵达便看到花冈夕子正坐在角落的老位置看着文库本，白色帽檐压得很低，戴着一副圆边太阳镜。

“怎么了？还遮着脸。”友彦边在她对面坐下边问。

她还没开口，服务生就来了。“啊，我不用了。”他回绝道。夕子却说：“点个东西吧，我想在这里说话。”

她急迫的语气让友彦有点纳闷。

“那，冰咖啡。”他对服务生说。

夕子伸手拿起还剩三分之二的金巴利苏打，喝了一大口，然后呼地舒了口气。“学校的课上到什么时候？”

“这个星期就结束了。”友彦回答。

“暑假要打工吗？”

“打工……你是说一般的打工？”

友彦这么一说，夕子嘴角露出一丝微笑。“是呀，这还用问吗？”

“现在还没那个打算，累得半死，却赚不了多少。”

“哦。”夕子从白色手提包中拿出盒柔和型七星，抽出了烟却只夹在指尖，也不点火。友彦觉得她似乎很焦虑。

冰咖啡送了上来，友彦一口气喝掉一半。他觉得很渴。“哎，怎么不到房间去？”他低声问道，“平常你都直接去。”

夕子点着烟，接连吸了几口，然后把抽不到一厘米的烟在玻璃烟灰缸中摁熄。“出了点问题。”

“什么？”

夕子没有立刻回答，更令友彦感到不安。“到底怎么了？”他凑近桌子问道。

夕子看看四周，才直视着他。“好像被叔叔发现了。”

“叔叔？”

“我老公。”她耸耸肩，或许想尽力让情况看来像是个玩笑。

“被他抓住把柄了？”

“他还不确定，不过也差不多了。”

“怎么会……”友彦说不出话来，血液仿佛逆流，身体发烫。

“对不起，都是我太不小心了，明知道绝对不能被他发现的。”

“他怎么发现的？”

“好像是有人看到了。”

“看到了？”

“好像是我和阿彦在一起时，被认识的朋友看到了，那个朋友多嘴告诉他‘你太太跟一个很年轻的男人在一起聊得很开心’什么的。”

友彦环顾四周。突然之间，他开始在意起别人的目光。看到他这个动作，夕子不禁苦笑。“可是，我老公是说他看我最近的样子，早就觉得怪怪的，说我整个人的感觉都变了。他这样说也有可能。和阿彦在一起后，我也觉得自己变了很多。明明应该多加小心的，却疏忽了。”她隔着帽子搔搔头，又摇摇头。

“他有没有问你什么？”

“他问我那人是谁，叫我把名字招出来。”

“你招了？”

“怎么可能？我才没那么傻呢。”

“这我知道……”友彦喝光冰咖啡，仍无法解渴，又大口喝起玻璃杯里的水。

“反正，那时候我装傻混过去了。他好像还没有抓到证据，可是，大概只是迟早而已。照他的个性，很可能会去请私家侦探。”

“要是那样就糟了。”

“嗯，很糟。”夕子点点头，“而且，有件事我觉得怪怪的。”

“什么事？”

“通讯簿。”

“怎么了？”

“有人翻过我的通讯簿，我本来是藏在梳妆台抽屉里的……如果有人翻过，一定是他。”

“你把我的名字写在上面？”

“没写名字，只有电话号码，不过可能已经被他发现了。”

“有电话就能查出姓名住址吗？”

“不知道。不过，只要有心，也许什么都查得出来。他人脉很广。”

依夕子所言想象她丈夫的形象，友彦非常害怕。被一个成年男子恨之入骨，这种事他连做梦都没想过。

“那……该怎么办才好？”友彦问。

“我想，我们暂时最好别见面。”

他无力地点头。高二的他也能理解，照她说的话做最为妥当。

“那，去房间吧。”夕子喝光金巴利苏打，拿着账单站起身。

他们两人的关系已持续大约一个月。最初的相遇当然是在那间公寓，马尾女就是花冈夕子。

他并不是喜欢上她，只是无法忘记初次体验得到的快感。自那天后，友彦不知道自慰过多少次，但每次脑海里浮现的都是她。这是理所当然的，因为再逼真的想象都不及真实记忆刺激。结果，友彦在首次见面后第三天打电话给她。她很高兴，提议单独见面，他答应了。

花冈夕子这个名字是她在酒店的床上告诉他的，她三十二岁。友彦也说了真名，学校和家里电话也一并告诉了她。他决定将答应桐原的事置于脑后，熟女技巧高超的操弄已使他失去了思考能力。

“我朋友说有个派对可以和年轻男生聊天，问我要不要去。喏，就是上次那个短发的。我觉得好像很有意思，就去了。她好像去过好几次，不过我是第一次，我好紧张哦！幸好来的是像你这么棒的男生。”说完，夕子便钻进友彦的臂弯。熟女连撒娇都很有技巧。

最令友彦吃惊的，是她付给桐原两万元。原来有一万多元被桐原私吞了，怪不得他那么勤快，友彦这才恍然大悟。

友彦每星期和夕子见两三次面。她丈夫好像是个大忙人，所以她晚归也无所谓。离开酒店时，她总会给他五千元钞票，说是零用钱。

明知不应该这么做，友彦却仍继续和有夫之妇幽会。他沉溺在性爱游戏里，即使期末考迫在眉睫，情况也没有改变，结果就如实反映在成绩上。

“真讨厌，暂时见不到你了。”友彦压在夕子身上说。

“我也不愿意呀。”

“难道没办法了？”

“我不知道，不过，现在情况有点不太好。”

“什么时候才能见面？”

“不知道呢，真希望能快点见面。隔得越久，我就会变得越老了。”

友彦抱紧她细瘦的身躯，然后放纵自己的年轻，执拗地不断进攻。一想到下次不知何时才能见面，他便把全身能量都释放在她身上，不留一丝遗憾。她尖叫了好几次，每次身子都如弓般向后弯曲，双手双脚伸展痉挛。

异状发生在第三次交欢结束后。

“我去上个厕所。”夕子说。有气无力的语气是这时候常有的现象。

“请。”友彦说着从她身上离开。

她撑起赤裸的上半身，突然“呜”的一声，再度瘫回床上。友彦以为她大概是突然起身时头晕，以前她也经常如此。然而，她一动不动。友彦以为她睡着了，摇了摇她的身子，但她完全没有醒转的样子。

友彦脑中浮出一个念头，不祥的念头。他下床，战战兢兢地戳了戳她的眼皮，她依然毫无反应。他全身无法控制地发抖，不会吧！他想。不可能会发生这么可怕的事……

他触摸她单薄的胸膛，然而事情正如他的想象，他感觉不到她的心跳。

6

友彦发现酒店房间钥匙还在口袋里，是在快回到家的时候。完蛋了！一瞬间他咬住嘴唇。房间里要是没有钥匙，酒店的人一定会生疑。但是，再怎么挣扎都无济于事。他绝望地摇头。

当友彦明白花冈夕子已一命呜呼时，曾考虑立刻打急救电话。但是，这么一来，便必须表明自己和她在一起，他不能这么做。何况，就算叫医生来也是枉然，她已经回天乏术。他迅速穿上衣服，带着自己的东西冲出房间，同时小心不让别人看见脸孔，离开了酒店。

但是，搭上地铁后，他发现这样根本于事无补。因为已经有人知道了他们俩的关系，那人偏偏是花冈夕子的丈夫，一个最要命的人。从现场的情况，他一定会推断和夕子在一起的，就是叫园村友彦的高中生，然后他一定会把这件事告诉警察。警察一详细调查，不费吹灰之力就可以证实。完了，他想，一切都完了。这件事要是被公开，他的人生就毁了。

回到家时，母亲和妹妹正在客厅吃晚餐。他说在外面吃过了，便直接回了房间。坐在书桌前，他想起桐原亮司。花冈夕子的事情一旦曝光，那间公寓的事他自然得告诉警察。这么一来，桐原势必也无法全身而退，他的行为与皮条客殊无二致。必须跟他说一声，友彦想。

友彦溜出房间，来到放置于走廊的电话边，拿起听筒。客厅里传来电视节目的声音，他暗自祈祷家人多看一会儿电视，看得专心一点。电话一接通，就传来桐原的声音。友彦报出名字，桐原似乎颇感意外。

“出了什么事吗？”也许是有所察觉，桐原的语气听来很警惕。

“出事了。”友彦说。光是这样，就让他的舌头几乎打结。

“怎么？”

“这个……电话里很难解释，说来话长。”

桐原没作声，一定是在思考。过了一会儿，他说：“该不会是跟老女人有关吧？”

一开口就被他言中，友彦无话可说。听筒里传来桐原的叹气声。“果然被我说中了。是上次扎马尾的女人，是不是？”

“对。”

桐原再度叹气。“怪不得那女人最近都没来，原来是跟你签了个人契约。”

“我们不是签约。”

“哦，不然是什么？”

友彦无言以对，擦了擦嘴角。

“算了，在电话里说这些也没用。你现在在哪里？”

“家里。”

“我现在就过去，二十分钟就到，你等我。”桐原径自挂了电话。

友彦回到房间，想想能够做些什么。但是，头脑一片混乱，思绪根本无法集中。时间一分一秒流逝。

桐原果真在二十分钟后准时出现。到玄关开门时，友彦才知道他会骑摩托车。问起时，他以“这不重要”一语带过。

进入狭小的房间，友彦坐在椅子上，桐原在榻榻米上盘腿而坐。桐原身旁放着一个盖着蓝布、小型电视机大小的四方形物体，那是友彦的宝贝，每一个被他请进房的人，都得听他炫耀一番，但他现在没那个心情。

“好了，说吧。”桐原说。

“嗯。可是，我不知道要从哪里说起……”

“全部，全部说出来。你大概把答应我的事当放屁，就先从那里开始吧。”

因为事情正如桐原所说，友彦无法反驳。他干咳一声，一点一滴地说出事情的来龙去脉。

桐原脸上的表情几乎没变，然而，从他的动作可以明显看出他越听越生气。他不时弯曲手指发出声音，或用拳头捶打榻榻米。听到今天的事时，他终于变了脸色。“死了？你确定她真的死了？”

“嗯，我确认了好几次，错不了。”

桐原啧了一声：“那女人是个酒鬼。”

“酒鬼？”

“对。而且年纪一大把了，和你干得太猛，心脏吃不消。”

“她年纪也没多大啊，不是才三十出头吗？”

听友彦这么说，桐原的嘴角猛地上扬。“你昏头啦，她都四十好几了！”

“……不会吧？”

“错不了，我见过她多次，清楚得很。她是个喜欢处男的老太婆，你是我介绍给她的第六个小伙子。”

“怎么会！她跟我说的不是这样……”

“现在不是为这些震惊的时候。”桐原一脸不耐，皱着眉头瞪向友彦，“然后呢？那女的怎样了？”

友彦垂头丧气地迅速说明情况，还加上他的看法，认为自己大概躲不过警察的追查。

桐原嗯了一声。“我明白。既然她丈夫知道你，要瞒过去的确很难。没办法，你就硬着头皮接受警方调查吧。”口气听起来是打算袖手旁观了。

“我准备把事情全说出来，”友彦说，“在那间公寓发生的事当然也包括在内。”

桐原的脸色变得很难看，抓了抓鬓角。“那就麻烦了，那样事情不能光说是中年女子玩火就可了结。”

“可要是不说，怎么解释我跟她是怎么认识的？”

“那种理由要多少有多少，就说是你在心斋桥闲逛时被她找上的不就得了？”

“……要说谎骗过警察，实在没把握。搞不好他们一逼问，我就全招了。”

“真弄成那样，”桐原再度瞪向友彦，用力捶着双膝，“我背后的人就不会不管了。”

“你背后？”

“你以为光靠我一人就能做那种生意？”

“黑道？”

“随你怎么想。”桐原把头向左右弯了弯，弄得关节噼啪作响，下一瞬间，友彦的衣领已被他抓住了。“反正，如果你爱惜自己，最好不要多嘴。这个世界上，比警察还要恐怖的人多的是。”他凶狠的语气让友彦不敢回嘴。可能认为这样就算已说服了友彦，桐原站起来。

“桐原……”

“干吗？”

“没事……”友彦低下头，说不出话来。

桐原哼了一声，转过身去。就在这时，覆着四方形盒子的蓝布掉落下来，露出友彦心爱的个人电脑。

“喃！”桐原睁大了眼睛，“这是你的？”

“嗯。”

“原来你有这种好东西啊。”桐原蹲下来查看，“你会写程序？”

“Basic 大致都会。”

“Assembler 呢？”

“会一点。”友彦边答边想，原来桐原对计算机很在行。Basic 和 Assembler 都是计算机语言的名称。

“你有没有写程序？”

“写过游戏程序。”

“给我看一下。”

“下次吧……现在不是看那种东西的时候。”

“叫你给我看你就给我看！”桐原单手抓住友彦的领口。

慑于桐原的气势，友彦从书架上取出资料夹，里面是他记载流程图和程序的纸张。他把资料夹交给桐原。

桐原认真地端详起来。不久，他合上资料夹，闭上眼睛，一动不动。

友彦想开口询问，但欲言又止，因为桐原嘴唇在动，不知在嘟囔什么。

“园村，”桐原终于开口了，“你要我帮你吗？”

“咦？”

桐原面向友彦。“照我的话去做，你就不会有麻烦，也不会被警察抓去。我可以让那女人的死变得跟你毫无关系。”

“你办得到？”

“你肯听我的？”

“肯，你说什么我都照做。”友彦急切地点头。

“你什么型的？”

“什么？”

“你的血型。”

“哦……我是O型。”

“O型……很好。你用套子了吧？”

“套子？你是说保险套吗？”

“对。”

“用了。”

“好极了！”桐原再度起身，朝友彦伸出手，“把酒店钥匙给我。”

7

两天后的傍晚，刑警找上了友彦。他们一行两人，一个是穿白色V字领衬衫的中年人，另一个穿着水蓝色马球衫。他们找上友彦，果然是因为夕子的丈夫发觉了她与友彦的关系。

“我们有点事想请教友彦。”穿白衬衫的警察说。他并没有说明与什么事件有关。出来应门的房子光是听到来人是警察，就已惶惶不安。

他们把友彦带到附近的公园。太阳已经落山了，但长凳上还留有余温。友彦和穿白衬衫的警察坐在长凳上，身着水蓝色马球衫的男子则站在他面前。来公园的路上，友彦尽量不说话。这样看起来虽不自然，但也不必强自镇定，这是桐原的建议。“高中生在警察面前一副坦然无事的模样反而奇怪。”他说。

白衬衫警察先给友彦看一张照片，问他：“你认识这人吗？”

照片里的人正是花冈夕子，可能是旅行时拍的，身后是一片蔚蓝的海。她朝着镜头笑，头发比生前要短。

“是……花冈太太吧。”友彦回答。

“你知道她的名字吧？”

“记得是夕子。”

“嗯，花冈夕子太太。”警察收起照片，“你们是什么关系？”

“什么关系……”友彦故意吞吞吐吐的，“没什么……认识而已。”

“我们就是要问你们怎么认识的。”白衬衫警察的语气虽然平静，却有些许不耐烦的感觉。

“你就老实说吧。”马球衫警察嘴边带着嘲讽的笑容监看着他。

“大概一个月之前，我路过心斋桥的时候被她叫住了。”

“怎么个叫法？”

“她问我，如果我有空，要不要跟她去喝个茶。”

友彦的回答让警察们互望一眼。

“然后你就跟她去了？”白衬衫问。

“因为她说要请客。”友彦说。

马球衫从鼻子呼出一口气。

“喝了茶，然后呢？”白衬衫进一步问。

“就只喝了茶，离开咖啡馆我就回家了。”

“哦。不过，你们不止见过一次面吧？”

“后来……又见过两次。”

“哦，怎么见的？”

“她打电话给我，说她在南那个地方，如果我有空，要不要和她一起喝茶……大概就是这样。”

“接电话的是你母亲？”

“不是，两次刚好都是我接的。”

友彦的回答似乎让发问者颇觉无趣，警察噘起下唇。“你就去了？”

“是的。”

“去做什么？又是喝了茶就回家？怎么可能？”

“就是啊，就是那样。我喝了冰咖啡，跟她聊了一下就回家了。”

“真的只有那样？”

“真的，只有那样不行吗？”

“不是，不是那个意思。”白衬衫警察搔着脖子，盯着友彦。那是一种想从年轻人的表情中找出破绽的眼神。“你们学校是男女同校吧，你应该有好几个女性朋友，何必去陪一个上了年纪的女人，不是吗？”

“我只是因为很闲才陪陪她。”

“哦。”警察点点头，脸上浮现不相信的表情，“零用钱呢？她给了吧？”

“我没收。”

“什么？她要给你钱，可是你没收？”

“是的。第二次见面的时候，花冈太太塞给我一张五千元的钞票，可是我没有收。”

“为什么没有收？”

“不为什么……我没有收钱的理由。”

白衬衫点点头，抬头看马球衫。

“你们在哪家咖啡馆见面？”马球衫问。

“心斋桥新日空酒店的大厅。”这个问题他诚实地回答了，因为他知道夕子丈夫的朋友曾经看到过他们。

“酒店？都已经去了那里，真的只喝个茶？你们没直接开房间？”马球衫粗鲁无礼，大概是从心底瞧不起陪主妇磨时间的高中生。

“我们只是边喝咖啡边聊天。”

马球衫撇了撇嘴，哼了一声。

“前天晚上，”白衬衫开口了，“放学后你去了哪里？”

“前天……是吗？”友彦舔舔嘴唇，这里是关键，“放学后，我到天王寺的旭屋逛了逛。”

“什么时候回的家？”

“七点半左右。”

“然后就一直待在家里？”

“是。”

“没有跟家人以外的人碰面？”

“啊……呃，八点左右有朋友来找我玩。是我同班同学，姓桐原。”

“桐原？怎么写？”

友彦说出写法，白衬衫记在手册上，并问道：“你那位朋友在你家待到几点？”

“九点左右。”

“九点，然后你做了些什么？”

“看看电视，跟朋友通电话……”

“电话？和谁？”

“一个姓森下的，我初中同学。”

“你们什么时候开始通话？”

“他大概十一点打过来，我想我们讲完的时候已经超过十二点了。”

“打过来？是他打给你的？”

“是的。”

这件事是有玄机的，因为是友彦先打电话给森下。他知道森下去打工不在家，故意挑那个时间打电话，然后请森下的母亲转告森下回电。这当然是为了确保不在场证明所做的手脚，这一切都是依照桐原的指示进行的。

警察皱起眉头，问他如何联络森下。友彦记得电话号码，当场便说了。

“你什么血型？”白衬衫问。

“血型？我是O型。”

“O型？你确定？”

“我确定，我爸妈都是O型。”

友彦感觉到警察突然对他失去了兴趣，但他不明所以。那天晚上，桐原也问过他的血型，那时也没有告诉他原因。

“请问，”友彦怯怯地问，“花冈太太怎么了？”

“你不看报纸？”白衬衫厌烦地说。

“嗯。”友彦点点头。他知道昨天晚报有小篇幅报道，但决定装傻到底。

“她死了，前天晚上死在酒店。”

“啊？”友彦故作惊讶,这是他在警察面前表现得唯一像样的演技，“怎么会……”

“天知道为什么。”警察从长凳上站起，“谢谢，你的话是很好的参考，我们可能会再来问点事情，到时候再麻烦你。”

“哦，好的。”

“我们走吧。”白衬衫对同伴说，两人头也不回地扬长而去。

为花冈夕子之死来找友彦的不止警察。

警察来过的四天后，他走出校门不远，就有人从背后拍他的肩膀。一回头，一个上了年纪、头发全部往后梳的男子，露出暧昧的笑容站在那里。“你是园村友彦吧？”男子问道。

“是。”

听到友彦的回答，男子迅速伸出右手，拿出一张名片，上面的名字是花冈郁雄。友彦感觉自己的脸色转成铁青，他知道必须装作若无其事，然而却控制不了身体的僵硬。

“我有事想问你，现在方便吗？”男子一口标准的东京腔，声音低沉洪亮。

“方便。”

“那么在车里谈吧。”男子指着停在路旁的银灰色轿车。

友彦在他的指示下坐在副驾驶座。

“南局的警察找过你了吧？”坐在驾驶座上的花冈开门见山。

“是的。”

“是我跟他们提起你的，因为我太太的通讯簿上有你的电话号码。或许给你带来了麻烦，但是有很多事情我实在想不通。”

友彦不认为花冈真会顾虑到他，便没作声。

"我听警察先生说，她找过你好几次，要你陪她解闷。"花冈对友彦笑着，但眼里了无笑意。

"我们只是在咖啡馆聊天。"

"嗯，这我知道。听说是她主动找你的？"

友彦默默地点头，花冈发出低沉的笑声。"她就是喜欢帅哥，而且偏爱小伙子。都一大把年纪了，看到偶像明星还会尖叫。像你，既年轻，长得又帅，正是她喜欢的类型。"

友彦放在膝头的双手握成拳头。花冈的声音黏黏腻腻的，也像是忌妒从字句间渗透出来。

"你们真的只是聊天？"他又换了一个方式问。

"是的。"

"她有没有约你去做其他事？譬如说，去旅馆开房间之类的。"花冈似乎想故作风趣，但他的口气一点也不轻松愉快。

"从来没有。"

"真的？"

"真的。"友彦重重点头。

"那么，我再问你一件事。除你之外，还有没有人像这样和她见面？"

"除我之外？不知道……"友彦微微偏着头。

"没印象？"

"没有。"

"哦。"

友彦虽然低着头，却感觉得到花冈正盯着他。那是成年男子的视线，那种带刺的感觉，让人心情跌到谷底。就在这时，友彦身旁发出敲玻璃的声响。一抬头，桐原正看向车内，友彦打开车门。

"园村，你在干吗？老师在找你。"桐原说。

"咦……"

“老师在办公室等着，你最好赶快去。”

“啊！”一看到桐原的眼神，友彦立刻明白了他的用意。友彦转身面向花冈。“请问，我可以走了吗？”

既然是老师找，总不能置之不理。花冈看来虽然有点心有未甘，也只好说：“可以啊，没事了。”

友彦下了车，和桐原并肩走向学校。

“他问你什么？”桐原小声问。

“关于那个人。”

“你装傻了吧？”

“嗯。”

“很好，这样就行了。”

“桐原，现在事情到底怎样了？你是不是做了什么？”

“这你就不用管了。”

“可是……”

友彦还想说下去，桐原轻轻拍了拍他的肩膀。“刚才那家伙可能还在看，你先进学校再说。回家的时候走后门。”

他们两人站定在学校正门。“知道了。”友彦回答。

“那我走了。”说着，桐原便离开了。友彦望了望他的背影，照他的吩咐走进学校。

从那之后，花冈夕子的丈夫便不曾出现在友彦面前，南局的警察也没有再来。

8

八月中旬的星期日，友彦被桐原带到公寓，就是他获得第一次性经验的地方。和那时不同，这次桐原自己用钥匙开了门，他的钥匙圈上挂着一大串钥匙。

“进来吧。”桐原边脱运动鞋边说。

厨房兼餐厅看起来没多大改变。廉价的餐桌和椅子，冰箱和微波炉，都和当时一样。不同的是当时弥漫室内的化妆品香味现在都已消散。

昨晚，桐原突然打电话来，说有东西要给他看，约他今天一起出去。问为什么，桐原便笑着说是秘密。他会发出冷笑之外的笑声，真非常难得。

当友彦知道目的地是那间公寓的时候，脸色不由得变得很难看。他对那里的回忆实在称不上美好。

“别担心！不会叫你卖身。”似乎是看穿了友彦的心思，桐原笑着说。这是可以称为冷笑的笑容。

桐原打开上次来时没有装上的拉门。当时，花冈夕子她们就坐在拉门后的和室里，今天那里没人。但是，友彦一看到里面的东西，忍不住睁大了眼睛。

“吓到你了吧。”桐原开心地说，大概是因为友彦的反应正如他所料。

里面设置了四部个人电脑，还连接了十几台附属机器。

“怎么会有这些？”还没从惊讶中恢复的友彦愣愣地问。

“还用说，当然是买的。”

“桐原，你会用？”

“一点点。不过，我想请你帮忙。”

“我？”

“对，所以才找你过来。”

桐原刚说完，门铃就响了。因为没想到会有人来，友彦背脊不由得紧绷起来。

“想必是奈美江。”桐原站起身来。

友彦走近堆在房间角落的纸箱，望向最上面的箱子，里面塞满了全新的卡带。要这么多卡带做什么？

外面传来开门声和脚步声。他听到桐原说“园村来了”。

“哦。”是女人在回答。

一个女人走进房间，看上去年过三十，其貌不扬。友彦觉得好像在哪里见过。

“好久不见。”女人说。

“咦？”

看到友彦吃惊的样子，女人轻笑一声。

“就是上次先走的那个。”桐原在旁边说。

“那时候……啊！”友彦很惊讶，再次细看女人。记得她当时一身牛仔装，今天的妆很淡，看起来比那时老上几分。不过，这才是她真正的模样吧。

“解释起来很麻烦，她的事你就别问了。她叫奈美江，我们的会计，这样就够了。”桐原说。

“会计……”

桐原从牛仔裤口袋中取出一张折起来的纸，递给友彦。纸上用签字笔写着一行字“各式个人电脑游戏邮购　无限企划”。

“无限企划？”

“我们公司的名字，卖存在卡带里的电脑游戏程序，用邮购方式出售。”

“游戏程序，”友彦轻轻点头，“这个……也许会大卖。”

“绝对会大卖，我向你保证。”桐原说得很笃定。

“可是，我想应该要看软件吧。”

桐原走向一部电脑，把打印机刚打印出来的一长串纸拿到友彦面前。“这个就是主力商品。”

上面打印的是一连串程序，那复杂冗长的程度，几乎不是友彦所能消化的。程序名为“Submarine”。

“游戏是哪来的？你写的？”

“谁写的还不都一样，奈美江，游戏的名字你想了没有？”

“想是想了啦，不过不知道亮满不满意。”

“说来听听。”

“Marine Crash，”奈美江没把握地说，“你觉得怎样？”

“Marine Crash……”桐原双臂抱胸，想了一会儿，点点头，“OK，就用这个名字。”

可能是见他很满意，奈美江松了口气似的微笑了。

桐原看看表，站起来。“我去一下印刷厂。”

“印刷厂？干吗？”

“做生意得准备很多东西。”桐原穿上运动鞋，离开公寓。

友彦在和室盘腿而坐，望着那个程序。但是，他很快就把头抬起来。奈美江坐在桌子那边，拿着计算器计算。

“他到底是个什么样的人啊？”他朝着她的侧脸说。

她的手停止动作。“什么什么样的人？”

“他在学校里完全不起眼，好像也没有走得比较近的朋友。可是，背地里却在做这些。”

奈美江把脸转过来朝着他。“学校不过是人生的一小部分。”

“话是没错，可是也没人像他这么诡异啊。”

“亮的事情你最好别打听太多。”

“我不是想打听，只是很多事让我觉得很神奇。那时候也是……”友彦含糊其辞，他不知道可以对她透露多少。

她却神色自若地说："你是说花冈夕子的事？"

"嗯。"他点头，明白她了解内情，内心松了一口气，"所谓坠入云里雾中，大概就是这种感觉。他到底是怎么解决的？"

"你想知道？"

"当然想啊。"

听了友彦的话，奈美江皱着眉，用圆珠笔尾端搔了搔太阳穴。"就我听说的呢，花冈夕子的尸体是她住进酒店的第二天下午两点左右被发现的。因为退房的时间已经过了，她没有和前台联络，打内线电话到房间也没有人接，酒店的人很担心，就跑去查看。房门是自动锁，他们是用总钥匙开门进去的。听说花冈夕子一丝不挂地躺在床上。"

友彦点点头，他能想象那情景。

"警察马上就赶来了，看样子好像没有他杀的嫌疑。警察好像认为她是在进行性行为时心脏病发作，推定死亡时间是前一天晚上十一点。"

"十一点？"友彦歪着头，"不对，怎么可能……"

"服务生见到她了。"奈美江说。

"服务生？"

"听说有女人打电话给客房服务台，说浴室没有洗发精，要他们送过去。服务生送过去的时候，是花冈夕子来拿的。"

"不对，这太奇怪了。我离开酒店的时候……"

友彦没继续往下说，因为奈美江开始摇头："这是服务生说的，他在十一点左右把洗发精交给女性客人。那个房间的女性客人，不就是花冈夕子吗？"

"啊！"友彦这才明白，原来是有人假扮花冈夕子。那天，夕子戴着很大的太阳镜。只要梳类似的发型，再戴上那副眼镜，要骗过服务生应该不难。

那么，是谁冒充花冈夕子的呢？

友彦看着眼前的奈美江。“是奈美江小姐假扮的吗？”

奈美江笑着摇头：“不是我，这么大胆的事，我可做不来。我立刻就会露出马脚。”

“这样的话……”

“关于这件事，你最好别多想，”奈美江毫不客气地说，“那些只有亮才知道。有人帮了你的忙，这样不就好了吗？”

“可是……”

“还有一件事，”奈美江竖起食指，“警察听了花冈夕子丈夫的话，盯上了你，可是马上又对你失去了兴趣。你知道为什么吗？那是因为现场找到的迹证是AB型的。”

“AB型？”

“精液，”奈美江眼睛眨也不眨地说，“从花冈夕子的身上验出了AB型的精液。”

“那……太奇怪了。”

“你大概很想说那不可能，但事实就是如此。她的阴道里的确装了AB型的精液。”

“装了”这说法有点突兀，友彦恍然大悟。“桐原是什么血型？”

“AB。”说完，奈美江点点头。

友彦伸手掩住嘴，他有点想吐。分明是盛夏，他却觉得背脊发凉。“他对尸体——”

“我不许你胡想发生了什么。”奈美江的语气冷得简直令人战栗，眼神也很严厉。友彦找不到话说，一回过神，才发现自己在抖。

这时玄关的门开了。“广告我谈好了。”进来的人是桐原，他把手上的纸递给奈美江，“怎么样？跟当初的估价一样吧。”

奈美江接过那张纸，微笑点头，表情有点僵。

桐原似乎立刻发现气氛有所不同。他一面打量着奈美江和友彦，一面走到窗边，叼起一根烟。“怎么了？”他简短地问，用打火机点着烟。

“那个……”友彦抬头看他。

“干吗？”

“那个……我……”咽下一口唾沫，友彦说，“我什么都做，我愿意为你做任何事。”

桐原直勾勾地盯着友彦，然后，那双眼睛转向奈美江，她微微点头。

桐原的目光再度落到友彦身上，平时的冷笑已经回到他脸上。他让笑容挂在嘴边，惬意地抽烟。

“那当然了。”然后，他仰望稍显混浊的蓝天。

第四章

1

雨没有大到需要撑伞，却也悄无声息地沾湿了头发和衣服。秋雨绵绵，灰色的云却不时分开，让夜空露出脸来。出了四天王寺前站，中道正晴抬头望着天空，想，狐狸嫁女儿啊。这是他母亲告诉他的。

他在大学的储物柜里放了一把折伞，但直到出了大门才想起，便打消了回去拿的念头。

他有点匆忙。心爱的石英表指向七点五分，意味着他已经迟了，但他要去见的人并不会为此而不悦。他的匆忙，纯粹是因为想尽快到达目的地的民宅。

没有伞，他用在车站零售摊买来的体育报挡雨，以免淋湿头发。职棒养乐多队获胜翌日购买体育报，是他自去年养成的习惯。直到初中一直住在东京的他，从养乐多燕子队还叫原子队时，便是该队的球迷。燕子队去年在广冈总教练的带领下奇迹般获得冠军。去年这时，几乎每天都看得到报道养乐多选手杰出表现的新闻。然而今年养乐多队却大为走样，情况跌到谷底。九月以来，他们的排名总是垫底，正晴买体育报的机会当然也变少了。今天身边有报纸，可说极为幸运。

几分钟后，正晴抵达目的地，按了门牌“唐泽”下方的门铃。

玄关的格子门打开，唐泽礼子随即出现。她穿着紫色的连衣裙，可能是因为质地细薄，她身形显得格外孱弱，看了不觉令人心疼。正晴想，不知这位刚迈入老年的妇人何时会再穿起和服。三月他第一次造访时，她穿着深灰色捻线绸和服。而自梅雨前夕起，和服便换成了长裙。

“老师，真对不起。”一看到正晴，礼子便致歉道，“刚才，雪穗打电话回来，说为了准备文化节无论如何脱不了身，会晚三十分钟左右。我已经要她尽快赶回来了。”

“哦。”正晴松了一口气，“听您这么说，我就放心了。我还以为会迟到，心里着急得很呢。”

“真的很抱歉。”礼子低头行礼。

“那么我该做什么呢？”正晴看着手表，喃喃道。

“请到里面来等吧，我来准备冷饮。”

“这样啊，请不要太费心。”正晴点点头，走进室内。

他被领进一楼的客厅，这里本来是和室，但放置了藤质桌椅，作为西式房间使用。他只在第一次造访时踏进这间房间，大约是在半年前。

为正晴找到这份家教工作的是他的母亲。她听说她的茶道老师想为即将升高二的女儿找数学家教老师，便推荐了儿子。那位茶道老师便是唐泽礼子。

正晴在大学就读理工科，自高中时代便对数学颇具自信。事实上，直到今年春天，他都是一个高三男生的数学和理科家教，这学生顺利考上了大学，正晴也必须去找下一份家教工作。母亲为他介绍的这个机会正是求之不得。正晴非常感谢母亲。不仅是因为这个工作确保了他每个月的收入，每周二造访唐泽家更令他期待不已。

他坐在藤椅上等候，不久礼子便用托盘端着盛有麦茶的玻璃杯回来了。看到麦茶，他松了口气。上次进这间房间时，主人径自端上抹茶，他完全不懂喝抹茶的规矩，急出一身冷汗。

礼子在他对面坐下，说声“请用”，招呼他喝茶。正晴不客气地拿起玻璃杯，冷凉的茶流过干渴的喉咙，非常舒服。

“不好意思，让老师等。我倒是觉得，只不过是准备文化节，雪穗大可找机会溜出来。”礼子再度道歉，显然十分过意不去。

“哪里，没关系，请不要放在心上。交朋友也很重要。”正晴故作老成。

“那孩子也是这么说。而且，她说为文化节作的准备，并不是班上要办的活动，而是社团那边，所以三年级学姐盯得很紧，很难脱身。”

“哦，这样。”正晴想起，雪穗提过她在学校参加了英文会话社，也听她说过几句英文。不愧从初中就开始上英文会话补习班，果然不同凡响。他还记得她卷舌的发音自己实在无法相比。

“如果是一般高中，一定没有高三学生还对文化节这么热衷吧？毕竟是这样的学校，才能这么悠游。中道老师念的是有名的升学高中，高三时一定没有心思管什么文化节吧？”

听了礼子的话，正晴苦笑着摇摇手。“我们学校也有高三学生对文化节很投入的。大概有不少人是在准备考试之余当消遣。我也一样，高三秋天时还是无心念书，有什么活动，马上就乐翻天。”

“哎呀，是吗？不过，那一定是因为老师成绩优秀，才能那么从容。”

“哪里，没这回事，真的。”正晴不断摇手。

唐泽雪穗就读的是清华女子学园，正晴听说她是从清华的初中部直升的。她还准备直升同一所学校的大学。若高中时期成绩优秀，只须面试通过便能进入清华女子大学。只不过视志愿学科而定，入学的关卡有时也可能极难通过。雪穗的志愿是竞争最激烈的英文系。为了确保获得直升的机会，她的学业成绩必须在全学年始终名列前茅。

雪穗几乎所有科目成绩都很优秀，只有数学稍弱。为此担心的礼子才想到聘请家教老师。

希望设法一直到高三上学期都维持前几名的成绩——这是最初见面时礼子提出的希望。因为推荐入学之际，至三年级上学期为止的成绩都会纳入参考。

“雪穗如果那时候上公立初中的话，明年就得准备考大学，那更辛苦了。想到这一点，我觉得当时让她进现在这所学校，真是做对了。”唐泽礼子双手捧着玻璃杯，感慨万千。

“是啊，考试真的是越少越好。”正晴说。这是他平常的想法，过去也常对他辅导的学生家长这么说。“所以，最近有越来越多家长在孩子上小学的阶段，便选择这一类私立附属中小学。”

礼子郑重地点头。“是呀，这么做是最好的安排，我对侄甥辈也这么说。孩子的考试，最好在很早的阶段一次解决。越往后，要进好学校就越难。”

“您说得一点也没错。”正晴点点头，随即稍觉疑惑地问道，“雪穗小学上的是公立学校吧，那时候没有参加考试吗？”

礼子沉思般偏着头，沉默了一会儿，略显迟疑。不久，她抬起头来。“如果当时她在我身边，我一定会这样建议，但是那时候我还没和她住在一起。大阪这个地方和东京比起来，会想到让孩子进私立学校的父母很少。最重要的是即使想上私立学校，当时那孩子的环境也不允许。”

“啊，哦……”正晴有些后悔，自己恐怕问了一个微妙的问题。雪穗并非唐泽礼子的亲生女儿，这事在他接下这份工作时便听说了。但是，她是在何种情况下成为养女的，根本没有人告诉他，以前也从未提及。

“雪穗的亲生父亲算是我的表弟，不过在她还小的时候便意外过世了，所以家境不是很好。他太太虽然出去工作，但一个女人要养家养孩子，实在不容易。”

“她亲生母亲怎么了？”

正晴一问，礼子的表情更加忧郁。“也是意外身亡，我记得是雪穗刚升上六年级的时候。好像是……五月吧。”

“车祸吗？”

“不是，是煤气中毒。”

“煤气……”

“听说是炉子上开着火煮东西，人却打盹睡着了。后来汤汁溢出来浇熄了火苗，睡着了没发现，就这样中毒了。我想她一定是累坏了。”礼子悲伤地蹙起细细的眉毛。

正晴想，这很有可能。最近都市住户渐渐改用天然气，一般不再发生因煤气造成的一氧化碳中毒，但从前经常发生类似的意外。

“尤其可怜的，是发现她身亡的就是雪穗。一想到雪穗当时受到多大的惊吓，我就心疼不已……”礼子沉痛地摇头。

“她自己发现的吗？”

“不，听说房间上了锁，她请不动产管理员来开锁，我想她是和管理员一起发现的。”

“哦，和管理员一起啊。”

正晴想，那人真是遇到无妄之灾，发现尸体时，一定吓得面无血色。

“雪穗就是因为那次意外变得无依无靠了啊。”

“是啊，葬礼我也出席了，雪穗倚着棺木号啕大哭。看到她那个模样，连我们大人也跟着心碎了……”

或许是心中浮现出当时的情景，礼子频频眨眼。

“所以，呃，唐泽女士便决定收养她？”

“是的。”

“是因为唐泽女士和她家往来最密切吗？”

“坦白说，我和雪穗的生母并没有怎么来往。两家虽然算是距离较近，却也不能轻松步行来回。不过，我和雪穗倒是从文代女士去世前就经常见面了。她常到我这里来玩。”

“哦……”

雪穗为什么会自己跑到和母亲并无亲密往来的亲戚家玩？正晴感到不解。也许是他的疑惑显现在脸上，礼子便接着说明：“我和雪穗第一次见面，是在她父亲七周年祭的时候。我们聊了一会儿，她对我懂得茶道似乎非常感兴趣，兴致勃勃地问了好多问题。我就说，既然这么有兴趣，就来我家玩吧，这应该是她母亲去世前一两年的事。后来，她真的很快就来找我了。我有点吃惊，因为当时只是随口说说。不过，她似乎是真心想学茶道，我也因为一个人住，相当寂寞，就以半当游戏的心态教她。她几乎每个星期都会自己坐公交车来找我，喝我泡的茶，告诉我学校里发生的事。不久，她的到访便成为我最期待的一件事。有时候她因为有事不能来，我就觉得好寂寞。”

“雪穗就是从那时候开始学茶道的？”

“是的。不过，不久她也开始对插花产生兴趣。我插花的时候，她会在旁边兴致勃勃地观看，有时也会插手玩玩，还要我教她怎么穿和服。”

“简直就像新娘教室。”正晴笑着说。

“就是那种感觉。不过，因为她还小，应该说是扮家家酒吧，那孩子啊，还会学我说话呢。我说那多让人害臊，要她别学了，她却说在家里听妈妈讲话，连自己也言语粗俗起来，所以要在我这里改过来。”

他这才明白，雪穗那种高中女生身上难得一见的高雅举止，原来是从那时培养起来的。当然，前提是本人要有意愿。

“说到这里，雪穗说话真没什么关西口音。”

“我和中道老师一样，以前一直住在关东，几乎不会讲关西话，不过她说这样才好。”

“我也不太会说关西话。”

“是啊，雪穗说和中道老师交谈很轻松。要是和操着浓重大阪口音的人说话，还得小心不受影响，说起话来很累人。”

“哦，可她明明是在大阪出生长大的啊。”

“她说她就是讨厌这一点。”

“真的？”

“是啊。”刚迈入老年的妇人撇嘴点头后，又微微偏头，“只不过呢，有一点让我有些担心。那孩子一直和我生活在一起，我怕她会少了年轻女孩应有的活泼。要是她不规矩，我也会头疼，但是她太乖了，我甚至觉得叛逆一点也不为过。中道老师，如果您方便的话，请带她出去玩。”

“咦？我？可以吗？”

“当然，中道老师我放心。”

“唔。那么，下次我带她出去好了。”

“请您务必这么做，我想她一定会很高兴。”

礼子的话似乎告一段落了，正晴再度伸手拿玻璃杯。这段对话并不枯燥，因为他正想多了解雪穗。然而，他认为礼子似乎不完全了解自己的养女。唐泽雪穗这个女孩，既不像礼子认为的那么守旧，也不会太过乖巧。有件事令他印象深刻。七月的时候，像平常一样上完两个小时的课后，他喝着送上来的咖啡，和雪穗闲聊。当时的话题必定与大学生活脱不了关系，因为他知道她喜欢听这个。

他们闲聊了五分钟后，有人打来电话。礼子来叫她，说是“一个英语辩论大会办事处的人要找你”。

“哦，我知道了。”雪穗点点头，下楼去了。正晴把咖啡喝完，站了起来。

他下楼的时候，雪穗正站在走廊上的电话架旁说话，表情看起来有点凝重。但当他向她打手势，表示要回家的时候，她笑容可掬地向他点头，轻轻挥手。

“雪穗真厉害，要参加英语辩论赛。”正晴对送他到玄关的礼子说。

“是吗？我完全没听她提起。”礼子偏着头说。

离开唐泽家后，正晴进了四天王寺前站旁的一家拉面店，吃迟来的晚餐，这已经成为他每星期二的习惯。他一边吃着饺子和炒饭，一边看店里的电视，但不经意地透过玻璃窗向外看时，正好瞥到一个年轻女孩快步走向大街。正晴顿时睁大了眼睛，因为那不是别人，正是雪穗。

会是什么事？他从她的表情感觉到事情非比寻常。她来到大街上，匆匆拦了出租车。时钟的指针指着十点。再怎么想，都只有一个结论——一定是有什么突发事件。

正晴很担心，便在拉面店打电话到唐泽家。铃声响了几次之后，礼子接起电话。

“哎呀，中道老师。有什么事吗？”听到他的声音，她意外地问，丝毫没有急切的感觉。

“请问……雪穗呢？”

“雪穗？我叫她来接。”

“咦？她现在就在旁边吗？”

“没有，在房里。她说明天社团有事，一早就要集合，要早点睡。不过她应该还醒着。”

一听到这几句话，正晴立刻有所警觉，发现自己做了不该做的事。

“啊，那就不用了。下次到府上拜访时，我直接跟她说，不是什么急事。”

“啊？可是……”

“真没关系，请别打扰她，让她睡吧，打扰您了。”

“哦。那么，明天早上我再告诉她中道老师打过电话找她。”

“好，那就请您转告。对不起，这么晚还打扰您。”正晴急忙挂断电话，腋下已经被汗水浸湿。

雪穗多半是瞒着母亲偷偷外出的，也许和刚才的电话有关。虽然对她的目的地大感好奇，但正晴不想妨碍她。但愿雪穗的谎言不会因为自己这个电话被拆穿，他想。

他的担忧第二天便解除了，因为雪穗打电话给他。“老师，妈妈说昨晚您打电话给我。对不起，我今天一早社团有练习，昨天很早就睡了。”

听到她这么说，正晴便知道她对礼子说的谎并没有被拆穿。

“也没有什么事，只是不知道发生了什么，有点担心。”

“发生了什么事？”

“我看到你一脸沉重地搭上出租车。”

一时间她没有说话，然后才低声道：“原来老师看到了。”

“我在拉面店里啊。”正晴笑着说。

“原来是这样啊，不过，老师帮我和妈妈保密了对不对？”

“因为要是被你妈妈知道，可能会不太妙。”

“嗯，没错，那就不太妙了。”她也笑了。

原来事情没有那么严重——正晴从她的反应猜想。

“到底发生了什么？我看和之前那个电话有关。”

“老师太犀利了，一点也没错。”说着，她把声音压低，“其实，是我朋友自杀未遂。”

“啊？真的吗？”

“好像是被男朋友甩了，一时冲动才那么做，我们几个好朋友急忙赶去她那里。可是，这种事总不能跟妈妈说。”

“是啊。那你朋友呢？”

“嗯，已经没事了。看到我们之后，她就恢复了理智。”

“那真是太好了。”

“她真是太傻了，不过就是男人嘛，何必这样就寻死。”

“没错。”

“所以喽，”雪穗开朗地继续说，“这件事就麻烦老师保密了。”

“好，我知道。”

“那么，下星期见。”她挂断电话。

回想起当时的对话，正晴至今仍不禁苦笑。他万万没有想到会从她嘴里听到“不过就是男人嘛”这种话。他深深体会到，年轻女孩的内心实在不是旁人能够想象的。不必担心，令千金并不像您想象的那么稚嫩——他很想对眼前的老妇人这般说。

当他把茶喝完时，玄关传来格子门打开的声音。

“好像回来了。”礼子站起身。

正晴也离开座位，利用面向庭院的玻璃门反射出的影子，迅速检查头发是否凌乱。你这笨蛋，脸红心跳个什么劲儿啊！——正晴臭骂映在玻璃上的自己。

2

中道正晴隶属于北大阪大学工学院电机工程学系第六研究室，选择的毕业研究主题是利用图形理论的机器人控制。具体地说，是根据单一方向的视觉辨识，使计算机判断该物体的立体形状。

他坐在书桌前修改程序时，研究生美浓部叫他："哎，中道，来看看这个。"美浓部坐在惠普个人电脑前，盯着屏幕。

正晴站在学长身后，看向黑白画面，那里显示出三个格眼细密的方格和一个类似潜水艇的图案。他认得这个画面，那是他们称为 Submarine 的游戏，内容是尽快击沉潜藏于海底的敌方潜水艇。从三个坐标显示的几项数据推测敌人的位置，正是这个游戏的乐趣所在。当然，如果只顾攻击，己方的位置便会遭敌人察觉，招致鱼雷反击。

这个游戏是第六研究室的大学生和研究生利用研究余暇做出来的，程序的编写与输入均以共同作业进行，可说是他们的地下毕业研究。

"有什么不对？"正晴问。

"你仔细看，这跟我们的 Submarine 有点不同。"

"咦！"

"像这个坐标显示的方式，以及潜水艇的形状也有点不同。"

"怪了，"正晴凝神仔细观察，"是啊。"

"很奇怪吧？"

"是啊，有人改过程序了？"

"不是。"

美浓部重新启动电脑，按下放置在身旁的录音机按键，取出磁带。这部录音机不是用来听音乐，而是个人电脑的外接储存装置。虽然 IBM 已经发布了使用碟形磁盘的储存方式，但个人电脑的外接储存装置大多仍使用卡带。

"我把这个放进去，启动后就是刚才那样。"美浓部把卡带递给正晴。卡带上的标签只写着 Marine Crash，是印刷体，不是手写的。

"Marine Crash？这是什么？"

“三研的永田借我的。”美浓部说。三研是第三研究室的简称。

“他怎么会有这种东西？”

“因为这个。”美浓部从牛仔裤口袋里拿出车票夹，抽出一张折起的纸，看来是从杂志里剪下的。他把那张纸摊开。

各式个人电脑游戏邮购——一行字映入眼帘。下面还有产品名称和该游戏的简单说明，以及售价表。产品共约三十种，价钱便宜的一千多元，昂贵的大约五千元出头。

Marine Crash 在表格中段，字体较粗，还附注“娱乐性★★★★”。用粗体标明的还有另外三种，但标示四颗星的只有这个，一看就知道卖方强力推荐。

从事售卖的是一家叫无限企划的公司，正晴既没见过也没听说过。

“这是什么？原来有人在做这种邮购业务？”

“最近有时候会看到，我没注意，不过三研的永田说他早就知道。看到这个 Marine Crash 的游戏内容跟我们的 Submarine 很像，他觉得奇怪。后来，他有朋友在这里下订单买东西，他去借来看。结果就像你看到的，内容一模一样。他吓了一跳，跑来告诉我。”

“嗯……”正晴一头雾水，“这是怎么回事？”

“Submarine，”美浓部说着往椅背靠去，金属挤压摩擦发出吱吱呀呀的声响，“是我们的原创作品。没错，说得精确一点，我们是拿麻省理工学生做的游戏为基础，可是，这是靠我们自己的创意开发出来的，这一点毋庸置疑。一个毫不相关的人，在毫不相关的地方想到同样的创意，还具体地做出来，这种偶然可以说几乎不存在，对吗？”

“这么说……”

“唯一的可能，就是我们当中有人把 Submarine 的程序泄露给这家无限企划。”

“不会吧？”

“你想得到其他的可能吗？手上有 Submarine 的，只有参与制作的成员，如果不是特殊情况，也不随便出借。”

对于美浓部的质疑，正晴无话可说。的确，他实在想不出其他可能。事实摆在眼前，酷似 Submarine 的游戏正通过邮购渠道出售。

“要集合大家吗？”正晴提议。

“有这个必要。马上就要午休了，叫大家吃过饭后到这里集合吧。问过所有人可能会有线索。当然，前提是那人没有说谎。”美浓部嘴角一撇，用指尖把金边眼镜往上推。

“我实在很难想象有人会背着大家，把东西卖给商人。”

“中道，你要相信大家是你的自由，但有人出卖我们，这是不争的事实。”

“也不一定是蓄意吧？”

听到正晴的话，美浓部扬起一道眉毛：“什么意思？”

“也可能是在本人不知情的情况下，被别人偷走了程序。”

“你是说，嫌疑人不是成员，而是他身边的人？”

“是。”虽然对“嫌疑人”这种说法有点排斥，正晴还是点点头。

“不管怎样，都有必要询问所有人。”说着，美浓部将双手盘在胸前。

参与 Submarine 研制的，包括美浓部在内共有六人，大家在午休时间全部聚在第六研究室。美浓部报告了事情的经过，但所有人都坚称自己一无所知。

“先不说别的，做这种事，肯定会像现在这样露出马脚，哪有人会笨到想不到这一点。”一个四年级学生对美浓部说。

另一个人则说：“既然要卖，当然是跟大家商量后我们自己卖啊，这样赚的钱绝对更多。”

有没有人曾经把程序借给别人？美浓部提出这个问题。有三个学生回答，曾经借给朋友玩过，但都是在本人在场的情况下，每个人都确定朋友没有时间复制程序。

“这么说，可能是有人擅自把程序拿了出去。”美浓部要每一个人交代记载程序的卡带的去向。但是，没有任何人遗失。

“大家再想一想。既然不是我们，那么就是我们身边有人擅自把 Submarine 卖给别人，而出钱买下的人，竟公然拿来兜售。”美浓部心有不甘地依次注视大家。

解散后，正晴回到座位，再度确认记忆。最后的结论是至少自己的卡带没有被人偷拿的可能。平常，他都把储存了其他数据的卡带和 Submarine 卡带收在家里书桌抽屉里。带出来的时候也随身片刻不离，甚至从未把卡带留在研究室里。换句话说，东西绝对不可能从他这里遭窃。

话虽如此，这件事却让他有了全然不同的感想。他完全没有想到他们的游戏之作竟然可以成为商品，或许，这将是一项全新的商机……

3

正晴想起唐泽雪穗的身世，是在与礼子交谈后半个月左右，他陪朋友到位于中之岛的府立图书馆查资料的时候。这位朋友是他在冰球社的同伴，姓垣内。垣内为了写报告，正在调查以前的新闻报道。

“哈哈！对对对，就是那时候，我也常被叫去买卫生纸。”垣内看着摊开的报纸缩印本，小声地说。桌上放着十二册缩印本，从一九七三年七月份到一九七四年六月份，每月一册。

正晴从旁边探头去看。垣内看的是一九七三年十一月二日的报道，内容是大阪千里新市镇的超级市场内，卫生纸卖场挤进了三百名消费者。

那是石油危机时的事情，垣内正在调查电力能源需求，必须阅览当时的相关报道。

“东京也有抢购囤积的情形吗？”

“好像有。不过首都圈那边，应该是抢清洁剂抢得比卫生纸凶。我表弟说，他不知道被叫去买过多少次。”

“哦，这里也写着，有主妇在多摩的超市买了市价四万元的清洁剂。这该不会就是你亲戚吧？”垣内笑着逗他。

“胡说八道。”正晴也笑着回答。

正晴心想，自己那时在做些什么呢？他当时正读高一，刚搬到大阪不久，正努力适应新环境。

他突然想不知道那时雪穗几年级，在心里算了算，应该是小学五年级。但他无法想象她小学时的模样。接着，他便想起唐泽礼子的话：“是意外身亡，我记得是雪穗刚升上六年级的时候。好像是……五月吧。”她指的是雪穗的亲生母亲。雪穗读六年级……就是一九七四年了。

正晴从缩印本中找出一九七四年五月份那一册，在桌上摊开。

那个月发生过“众议院通过修订《大气污染防治法》”“主张女权的女性为反对《优生保护法修正案》于众议院集会”等事件。还有日本消费者联盟成立、东京都江东区 7-Eleven 第一家店开业的报道。

正晴翻到社会版，不久便找到一则小篇幅报道，标题是“大阪市生野区煤气灶熄灭造成一人中毒身亡”，内容如下：

廿二日午后五时许，大阪市生野区大江西七丁目吉田公寓一〇三室房客西本文代（女，三十六岁），被公寓管理公司的员工发现倒在屋内，经紧急呼叫救护车急救，但西本女士到院前已身亡。据生野分局调查，发现尸体时屋内煤气弥漫，西本女士可能死于煤气中毒。现正针对煤气外泄的原因进行调查，研判极有可能是煤气灶上加热的大酱汤溢出导致熄灭，西本女士却未发现。

就是这个！正晴很有把握。报道与唐泽礼子告诉他的几乎完全一致。目击者中并未出现雪穗的名字，这应该是报社基于新闻道德作的处理。

“你看什么那么认真？”垣内从旁边探头过来。

“哦，没什么大不了的。”正晴指着报道，说是发生在家教学生身上的事。

垣内大为惊讶。“哦，竟然还上了报，真不简单。”

“又不是跟我有关。”

“可你不是在教那个小孩吗？”

“那倒是。”

“嗯……”垣内不明所以地发出钦佩的鼻音，又看了一次报道，“生野区大江，在内藤家附近嘛。”

“哦，内藤？真的？”

“嗯，应该没错。”

他们说的内藤是冰球社的学弟，比正晴低一届。

“下次我问问内藤好了。”正晴边说边把报纸上吉田公寓的住址抄下来。

他在两个星期后才向内藤问起这件事。因为上了大四，已经不参与冰球社的活动，也鲜有机会和学弟碰面。正晴到社团，也是因为缺乏运动开始发胖，想稍微活动一下筋骨。

内藤体格瘦小。虽然拥有高超的溜冰技巧，但体重不够，近距离接触时不耐撞，实力并不太强。但他为人细心周到，又懂得照顾别人，所以在社内主要是担任干部。

正晴趁着在操场上做体能训练的空当找上内藤。

“哦，那件意外。我知道，那是几年前的事来着？”内藤边用毛巾擦汗边点头，“就在我家附近，虽说不是隔壁，但也没几步路。”

“那件意外当时在你们那里是不是成了话题？”正晴问。

“那应该叫话题吗？倒是有一些奇怪的流言。”

“奇怪的流言？”

“嗯，说不是意外，而是自杀之类的。”

“你是说，开煤气寻死？”

“对。”回答后，内藤看着正晴，“怎么了，中道学长？有什么不对？”

“唔，其实是跟我认识的人有关。”他向内藤说明缘由，内藤惊讶地睁大了眼睛：“原来中道学长在教那一家的小孩。真是很巧。”

“对我来说没什么巧不巧的。不过，你再说仔细一点，为什么会有自杀的流言？”

“不知道，我不太清楚，那时我才念高中。”内藤偏了一下头，立刻似乎想起了什么，往手上捶了一拳，“啊！对了，去问那里的大叔，他可能知道什么。”

“谁啊？”

“我租停车位的不动产的大叔。他曾说过，因为房客在公寓里开煤气自杀，把他害惨了。他说的大概就是那间公寓吧？”

“不动产？”一个念头从正晴脑中闪过，“你说的是发现尸体的人？”

“咦，那个大叔吗？”

“发现尸体的好像是出租公寓的不动产公司的人，可以麻烦你帮我确认一下吗？”

“啊……可以。”

“拜托你了，我想详细了解一下。”

“好。”

体育类社团里长幼有序。学长托他这种麻烦事，内藤虽然感到困惑，也只能抓抓脑袋点点头。

第二天傍晚，正晴坐在内藤驾驶的丰田卡瑞那前座上，这是内藤以三十万元向表哥买的二手车。

“抱歉，麻烦你这种事。”

“哪里，我无所谓，反正就在我家附近。”内藤和颜悦色地说。

前一天答应的事，学弟立刻就办了。他打电话给为自己介绍停车位的不动产中介，确认对方是否是五年前煤气中毒案的目击者。对方表示发现尸体的人不是他，而是他儿子，他儿子目前在深江桥经营另一家店。深江桥位于东成区，在生野区北边。抄写了对方电话号码并绘有简图的便条，现在就在正晴手里。

“中道学长果然很认真。是因为了解家教学生的身世，对教学有帮助对不对？我打工的时候，实在没办法做到这种程度。”内藤佩服地说。看他自行如此解释，正晴不置可否。

事实上，他也不明白为什么要这么做。当然，他知道自己受到雪穗强烈吸引，但他并非因此才想知道她的一切。照他的看法，他认为过去的事根本无关紧要。

他想，大概是因为无法了解她吧。即使他们的距离近得可以触碰彼此，言谈也很亲近，但有时他仍会蓦然觉得她遥不可及。他不明白为什么，并因此心生焦躁。

内藤不时和他攀谈，讲的是今年新加入的社员。“每人程度都好不到哪里去。有经验的人很少，所以今年冬天是关键。”把队伍成绩看得比自己的学分更重的内藤，脸色略带凝重。

田川不动产深江桥店位于自干道中央大道转弯的第一条路上，刚好就在阪神高速公路东大阪线高井田交流道旁。店里，一个瘦子正在书桌前填写文件，看来没有别的职员。瘦子看到他们，便道："欢迎光临，找公寓吗？"显然以为他们想找房子。

内藤向他解释，他们是来打听吉田公寓那次意外事件的。"我向生野店的大叔打听，他说遇到那件意外的是这边的店长。"

"哦，没错。"田川警惕的眼神在两个年轻人脸上交替，"都过了这么久，为什么还问这个？"

"发现尸体时，有一个女孩也在场吧？"正晴说，"一个名叫雪穗的女孩，那时她姓西本……没错吧？"

"对，是西本家。你是西本的亲戚？"

"雪穗是我的学生。"

"学生？哦，原来你是学校老师。"田川恍然大悟般点点头，再次看了看正晴，"这么年轻的老师！"

"是家教老师。"

"家教？哦，明白了。"田川眼中露出轻蔑，"那孩子现在在哪里？她妈妈死了，不就无依无靠了吗？"

"她被亲戚收养了，一户姓唐泽的人家。"

"哦。"田川似乎对姓氏不感兴趣，"她好不好？后来再没见过了。"

"很好，现在念高二。"

"已经这么大了。"

田川从柔和型七星烟盒里抽出一根，衔在嘴里。正晴看在眼里，心想，没想到他挺赶时髦的。这种烟在两年多前推出，尽管一般风评认为味道不佳，但甚受喜新厌旧的年轻人欢迎。正晴的朋友有一大半都放弃了老七星，改抽这个。

"她是怎么跟你说这件事的？"吐了一口烟后，田川问道。他一看对方年纪比他小，口气变得不客气起来。

“她说受过田川先生很多帮助。”

这当然是谎话，他没跟雪穗提过这件事。他怎么忍心碰触她的痛处？

“哎，也说不上什么帮助！那时吓都吓死了。”

田川往椅背一靠，双手枕在脑后，然后一五一十地说起发现西本文代尸体时的情景，可能正好闲着没事做。正晴也得以掌握整起意外的概况。

“比起发现尸体那时，后来的事更麻烦。警察跑来问东问西。”田川皱起眉头。

“都问些什么？”

“进屋时的事。我说我除了打开窗户、关掉煤气总开关外，没有碰其他地方，不知他们是哪里不满意，还问我有没有碰锅、玄关是不是真的上了锁，真服了他们。”

“锅有什么问题？”

“我也不知道。他们说什么如果是大酱汤冒出来，锅四周应该更脏才对。话是这么说,事实就是冒出来的汤浇熄了火,又有什么办法？”

听着田川的话，正晴心里想象当时的状况。他自己也曾在煮方便面时，不小心让锅里沸腾的热水冒出来过。那时锅四周的确会弄脏。

“话说回来，能够让请得起家教的家庭收养，就结果来说，对她也是好事一桩吧。跟那种母亲生活在一起，她大概只有吃苦的份。”

“她母亲有什么不对？”

“她有没有什么不对我不知道，可是生活应该很苦。以前是在乌冬面店之类的地方工作，也是勉强才付得起房租，而且还有积欠哩！”田川朝着上空吐烟。

“这样啊。”

“可能是因为日子过得很苦吧，那个叫雪穗的女孩冷静得出奇。发现她母亲尸体的时候，连一滴眼泪也没流。这倒是吓了我一跳。”

“哦……”正晴颇感意外，回视田川。礼子对他说过，雪穗在文代的葬礼上号啕大哭。

“那时，有人认为可能是自杀，对吧？”内藤从旁插话。

“啊，没错没错。”

“那是怎么回事？”

“好像是有好几件事表明，这样比较讲得通。不过我是从一个一直跑来找我的警察那里听来的。”

“讲得通？”

“是哪些啊？很久了，我都忘了。”田川按着太阳穴，但不久便抬起头来，“啊啊，对了。西本太太吃了感冒药。”

“感冒药？这有什么不对吗？”

“吃的不是普通的量。照空药袋看，好像是一次就吃了一般用量的五倍还不止。记得他们说，尸体被送去解剖，结果证明真的吃了那么多。”

“五倍还不止……那的确很奇怪。”

“所以警察才怀疑，是不是为了助眠。不是有种自杀方法，是吃安眠药加开煤气吗？他们才会怀疑是不是因为安眠药很难买，才用感冒药代替。”

“代替安眠药……”

“好像还喝了不少酒，听说垃圾桶里有三个杯装清酒的空杯子。人家说那个太太平常几乎不喝酒，所以也是为了入睡才喝的吧？”

“唔。”

“啊，对了，还有窗户。”可能是记忆渐渐复苏的缘故，田川打开了话匣子。

“窗户？”

“有人认为房间关得死死的，太奇怪了。她们住处的厨房没有排气扇，做饭时本该把窗户打开。”

正晴闻言点头，的确如此。

“不过，”他说，“也有可能是忘了打开。”

“是啊，”田川点点头，“这不能算是自杀的有力证据。感冒药和杯装清酒也一样，别的解释也说得通。更何况，有那孩子作证。”

“那孩子是指……”

“雪穗。”

“作什么证？”

“她也没说什么特别的，只是证实说她妈妈感冒了，还有她妈妈觉得冷的时候，偶尔也会喝清酒。”

“啊，是这样。”

“刑警他们说，就算感冒吃药，那个药量也太奇怪了，可是她吃那么多药到底想干吗，只有问死者才知道了。再说，要自杀干吗特地把锅里的大酱汤煮到冒出来呢？因为这样，后来就当作意外结案了。”

“警察对锅有疑问吗？”

“天知道。反正那也不重要吧？”田川在烟灰缸里把烟摁熄，“警察说要是早三十分钟发现，或许还有救。不管是自杀还是意外，她就是注定要死吧。”

他话音刚落，有人从正晴他们身后进来了，是一对中年男女。“欢迎光临！”田川看着客人出声招呼，脸上堆满生意人的亲切笑容。正晴明白他不会再理睬自己，便向内藤使个眼色，一同离开。

4

略带棕色的长发遮住了雪穗的侧脸。她用左手中指把发丝挽在耳后，但仍遗漏了几根。正晴非常喜欢她这个拨头发的动作，看着她雪白光滑的脸颊，便会忍不住生出一股想吻她的冲动，从第一次上课便是如此。

求空间中两个面相交时的直线方程式——雪穗正在解这一问题。解法已经教过，她也懂了，所以她手里的自动铅笔几乎未曾停过。

距离正晴规定的时间还有很久，她便抬起头说："写完了。"正晴仔细检查她写在笔记上的公式。每个数字和符号都写得很清楚，答案也正确。

"答对了，非常好，无可挑剔。"他看着雪穗。

"真的？好高兴哦。"她在胸前轻轻拍手。

"空间坐标方面你大概都懂了。只要会解这个问题，其他的都可以当作这一题的应用题。"

"可不可以休息一下？我买了新红茶呢。"

"好，你一定有点累了。"

雪穗微笑着从椅子上站起，离开房间。

正晴仍坐在书桌旁，环视房间。她去泡茶的时候，他都单独留在房里，但这段时间总是让他坐立难安至极点。坦白说，他很想探索房间的每个角落，想打开小小的抽屉，也想翻开书架上的笔记本。不，即使只知道雪穗用的化妆品品牌，一定也会得到相当的满足。但是，如果他到处乱翻，碰了房间里的东西，被她发现了……一想到这里，他只敢安安分分地坐着。他不想被她瞧不起。

早知如此，就把杂志带上来了，他想。今天早上，他在车站零售摊买了一本男性流行杂志。但杂志在运动背包里，那被他留在了一楼的玄关。背包不但脏，又是他练习冰球时用的大包，他习惯上课时把它留在下面。

无可奈何之下，他只能看着室内。书架前有一台粉红色的小型录音机，旁边堆着几卷卡带。

正晴稍稍起身，好看清楚卡带的标示。上面有荒井由实、OFF COURSE 等名字。

他重新在椅子上坐好，从卡带联想到全然无关的事——Submarine。他们今天再次在美浓部主导下交换消息，但对于程序从何泄露仍无头绪。另外，美浓部打电话到出售卡带的无限企划公司，也一无所获。

“我问他们是怎么拿到程序的，对方坚持不肯透露。接电话的是个女人，我请她叫技术人员来听，也不得其门。他们一定知道自己在干什么勾当，我看目录上其他商品的程序一定也是偷来的。”

“直接去他们公司呢？”正晴提议。

“我想没有用，”美浓部当下便驳回，“你去抗议说他们的程序是从我们这里剽窃的，他们也不会理你。”

“如果拿 Submarine 给他们看呢？”

美浓部依然摇头。“你能证明 Submarine 是原创作品吗？只要对方说一句你是抄袭 Marine Crash 的，什么都不用再说了。”

听了美浓部的话，正晴越来越懊恼。“照学长的说法，岂不是什么程序都可以偷来卖了？”

“没错。”美浓部冷冷地说，“这个领域迟早也需要著作权的保护。其实，我把事情告诉了懂法律的朋友。我问他，如果能证明他们偷了我们的程序，可以要求什么赔偿。他的回答是‘No’。换句话说，根本很难，因为没有先例可循。”

“怎么这样……”

“正因为这样，我巴不得找到罪魁祸首，找到以后，绝对要他好看。”美浓部恶狠狠地说。

就算找到剽窃者，顶多也只能揍他几拳吧。正晴备感无力，脑海里浮现出同伴的脸。到底是谁这么粗心，让人偷走了程序？他真想数落那家伙一顿。

原来程序也是一种财产啊——正晴再次这么想，以前他鲜少意识到这一点。到目前为止，由于这程序对他而言非常重要，存放处置都很小心，却几乎从未想过会有人偷。

美浓部提议，每个人把自己曾对其展示、提及 Submarine 的名单列出来，理由是“会想到剽窃 Submarine 的人，一定对它有所了解”。大家都把想得到的名字列了出来，人数多达数十人。研究室的人、社团伙伴、高中时代的朋友等等，什么人都有。

“这当中应该有人和无限企划有所关联。”美浓部注视着抄录了名字的报告用纸，叹了口气。

正晴能够理解他叹气的原因，即使有所关联，也不见得是直接的。这数十人当中，不乏再延伸出更多分支的可能性。果真如此，要实际追踪调查谈何容易！

“每个人去问自己提过 Submarine 的人吧，一定可以找到线索。”

同伴们纷纷对美浓部的指示颔首赞成。正晴虽然点头，心里却不禁怀疑：这么做真的能找到剽窃者吗？

他几乎没有和别人提过 Submarine，对他而言，制作游戏也是研究的一环，这种专业的话题，外行人多半感到枯燥乏味，而且游戏本身的趣味性也远不及太空侵略者。

不过，有一次他把 Submarine 的事告诉过一个完全无关的人，那个人正是雪穗。

“老师在大学里做什么研究呀？”

听到她这么问，正晴先说起毕业研究的内容，但影像解析和图形理论对一个高二女生自然不是什么有趣的话题。雪穗脸上虽然没有明白表示无聊，但听到一半，显然失去了兴趣。为引起她的注意，他提起游戏。她眼睛随之一亮。

“哇！听起来好有趣哦，你们做的是什么样的游戏？”

正晴在纸上画出 Submarine 的画面，向她说明游戏内容。雪穗听得出神。

“好厉害哦，原来老师会做这么厉害的东西呀！”

“不是我一个人，是研究室的伙伴一起做的。”

“可是，整个架构老师不是都懂吗？”

“是。”

“所以还是很厉害呀！”

在雪穗的注视下，正晴感觉心头火热起来。听到她说赞美的话，是他无上的喜悦。

“我也好想玩玩看哦。”她说。

他也想实现她这个愿望，问题是他没有电脑，研究室里虽然有，但总不能带她去。说明了这一点，她露出失望的神情。

“这样啊，真可惜。”

“如果有个人电脑就好了。可我朋友也都没有，因为那很贵。”

“只要有个人电脑就可以玩了？”

“对，把卡带里存的程序输进去就行。”

“卡带？什么卡带？”

“就是普通的磁带。”

正晴向雪穗解释卡带可以作为电脑的外接储存装置。不知为何，她对这件事深感兴趣。

“喏，老师，可不可以让我看看那卷卡带？”

“咦？你要看卡带？当然可以，可是看也没用，那就是普通的卡带，跟你的一模一样。”

“有什么关系，借我看看嘛。”

“哦，那好。”

大概雪穗以为电脑用品或多或少和普通卡带有所不同。明知她会失望，又去上课时，正晴还是从家里把卡带带了过去。

“耶，真的是普通的卡带。”她把记录了程序的卡带拿在手上，露出不可思议的表情。

“我不是说过了吗？”

“我现在才知道，原来卡带也有这种用途。谢谢老师。”雪穗把卡带还给他，“这是很重要的东西吧？忘了带走就糟了，最好现在马上收进包里。”

“啊，是啊。”正晴深以为然，便离开房间，把卡带收进放在一楼的包内。雪穗和程序的关系仅止于此。此后，她和正晴都再没提起Submarine。

这段经过他并没有告诉美浓部他们，因为没有必要。他确定雪穗偷窃程序的可能性微乎其微。应该说，一开始他就完全没有将她列入考虑。

当然，若雪穗有意，那天完全可以从运动背包里偷偷取走卡带。她只须假装上洗手间，溜到一楼即可。

但她拿了又能怎样？光偷出来是没有用的。要瞒住他，必须在两小时内复制卡带，再把原先的卡带放回背包才行。当然，只要有设备就办得到。但她家不可能有个人电脑，复制卡带可不是翻录 OFF COURSE 的录音带。

假设她是嫌疑人，的确是一个有趣的幻想题材……想着想着，正晴不觉露出笑容。门恰好在此时打开。

“老师，什么事那么好笑？笑得那么开心。”雪穗端着放有茶杯的托盘，笑道。

“啊，没什么。”正晴挥挥手，“好香！”

“这是大吉岭哦。”

她把茶杯移到书桌上，他拿起一杯，啜了一口，又放回书桌，不料一时失手，茶水洒在牛仔裤上。“哇！我怎么这么笨！”他急忙从口袋里取出手帕，一张对折的纸随之掉落在地板上。

“还好吗？”雪穗担心地问。

“没事。”

“这个掉了。”说着，她捡起那张纸，在看到内容的一刹那，她的一双杏眼睁得更大了。

“怎么了？”

雪穗把那张纸递给正晴，上面写着电话号码，画有简图，还标示出田川不动产。原来正晴把生野店店主写给内藤的便条随手塞进了口袋。

完了！他心中暗自着急。

“田川不动产？是在生野区的那家吗？”她的表情有点僵硬。

“不，不是生野区，是东成区。你看，上面写着深江桥。”正晴指着地图。

“不过，我想那里应该是生野区的田川不动产的分店或姐妹店。那家店是一对父子开的，大概是儿子在打理吧。”

雪穗说得很准确。正晴一面注意不露出狼狈的神色，一面说：“哦，这样啊。”

“老师，你怎么会去那里呢？去找房子？”

“没有，我只是陪朋友去。”

“是吗……”她露出遥望远方的眼神，“我想起一些特别的事。”

“特别的事？”

“以前我住的公寓，就是生野区的田川不动产管理的。我曾在生野区的大江住过。”

“哦。”正晴回避开她的视线，伸手拿茶杯。

“我母亲去世的事，老师知道吗？我是说我生母。”她的声音很平静，听起来比平常低。

“没有，我不知道。”他拿着茶杯摇头。

雪穗嫣然一笑：“老师，你真不会演戏。”

“呃……”

“我知道，上次我迟到的时候，老师和妈妈聊了很久，不是吗？老师是那时听说的吧？”

“呃，嗯，一点点啦。”他放下茶杯，搔搔头。

雪穗拿起茶杯。她喝了两三口红茶，长出一口气。

“五月二十二日，”她说，“我母亲去世的日子，我一辈子都不会忘记。”

正晴默默点头。他也只能点头。

“那天天气有点凉，我穿着妈妈为我织的开襟毛衣上学。那件毛衣我现在还留着。”她的视线望向五斗柜，那里面多半收纳了充满心酸回忆的物品吧。

“你一定吓坏了。”正晴说。他认为应该说些什么，但话一出口，他就后悔不该问这种无聊的问题。

“好像在做梦，当然，是噩梦。”雪穗不自然地笑了，然后又回到原本悲伤的表情，“那天，学校放学后，我跟朋友一起玩，比较晚回家。如果我没有去玩的话，也许可以早一个小时回家。”

正晴明白她话里的含意，那一个小时意义重大。

“如果我早一个小时回家……”雪穗咬了一下嘴唇，继续说，“这样的话，妈妈可能就不会……一想到这里……”

正晴一动也不动，听着她的声音转成哭声。他想掏手帕，却不知该何时掏。

“有时候，我觉得妈妈等于是我害死的。”

“这种想法不对，你又不是明明知道情况却故意不回家。”

“我不是这个意思。妈妈为了不让我过苦日子，吃了很多苦，那天也累得筋疲力尽，才会出事。如果我更懂事一点，不让妈妈吃苦，就不会发生那么悲惨的事了。”

正晴屏住呼吸，看着大滴的泪水从她雪白的脸颊上滑落。他恨不得紧紧抱住她，但当然不能这么做。我这笨蛋！正晴在心里痛骂自己。事实上，从不动产管理员那里听说事件经过后，他脑海里潜藏着一个非常可怕的想象。

在他的想象里，真相应该还是自杀吧。

服用过量的感冒药空药袋，杯装清酒，窗户不合常理地紧闭，这些都应解释为自杀才合理。而与这个结论相悖的，只有浇灭煤气灶的锅。

然而警察说，汤汁虽然浇熄了炉火，锅四周却不太脏。

正晴研判，实际上是自杀，但有人把锅里的大酱汤泼了出来，把现场布置成意外。而且，此人除了雪穗不可能有别人。而她会针对感冒药和酒的疑点加以解释，也就说得通了。

她为什么要将自杀布置成意外呢？应该是为了世人的眼光。考虑到自己以后的人生，母亲自杀身亡只会造成负面影响。

只是，这个想象撇不开一个可怕的疑问。那便是——

雪穗最初发现出事时，她母亲已经气绝，还是尚有一线生机？

田川说，听说只要早三十分钟发现，便能捡回一命。

当时，雪穗有唐泽礼子这位可以依靠的人。或许，雪穗早已在与唐泽礼子的往来中，感觉出万一亲生母亲发生意外，这位高雅的妇人可能会收养她。这么一来，当雪穗发现母亲处于濒死状态，她会采取什么行动？

这正是这个想象最可怕之处。正晴也因考虑至此，没有继续推理下去。但是，这个想法一直挥之不去。

现在，看着她的眼泪，正晴深深感觉到自己的居心是多么卑鄙。这女孩怎么可能那么做呢？

“不能怪你，”他说，“你再说这种话，天国的妈妈也会伤心的。”

“那时候要是我带了钥匙就好了。那我就不用去找不动产管理员，就可以早点发现了。”

“运气真是不好啊。”

“所以，我现在一定会把家里的钥匙带在身上。看，就像这样。”雪穗站起来，从挂在衣架上的制服的口袋里拿出钥匙给正晴看。

“好旧的钥匙圈啊。”正晴看了之后说。

“是呀。这个，那时候也串了家里的钥匙。可是偏偏就在那一天，我放在家里忘了带。”说着，她把钥匙放回口袋。

钥匙圈上的小铃铛发出了叮当的声响。

第五章

1

喧闹声从出了电车车站检票口便没停过。

大学男生竞相散发传单。“××大学网球社，请参考。”由于一直扯着喉咙高声说话，每个人的声音都又粗又哑。

川岛江利子没有收下半张传单，顺利走出车站，然后与同行的唐泽雪穗相视而笑。

“真夸张，”江利子说，“好像连别的大学也来拉人呢。”

“对他们来说，今天是一年当中最重要的日子呀。”雪穗回答，“不过，可别被发传单的人拉走哦，他们都是社团里最基层的。”说完，她拨了拨长发。

清华女子大学位于丰中市，校舍建于尚留有旧式豪宅的住宅区中。由于只有文学院、家政学院和体育学院，平常出入的学生人数并不多，加上都是女孩子，不会在路上喧哗。遇到今天这种日子，附近的住户肯定会认为大学旁不宜居住，江利子这么想。与清华女子大学交流最频繁的永明大学等校的男生大举出动，为自己的社团或同好会寻找新鲜感与魅力兼具的新成员。他们带着渴望的眼神，在学校必经之路徘徊，一遇到合适的新生，便不顾一切展开游说。

“当地下社员就好，只要联谊的时候参加，也不必交社费。”类似的话充斥耳际。

平常走路到正门只要五分钟，江利子她们却花了二十分钟以上。只不过，那些纠缠不清的男生的目标都是雪穗，这一点江利子十分清楚。自从初中与雪穗同班，她对此便已习以为常。

新社员争夺战在学校正门便告终止。江利子和雪穗走向体育馆，入学典礼将在那里举行。

体育馆里排列着铁椅，最前方竖立着写有系名的牌子。她们俩在英文系的位子上并排坐下。英文系的新生约有四十人，但位子超过一半是空的。校方并没有硬性规定开学典礼必须出席，江利子猜想，大多数新生的目的大概都是参加典礼之后举行的社团介绍。

整个开学典礼只有校长和院长致辞，无聊的致辞使得抵挡睡意成为一种折磨，江利子费尽力气才忍住哈欠。

离开体育馆，校园里已经排好桌椅摊位，各社团和同好会都在高声招揽社员。其中也有男生，看样子是与清华女子大学联合举办社团活动的永明大学学生。

“怎么样？要参加什么社团？”江利子边走边问雪穗。

“这个嘛……”雪穗望着各式海报和招牌，看来并非全然不感兴趣。

“好像有很多网球和滑雪的。”江利子说。事实上，光是这两种运动就占了一半。但绝大多数既不是正式的社团，也不是同好会，只是一些爱好者聚在一起的团体。

“我不参加那种。”雪穗说得很干脆。

“是吗？”

“会晒黑的。”

“哦，那是一定的……”

“你知道吗？人的肌肤拥有绝佳的记忆力。听说，一个人的肌肤会记住所承受过紫外线的量。所以，晒黑的肌肤就算白了回来，等到年纪大了，伤害依然会出现，黑斑就是这样来的。有人说晒太阳要趁年轻，其实年轻时也不行。”

“哦，这样。”

“不过，也别太介意了，如果你想去滑雪或打网球的话，我不会阻止的。”

“不会啊，我也不想。”江利子连忙摇头。

看着好友人如其名，拥有雪白的肌肤，她想，的确值得细心呵护。即使她们在交谈，男生依旧如发现蛋糕的苍蝇般前仆后继。网球、滑雪、高尔夫、冲浪——偏偏都是些逃不过日晒的活动，江利子不禁莞尔。自然，雪穗不会给他们机会。

雪穗停下脚步，一双猫咪般微微上扬的眼睛，望着某个社团的海报。江利子也看向那边。在那个社团摆设的桌前，有两个新生模样的女生正在听社员解说。那些社员不像其他社团穿着运动服。无论是女社员，或者应该是来自永明大学的男社员，都穿着深色西装外套，每个人看起来都比其他社团的学生成熟，也显得大方出众。

社交舞社——海报上这么写着，后面用括号注明：“永明大学联合社团”。

像雪穗这样的美女一旦驻足，男社员不可能忽略，其中一人立刻走向她。“对跳舞有兴趣吗？”这个轮廓很深、称得上好看的男生以轻快的口吻问雪穗。

“一点点。不过我没有跳过，什么都不懂。”

“每个人一开始都是初学者，放心，一个月就会了。”

“可以参观吗？”

“当然可以。”说着，这名男生把雪穗带到摊位前，把她介绍给负责接待的清华女子大学社员。接着，他回过头来问江利子：“你呢？怎么样？”

“不用了。”

“哦。”他对江利子的招呼似乎纯粹出自礼貌，一说完便立刻回到雪穗身边。他一定很着急，生怕自己好不容易取得的介绍人身份被其他人抢走。事实上，已经另有三个男生围着雪穗了。

“去参观也好啊。”有人在呆站着的江利子耳边说道。她吓了一跳，往旁边一看，一个高个子男生正低着头看她。

“啊，不了，我不用了。”江利子挥手婉拒。

“为什么？”男生笑着问道。

“因为……我这种人不适合跳社交舞，要是我学跳舞，家人听到一定会笑到腿软。”

“这跟你是哪一种人无关，你朋友不是要参观吗？那你就跟她一起来看看嘛。光看又不必花钱，参观之后也不会勉强你参加。”

“呃，不过，我还是不行。”

“你不喜欢跳舞？”

“不是，我觉得会跳舞是一件很棒的事。不过，我是不可能的，我一定不行的。”

“为什么呢？”高个子男生惊讶地偏着头，但眼含笑意。

“因为，我一下子就晕了。”

“晕？”

“我很容易晕车、晕船，我对会晃的东西没辙。”

她的话让他皱起眉头：“我不懂这跟跳舞有什么关系？”

“因为，”江利子悄声继续说，“跳社交舞的时候，男生不是会牵着女生让她转圈圈吗？《飘》里面，有一幕戏不就是穿丧服的郝思嘉和白瑞德一起跳舞吗？我光看就头晕了。”

江利子说得一本正经，对方却听得笑了出来。“有很多人对社交舞敬而远之，不过这种理由我倒是头一次听到。”

“我可不是开玩笑，我真的很担心会那样啊。”

“真的？”

“嗯。”

“好，那你就亲自来确认一下，是不是会头晕。”说着，他拉起江利子的手，把她带到社团的摊位前。

不知道身边那三个男生说了什么，在名单上填完名字的雪穗正在笑。她蓦地看到江利子的手被一个男生拉着，似乎有些惊讶。

“也让她来参观。”高个子男生说。

“啊，筱冢……”负责接待的女社员喃喃道。

“看来，她对社交舞似乎有非常大的误会。”他露出洁白的牙齿，对江利子微笑。

2

社交舞社的社团参观活动在下午五点结束，之后，几个永大男生便约他们看上的新生去喝咖啡。为此而加入这个社团的人不在少数。

当天晚上，筱冢一成来到大阪城市饭店，坐在窗边的沙发上，摊开笔记本，上面列着二十三个名字。一成点点头，觉得成绩还算不错，虽然不是特别多，至少超过了去年。问题是会有几个人入社。

“男生比往年都来得兴奋。”床上有人说道。

仓桥香苗点起烟，吐出灰色的烟雾。她露出赤裸的双肩，毛毯遮住胸口。夜灯暗淡的光线在她带有异国风情的脸上形成深深的阴影。

“比往年兴奋？是吗？”

“你没感觉？”

“我觉得跟平常差不多。”

香苗摇摇头，长发随之晃动。“今天特别兴奋，就为了某一个人。”

“某一个人？”

“那个姓唐泽的不是要入社吗？”

“唐泽？”一成的手指沿着名单上的一连串名字滑动，“唐泽雪穗……英文系的。”

“你不记得了？不会吧？”

“忘是没忘，不过长相记得不是很清楚，今天参观的人那么多。”

香苗哼了两声：“因为一成不喜欢那种类型的女生嘛。”

“哪种类型？”

“一看就是大家闺秀。你不喜欢那种，反而喜欢有点坏的女生，对不对？就像我这种。”

“没有啊。再说，那个唐泽有那么像大家闺秀吗？”

“人家长山还说她绝对是处女，兴奋得不得了呢。”香苗哧哧地笑了。

“那家伙真是呆瓜一个。”一成苦笑，一面大嚼起客房服务叫来的三明治，一面回忆今天来参观的新生。他真的不太记得唐泽雪穗。她的确给他留下了“漂亮女孩”的印象，但仅止于此。他无法准确地回想起她的长相。只说过一两句话，也没有仔细观察过她的言行举止，甚至连她像不像名门闺秀都无法判断。他记得同届的长山很兴奋，但直到现在，他才知道原来是因为她。

留在一成记忆里的，反而是像跟班似的和唐泽雪穗一起来的川岛江利子。素面朝天，衣服也中规中矩，是个与“朴素”这个字眼非常吻合的女孩。

记得应该是在唐泽雪穗填参观名单的时候，川岛江利子站在不远处等待。不管有人从她身旁经过，还是有人大喊大叫，她似乎都不放在心上，仿佛那样的等待对她而言甚至是舒适愉快的。那模样让他联想起一朵在路旁迎风摇曳、无人知其名字的小花。

像是想摘下小花一般，一成叫住了她。本来，身为社交舞社社长的他，并不需要亲自招揽新社员。

川岛江利子是个独特的女孩，对一成的话作出的反应完全出乎他意料，话语和表情令他极感新鲜。在参观会期间，他也很留意江利子。也许应该说不知不觉就会在意她，目光总是转向她。或许是因为她在所有参观者中显得最认真。而且，即使其他人都坐在铁椅上，她自始至终站着，可能是认为坐着看对学长学姐不够礼貌。

她们要离开的时候，一成追上去叫住她，问她作何感想。

“好棒。”川岛江利子说，双手在胸前握紧，“我一直以为社交舞已经落伍了，但是能跳得那么好，真是太棒了。我觉得他们一定是得天独厚。”

“这你就错了。”一成摇头否认。

“咦？不是吗？”

“不是得天独厚的人来学社交舞，而是在必要时跳起舞来不至于出洋相的人留了下来。”

“哦，原来如此……”川岛江利子有如听牧师讲道的信徒，以钦佩、崇拜交织的眼神仰望一成，“真厉害！”

“厉害？什么厉害？”

“能说出这种话啊，不是得天独厚的人来跳舞，而是会跳的人才得天独厚，真是至理名言。”

“别这样，我只是偶然想到，随口说说。”

“不，我不会忘记的。我会把这句话当作鼓励，好好努力的。”江利子坚定地说。

“这么说，你决定入社了？”

“是的，我们两个人决定一起加入，以后请学长多多关照。”说着，江利子看着身旁的朋友。

“好，那也请你们多多指教。”一成转向江利子的朋友。

“请多指教。”她朋友礼貌地低头致意，然后直视一成的脸。

这是他第一次正面看到唐泽雪穗，真是一张五官端正细致的面孔——他留下了这样的印象。

然而，当时，他对她猫咪般的双眼还产生了另一种感觉。现在回想起来，他发现可能就是因为这个感觉，才让他认为她不是一般的名门闺秀。

她的眼神里有一种微妙得难以言喻的刺。但那并不是社交舞社社长无视她的存在，只顾和朋友讲话而自尊受伤的样子。那双眼睛里栖息的光并不属于那种类型。

那是更危险的光——这才是一成的感觉，可以说是隐含了卑劣下流的光。他认为真正的名门闺秀，眼神里不应栖息着那样的光。

3

自开学典礼以来，已经过了两个星期。

上完英文系的第四堂课，江利子便和雪穗结伴前往永明大学。从清华女子大学出发，搭电车约三十分钟便可抵达。社交舞社的联合练习于每星期二、五举行，但清华女子大学社员并不在校内练习，所以她们今天是第四次练习。

“但愿今天可以学会。”江利子在电车里做出祈祷的动作。

“你不是已经会跳了吗？”雪穗说。

“不行啦！我的脚都不听话，我快跟不上了。”

“讲这种丧气话，筱冢学长会失望哦，他那么热心地邀请你入社。”

“这样讲，我就更难过了。”

“听说社长直接招募的社员，就只有你一个。也就是说，你是VIP。别辜负人家的期待呀。”雪穗露出取笑的眼神。

“别这么说啦，我会有压力。不过，为什么筱冢学长只找我呢？”

“因为看上你了，一定的嘛。”

“那怎么可能！如果是雪穗的话，我还能理解。更何况，社长已经有仓桥学姐了。”

“仓桥学姐啊，”雪穗点头，“他们好像在一起很久了。”

“长山学长说他们从一年级就在一起了。听说是仓桥学姐主动追求，不知道是不是真的。”

“也许吧。”雪穗再次点头，显然不怎么惊讶。

筱冢一成和仓桥香苗是公认的一对，这件事江利子第一次参加练习时便知道了。香苗亲昵地直呼筱冢的名字，而且像是故意要向新社员炫耀般，跳舞时身体紧贴着筱冢。其他社员对此未置一词，反而证明了他们的关系。

“仓桥学姐可能是想向我们示威吧。”雪穗说。

“示威？”

“向大家声明：筱冢学长是我的。”

“嗯……”江利子点点头，认为或许真是如此。她非常明白那种心情。

一想到筱冢一成，江利子便感到胸口有点发烫。她不知道这种感觉是不是就叫恋爱。但是，当她看到他和仓桥香苗恋人般的举止时，心情的确难免失落。如果这是香苗的目的，那么她已取得了全面成功。

然而，从二年级学姐那里得知筱冢一成的身份时，她认为对他有恋爱的感觉根本是笑话一桩。他出身位列日本五大制药公司之一的筱冢家族，是筱冢药品董事的长子，现任社长是他伯父。换句话说，他是地道的豪门公子。这种人物竟然近在身边，这件事对江利子而言有如天方夜谭。所以，她把他主动接近自己，解释成公子一时兴起。

两人在永•明大学前的车站下车，一出车站，和煦的风便抚上脸颊。

“今天我想先走，对不起。”雪穗说。

“有约会？”

“不，有点事。”

“噢。”

不知从何时起，雪穗偶尔会像这样和江利子分头行动。江利子现在已经不再去刨根究底了。以前她一度曾穷追不舍，结果被雪穗断绝来往。她们之间闹得不愉快，只有那一次。

“好像快下雨了。”抬头看着阴沉的天空，雪穗喃喃自语。

4

可能是因为在想心事，没注意到挡风玻璃何时开始沾上细小的水滴。刚意识到下雨了，玻璃随即被雨水打湿，看不见前方了。一成赶紧用左手扳动操纵杆想启动雨刷，马上察觉不对，换手握方向盘，以便扳动右侧的操纵杆。绝大多数进口车即使方向盘位在右边，操纵杆等位置仍与日本国产车相反，上个月才买的这辆大众高尔夫也不例外。

出了学校大门、走向车站的大学生，无不以书包或纸袋代替雨伞挡在头上，匆匆赶路。

他不经意间瞥见川岛江利子走在人行道上。她似乎毫不在乎白色外套被淋湿，步伐悠闲一如往常。平时总是和她形影不离的唐泽雪穗今天却不见人影。

一成驾车驶近人行道，减速到与江利子的步速相当，但她一无所觉，以同样的步调节奏走着。可能在想什么愉快的事，嘴角挂着浅浅的微笑。

一成轻按了两次喇叭，总算让江利子朝这边看来。他打开左侧车窗。“嗨！落汤鸡，我来替你解围吧。”

然而，江利子没有对这个玩笑露出笑容，相反，她板起面孔，加快脚步。一成急忙开车追上。“喂！你怎么了？别跑啊！”

她不但没停下，脚步反而更快了，连看都不看他一眼。他这才发现自己好像被误会了。

“是我啊！川岛！”

听到有人喊她的名字，她总算停了下来，一脸惊讶地回头。

“要搭讪，我会找好天气，才不会乘人之危。”

“筱冢学长……”她眼睛睁得好大，伸手遮住了嘴。

川岛江利子的手帕是白色的，不是全白，而是白底有小碎花图案。她用小碎花手帕擦过淋湿的手与脸，最后才轻拭头颈。湿透的外套脱下来放在膝盖上，一成说放在后座就好，她却说会沾湿座椅，不肯放手。

“真的很对不起，太暗了，我没有看到学长。”

“没关系，那种叫人的方式，难怪会被误以为是搭讪。”一成边开车边说。他准备送她回家。

“对不起，因为有时候会有人那样跑来搭讪。”

“哦，你很红啊。”

“啊，不是的，不是我。和雪穗在一起，走在路上时常会有人搭讪……”

“说到这个，难得今天你没跟唐泽在一起。她不是来练习了吗？”

“她有事先走了。”

“哦，所以你才落了单。不过，”一成瞄她一眼，“你为什么走？”

“啊？”

“刚才呀。”

“因为我得回家啊。”

“不是，我是问你为什么没有跑，却在走。其他人不都在跑吗？”

“哦，我又不赶时间。”

“不是会淋湿吗？”

“可如果跑，会觉得雨滴猛地打在脸上，就像这样。”她指着挡风玻璃。雨已经转大。打在玻璃上的雨滴飞溅开来，又被雨刷刷落。

“不过可以减少淋雨的时间啊。”

“依我的速度，顶多只能缩短三分钟吧。我不想为了缩短这么一点时间，在湿漉漉的路上跑，而且可能会摔跤。”

“摔跤？不会吧？”一成笑出声来。

“不是开玩笑，我经常摔跤。啊，说到这个，今天练习的时候我也跌倒了，还踩到了山本学长的脚……山本学长虽然叫我不用放在心上，可是一定很疼。”江利子伸出右手轻揉百褶裙下露出的腿。

“习惯跳舞了吗？”

“一点点。不过还是完全不行。新生当中就数我学得最慢。像雪穗，感觉已经完全像个淑女了。”江利子叹气。

“马上就会跳得很好的。”

“会吗？但愿如此。”

一成在红灯前停下车，看着江利子的侧脸。她依然一脸素净，但在路灯照耀下，脸颊表面几乎完美无瑕。简直像瓷器一样，他想。她的脸颊上粘了几根湿头发，他伸手过去，想把头发拨开。但她好像受到惊吓，身子一震。

“啊，抱歉，我看到你头发粘在脸上。”

“啊！”江利子低声轻呼，把头发拨到后面。即使在昏暗中，也看得出她脸颊微微泛红。

绿灯了，一成发动汽车。“你这发型什么时候开始留的？”他看着前方问。

“咦？这个吗？”江利子伸手摸摸被淋湿的头，“高中毕业前。”

“想来也是，最近好像很流行，还有好几个新生也是剪这个发型。是不是叫‘圣子头’？也不管适不适合，每个人都这么剪。”

他说的是中长发、额前披着刘海、两侧头发向后拢的发型。这是去年出道的女歌手松田圣子的招牌发型，一成不太喜欢。

“不适合我吗？”江利子畏畏缩缩地问。

“嗯，”一成换挡，转弯，完成操作后才说，“老实说，是不怎么适合。”

“是吗？”她频频抚摸头发。

“你很满意？”

“也不是，只是，这是雪穗建议的，说这样很适合我……”

“又是她，你什么都听唐泽的。”

“没有啊……”

一成眼角的余光捕捉到江利子垂下视线，突然间有了一个主意。他瞄了手表一眼，快七点了。“接下来你有什么事？要打工吗？”

“啊，没有。”

“可以陪我一下吗？”

“要去哪里？”

“别担心，不会带你去什么不良场所。”说着，一成踩下油门。

他在路上找到电话亭打电话。他并没有告诉江利子要去哪里，看她略带不安的样子是一种乐趣。

车子在一栋大楼前停下，他们的目的地是位于二楼的店面。来到店门口，江利子惊得双手掩口，向后退去。“咦！为什么来美容院？”

“我在这里剪了好几年头发，老板的手艺很高明，你尽管放心。”交代了这些，他便推着江利子的背，打开店门。

老板是个蓄着仁丹胡、年过三十的男子。他曾在多项比赛中获奖，技术与品位颇受好评。他向一成打招呼：“你好。欢迎光临。”

“不好意思，这么晚还跑来。”

“哪里哪里，既然是一成先生的朋友，几点到都不嫌晚。”

“我想请你帮她剪头发。”一成伸手朝江利子一比，“帮她修剪一个适合的发型。”

“这样啊。”老板打量江利子的脸蛋，露出发挥想象力的眼神。江利子不由得感到羞涩。

“还有，”一成对旁边的女助手说，“可以帮她稍微化个妆吗？好衬托她的发型。”

“好的。”女助手信心十足地点头。

“请问，筱冢学长，”江利子浑身不自在，忸怩道，“我今天没带多少钱，而且，我很少化妆……”

“这些你用不着担心，只要乖乖坐着就是。”

“可是，那个，我没跟家里说要上美容院，太晚回去家里会担心的。”

“这倒是。”一成点点头，再度看向女助手，“可以借一下电话吗？”

“好的。”助手应声把柜台上的电话拿过来。电话线很长，可能是为了剪发中的客人接听方便。一成递给江利子。“来，打电话回家，这样就不会挨骂了吧？”

或许是明白再挣扎也是白费力气，江利子忐忑着拿起了听筒。

一成在店内一角的沙发坐下等待。一个高中生模样的打工女孩端上咖啡，她留着平头般的发型。一成看了有些惊讶，但的确相当适合她，一成不禁感到佩服，同时认为这种发型以后或许会流行起来。

江利子会变身为什么模样？一成十分期待。如果自己的直觉没错，她一定会绽放出隐藏的美丽。为什么会对川岛江利子如此在意，连一成自己也不太明白。第一眼看到她，他便受到吸引，但究竟是哪一点吸引了他，他却说不清。唯一能够确定的，便是她不是别人为他介绍，也不是她主动接近，而是他靠自己的眼光发现的女孩。这个事实给他带来极大的满足，因为他过去交往的女孩，都不出前两种类型。

仔细想想，这种情况好像不仅止于男女交往，一成回顾过去，浮现出这种想法。无论是玩具还是衣物，全是别人准备好的。没有一样东西是自己找到、渴望并设法取得的。因为所有东西都已经事先为他准备好，很多时候，他甚至没有想过那些究竟是不是他要的。

选择永明大学经济系，也很难说是出自他本身的意愿。最主要的理由是许多亲戚都毕业于同一所大学。与其说是选择，不如说“早就决定好”更贴切。

就连选择社交舞社作为社团活动，也不是一成决定的。他父亲以妨碍学业为由，反对他从事社团活动，唯有社交舞或许会在社交界有所帮助，才准许他参加。还有……

仓桥香苗也不是他选择的女人，是她选择了他。清华女子大学的社员当中，从他们还是新生时起，她便最为漂亮出众。新社员第一次发表会由谁当她的舞伴，是男社员最关心的一件事。有一天，她主动向一成提议，希望他选她作为舞伴。

她的美貌也深深吸引一成，这项提议让他得意忘形。此后他们搭档并再三练习，旋即成为恋人。但是，他想……

自己究竟爱不爱香苗，他并没有把握，反倒像是为可以和一位漂亮女孩交往、有肌肤之亲而乐不可支。证据就是遇到其他好玩的活动时，他经常牺牲与她的约会，且并不以为可惜。她经常要他每天打电话给她，他却时常对此感到厌烦。

再者，对香苗来说，她是不是真的爱自己也颇有疑问。她难道不是只想要“名分”吗？有时她会提起将来这个字眼，但一成私下推测，即使她渴望与自己结婚，也不是因为想成为他的妻子，而是想跻身筱冢家族。无论如何，他正考虑结束和香苗间的关系。今天练习时，她像是对其他社员炫耀似的把身体贴上来，这种事他实在受够了。

正当他边喝咖啡边想这些事情时，女助手出现在他眼前。“好了。”她微笑着说。

“怎么样？”

“请您亲自确认。”女助手露出意味深长的眼神。

江利子坐在最里边的椅子里。一成慢慢走近，看到她映在镜子里的脸，不禁大为惊叹。

头发剪到肩上的部位，露出一点耳垂，但并不显得男孩子气，而是凸显出她的女性美。而且，化了妆的脸庞让一成看得出神，肌肤被衬托得更美了，细长的眼睛让他心荡神驰。“真是惊人。”他喃喃地说，声音有些沙哑。

“很怪吗？”江利子不安地问。

“一点也不。”他摇着头，转向老板，“真是手艺精湛，了不起。”

“是模特儿天生丽质。”老板笑容可掬。

“你站起来一下。”一成对江利子说。

她怯怯地起身，害羞地抬眼看他。

一成细细打量她全身，开口说：“明天你有事吗？”

“明天？”

“明天星期六，你只上午有课吧？”

“啊，我星期六没有排课。”

“那正好。有没有别的事？要跟朋友出去？”

“没有，没什么事。”

“那就这么定了，你陪我出去吧，我想带你去几个地方。”

“咦？哪里？”

“明天你就知道了。”

一成再度欣赏江利子的脸庞和发型，真是超乎预期。要让这个个性派美人穿什么样的衣服才好呢？——他的心早已飞到明天的约会。

5

星期一早上，江利子来到阶梯教室，先就座的雪穗一看到她，便睁大了眼睛，表情顿时冻结，似乎惊讶得说不出话来。

“……你怎么了？”过了一会儿她才开口，声音难得有点走调。

“发生了很多事。”江利子在雪穗身边坐下。几个认得她的学生也满脸惊讶地朝她这边看。感觉真好。

“头发什么时候剪的？”

“星期五，那个雨天。”

江利子把那天的事告诉雪穗。向来冷静的雪穗一直露出惊讶的表情，但不久，惊讶就变成笑容。“那不是很棒吗？筱冢学长果然看上了你。”

“是吗？”江利子用指尖拨弄侧面剪短的头发。

“然后你们星期六去了哪里？”

“星期六……”江利子接着说。

星期六下午，筱冢一成带江利子去了高级名牌的精品店。他熟门熟路地走进，和那家美容院一样，向一名看似店长的女子表示希望帮江利子找适合的衣服。着装高雅的店长闻言便铆足了劲，命年轻店员拿出一件又一件衣服，试衣间完全被江利子独占了。

知道目的地是精品店时，江利子心想买一件成熟的衣服也不错，但当她看到穿在身上的衣服的标价，眼珠子差点掉下来。她身上根本没带那么多钱，即使有，也不敢为几件衣服花上那么一大笔。

江利子悄悄将这件事告诉一成，他却满不在乎地说："没关系，我送你。"

"咦！那怎么可以，这么贵的东西！"

"男人说要送的时候，你不客气地收下就好。你不必担心，我不求回报，只是想让你穿得体的衣服。"

"可是，昨天美容院的钱也是学长出的……"

"因为我一时兴起，剪掉了你心爱的秀发，付钱理所当然。再说，这一切也是为了我自己。带在身边的女孩，顶着不适合的圣子头，穿得像个保险业务员，我可受不了。"

"平常的我有这么糟糕啊……"

"坦白说，的确有。"

听一成这么说，江利子感到无地自容，她向来认为自己在打扮上也颇为用心。

"你现在正要开始结茧，"筱冢一成站在试衣间旁边说，"连你也不知道自己会变得多美。而我，想为你结茧尽一点力。"

"等我破茧而出，可能没有什么改变……"

"不可能，我保证。"他把新衣服塞给她，拉上试衣间的门帘。

那天他们买了一件连衣裙。虽然一成要她多买几件，但她不能仗着他的好意占便宜。连这件裙子，她都为回家后该怎么向母亲解释而苦恼。因为前一天的美容院变身，已经让母亲大吃一惊了。

"就说是在大学里的二手衣服拍卖会买的。"一成笑着建议，然后又加上一句，"不过，真的很好看，像女明星一样。"

“哪有。”江利子红着脸照镜子，但心里也有几分赞同。

听完，雪穗带着惊叹的表情摇摇头。“简直像真人版灰姑娘，我太惊讶了，真不知道该说什么才好。”

“我自己也觉得好像在做梦。忍不住会怀疑，真的可以接受学长的好意吗？”

“可是江利子，你喜欢筱冢学长吗？”

“嗯……我也不知道。”

“脸红成这样，还说不知道呢。”雪穗温柔地白了她一眼。

第二天是星期二，江利子一到永明大学，社交舞社的社员也对她的改变大为惊讶。

“好厉害哦！才换个发型、化个妆就变化这么大。我也来试试好了。”

“那是人家江利子天生丽质，一磨就发亮。本钱不够好，怎么弄都没救啦。”

“啊！真过分！”

像这样被围绕着成为话题的中心，这在江利子过去的人生中从未发生。以往遇到这种场面时，圆圈的中心都是雪穗，今天她却在不远处微笑。真是令人难以置信。

永明大学的男社员也一样，一看到她便立刻靠过来。然后，对她提出种种问题。“哎，你是怎么了，变这么多？”“是有什么心境上的变化吗？”“失恋了，还是交了男朋友？”

江利子从来不知道原来受人关注是这么愉快的一件事，她对于向来引人注目的雪穗再次感到羡慕。

然而，并不是每个人都乐意看到她的改变。社团学姐当中，有人刻意把她当作透明人。像仓桥香苗，就不怀好意地打量江利子，对她说出“要打扮，你等下辈子吧”的话。但是，她似乎并没有发现，改变江利子的正是自己的男友。

在练习开始前，江利子被二年级的学姐叫去。

“算一下社费的支出。”长发的学姐递给她一个咖啡色袋子，“账簿和上年度的收据都在里面，把日期和金额填一填，再把每个月的支出算出来。知道了吗？”

“请问，要什么时候做好？”

“今天练习结束前。”学姐向背后瞄了一眼，“是仓桥学姐交代的。”

“啊，好的，我知道了。”

等二年级的学姐走了，雪穗靠过来。“真不讲理，这样江利子不就没有时间练习了吗？我来帮忙。”

“没关系，应该很快就可以做完。”

江利子看了看袋子，里面塞满了密密麻麻的收据。她拿出账簿打开一看，这两三年来的账目全部付诸阙如。

有东西掉了，捡起来一看，是一张塑料卡片。

“这不是银行卡吗？”雪穗说，“大概是社费账户的吧。真是太不小心了，竟然塞在这种地方，要是被偷还了得。”

“可是，不知道密码就不能用啊。”江利子说。她想起父亲最近也办了银行卡，却抱怨说没有把握正确操作机器，所以从来没拿它取过钱。

“话是没错……”雪穗好像还想说什么。

江利子看看卡片正面，上面印着“三协银行”的字样。

江利子在练习场所一角开始记账，但比预期的还要耗时。中途雪穗也来帮忙，但计算完毕、全部登记入簿后，练习已经结束了。

她们俩拿着账簿，走在体育馆的走廊上，要把东西交还给应该还在更衣室的仓桥香苗。其他社员几乎都已离开。

“真不知道今天是来做什么的。”雪穗懒洋洋地说。

就在她们到达女子更衣室前的时候，里面传来了说话声。“我告诉你，你少瞧不起人了！”

江利子立刻停下脚步，那是仓桥香苗的声音。

“我没有瞧不起你，就是因为尊重你，才会找你好好谈谈！”

“这是哪门子尊重？这就叫瞧不起人！”

门猛地被打开，仓桥香苗怒气冲冲地冲了出来。她似乎没把她们两个看在眼里，不发一语地沿走廊快步离去。现场的气氛让江利子她们实在不敢出声叫她。

接着，筱冢一成走出房间，看到她们，露出苦笑。“原来你们在这里。看样子，好像让你们听到了一些难堪的话。”

“学长不追过去吗？”雪穗问。

“不用了。”他简短地回答，“你们也要走了吧？我送你们。”

“啊，我有事。”雪穗立刻说，“请学长送江利子就好。”

“雪穗……”

“下次我再把账簿交还给仓桥学姐。”雪穗从江利子手里拿走袋子。

“唐泽，真不用吗？”

“是的。那么，江利子就麻烦学长了。”低头施礼后，雪穗便朝仓桥香苗离开的方向走去。

一成叹了口气。“唐泽大概是不想当电灯泡。”

“仓桥学姐那边真的没关系吗？”

“没关系，已经没事了。”一成把手放在她肩膀上，“已经结束了。”

6

身穿黑色迷你裙的女孩在镜子里笑着。裙子很短，大腿外露，这种衣服她以前绝对不敢穿。即使如此，江利子还是转了一圈，心想，他应该会喜欢。

“觉得怎么样？”女店员来了，看到她的模样，笑着说，“哇！非常好看呢。”听起来不像奉承。

“我要买这件。”江利子说。虽然不是名牌，但穿起来很好看。

离开服饰店，天已经全黑了。江利子朝着车站加快脚步。已经进入五月中旬了。她在心里数着，这是这个月第四件新衣服。最近她经常单独去购物，因为这样心情比较轻松。到处寻找一成可能会喜欢的衣服，走到双腿僵硬，却让她感到欣喜。她当然不能要雪穗陪她，况且，她仍有些羞涩。

经过百货公司的展示橱窗时，看见玻璃上映出自己的影子。如果是两个月前，她可能会认不出现在的自己。她现在极为关心容貌，不时在意在他人眼里特别是在一成眼里的她是什么样子，对于研究化妆方法、寻找合适的时尚感也不遗余力。而且，她能够感觉到下的功夫越多，镜子里的模样便越美。这让她雀跃不已。

“江利子，你真的变漂亮了。看得出你一天比一天美，就好像从蛹羽化成蝶一样。”雪穗也这么说。

“别这样啦！你这样讲，我会害羞的。”

“可这是真的呀。”说着，雪穗点点头。

她还记得一成以茧所作的比喻，她很想早点变成真正的女人，破茧而出。

她和一成的约会已经超过十次。一成正式向她提出交往的要求，就是在他和仓桥香苗吵架的那一天。在开车送她回家的路上，他对她说：“希望你和我交往。”

“因为和仓桥学姐分手了，才和我交往吗？”当时她这么问。

一成摇摇头。“我本就打算和她分手。你出现了，让我下定决心。”

“如果知道我和学长开始交往，仓桥学姐一定会生气的。”

“暂时保密就好了，只要我们不说，没有人会知道。”

“不可能的，一定会被看出来。”

“那就到时候再说，我会想办法，不让你为难。”

“可是……”江利子只说了这两个字，就说不下去了。

一成把车停在路边。两分钟后，他吻了江利子。

从那一刻起，江利子便有如置身梦中，甚至担心自己不配享有如此美好的一切。

他们两人的关系在社交舞社内似乎隐瞒得很好，她只告诉了雪穗一个人，其他人都不知情。证据就是这两个星期来，有两个男社员约江利子，她自然予以拒绝。这种事也是她以前无法想象的。只是，她对仓桥香苗仍不无芥蒂。

后来，香苗只出席过两次练习。香苗自然不想与一成碰面，但江利子认为，她知道自己就是他的新女友也是原因之一。她们有时在女子大学内碰面，每次她都以能射穿人身体般锐利的眼神瞪着江利子。由于她是学姐，江利子会主动打招呼，但香苗从不回应。

这件事她并没有告诉一成，但她觉得应该找他商量一下。

总之，除了这一点，江利子很幸福，一个人走在路上的时候，甚至会忍不住笑出来。

提着装了衣服的纸袋，江利子回到家附近。再过五分钟，就能看到一栋两层楼的旧民宅。

抬头仰望天空，星星露脸了。知道明天也会是晴天，她放下心来。明天是星期五，可以见到一成，她打算穿新衣服。

发现自己在下意识地笑，江利子自顾自害羞起来。

7

铃声响了三下，有人接起电话。“喂，川岛家。”电话里传来江利子母亲的声音。

“喂，您好，敝姓筱冢，请问江利子在家吗？”一成说。

霎时间，对方沉默了。他有不祥的预感。

“她出去了。”她母亲说，一成也料到她会这么回答。

“请问她什么时候回来？”

“这个，我不太清楚。”

“不好意思，请问她去了哪里？不管我什么时候打，她总是不在家。”

这是本周以来的第三通电话。

“她刚好出门，到亲戚家去了。”她母亲的声音有点狼狈，这让一成感到焦躁。

“那么，可以请她回来之后给我一个电话吗？说是永明大学的筱冢，她应该就知道了。”

“筱冢……对吗？”

“麻烦您了。”

“那个……”

“请说。”

听到一成的回应，她母亲没有立刻回答。几秒钟后，声音总算传了过来。“那个，真是令人难以启齿，不过，希望你以后不要再打电话来了。”

“啊？”

“承蒙你的好意，和她交往过一阵子。但是她年纪还小，请你去找别人吧，她也认为这样更好。”

“请等一下，请问您是什么意思？是她亲口说不想再和我交往了吗？”

“……不是这个意思，但是总而言之，她不能再和你交往了。对不起，我们有苦衷，请你不要追究。再见。”

“啊！等等……”

叫声来不及传达，或者应该说是对方刻意忽视，电话被挂断了。

一成离开电话亭，完全不明所以。

和江利子失去联络已经超过一周，最后一次通电话是上星期三，她说第二天要去买衣服，星期五会穿新衣服去练习。但是，星期五的练习她却突然请假。这事据说曾经与社团联络，是唐泽雪穗打电话来，说教授突然指派杂务，她和江利子都无法参加当天的练习。

那天晚上，一成打电话到江利子家。但是，就和今天一样，被告知她去了亲戚家，当晚不会回来。星期六晚上他也打过电话，那时她仍不在家。江利子的母亲明显是在找借口搪塞，语气很不自然，给人一种窘迫的感觉，似乎认为一成的电话是种麻烦。后来他又打了好几次，均得到同样的回答。虽然他留言请对方转告，要江利子回家后打电话给他，但或许是没有顺利传达，她一次也没有回电。

此后，江利子始终没有出席社交舞社的练习。不仅江利子，连唐泽雪穗也没有来，想问也无从问起。今天是星期五，她们依旧没有现身，他便在练习途中溜出来打电话，对方却突然做出那番声明。

一成无论如何想不出江利子突然讨厌他的理由。江利子母亲的话也没有这样的意味。她说“我们有苦衷”，究竟是指什么呢？种种思绪在脑海里盘旋，一成回到位于体育馆内的练习场地。一个女社员一看到他便跑过来。“筱冢学长，有一个奇怪的电话找你。”

"怎么？"

"说要找清华女子大学的社交舞社负责人，我说仓桥学姐请假，他就说，永明大学的社长也可以。"

"是谁？"

"他没说。"

"知道了。"

一成走到体育馆一楼的办公室，放在门卫前方的电话听筒还没有挂回去。一成征得门卫的同意后，拿起听筒。"喂，您好。"

"永明大学的社长吗？"一个男子的声音问道，声音很低，但似乎很年轻。

"是。"

"清华有个姓仓桥的女人吧，仓桥香苗？"

"有是有，那又怎么样？"配合对方，一成讲起话来也不再客气。

"你去告诉那女人，叫她快点付钱。"

"钱？"

"剩下的钱。事情我都给她办好了，当然要跟她收剩下的报酬。讲好的，订金十二万，尾款十三万。叫她赶快付钱，反正社费是她在管吧。"

"付什么钱？什么事情办好了？"

"这就不能告诉你了。"

"既然这样，要我传话不是很奇怪吗？"

对方低声笑了。"一点都不奇怪，由你来传话最有效果。"

"什么意思？"

"你说呢？"电话挂了。

一成只好放下听筒。刚上了年纪的门卫一脸惊讶，一成立刻离开办公室。

订金十二万，尾款十三万，一共二十五万……仓桥香苗付这些钱，究竟要那个人做什么？照电话里的声音听起来，那男子应非善类。他说由一成传话效果最好，这句话也令人生疑。一成想稍后再打电话问香苗，但总觉得百般不情愿。分手后，他们再也没交谈过，而且他现在满脑子都是江利子。

社交舞社的练习一结束，一成便开车回家。他房间的门上装了一个专用信箱。寄给他的邮件，用人会放在里面。他打开一看，里面有两份直邮和一份限时专送。专送没有写寄件人，收件人的住址和姓名好像是用直尺一笔一画描出来的，字迹非常奇特。他走进房间，坐在床上，怀着不祥的预感打开信封。

里面只有一张照片。

看到那张照片的一刹那，一成大受冲击，脑海里刮起狂风暴雨。

8

唐泽雪穗比约定时间晚了五分钟出现。一成朝她稍稍举手，她立刻发现，走了过来。“对不起，我迟到了。”

“没关系，我也刚到。”

女服务生过来招呼，雪穗点了奶茶。因为是非假日的白天，平价西餐厅里人不多。

“不好意思，还特地请你出来。”

“哪里，”雪穗轻轻摇头，“不过，我在电话里说过，如果是江利子的事，我无可奉告。”

“这我知道。我想，她一定有很大的秘密。”

雪穗闻言垂下眼睛。睫毛真长。有些社员认为她像法国洋娃娃，如果眼睛再圆一点，倒是一点都没错，一成想。

“但是，只有在我一无所知的前提下，这种做法才有意义吧。”

“咦！”她惊呼一声，抬起头来。

他看着她的脸，说：“有人寄了一张照片给我，匿名，而且是限时专送。”

“照片？”

“那种东西我实在不想让你看，但是……”一成把手伸进上衣口袋。

“请等一下。”雪穗急忙打断他，“是那个……卡车车厢的？”

“对，地点是在卡车车厢上，拍的是……”

“江利子？”

“对。”一成点点头，省略了“全裸的模样”。

雪穗掩住嘴，眼里似乎随时会掉下泪来，但女服务生正好送奶茶过来，她总算忍住了。一成松了口气，要是她在这种地方哭出来可不太妙。

“你看过这张照片了？”他问。

“是的。”

“在哪里？”

“江利子家，寄到她家去的。太吓人了，那么悲惨的模样……”雪穗哽咽了。

“怎么会这样！”一成在桌上用力握拳，手心里冒出又湿又黏的汗水。为了让情绪冷静下来，他望向窗外。外面不断飘着绵绵细雨，还不到六月，但可能已经进入梅雨季了。他想起第一次带江利子上美容院的事，那时也下着雨。

“能不能告诉我到底发生了什么？”

“发生了什么……就是那么一回事，江利子突然遭到袭击……”

“光是这样我不明白。在哪里？什么时候？”

“江利子家附近……遇袭是上上个星期四。”

“上上个星期四？”

“没错。”

一成取出记事本，翻开日历。一如他的推测，就是江利子最后一次打电话给他的第二天，她说要去买衣服的日子。

“报警了吗？”

“没有。”

“为什么？”

“江利子的父母说，要是采取行动，让这件事公开，造成的伤害反而更大……我也这么认为。”

一成捶了一下餐桌。心里虽然愤恨难平，但他能够理解她父母的心情。“歹徒把照片寄给我和江利子，可见不是突发事件。这一点你明白吗？”

“我明白。但是，谁会做这么过分的事……”

“我想到一个可能。”

“咦？”

“只有一个人会这么做。”

“你说的难道是……”

“没错。”一成只说了这两个字，回视雪穗的眼睛。

她也意会到了。“不会吧……女人怎么会做这种事？”

“男人做的，找了一个做得出这种下流事的男人。”

一成把上星期五接到不明男子电话一事告诉了雪穗。

“接到电话后就看到那张照片，我马上把这两件事联想在一起。还有，那个男的在电话里说了一些莫名其妙的话，说社交舞社的社费是香苗在管理。”

雪穗倒吸了一口气。“你是说，她用社费付钱给歹徒？”

“虽然令人难以置信，我还是查过了。”

“直接问仓桥学姐吗？”

“不是，我有其他办法。我知道账号，请银行调查是否提过款就行。”

“可存折在仓桥学姐那里呀？”

“是，不过还是有办法。”

一成含糊其辞。事实上，一成是极力拜托出入家中的三协银行的人调查的。“结果，”他压低声音，“上上星期二，用银行卡取了十二万。今天早上再次确认，这个星期一开始也取了十三万。”

“可那未必就是仓桥学姐领的呀，也可能是其他人。”

“根据我的调查，过去这三个星期，除了她，没有人碰过那张卡片。最后碰过的是你。”说着，他往雪穗一指。

“是仓桥学姐要江利子记账那次对不对？两三天后，我就把存折和卡片交还给学姐了。”

“从那时起，卡就一直在她那里。绝对错不了，是她找人攻击江利子。”

雪穗长出一口气。“我实在无法相信。”

“我也一样。”

“但这只是学长的推测，没有证据呀，就算是账户那些，也许只是刚好提领了同样的金额。”

“你说天底下有这么不自然的巧合吗？我认为应该报警。只要警察彻底调查，一定查得到证据。”

雪穗的表情明显反对这个提法。他一说完，她便开了口：“就像我一开始说的，江利子家不希望事情闹大。即使像学长说的报警调查，查出是谁做的坏事，江利子受的伤害也不会愈合。”

“话是这么说，但事情不能就这样算了，我咽不下这口气！”

“这，”雪穗凝视着一成的眼睛，“就是学长的问题了，不是吗？”

一句话登时让一成无言以对。他惊愕地屏住气息，回视雪穗端正的脸孔。

“今天我来这里，也是为了传达江利子的口信。”

“口信？”

“再见，我很快乐，谢谢你——这就是她要说的话。”雪穗公事公办地说。

“等一下，让我见她一面。”

“请别提无理的要求，稍微体谅一下她的心情。”雪穗站起来，奶茶几乎没有碰过，“这种事其实我一点都不想做。但是为了她，我才勉强答应。请你也体谅我的心情。”

“唐泽……”

“失陪了。”雪穗走向出口，随即又停下脚步，“我不会退出社交舞社，要是连我都退出，她会过意不去的。”她再度迈开脚步。这次完全没有停下。

等她的身影从视野里消失，一成叹了口气，转眼望向窗外。

雨依旧下个不停。

9

电视上只有无聊的八卦节目和电视新闻。江利子伸手去拿被子上的魔方，这个去年风靡一时的解谜游戏，现在完全被遗忘了。这个游戏因难以破解成为话题，但一旦知道解法，连小学生也可以在转眼间完成。即使如此，江利子到现在仍与魔方苦战。这是雪穗四天前带来给她的，也教了她一些破解的诀窍，她却毫无进展。我不管做什么都做不好，她再次这么想。

有人敲门，回应一声“进来”，便听到母亲的声音：“雪穗来啦。”

“啊，请她进来。”

不一会儿便听到另一个脚步声。门缓缓打开，露出雪穗白皙的脸庞。“你在睡觉？”

“没有，在玩这个。”江利子拿起魔方。

雪穗微笑着进入房间，还没坐下就说“你看”，递过盒子。是江利子最爱吃的泡芙。

“谢谢。”

“伯母说，等一下会拿红茶过来。”

“好。”点头后，江利子怯怯地问，“你去见过他了？”

“嗯，见过了。”

“那……跟他说了？”

“说了，虽然很不好受。”

“对不起，要你去做那么讨厌的事。”

“不会啊，我没关系。倒是你，”雪穗伸手过来，温柔地握住江利子的手，“觉得怎么样？头不痛了吧？”

“嗯，今天好多了。”

遇袭的时候，歹徒用氯仿把她迷昏，造成后遗症，一段时间头痛不止。不过医生认为心理因素的作用更大。

那天晚上，因为江利子迟迟不归而担心的母亲，在前往车站迎接的路上，发现倒在卡车车厢上的女儿。当时，江利子仍处于昏迷状态。从不适的昏睡中醒来时的震惊，江利子恐怕一辈子都不会忘记。当时，母亲正在她身边放声大哭。

不仅如此，还有几天后送来的那张可怕的照片。寄件人不明，也没有只字片语，歹徒的恶意似乎深不见底，让江利子惊惧不已。她决定，从今以后，绝不再引人注目，要躲在别人的影子下生活。过去她也是这么过的，这样才适合自己。

虽然发生了这起悲惨至极的事，但不幸中有件大幸。很奇怪，她的清白并没有被玷污。歹徒的目的似乎只是脱光她的衣服，拍摄不堪入目的照片。

双亲决定不报警也是基于这一点，事情若是曝光，不知道会受到什么谣言中伤。要是事情传出去，恐怕任何人都会认为她遭到了强暴。

江利子想起初中时代的一起事件，同年级的一个学生在放学途中遇袭。发现下半身赤裸的她的人，正是江利子和雪穗。被害人藤村都子的母亲也曾对江利子这么说："幸好只是衣服被脱掉，身体并没有被玷污。"那时，她曾怀疑其中的可能性，现在遇到同样的惨事，才知道这的确有可能。她认为，自己的情况一定也没人肯相信。

"你要早点好起来啊，我会帮你的。"雪穗握紧了江利子的手。

"谢谢，你是我唯一的支柱。"

"嗯，有我在你身边，什么都不用怕。"

这时，电视里传来新闻播报员的声音。"银行发生了盗领事件。存款人在毫不知情的状况下，户头遭到盗领。受害者是东京都内的上班族，本月十日到银行柜台提领存款时，发现应有两百万元左右的余额变成零。调查结果发现，存款是于三协银行府中分行由银行卡分七次提领，最后一次提款是四月二十二日。被害人是在银行推广下，于一九七九年办理银行卡，但卡片一直放在办公室的办公桌内，从未使用。警方研判极有可能是银行卡遭到伪造，现正展开调——"

雪穗关掉了电视。

第六章

1

悄悄做了一个深呼吸后，园村友彦穿过自动门。

他真想伸手扶住脑袋，总觉得假发快掉下来了。但桐原亮司严重警告他，绝对不准那么做。眼镜也一样，若是频频触碰，很容易被察觉是用来伪装的小道具。

三协银行玉造办事处装设了两台自动取款机，现在，其中一台前有人，正在使用的是一个身着紫色连衣裙的中年妇人。可能是不习惯操作机械，动作非常缓慢。她不时四下张望，大概是想找能帮忙的职员。但银行里悄无人影，时钟的时针刚过下午四点。友彦生怕这位略微发福的中年妇人向自己求助，要是她那么做，今天的计划便必须中止。

四周没有其他人，友彦不能一直杵着不动。他心里盘算着该怎么办，应该死心回头吗？但是，想及早进行“实验”的欲望也很强烈。

他慢慢接近那台无人使用的机器，巴望着中年妇人快些离去，但她仍朝着操作面板歪头苦想。

友彦打开包，伸手入内。指尖碰到了卡片，他捏住卡片，正准备拿出来——

“请问，”中年妇人突然对他说，“我想存钱，却存不进去。”

友彦慌张地把卡片放回包内，也不敢面向那妇人，低着头轻轻摇手。

“你不会啊？他们说很简单，谁都会的。”中年妇人就是不死心。友彦的手继续摇动，他不能出声。

“好了没？你在干吗？”入口处响起另一个女人的声音，似乎是中年妇人的朋友。“不快点要来不及了。”

“这个很奇怪，不能用。你有没有用过？”

“那个啊，不行不行，我们家不碰那个。”

“我们家也是。”

“改天再到柜台办理好了，你不急吧？”

“倒是不急，不过，我们那家银行的人说，用机器方便多了，我们才办卡的。”中年妇人似乎总算死了心，从机器前离开。

“傻瓜，那不是让客人方便，是为了银行可以少请几个人。”

“有道理，真气人，还说什么以后是卡片时代呢。”

中年妇人气呼呼地走出去。

友彦轻吁一口气，再次将手探进提包。包是借来的，是不是现在流行的款式，他不太清楚。不要说包了，从现代女性的角度来看，他现在的模样究竟算不算怪，他也深感怀疑。桐原亮司却说：“比你更怪的女人都大大方方地走在街上。”

他缓缓取出卡片，卡片的大小、形状和三协银行的卡一模一样，只是上面没有印任何图案，只贴了张磁条。他必须小心谨慎，尽可能不让监控摄像头拍到他的手。他的视线在键盘上搜寻，然后按下提款键，“请插入银行卡”字样旁的灯开始闪烁。他心跳加剧，迅速将手中的空白卡片插进机器。机器没有出现异常反应，将卡片吸了进去，接着显示出输入密码的要求。

成败的关键就看这里了，他想。

他在键盘的数字键上按了4126，然后按下确认键。

接下来是一刹那的空白，这一刹那感觉非常漫长。只要机器出现一点异常反应，他就必须立刻离去。但机器一切如常，接着询问提款金额。友彦强行按捺住雀跃的心情，在键盘上按了2、0、万元。

几秒钟后，他手里有了二十张一万元纸钞和一张明细表。他取回空白卡片，快步走出银行。长度过膝的百褶裙绊住了腿，走起路来很不方便。即使如此，他还是注意脚步，尽量若无其事地走着。银行前的大道车水马龙，人行道上却没什么人，真是谢天谢地。因为他不习惯化妆的脸，僵硬得像涂了糨糊一样。

在约二十米外的路边，停了一辆丰田小霸王。友彦一靠近，前座的门便从里面打开。友彦先留意一下四周，才轻轻撩起裙子坐进车里。

桐原亮司合上刚才还在看的漫画杂志，那是友彦买的。有一部《福星小子》在杂志上连载，他很喜欢里面一个叫拉姆的女孩。

“情况怎么样？”转动钥匙发动引擎时，桐原亮司问道。

“喏。”友彦把装了二十万元的袋子给他看。

桐原斜眼瞄了一下，把方向盘机柱式排挡杆换成低挡，开动汽车，表情没有太大变化。

“这么说，我们成功破解了。”桐原面朝前方说道，语气里听不出丝毫兴奋，“不过，我本来就很有把握。”

“有是有，可真的成功的时候，身体还是会不由自主地发抖。”友彦抓着小腿内侧，穿着丝袜的腿很痒。

“你注意监控摄像头了吧？”

“放心，我的头根本没有抬起过。不过……”

“怎么？”桐原侧目瞪了友彦一眼。

“有个奇怪的大婶，挺险的。”

“怪大婶？”

“嗯。”友彦说了自动取款机前的情况。

桐原的脸立刻沉了下来，他紧急刹车，把车停在路边。“喂，园村，我一开始就警告过你，只要情况有一点不对劲，就要立刻撤退。”

“我知道，我只是觉得应该没关系……”友彦的声音控制不住地发抖。

桐原抓住友彦的领口——女式衬衫的领子。“不要依你自己的想法判断，我可是拿性命来赌。要是出事，被抓的不止你一个。”他的眼睛睁得斗大。

“没有人看到我的脸，”友彦的声音都变了调，“我也没有出声，真的，绝对没有人会认出我。”

桐原的脸扭曲了，然后他啧了一声，放开友彦。“你白痴啊！”

“呃……”

“你以为我为什么把你扮成这种恶心的样子？”

“就是装成女人……不是吗？”

“没错。是为了瞒过谁？当然是银行和警察。要是使用伪卡被发现了，他们首先就会检查监控录像。看到里面拍的是你现在的样子，每个人都会以为是女人。在男生里你算是秀气的，而且最重要的是你长得够漂亮，高中时甚至还有后援会。”

“所以摄像头拍到的……”

“也会拍到那个啰唆的女人！警察会找到她。那很简单，她用过旁边那台机器，会在里面留下记录。警察找到了就会问她，对那时候旁边的女人有没有印象。那个大婶要是说，她觉得你男扮女装，那就白折腾了。”

“这一点真的没问题，那种大婶才不会注意到那么多。”

“你怎么能保证？女人这种动物，明明没有必要，也爱观察别人。搞不好她连你拿的包是什么牌子都记得。”

“怎么会……”

“就是有这种可能。要是她真什么都不记得，只能算你走运。但是，既然要做这种事，就不能指望有什么好运。这跟你以前在精品店偷东西可不一样。”

“……我知道了，对不起。”友彦微微点头道歉。

桐原叹了口气，再度换到低挡，缓缓开动车子。

“可是，”友彦战战兢兢地开口，“我觉得真的不需要担心那个大婶，她只顾着自己的事。”

“就算你的直觉是对的，扮成女人也已经失去了意义。”

“为什么？”

“你不是说完全没出声吗？哼都没哼。”

“对啊，所以——”

“所以才有问题。”桐原低声说，“天底下有谁被别人那样问却一声不吭？警察自然会推断一定是有什么原因才不出声，这下就会有人推论可能是男扮女装。到那时候，扮女人还有什么意义？”

友彦无话可说，因为桐原说得一点也没错。他很后悔，那时还是应该立刻折返。桐原说的道理并不难，脑筋稍微转一下就能明白。怎么连这么简单的道理都想不到？他为自己的愚蠢感到生气。

“对不起。”友彦朝着桐原的侧脸再次道歉。

“这种事我不会说第二次。”

“我知道。”友彦回答。桐原不会原谅犯同样错误的笨蛋，这一点他十分清楚。

友彦狼狈地穿过驾驶座和副驾驶座间的狭小空隙，从放在载货台上的纸袋里拿出自己的衣服，在晃动的车子中保持平衡，开始换装。脱掉丝袜时，他有种奇妙的解放感。

大尺寸的女装、女鞋、手提包、假发、眼镜和化妆品，这些女用装扮全是桐原张罗的。他绝口不提是如何弄到的，友彦也不过问。友彦早已由过去相处的经验中得到惨痛的教训，知道桐原有许多领域绝不容他人越雷池一步。

换好衣服、卸完妆，车已停在地铁站附近。友彦准备下车。

“傍晚到办公室来一趟。”桐原说。

“好，我本来就打算要去。”友彦打开车门，下了车。目送汽车离开后，他才走下地铁楼梯。墙上贴着《机动战士高达》的海报。一定要去看，他想。

2

高压电工程的课程令人昏昏欲睡。根据学生间的小道消息，这门课不但不点名，考试的时候对作弊也睁一只眼闭一只眼，可容纳五十人以上的教室只坐了十来个学生。友彦坐在第二排，强忍着不时会令人失去意识的睡意，将满头白发的副教授慢条斯理解说的电弧放电、辉光放电原理抄在笔记上。如果不动动手，可能随时会趴下睡着。

园村友彦在学校是个认真的学生，至少，信和大学工学院电机系的学生都这么认为。事实上，凡是他选修的课，一定会来上。他会逃的课仅限于法学、艺术学或普通心理学等与电机无关的通识科目。他才二年级，课表里这类必修课很多。友彦之所以在专业课的课堂上认真听讲，原因可以说只有一个——桐原亮司叫他这么做，理由是为了事业。

说起来，友彦选择攻读电机系，便是受到桐原的影响。高三时，他的数理成绩很好，考虑就读工学院或理学院，但要选什么系却难以决定。当时桐原对他说："以后是电脑的时代，要是你能学到这方面的知识，可以帮我的忙。"

那时候，桐原继续从事电脑游戏程序的邮购，而且颇有斩获，友彦也帮他开发程序。桐原所说的"帮忙"，指的大概是发展自己的事业。

对此，友彦曾对桐原说，既然有这种想法，你不如自己去念。桐原的数理科成绩比起他毫不逊色。

那时桐原露出一个脸部纠结的笑容。"要是有闲钱去上大学，我还用得着做这种生意吗？"

友彦这才知道桐原不打算继续升学。他下定决心学会电子和电脑的知识，与其浑浑噩噩地面对将来，不如以帮助他人为目的来决定，这样升学更有意义。更何况，他还欠桐原一份人情，无论花多少年都必须偿还。高二夏天的那件事，至今仍在他心里留下深沉的创伤。

基于这样的理由，友彦决定凡是专业课，都尽可能认真上课。令人惊讶的，是他在课堂上整理的笔记，桐原看得极其认真，为了解笔记的内容，身旁还堆着专业书籍。桐原虽从未上过信和大学半堂课，但他无疑是最了解上课内容的人。

桐原最近对一样东西很感兴趣，那就是借记卡、信用卡等磁卡。

友彦甫进大学不久便开始接触磁卡。友彦在学校看到某种设备，能够读取、改写输入于磁带上的数据，叫编码器。听友彦提起编码器，桐原眼睛为之一亮，说："那么只要用那个，就可以复制银行卡了。"

"也许可以，"友彦回答，"可是做了也没有意义，使用银行卡时，还要密码，所以卡即使丢了也不必担心，不是吗？”

“密码……”桐原似乎陷入了沉思。

过了两三个星期，桐原把一个录音机大小的纸箱搬进制作个人电脑程序的办公室，箱子里装的就是编码器，有插入磁卡的地方，也有显示磁条内容的面板。

“亏你弄得到这种东西。”听友彦这么说，桐原只是微微耸肩，笑了笑。

拿到这台二手编码器不久，桐原伪造了一张银行卡。友彦并不知道原卡的持有人是谁，因为那张卡停留在桐原手边只有几个小时。

桐原似乎用那张伪卡分两次提了二十几万元。惊人的是他竟然从磁卡记载的数据中破解了密码。

然而，这当中自有玄机。事实上，在取得编码器前，桐原便已经成功解读了磁卡的模式。没有特殊机器，如何破解模式呢？桐原曾经实际操演给友彦看，那真令人跌破眼镜。

他准备了颗粒极细的磁粉，撒在卡片的磁条上。不一会儿，友彦“啊”地叫出声来——磁条上浮现出细细的条纹。

“其实很像摩斯密码，”桐原说，“我在事先知道密码的卡片上重复这么做，就看出模式了。接下来就反向操作，就算不知道密码，只要让模式浮现出来，就可以破解。”

“那只要在随便捡到、偷到的银行卡上撒上磁粉……”

“就可以用了。”

“真是……”友彦想不出该说什么。

可能是他的样子很好笑，桐原难得地露出发自心底的愉快笑容。“很可笑吧！这哪里安全了？银行职员常叮咛我们要把存折和印鉴分开保管，可银行卡这种东西，等于把保险箱和钥匙放在一起。”

“他们真的认为这样不会出问题？”

“应该有人知道这东西其实相当危险，可要缩手也来不及了，只好闭嘴，心里肯定在担心会出事。”桐原又发出笑声。

但是，桐原并没有立刻运用这项秘密技术。除了忙于本行，制作个人电脑程序，更重要的是要拿到别人的卡并没有那么简单，所以只在弄到那台编码器后，复制了那张来路不明的卡。接下来的一段时间，他都没有提起卡片的事。

然而，到了今年，桐原说：“仔细想想，根本不必拿到别人的银行卡。”当时，他们正在狭窄的办公室内，隔着旧餐桌面对面喝速溶咖啡。

“什么意思？”友彦问。

“简单地说，需要的是现在还在使用的账号，不是密码。想一想，这真是理所当然。”

“我听不懂。”

桐原往椅子上一靠，双脚抬到餐桌上，顺手拿起一张名片：“假设这是卡，把它放进机器，机器就会读出磁条上的各项数据，其中一项就是账号和密码。当然，机器不知道插入卡片的是不是本人。为判断这一点，才会叫你输入密码。只要有人按下磁条上记录的那个号码，机器就会确认，按要求把钱吐出来。所以，如果拿一张磁条上什么数据都没有的空白卡，在上面输好账号等必要数据，再随便输一组密码进去，会有什么结果？”

“啊！”

“这样做出来的卡片当然跟真的不同，因为密码不同。但是，机器对此没有判断能力，机器只会确认磁条上记录的号码和提款人输入的号码是否一致。”

“那，要是知道真正账号……”

“要做多少张假卡都没问题，虽然是假的，却真的可以取钱。”桐原扬起了嘴角。

友彦浑身都起了鸡皮疙瘩，他明白，桐原所言绝非空谈。

后来，两人便开始伪造银行卡。

首先，他们重新分析卡片上记录的暗码，找出其中的排列规则，依序是起始符号、用户代码、认证代码、密码和银行代码。其次，他们捡回许多丢弃在银行垃圾桶里的明细表，依照找出来的规则，把账号和任意选取的密码变换成七十六位的数字与罗马字母。接下来，便是以编码器将这一串数字与代号输入磁条，贴在塑料卡片上，便大功告成。

友彦成功领出现金的空白卡片，便是他们的第一号成品。他们从捡回来的好几张明细表中，选出余额最多的一个账户。这是桐原的意见，因为这样相对不易被发现，友彦也有同感。

这无疑是违法行为，友彦却没有罪恶感。原因之一或许是制造伪卡的过程实在太像电子游戏了，而完全看不见遭窃对象也是一个缘故。但是，他脑中深深记着桐原经常挂在嘴边的一番话，那才是最主要的因素。

“捡别人丢的东西不还，跟偷别人随意放置的东西，并没有什么差别。有错的难道不是把装了钱的包随便放的人吗？这个社会上，让别人有机可乘的人注定要吃亏。”

每次听到这番话，友彦在心惊胆战的同时，总是会感到一阵全身毛发直竖的快感。

3

第四堂课一结束，友彦立刻前往办公室。说是办公室，其实也没有招牌，只是由旧大楼的其中一户充数。对友彦而言，这地方有着种种回忆。第一次来这里的时候，他做梦也没想到自己会如此频繁地在此出入。

来到三〇四室门前，他取出钥匙开门。一进门就是餐厅兼厨房，桐原面向流理台坐着。

“很早嘛。”他转身向友彦说。

“一下课就来了。”友彦边脱鞋边回答，“立食面店[①] 客满，进不去。”

流理台上放着个人电脑，是 NEC 的 PC8001，绿色画面上排列着文字：“今日晴，您好，我是山田太郎……”

“文字处理系统？”友彦站在桐原身后问。

“对，芯片和软件送到了。”桐原双手灵巧地敲击键盘，他敲的是字母键，但画面显示的却是日文平假名。按了 UMA，出现的是“うま”。接着，桐原按了空格键。于是，连接电脑的磁盘驱动器便发出咔嗒的声响，画面右下角出现了“马”与“午”的汉字，上面各自编有 1 与 2 的号码。桐原按下数字键 1，硬盘再度发出声响，“うま”的平假名便变成汉字“马”。接着他输入“しか”，以同样的方式变换成“鹿”这个汉字，这才总算完成了“马鹿”（笨蛋）这个词。前后用时将近十秒。

友彦忍不住苦笑。“用手写绝对更快。”

“这种方式是把系统输入磁盘，每次变换再调出来，当然很花时间。如果把整个系统输入内存，速度就会快上好几倍，不过，这台电脑顶多只能这样。话说回来，磁盘还是很厉害。”

“以后会是磁盘的天下吗？”

“当然。”

友彦点点头，视线转向磁盘驱动器。过去，读写程序大部分是以

---

①日本由于寸土寸金，有些餐厅不设置座位，顾客须站立饮食，即为立食餐厅，价格较为低廉。

卡带作为媒介，但实在太费时，容量也小。若改用磁盘，速度和记忆容量都不可同日而语。

“问题在软件。”桐原冒出一句。

友彦再度点头，拿起放在桌上的五点二五英寸磁盘。桐原在想什么，他了然于心。他们经营电脑游戏程序的邮购时，得到的反响非常惊人。有一天，汇款单突然如雪片般寄到，全是订购游戏软件的钱。桐原断定“绝对会大卖”的预测，果然成真。接下来的一段时间，销售状况极佳，可以说大赚了一笔。但是走到这一步，便逐渐遭遇瓶颈。一方面是竞争对手增加，最大的原因在于著作权。过去，像太空侵略者等当红软件的盗版，都可光明正大地刊登广告售卖，但最近有迹象显示，无法再如此随心所欲了，因为政府开始针对复制软件展开取缔行动。事实上，已经有好几家公司遭到控告，友彦他们的“公司”也收到了警告函。

桐原对此的预测是：“如果打官司，他们大概会判定复制的程序违法。”最好的证明是一九八〇年美国修正著作权法，明文规定“程序为书写者个人学术思想的创造性表现，为著作物”。

若复制程序不得公开售卖，要在这条路上生存，只有自行开发程序。但是，友彦他们资金不足，也无技术。

“对了，这个给你。”桐原突然想起似的这么说，从口袋里拿出信封。

友彦接过信封一看，里面装了八张万元钞票。

“今天的报酬，你的那份。”

友彦丢掉信封，把钞票塞进牛仔裤口袋。“那个，以后要怎么办？”

“什么？”

“就是……”

“银行卡？”

“嗯。”

“这个，”桐原双手抱胸，“如果想用那一手捞一票，最好趁早。拖拖拉拉下去，他们会采取防治措施。”

“防治措施……密码即时认证系统？”

“对。”

“可是，那么做成本太高，大多数金融机构都没兴趣……”

“你以为发现银行卡缺陷的只有我们吗？要不了多久，全国到处都会有人干我们今天做的事。等到那时，再小气的银行也得不计成本，马上更换。”

“这样啊……”友彦叹气。

所谓密码即时认证系统，是指持卡人密码不直接存入银行卡，而是记录于银行的主计算机。每当持卡人使用卡片，自动取款机便要一一向主机查询密码是否正确。这样，他们制造的伪卡便没了用武之地。

“像今天这种事要是重复做上多次也很危险。就算过得了监控摄像头那一关，也不知道会在哪里露出马脚。”桐原说。

“而且要是银行存款莫名其妙短少，谁都会去报警。”

“重点就是，最好连用伪卡都不会被发现。”

桐原正说到这里，玄关的门铃响了，两人对视一眼。

“奈美江？”友彦说。

“她今天应该不会来，再说现在她还没下班。”桐原看着时钟纳闷，“算了，你去开门。”

友彦站在门后，透过窥视孔观察外面的情况。门外站着一个身穿灰色工作服的男子，大约三十岁。“有什么事？”

“抽风机定期检查。”男子面无表情地说。

“现在？”

男子默默点头。友彦想，这人态度真冷淡。他把门先关上，取下链条，然后再次开门。

门外突然多了两名男子——一个穿深蓝色外套的大块头和一个穿绿西装的年轻男子站在前面，穿工作服的退到后面压阵。友彦立即察觉危险，想把门关上，却被大块头挡住了。

“打扰一下。”

“你们有什么事？”

友彦开口询问，男子却不发一语，硬挤进来。那宽阔的肩膀让友彦有些害怕，他衣服上带有柑橘的味道。继大块头之后，穿绿西装的年轻男子也进来了，此人的右眉旁有一道伤疤。

桐原仍坐在椅子上，抬头看闯入者。“哪位？”

大块头依然没有回答，穿着鞋径直走进室内四处查看，然后拉开友彦刚才坐的椅子坐了下来。

“奈美江呢？”男人问桐原。他眼里射出冷酷的光，一头乌黑的头发全往后梳，贴在头皮上。

“不知道。”桐原歪了歪头，“请问您是哪位？”

“奈美江在哪里？”

“我不知道，请问找她有什么事？”

男子依然对桐原的问题置若罔闻，向绿西装男子使个眼色。年轻男子一样穿着鞋走进里面的房间。大块头的目光移到流理台上的电脑，扬起下巴，盯着画面。“这什么东西？”他问。

“日文文字处理系统。”桐原回答。

“哼，”男子仿佛立刻失去兴趣，再度环视室内，“这工作赚得了钱？”

“只要懂得取巧。”桐原回答。

男子耸耸肩，低声笑了。“看样子，小兄弟不太懂，是不是？”

桐原朝友彦看去，友彦也正看着他。

里面的年轻男子在翻找纸箱里的东西，那间是仓库。

“请问你找西口小姐有事吗？”桐原说出奈美江的姓氏，“如果是，能否请你星期六或星期日再来？非假日她不会来。”

“这我知道。”

男子从外套内袋中取出一盒登喜路香烟，叼了一根，用同一牌子的打火机点着。“奈美江有没有联系你？”男子吐了口烟问。

“今天还没有，有什么话要转告她吗？”桐原说。

“不必。”男子作势欲把烟灰抖在餐桌上，桐原迅速伸出左手，准备接住。男子扬起一道眉毛。“干什么？”

“这里有很多电子设备，请小心烟灰。”

“那就拿烟灰缸出来。”

“没有。”

“哦，”男子的嘴角歪了，“那好，就用这个。”说着，把烟灰抖在桐原的手心。

桐原眼睛眨都没眨，似乎令男子感到不悦。“你这烟灰缸不错。”说着，他直接把香烟在桐原手掌里摁熄。

友彦看得出来，桐原全身肌肉紧绷，但表情并没有太大变化，也没出声。他就这么伸着左手，瞪着男人。

“你在表示你很有种，啊？”

“不是。”

“铃木，”男子朝里面叫，“找到什么了？”

“没有，什么都没有。”叫作铃木的年轻男子回道。

“唔……”男子把烟盒和打火机收回口袋，拿起桌上的圆珠笔，在摊开的文字处理软件使用说明书边缘写了些什么。“要是奈美江跟你联系，打电话到这里，就说是电器行。”

“请问贵姓？”桐原问。

“知道我的名字对你也没什么屁用。”男子站起身来。

“要是我们不打给你呢？”

男子笑了，从鼻子里呼出气来。“为什么不打？这么做对你们有什么好处？”

“西口小姐也许会让我们别跟你联系。”

“听好了，小兄弟，”男子指着桐原的胸口，“联不联系，你们都不会有好处；但是不联系呢，我保你吃亏，可能是让你们后悔一辈子的亏。所以应该怎么办，你应该很清楚了吧。”

桐原盯着男子的脸孔看了一会儿，微微点头。“我知道了。”

“那就好，小兄弟不是傻瓜。”男子向铃木使个眼色，后者走出房间。男子取出皮夹，递给友彦两张万元钞票。“烫伤的治疗费。”友彦默默收下，他的指尖在发抖。男子一定是把这些看在了眼里，鄙夷地冷笑。

两人一离开，友彦便锁上门，扣上链条，回头看桐原。“你还好吗？”

桐原没有回答，走进里面的房间，拉开窗帘。

友彦也走到他身旁，从窗户往下看。公寓前的马路边停着一辆深色奔驰。过了一会儿，那三人出现了。大块头和叫铃木的年轻人坐进后座，穿工作服的男子驾车。

看到奔驰开动，桐原才说：“打电话给奈美江。”

友彦点点头，用放在餐厅兼厨房的电话打到西口奈美江家，但没人接。他边放下听筒边摇头。

“要是她在家，那些人也不会来这里。”桐原说。

“那也不会在银行吧？”友彦说。奈美江正式的工作地点是大都银行昭和分行。

“可能请假了。”桐原打开小冰箱，取出制冰盒，把冰敲进水槽，左手握住一块。

“你的烫伤要不要紧？”

“没事。”

“那是些什么人？看起来像是流氓。”

“八九不离十。”

“奈美江怎么会去招惹那些人……”

“天知道。”第一块冰块在手里融化后，桐原又握住一块，“你先回家，有什么消息我再跟你联系。”

“你呢？有什么打算？”

“我今晚留在这里，奈美江可能会打电话来。”

“那我也——”

“你回家。”桐原立刻说，“那些人的同伙可能在这边监视。要是我们两个都留在这里，他们会觉得可疑。”

的确如此。友彦打消主意，决定回家。

“会不会是银行出了什么事啊？”

“天知道。”桐原用右手摸了摸左手的烫伤，或许造成了剧痛，他的脸痛苦地扭曲。

4

园村友彦回到家时，家人已经吃完晚饭。从事电子机械制造工作的父亲正在和式客厅看职棒晚场比赛直播，读高中的妹妹躲在自己房里。

最近，友彦的父母完全不干涉他的生活了。他们对儿子考进名校电机系欣喜万分，对于儿子和一般大学生不同，认真上课，该拿的学分一个不缺，也感到十分满意。协助桐原的工作，友彦对双亲解释为在个人电脑店打工，他们自然没有反对。

母亲趁着洗餐具的空当，为他将烤鱼、卤菜和大酱汤摆上餐桌，友彦自己盛了米饭。吃着母亲亲手做的饭菜，他想，桐原该怎么解决晚餐？

他们认识三年了，但他对桐原的身世和家庭状况仍几乎一无所知。只知道桐原的父亲曾经营当铺，已经去世了。没有兄弟姐妹，母亲好像还在世，但是否与他同住也不甚清楚。至于好友死党，似乎一个都没有。

西口奈美江也一样。虽然他们委托她处理会计工作，但友彦几乎从未听过她提起自己的私生活。听说是在银行上班，但负责哪方面业务他也不知。竟然有流氓找她……这究竟是怎么回事？友彦心里浮现出奈美江那张小而圆的面孔。

吃完晚餐，友彦准备回房间。这时，传来播报新闻的声音，原来职棒转播结束了。

"今天上午八点左右，一名中年男子胸口流血，倒在昭和町路旁，经路人发现报警后，立即送往医院急救，但随即宣告不治。该男子为居住于此花区西九条的银行职员真壁干夫，四十六岁，胸口遭利刃刺伤。在路人发现死者前，有民众在现场附近目击一名持刀的可疑男子，警方研判该男子与本命案有关，现正追查此人行踪。遇害当时，死者正准备前往距离命案现场约一百米的大都银行昭和分行上班。接着播报下一则新闻……"

一直到新闻中段，友彦都以为不过是桩最近猛增的路煞[1]犯罪。

---

①日文为"通り魔"，指为报复社会而随意攻击路人的暴徒。

但听到最后，他心头一惊。大都银行昭和分行正是西口奈美江供职的地方。

友彦来到走廊，拿起放置于走廊中央的电话，心急地按下号码。但应该在办公室的桐原却没有接。响了十声后，友彦挂上听筒。思索片刻，他回到客厅，他知道父亲会看十点的新闻节目。

他和父亲看了一阵电视，友彦假装专心看电视，以免父亲找他说话。父亲有个毛病，只要一开口，无论话题为何，都会提及儿子的将来。

节目接近尾声时，总算播出了那起命案的相关新闻。但内容与先前听到的无异。节目主持人进行推理，认为是无特定对象的凶杀案。

接着，电话响了起来。友彦条件反射般弹起，对父母亲说声“我来接”，来到走廊。他拿起听筒：“喂，园村。”

“是我。”听筒那端传来他预期的声音。

“我刚打电话给你。”友彦降低音量。

“哦，你看到新闻了吧。”

“嗯。”

“我刚才在这边也看到了。”

“这边？”

“说来话长，你能不能出来一下？”

“啊？”友彦回头看了客厅一眼，“现在？”

“对。”

“我可以想办法出来。”

“那好，我有事找你商量，奈美江的事。”

“她跟你联系了？”友彦握紧听筒。

“她就在我旁边。”

“咦？怎么会？”

“见面再说，你马上过来。不过不是办公室，在酒店。”桐原把酒店的名称和房号告诉他。

听完，友彦的心情有些复杂。那家酒店就是高二时发生那件事的地方。“好，我马上过去。”友彦把房号复述一遍，挂掉电话。

友彦对母亲说打工的店里出了点问题，需要人手，便出了门。母亲没有起疑，只是体贴地说句“真是辛苦”。

友彦随即出门，还有电车可搭。他回想起和花冈夕子约会时的事，沿着当时的路径前进。无论是换车出入口、月台上等电车的位置，尽管免不了微微的苦涩，却也令人怀念。那个有夫之妇是他的第一个异性伴侣，她死后，一直到去年和联谊认识的某女子大学的学生上床为止，友彦甚至没有和女人接过吻。

友彦一抵达那充满回忆的酒店，便直接走向电梯。他对这家酒店的内部设置相当熟悉。他直奔二十楼，在走廊最里边找到了二〇一五号，敲响房门。

“来了，哪位？”是桐原的声音。

“平安京外星人。”友彦回答，那是电脑游戏的名字。

门朝里开了。脸上冒出胡茬的桐原拇指朝上，示意他进门。

这是一间有两张小床的双人房。窗边有茶几和两把椅子，一把上坐着身穿格纹连衣裙的西口奈美江。

“你好。”奈美江先出声招呼。她脸上虽带着微笑，却显得颇为憔悴。原本圆圆的脸蛋，现在连下巴都尖了。

“你好。”友彦回应，环顾室内，在没有一丝皱褶的床上坐下。“呃，那，”他看着桐原，“怎么回事？”

桐原两手插在棉质长裤口袋里，在墙边一张书桌上坐下。“你走后大概一小时，奈美江打来电话。”

“嗯。”

“她说，没办法再帮我们工作了，想把账簿等还给我们。”

“没办法帮忙……”

“她准备逃走。”

“咦？为什么？”友彦朝奈美江看去，想起刚才的新闻，“跟同一家银行的人遇害有关？”

“可以这么说，”桐原说，“不过人不是她杀的。”

“哦，我没这么想。”

友彦虽然这么说，其实这个想法的确曾在脑海里闪过。

“动手的好像是傍晚来办公室的那帮人。”

桐原的话让友彦倒抽一口气。“他们为什么要……”

奈美江仍低头不语。看到她这样，桐原向友彦说：“穿深蓝色外套那个块头很大的流氓，叫榎本，奈美江在倒贴他。”

“倒贴……钱？”

“都说是倒贴了，当然是钱，只不过不是自己的。”

“嗯？这么说，难道是……”

“对，”桐原缩起下巴，“银行的钱。奈美江利用在线系统，私下把钱打进榎本的户头。”

“多少？”

“总金额连奈美江也不清楚。但多的时候曾经一次转过两千万以上，持续了一年多。”

“这也办得到？”友彦问奈美江。她仍垂着头。

“可以，既然她自己都这么说了。可是，有人察觉奈美江挪用公款，就是那个真壁。”

“真壁……刚才新闻里的那个？”

桐原点点头。“真壁好像没想到就是奈美江干的，向她提起疑虑。

奈美江知道大事不妙，跟榎本联络说事要败露。榎本当然不想失去这个敲一下钱就滚滚而来的小金槌，就叫他的同伙或手下杀了真壁。”

听着听着，友彦突然觉得口干舌燥，心跳更加剧烈。“哦……”

“可奈美江一点也不感到庆幸。因为说起来，真壁算是被她害死的。”

听到桐原这么说，奈美江开始啜泣，细瘦的肩膀微微颤动。

“你也不必说得这么难听。”友彦体贴她的心情，说。

“这种事说得再好听也没有意义！”

“可是……”

“没关系。”奈美江开口了，眼皮虽然肿着，但眼里似乎已有了决心，“那是事实，亮说得没错。”

“也许吧，可是……”友彦说不下去了。他看着桐原，要他继续说。

“奈美江由此认为必须跟榎本断绝关系。”桐原指着书桌旁，那里有两个塞得鼓鼓的大旅行袋。

“怪不得他们慌了手脚，到处找奈美江。要是她不见了，杀了那个真壁就毫无意义。”

“不光是这样，榎本急需一大笔钱。本来说好昨天白天，奈美江用老办法打钱给他。”

“他做了不少事业，可没有一样成功。”奈美江低声说。

“你怎么会跟那种人——”

“现在问这些有意义吗？”桐原冷冷地说。

“也是，”友彦抓抓头，“接下来怎么办？”

“只能想办法逃。”

“嗯。”自首这个提议，在这个节骨眼不能提，友彦在心里盘算。

“可现在连去哪里藏身都还没定。一直待在酒店迟早会被找到。就算逃得过榎本这一关，警察可没那么容易糊弄。今明两天，我去找能长期藏身的地方。”

“找得到吗？”

“找不到也得找。”桐原打开冰箱，拿出一罐啤酒。

“我对不起你们。万一被警察抓到，我绝对不会说出你们帮过我。”奈美江很过意不去。

“你有钱吗？”友彦问。

“嗯，这倒还好。”她的口气有些含糊。

“不愧是奈美江，她可不是只会当榎本的傀儡。”桐原单手拿着啤酒罐说，“她早就料到会有这一天，开了五个秘密户头，暗中把公款转进去，真令人佩服。”

“哦。”

“别说了，又不是什么体面事。”奈美江伸手贴住额头。

“可有钱总比没钱好。”友彦说。

“没错。”说着，桐原喝干啤酒。

“那我该做些什么？”友彦的视线在奈美江和桐原之间来回，问道。

“我希望你这两天在这里陪奈美江。”

“啊……”

“奈美江不能随便外出，要买东西什么的只能找人帮忙，能拜托的就只有你了。”

“这样啊……”友彦拨了拨刘海，看着奈美江。她眼里带着求救的眼神。“我知道了，包在我身上。”他坚定地说。

5

星期六中午，友彦在百货公司地下食品部买了便当，带回酒店房间。他买的是五目饭[1]配烤鱼、鸡块，加上用酒店附赠的茶包泡的茶，在小小的桌上吃午餐。

“对不起，要你陪我吃饭。”奈美江歉然道，“你可以在外面吃完再回来。”

“没关系，有人一起吃，我也吃得开心些。”友彦一边用方便筷夹开烤鱼，一边说，“而且，这便当还挺好吃。”

“嗯，很好吃。”奈美江眯起眼睛微笑。

吃完饭，友彦从冰箱里拿出布丁，这是他买来当饭后甜点的。看到布丁，奈美江高兴得像个少女。“园村，你真细心，将来一定会是个好丈夫。”

“是吗？”把布丁往嘴里送的友彦害羞了。

“园村，你没有女朋友啊？”

“嗯，去年交过一个，分手了。老实说，是被甩了。”

“哦，为什么？”

“她说比较喜欢更会玩的男生，嫌我太土。”

“她们都没有看男人的眼光。”奈美江摇摇头，随后自嘲地笑了，“我也没资格说人家。”说完，用汤匙挖杯子里的布丁。

看着她的动作，友彦本想问一个问题，但没说出口，觉得问了也没有意义。

奈美江把他的表情看在眼里。“你想问榎本的事对不对？”她说，“想问我为什么会跟那种人扯上关系，为什么会倒贴他一年多？”

“呃，没有……”

“没关系，你问吧。因为不管是谁都会觉得我很傻。”奈美江把还没吃完的布丁杯放在桌上，“有烟吗？”

---

①指加入5种根茎蔬菜烹煮而成的饭。

“是柔和型七星。”

“嗯，可以。”用友彦的一次性打火机点着烟，奈美江深深地吸了一口。白色的烟优雅地在空中飞舞。“大概一年半前，我开车出了一场小车祸，”她看着窗外说道，“跟一辆车发生剐蹭。其实只擦到一点点，我也不认为我有错。可倒霉的是遇到了难缠的人。”

友彦立刻明白了：“流氓？”

奈美江点点头。“他们把我围住，一时间我以为完了。就在这时，榎本从另一辆车里下来，他好像认识那个流氓。就这样，他帮我把事情谈到付修理费就好。”

“他们跟你索取高额赔偿了？”

奈美江摇摇头。“我记得好像是十万元左右。不过，榎本还是向我道歉，说他没把事情谈好，觉得很过意不去。你一定很难相信，不过那时候他真的很绅士。”

“是很难相信。”

“他的穿着打扮也很得体，说他不是混黑道的，手上有好几桩事业，还给我名片。”

“现在全丢了。”她补充道。

“所以，你喜欢上了他？”

奈美江没有立刻回答，抽了一会儿烟，视线随着烟流转。“说起来很像借口，但那时他真的对我很好，让我相信他是真心爱我。我活到快四十岁，才第一次有这种感觉。”

“所以，你也想为他做些什么。”

“其实应该说，我怕榎本对我不再有兴趣，想表示我是个有用的女人。”

“就给他钱？”

“很傻吧？他说新事业需要钱，我一点都没怀疑。”

“可是，你早就发现榎本其实也是流氓？”

“是啊，不过，那时候已经无所谓了。”

“什么？”

“我的意思是不管他是不是流氓，都无所谓了。”

“哦……”友彦注视着桌上的烟灰缸，不知该如何回答。

奈美江在烟灰缸里摁熄香烟。“我总是遇到不三不四的男人，这叫男人运不好吗？”

“以前也发生过类似的事？”

“是啊。可以再给我一根吗？”她从友彦递过的烟盒里抽出一根烟，“我以前的男朋友是个酒保，但从不好好工作。他爱赌，把从我身上搜刮到的钱通通拿去赌。把我的存款用得一分不剩之后，也不管我死活，就消失得无影无踪。”

“那是什么时候？”

“嗯……三年前。”

“三年前……”

“对，和你第一次见面就是在那时候。因为遇到那种事，觉得活着很没意思，才会想去那种地方。”

“哦。”

那种地方——和小伙子乱来的地方。

“这件事我很久以前跟亮说过。我想，这次他一定很受不了我。”奈美江拿起放在桌上的打火机，点着香烟。

“为什么？”

“因为我重蹈覆辙，亮最讨厌别人这样，不是吗？”

“哦。”的确，友彦想。“可以问一个问题吗？”

“什么？”

“要盗领银行的钱这么简单？”

“这个问题很难回答。”奈美江跷起脚，继续抽烟，似乎是在想该如何说明。香烟短了两厘米之后，她开口了：“想来想去，算是很简单吧，不过，这就是陷阱所在。”

“怎么说？”

“简单地说，只要伪造汇票就行。”奈美江用两只夹着香烟的手指搔太阳穴，“在上面填好金额和对方的户头，盖上集中作业科的主任和科长的印章就可以了。科长经常不在位子上，要偷盖他的章并不难。主任的公章我是用伪造的。”

“这样不会被发现吗？没有人会检查？”

“我们有一张日报表，是用来算资金余额的。会计部的人负责验算，不过，只要有那个人的印章，就可以伪造通过验算的文件，也就可以暂时蒙混过去。”

“暂时？”

“用这个方法，结算金额会突然减少，被发现只是时间问题。所以，我就盗用垫付金。”

“那是什么？”

“金融机构间的汇款，原理是这样：承办汇款的银行先替客户代垫，事后再跟钱汇进去的银行结算。先垫的那笔钱就叫垫付金，无论哪家金融机构都会另外提存起来。我就是看上了那笔钱。”

“听起来很复杂。”

“操作垫付金需要专业知识，只有具备多年实务经验的职员才能掌握整个局面。在大都银行昭和分行，就是我在负责。所以，本来应该要经过会计部、查核部二重、三重的检查，实际上却由我一手包办。”

“反正就是没有按照规矩检查？”

“简单来说就是那样。像我们银行规定，汇款金额超过一百万元时，要在管核簿上填写收款人与金额，经科长许可，借用钥匙，才能操作电脑终端机。而且，这笔转账的结果，必须在第二天打印成报表，交给科长检查。可是，几乎没有一家银行检查得这么严格，所以只要把盗领的传票和那天的日报表藏起来，只让上司看正常处理的传票和日报表，谁也不会发现哪里不对劲。”

“哦。听起来好像很难，结果是上司太马虎了。”

“是啊，不过……”奈美江歪着头，长叹一声，“总有一天会有人发现的，就像真壁先生。”

“明知道会有人发现，还是没办法收手啊。”

“嗯，就像……吸毒上瘾吧。”奈美江在烟灰缸里抖落烟灰，“稍微在键盘上敲几个键，就可以把一大笔钱从这边移到那边，让人觉得自己好像有一双会施魔法的手。可是，那完全是错觉。”

“要骗电脑，最好适可而止。”最后奈美江对友彦说。

友彦对家人谎称要暂时住在打工的地方，借用了酒店房间里并排的两张床之一。他先冲了澡，穿上浴衣，爬到床上。随后，奈美江进了浴室。这时除了夜灯，所有灯都关了。

奈美江走出浴室，上了床。友彦听见背后的声音，还闻到香皂的气味。

黑暗中，友彦一动不动。他一点都不想睡，情绪很亢奋，也许是必须设法让奈美江平安逃脱的意识使然。然而，今天一整天，桐原都没有消息。

“园村，”背后传来奈美江的声音，“你睡着了吗？”

“没。”他闭着眼睛回答。

“睡不着？”

“嗯。”友彦想，难怪奈美江睡不着。她得逃命，前途未卜。

“喏，”她再度出声叫他，“你会想起那个人吗？”

“谁？”

“花冈夕子。”

“啊……”听到这个名字，友彦无法保持平静。他小心不让她察觉自己的情绪波动，答道：“有时候会。”

“哦，果然。”看来他的回答一如她所料。“你喜欢她？”

“我不知道，那时候我还年轻。”

听到友彦的回答，她呵呵笑了。“现在也还很年轻啊。”

“也是。”

“那时，”她说，“我跑掉了。”

“是啊。”

“你一定觉得我这女人很奇怪吧？都已经去了，还临阵脱逃。”

“没……”

“有时我会后悔。”

“后悔？”

“嗯。我会想，那时是不是留下更好。待在那里，让一切顺其自然，也许就会重生。”

友彦闭上双唇。他明白她这番低语里包含的沉重意味，他无法贸然回答。

在沉闷的气氛中，她又说：“会不会已经太迟了？”

她问这句话的意思，友彦很清楚。其实他也逐渐被同样的想法支配。

“奈美江，”终于，他下定决心，开口叫她，“做吗？”

她陷入沉默，友彦还以为自己失言了。但不久她便问道：“像我这种大婶你也愿意？”

“你跟三年前一样，没有变。”

“你是说，我三年前就是大婶了？”

“不是，我不是那个意思……”

友彦感觉到奈美江下了床。几秒钟之后，她潜入友彦的床。

“但愿能够重生。”她在友彦耳边说。

6

星期一早上，桐原来接他们。他首先向奈美江道歉，说没有找到合适的藏身处，因而希望她在名古屋的商务酒店暂时避一避。

“你昨天明明不是这么说的。”友彦说。昨晚桐原打来电话，说找到了合适的地方，要奈美江准备一早出发。

“今早情况突变，不会拖太久，你忍耐一下。”

“没问题。”奈美江说，“我以前住过名古屋一阵子，地方也熟。”

“我就是听你提过，才选名古屋的。”

酒店的地下停车场停着一辆白色的 Mark II。桐原说是租来的，因为平日使用的小霸王可能已被榎本他们盯上。

“这是新干线车票和酒店的地图。”上车后，桐原把一个信封和一张白色复印纸交给奈美江。

“谢谢你帮我这么多。”她道谢。

“还有一样，这个你最好带着。”桐原拿出一个纸袋。

“这要干吗？”看过纸袋内的东西，奈美江苦笑。

友彦也从旁边探头去看，袋子里是卷度很夸张的女用假发、太阳镜和口罩。

“你那些假户头里的钱，一定得用卡提取吧？”桐原边发动引擎边说，“取钱的时候，最好伪装一下。就算多少有点不自然，也不能被摄像头拍到脸。”

“考虑得真周到。谢谢，那我就收下了。”奈美江把纸袋塞进已经满到极限的旅行袋。

“到了那边要联系啊。”友彦说。

“嗯。”奈美江笑着点头。

桐原发动汽车。

送奈美江坐上新干线后，友彦和桐原一起回到办公室。

“但愿她能顺利逃脱。”友彦道。

桐原没有任何回应，反而问他：“榎本的事你听说了吗？”

“嗯。”

“那女人很傻吧？”

“咦……”

“榎本从一开始就是故意接近奈美江，想必是打算利用她在银行里的职位骗钱。她出车祸被流氓找麻烦，肯定是榎本一手设计的。连这么简单的手法都没发现，她脑袋有病啊。那女人以前就是这样，一遇到男人就栽进去，半点判断力都不剩。”

友彦无可反驳，只有猛吞口水，但胃好像吞了铅块般沉重。他心里完全没有桐原这种想法。那天，友彦提早回家，等着奈美江的电话。

但是，他没有等到。

友彦送走奈美江后的第四天，她被发现陈尸于名古屋的商务酒店，胸部和腹部遭利刃戳刺。据研判死亡已超过七十二小时。

奈美江向任职的银行请了两天假，第三天起便无故旷工，银行也在找她。她的随身物品中有五本存折，里面的存款总额在星期一还远超两千万元，但发现尸体时，几乎已经为零。

据银行调查，她盗取公款已有多年，那五本存折，似乎便是为此而设。

警方自西口奈美江转账的户头，循线查出某公司董事榎本宏，以盗取资财嫌疑将他逮捕，同时也以榎本为主要对象，着手调查西口奈美江命案。但从奈美江的五个户头提出的钱，目前仍无线索。款项确实是奈美江本人用卡领取的，因为自动取款机的监控设备拍到一个乔装过的女人，提款时使用的假发、太阳镜和口罩已于她的行李中找到。

看了报道，园村友彦冲进卫生间呕吐，直到胃部掏空。

第七章

1

申请书上的标题是“涡电流探伤线圈之形状”[①]，这份专利申请书与寻找汽车水箱排水管缺损的器具有关。通过电话与撰写申请书的技术人员讨论后，高宫诚站起身，向并排摆着四部电脑终端机的墙望去。每部终端机各有一名负责人，此时都背对着他。这四人都是女性，只有最右边一个穿着“东西电装”的制服，其他三人穿着便服，因为她们是派遣公司的员工。

这家公司的专利数据以往均以微胶卷记录，但为了方便电脑搜索，计划改用磁盘记录，她们便是为其间的数据移转而受雇的。最近，以这种方式雇用派遣人员的企业呈越来越多的趋势。严格说来，人才派遣业违反《职业安定法》的色彩相当浓厚，但不久前国会已立法予以承认，但同时也通过了以保护派遣工作者为目的的《劳动者派遣事业法》。

高宫诚走近她们，不，准确地说，是向最左边的那个背影走去。

①当导体有缺陷时，会造成涡电流局部方向改变，涡电流探伤指借涡电流检测材料表面的缺损。

长长的头发在脑后扎成一束，是为了避免影响键盘操作，此前他们稍事闲聊时，他听她提起过。

三泽千都留交互看着终端机的画面与一旁的纸张，以令人眩晕的速度敲着键盘。因为实在太快，听起来有如生产线上机器运作的声响。其他三人也是如此。

“三泽小姐。”诚从斜后方叫她。

有如机器被关掉开关一般，千都留的双手停止动作。停了一拍之后，她转向诚。她戴着大大的黑框眼镜，镜片之后的眼睛可能是因为一直盯着屏幕，有点严肃刻板，但一看到诚，顿时放松，变得极为柔和。

“是。”她回答。这时她的嘴角露出笑容，乳白色的细致肌肤与明亮的粉红色口红非常相衬。圆脸让她看起来有点稚气，其实她只比诚小一岁，这一点他也在之前的对话中不着痕迹地打听出来了。

“我想查一下涡电流探伤这个项目以前提过哪些申请。”

“涡电流？”

“是这样写的。”诚把拿在手上的文件标题给她看。

千都留迅速抄下标题。“好。我搜索一下，找到之后打印出来，再送给您，这样可以吗？”她口齿清晰地说。

“不好意思，这么忙还麻烦你。”

“哪里，这也是我分内的工作。”千都留微笑着回答。“分内的工作”是她的口头禅，或许也是派遣员工的口头禅，但诚几乎没和其他派遣员工说过话，所以并不清楚。

诚回到座位上，一个前辈男同事问他要不要休息一下。这家公司除了高层主管和会客室等特殊场所，严禁让女同事在工作场合端茶倒水。员工休息时都会到自动售货机购买杯装饮料。

“不了，我等一下再去。”诚说。于是前辈便独自离开了办公室。

高宫诚被分配到东西电装东京总公司专利部快三年了。东西电装是制造马达与火花塞等汽车电器零件的公司，专利部管理与公司产品相关的所有工业专利权。具体说便是协助技术人员申请其发明技术的专利，或是在公司与其他公司发生专利纠纷时提出对策。

不久,三泽千都留便将打印出来的资料拿了过来。“这样可以吗？”

“多亏你了,谢谢。”诚边看文件边说,“三泽小姐,你休息过了吗？”

“还没有。”

“我请你喝杯茶吧。”说着，诚起身走向出口，走到一半时向后看了一眼，确认千都留是否跟来。

自动售货机在走廊上。诚站在离它有点距离的窗边，喝着咖啡。千都留双手捧着装了柠檬茶的纸杯走过来。

“每次看你们工作都觉得很辛苦，一直敲键盘，肩膀不酸吗？”诚问。

“肩膀还好，眼睛更累，因为整天盯着屏幕。”

“是，对眼睛不太好。”

“自从我开始做这份工作，视力就变差了。以前我可不戴眼镜。”

“哦，这也算一种职业病吧。”

不在电脑前工作时，千都留会把眼镜取下来。这样她的眼睛就显得更大了。

“在不同的公司之间来去,对体力和精神想必都是很大的负担吧。”

“是啊。不过，和被派去设计相关公司的男同事比起来，我们轻松多了。他们为了赶交货，加班、熬通宵是家常便饭。白天公司的人要用电脑执行一般业务，检查和修正都只能在晚上进行，我还知道有人一个月加班一百七十个小时呢。”

“那真太厉害了。”

“有些系统光是打印程序就要两三个小时。听说他们遇到这种情况，都会带睡袋在电脑前打地铺。神奇的是打印机的声音一停，他们就会醒来。”

“真惨，”诚摇摇头，“不过，待遇相对也更好吧？”

对此千都留一脸苦笑。“就是为了削减开支，才会出现派遣员工的需求啊，说穿了，就像用过即扔的免洗碗筷一样。”

“条件这么苛刻，亏你们能忍耐。”

“没办法，为了养活自己嘛。”说着，千都留啜了一口柠檬茶。诚偷望着她嘴唇微微噘起的模样。

“我们公司怎么样？有没有亏待你们？”

“东西电装公司算是非常好的，既干净又舒服。”说着，千都留微微皱起眉头，“不过，能在这里工作的日子也不多了。”

“哦？是吗？”诚心下一惊，他第一次听说。

“下个星期分派的工作就差不多结束了。当初签的就是半年约，再加上最后的检查工作，我想，顶多下下个星期就结束了。”

“哦……”诚把空纸杯捏扁，心想应该说些什么，却找不到话可说。

“不知道下次会被派去什么样的公司。”千都留唇边挂着笑，望着窗外喃喃道。

2

高宫诚请喝柠檬茶那天，三泽千都留下班后和同一家派遣公司的上野朱美一同前往一家位于青山的意大利餐厅吃晚餐。她们两人同年，而且都独居，所以经常结伴用餐。

“终于要跟东西电装说再见了。一想到数量巨大的专利竟然全整理好了，虽然是我们弄的，还是忍不住要佩服一下自己。”上野朱美把章鱼芹菜色拉送进嘴里，让装了白葡萄酒的杯子斜向一边，冷冷地说。她的化妆和穿着分明很有女人味，言行举止有时却非常粗鲁。据她本人的说法，这归咎于她成长的老街。

“不过条件还不错，”千都留说，“以前那家钢铁公司真是糟糕。”

“是啊，那边根本不列入讨论。”朱美撇撇嘴，“高层全是白痴，根本不懂怎么用派遣人员，把我们当奴隶，只会在那里放屁，给的钱又他妈的奇少。”

千都留点点头，喝下葡萄酒。听朱美讲话有消除压力的效果。

“接下来，你有什么打算？”朱美的话告一段落时，千都留问道，“继续工作吗？”

“对啊，继续做。”朱美用叉子叉住炸栉瓜，另一只手撑住脸颊，“不过，可能会辞。”

“啊，这样啊。”

“他家那边啰唆得要命。”朱美皱起眉头，“倒是也说我可以工作，不过看样子只是说说罢了。因为他说什么不希望一天到晚见不到面，让我听了很烦。不过，他们家想赶快生孩子，要生当然就不能工作了，跟现在辞掉也没什么两样。”

朱美的话说到一半，千都留点点头。“我觉得这样更好。反正这又不是可以一直做下去的工作。”

“是啊。”朱美把栉瓜塞进嘴里。

朱美下个月就要结婚了，对象是大她五岁的上班族。本来对婚后是否要维持双薪家庭有些争议，看来结论已经出炉。

意大利面送到两人面前。千都留点了海胆奶油面，朱美的是大蒜辣椒面。怕大蒜味就无法享受美食——这是朱美一贯的理论。

“你呢？打算继续做这个工作？”

“嗯……我犹豫了很久，”千都留用叉子卷起意大利面，却没有立刻送进口中，“我想先回老家再说。”

“哦，这样也不错。”

千都留的老家在札幌。因为考上东京的大学来到东京，但自大学时代到现在成为上班族，从来没有回去过。

“什么时候？”

“还没定。不过，我想等东西电装的工作一结束就走。”

“那就是下星期六或星期日喽。”朱美把一口面送进嘴里，咽下去，说，“没记错的话，高宫先生好像就是那个星期日结婚。”

“咦？真的？”

“应该没错，上次我听别人讲的。”

“哦……跟公司的同事吗？”

“好像不是，听说是学生时代就在一起了。”

“哦，原来如此。”千都留吃了口面，却完全尝不出滋味。

“不知是何方神圣，不过运气真好，那么好的男人可不多啊。”

“你也快结婚了，有什么好说的？还是说，你其实喜欢他那种类型的？”千都留故意逗她。

“哪一型不重要，重要的是他条件好——他可是地主的儿子呢，你知道吗？”

“完全不知道。”

他们几乎没有谈过私事，当然没有机会知道。

“很夸张哦，听说他家住成城，在那一带有很多土地，听说还有好几栋公寓大楼。爸爸好像已经死了，不过光靠房租就可以过得很舒服。有这么好的条件，那个准媳妇心里一定暗爽，他爸爸死得好啊！”

“你消息真灵通。”千都留佩服地看着朱美。

“专利部的人都知道，所以，打高宫先生主意的女人也很多。不过最后还是没有人能赢他学生时代的女朋友。”朱美的口气听起来很痛快，可能是她从一开始就没有那个资格。

“高宫先生的话，”千都留大着胆子说，“就算没有财产，还是会有很多人喜欢吧，他长得帅，又有气质，对我们又很绅士。”

听到这话，朱美轻轻摇摇手。“你怎么这么呆，就是因为家里有钱，才绅士得起来，外表也才会显得有气质。同一个人要是生在穷人家，肯定没品位没气质！”

“也许吧。”千都留轻轻一笑。

主菜鲜鱼料理上桌了。两人聊了很多，话题中不再出现高宫诚。

千都留回到位于早稻田的公寓时，已经过了十点。朱美还想再去喝点酒，她很累，便拒绝了。

开了门，摁下墙上的开关，惨白的日光灯照亮了一室一厅的套间。随即映入眼帘的是杂乱的衣物和日用品，让她倍感疲累。她大学二年级便住进这里，从那时起的种种苦恼与挫折，似乎沉积在房间各个角落。她连衣服都没换，直接倒在角落的床上。床下传来挤压的声音，所有东西都旧了。

脑海里蓦地浮现高宫诚的脸孔。

其实，对于他已经有恋人这事，她并非一无所知，她曾无意中听见专利部女职员说起。但是，他们交往到什么程度，她就不得而知了。她当然无法追问。更何况，即使知道了，也莫可奈何。

身为派遣人员，唯一称得上乐趣的，便是有机会认识形形色色的男人。千都留每到一个新工作地点，都会暗自期待：不知道会不会遇到合适的人？

但到目前为止，期待都落空了。绝大多数工作场所几乎没有认识异性的机会，甚至令人怀疑公司是否为了保障自家的女职员，帮她们杜绝了可能的情敌。

东西电装却不同，派遣上工的第一天，她便发现了理想的人，那就是高宫诚。

首先吸引她的是他的外表。不只因为他五官端正，她感觉得到他发自内在的教养、品格。这一点，和只看重外表的其他男职员截然不同。

工作上和他接触后，千都留更加确信自己的直觉是正确的。他为人体贴，懂得为派遣人员设身处地着想，也很诚实，对上司不说谎，不敷衍。

结婚就应该找这样的人，千都留叹息。

事实上，她有点会错了意，以为高宫诚对她也有意思。他从没说过类似的话，但是，他的一些小动作、看她的眼神、和她说话的方式，让她就是有这样的感觉。

看来那是她的错觉。想起白天的事，千都留自嘲地苦笑，差一点就自讨没趣。当高宫诚说要请她喝茶时，她满心期待，以为他终于要提出邀约了。他却没有开口的样子，她才若无其事地提起待在这里的时间不多了。她想，若得知此事，也许他会感到着急。然而他似乎没有任何特别的感觉。到了新公司，也要好好努力啊——他只是这样说。

反复咀嚼朱美的话，千都留深切感到他的反应是理所当然的。一个两周后就要结婚的人，自然不会留意一个派遣人员。他自始至终不变的温柔，纯粹出于善良的本性。

千都留决心不再想他。她起身，伸手拿枕边的电话，准备打回札幌老家。突然说要回家，故乡的父母会有什么反应？对连过年都不回家的女儿，他们说不定至今仍余怒未消。

3

从凸窗吹进来的风充满秋天的味道。第一次来看房子的时候，还飘着梅雨时常见的绵绵细雨。高宫诚想起短短三个月前的事。

“真是个适合搬家的好天气。”原本在擦拭地板的高宫赖子停下手边的动作，“本来担心天气不好，像现在这样，搬家的人好做事多了。”

“搬家公司是专业的，天气对他们没什么影响。”

“哎哟，那可不见得。山下家上个月不是帮媳妇搬家吗？他们说遇到台风，差点搬不成。”

“台风是例外，现在都十月了。”

“十月也有可能下大雨呀。”

赖子再度动手的时候，对讲机的铃响了。

“会是谁呢？”

“应该是雪穗吧？”

“她应该有钥匙啊。”说着，诚拿起装设在客厅墙上的对讲机听筒。

“喂。”

“是我，雪穗。”

“是你啊，忘了带钥匙？”

“不是……”

“嗯，我先开门。”

诚按下开门钮，走到玄关，开了锁，打开门等着。

听到电梯停止的声音，有脚步声接近。不久，唐泽雪穗的身影出现在走廊转角，她穿着浅绿色线衫和白色棉质长裤。可能是因为今天特别暖和，她把外套拿在手上。

“嗨！”诚笑着招呼。

“对不起，我买了好多东西，来晚了。”雪穗把手上的超市袋子拿给他看，里面有清洁剂、百洁布和塑料手套等物品。

“上星期不是打扫过了吗？”

“已经过了一个星期，而且等家具搬进来以后，一定到处都脏兮兮的。”

她的话让诚大摇其头。“原来女人都会说一样的话，妈也这么说，还带了一套扫除用具过来。”

“啊！那我得赶快帮忙。”雪穗急忙脱掉运动鞋。看到她穿运动鞋，诚感到意外，她总是穿着跟很高的高跟鞋。想到这里，他才发现自己第一次看到雪穗穿长裤。

他说出这件事，她脸上露出又好气又好笑的神情。“搬家的日子穿裙子、高跟鞋，不就什么事都做不了了吗？”

“一点不错。”里面传来声音,赖子卷起袖子笑着走出来,“你好呀，雪穗。”

“您好。”雪穗低头行礼。

“这孩子一直就是这样，从没打扫过自己的房间，完全不知道又擦又扫的有多累人。以后雪穗可辛苦了，你要多担待啊。”

“哪里，您不用担心。”

赖子和雪穗一进客厅，便开始决定打扫的顺序。诚听着两人的对话，像刚才一样站在凸窗边，看着下方的马路。家具应该快送到了，电器送达的时间指定在一个小时后。

就快到了，诚想。再过两个星期，他就是有家室的人了。在这之前，都不太有现实感，但是现在距离如此之近，他又不由得紧张起来。

雪穗早已穿上围裙，开始擦拭隔壁和室的榻榻米。即使一身居家打扮也丝毫无损她的美，足证她是真正的美人。

“整整四年啊。”诚喃喃自语，他指的是与雪穗交往的时间。

他在大四的时候认识了雪穗，当时他参加的永明大学社交舞社与清华女子大学社交舞社举办联合练习，她也加入了社团。

在好几个新生当中，雪穗显得特别耀眼。精致的五官，匀称的身材，简直就是流行杂志的封面女郎。许多男社员都为她倾倒，梦想着能成为她的恋人。

诚也是其中之一。那时他刚好没有女朋友也是原因之一，但自第一眼看到她，他的心就被她夺走了。即使如此，若是没有后来的机缘，他大概也不会追求雪穗。他知道有好几个社友都被她拒绝了，以为自己也只有吃闭门羹的份儿。

然而，一次雪穗主动对他说，有一个舞步她怎么也学不会，希望他能教她。对诚而言，这可谓天赐良机。他以一对一特训的名目，成功取得与众人的偶像独处的机会。

在他们一再单独练习的过程中，诚感觉到，雪穗对自己的印象也不差。有一天，他下定决心找她约会。

雪穗定定凝视着诚，这样回答："你要带我去哪里呢？"

诚强忍心头的狂喜，回答："你喜欢的任何地方。"

他们去看了音乐剧，在意大利餐厅用餐。然后，他送她回家。

接下来四年多的时间，他们两人一直都是情侣。

诚认为，如果那时她没有主动请他教舞，他们多半不会展开交往。因为翌年他将毕业，此后想必也不会再见面。一想到这里，他认为自己真是抓住了唯一的机会。

同时，另一位女社员退社，也对他们的关系产生了微妙的影响。事实上，诚也注意到另一位新社员。当时他视雪穗为高不可攀的对象，曾考虑过追求那位女孩。那个名叫川岛江利子的社员，虽然不像雪穗般美丽出众，却有一种独特的气质，似乎和她在一起便能安心。然而，川岛江利子不久便突然退出社交舞社，与她非常亲近的雪穗也说不清她退社的真正原因。

如果江利子没有退社，诚对她展开追求，会有什么结果呢？他想，即使遭到拒绝，事后也不会转而追求雪穗。这样情况便完全不同。至少，他不可能在两星期后，于东京都内的酒店与雪穗结婚。人的命运真是难以预料啊，他不由得发此感慨。

“哎，你明明有钥匙，怎么还按对讲机？”诚问正在打扫厨房流理台的雪穗。

“因为不能擅自进来呀。”她手也不停地回答。

“为什么？就是要让你进来才给你钥匙。”

“可是，毕竟还没有举行婚礼。”

“何必在乎这些。”

听到这里，赖子插了进来：“这就是为婚前婚后划清界限呀！”说着，对两个星期后即将成为媳妇的女孩微笑。雪穗也对两个星期后即将成为婆婆的女人点头。

诚叹了口气，视线回到窗外。母亲似乎从第一次见到雪穗便喜欢上她了。或许是命运的线将自己与唐泽雪穗绑在一起，而且，也许只要顺着这条线走，一切都会很顺利。但是……

现在却有另一个女孩的脸孔在他脑海中挥之不去。即使强迫自己不要去想，每每一回过神，却发现想的都是她。诚摇摇头，一种类似焦躁的情绪支配着他的心神。

几分钟后，家具行的卡车到了。

4

翌日晚上七点，高宫诚来到新宿车站大楼的某家咖啡馆。

邻桌两个操关西口音的男子正大声谈论棒球，话题当然是阪神老虎队。这支一直处于低迷状态的球队今年却让所有专家跌破眼镜，冠军竟已唾手可得。这难能可贵的佳话似乎大大地鼓舞了关西人。在诚的公司，向来不敢声张自己是阪神球迷的部长突然成立临时球迷俱乐部，几乎每天下班都去喝酒狂欢。这股热潮短期内势必不会消退，使身为巨人队球迷的诚感到不胜其烦。

但关西口音倒是令人怀念。他的母校永明大学位于大阪，大学四年，他都独自住在位于千里的公寓。他喝了两口咖啡，等待的人出现了。穿着灰色西装的身影潇洒利落，十足一个职场精英。

“再过两个星期就要告别单身，心境如何啊？”筱冢一成不怀好意地笑着，坐在对面的位子上。女服务生过来招呼，他点了意式咖啡。

“不好意思，突然把你叫出来。”诚说。

“没关系，星期一比较闲。”筱冢跷起修长的腿。

他俩念同一所大学，也双双参加社交舞社。筱冢是社长，诚是副社长。想学社交舞的大学生家境多半颇为富裕。筱冢出身豪门，伯父是大制药公司的老板，老家在神户。他现在来到东京，在该公司的业务部任职。

“你应该比我更忙吧？有很多事情要准备。”筱冢说。

“是啊，昨天家具和电器送到公寓。我准备今晚自己先过去住。”

“这么说，你的新居差不多就绪了。就只差新娘喽。”

“她的东西下星期六就会搬进去。”

“啊，时候终于到了。”

“是啊。”诚移开视线，把咖啡杯端到嘴边。筱冢的笑容显得那么耀眼。

“你要找我谈什么？昨天听你在电话上说的好像很严重，我有点担心。”

“嗯……”

昨晚诚回家之后打电话给筱冢。可能因为他说有事不方便在电话里谈，筱冢才会担心。

“都到了这个节骨眼，你该不会现在才说你舍不得单身生活吧？”

说着，筱冢笑了。

他在开玩笑。但是，此刻的诚，却连说几句俏皮话来配合这个笑话的心情都没有。就某种角度而言，这个笑话的确一语中的。

筱冢似乎从诚的表情看出端倪，他蹙起眉头，把上半身凑过来："哎，高宫……"

这时，女服务生送来了咖啡。筱冢身体稍稍抽离桌子，眼睛却紧盯着诚不放。

女服务生一离开，筱冢也不碰咖啡杯，再度问道："你在开玩笑，是吧？"

"老实说，我很迷惘。"诚双手抱胸，迎向好友的眼神。

筱冢瞪大了眼睛，嘴巴半开，然后像提防什么般张望了一番，再度凝视着诚。"这个时候了，你还迷惘什么？"

"就是，"诚决定开诚布公，"我不知道该不该就这样结婚。"

一听这话，筱冢的表情定住了，双眼在诚的脸上打量，接着缓缓点头。"别担心。我听说过，大多数男人结婚前都想临阵脱逃，因为突然感觉有家室的负担和拘束就要成真了。别担心，不是只有你这样。"

看样子，筱冢净往好的方面想了。但诚不得不摇头。"很遗憾，我不是这个意思。"

"那是什么？"

筱冢问了这个理所当然的问题，诚却无法直视他的眼睛。诚感到不安，如果把现在的心情老实告诉筱冢，他会多么瞧不起自己？但是，除了筱冢，实在无人可以商量。他猛喝玻璃杯里的水。"其实，我有了其他喜欢的人。"他决定豁出去了。

筱冢没有立刻反应，表情也没变。诚以为，也许他说得不够明白，他准备再说一次，便吸了一口气。

就在这时，筱冢开口了："哪里的女人？"他严肃地直视着诚。

“现在在我们公司。”

“现在？”

诚把三泽千都留的情况告诉一脸不解的筱冢。筱冢的公司也雇用了人才派遣公司的人，他一听便知。

“这么说，你和她只有工作上的接触，并未私下见面什么的，嗯？”筱冢问。

“以我现在的处境，不能和她约会。”

“那当然。可这样你并不知道她对你的感觉了。”

“是。”

“既然这样，”筱冢的嘴角露出一丝笑容，“最好把她忘了吧。在我看来，你只是一时意乱情迷。”

诚对好友的话报以淡淡一笑。“我就知道你会这么说。如果我是你，大概也会说同样的话。”

“啊，抱歉。”筱冢好像发现了什么，连忙道歉，“如果只是这样，不用我说你自然也明白。你就是因为无法控制感情，烦恼不已，才找我商量。”

“我自己知道，我脑袋里想的事有多荒唐。”

筱冢附和般点点头，喝了一口有点变凉的咖啡。“什么时候开始的？”

“什么？”

“你从什么时候开始在意她？”

“哦。”诚稍微想了想，答道，“今年四月吧，从我第一次见到她开始。”

“半年前？你怎么不早点采取行动？”筱冢的声音里有些不耐。

“没办法，那时结婚场地已经预约好了，下聘的日子也定了。不，先别说那些，连我都不敢相信自己会有那种感情。就像你刚才说的，我也以为只是一时意乱情迷，要自己赶快甩开那份莫名其妙的感情。”

“可直到今天都甩不掉，啊？”筱冢叹了口气，伸手抓了抓头，学生时代曾略加整烫的头发如今理得很短，“只剩两个星期了，竟冒出这种麻烦事。”

“抱歉，能够商量这种事的人只有你了。”

“我无所谓，”嘴上这么说，但筱冢仍皱着眉头，“可问题是你并不知道她的心意，你连她怎么看待你都不知道吧？”

“当然。”

“这样……这么说也很怪，关键看你现在怎么想。”

“我不知道该不该抱着这样的心情结婚，说得更直白一点，我并不想在这种状态下举行婚礼。”

“你的心情我明白，虽然我没经验。”筱冢又叹了口气，“那，唐泽呢？你对她又怎样？不喜欢了？”

“不，不是。我对她的感情还是……”

“只不过不是百分之百了？”

被筱冢这么一说，诚无言以对。他把玻璃杯里剩下的水喝光。

“我不好说什么不负责任的话，但我觉得，以你现在的状况结婚，对你们两个都不太好。当然，我是说你和唐泽。”

“筱冢，如果是你，会怎么做？”

“要是我，一旦婚事定了下来，就尽可能不和别的女人打照面。”

听此一说，诚笑了。不用说，他的笑容并非发自内心。

“就算这样，万一我在结婚前有了喜欢的人，”筱冢说到这里停了下来，抬眼向上，再度看着诚，“我会先把婚礼取消。”

“即使只剩两周？”

“只剩一天也一样。”

诚陷入沉默，好友的话很有分量。

为缓和气氛，筱冢露出洁白的牙齿粲然一笑。“事不关己，我才能说得这么干脆。我知道事情没这么简单。再说，这跟感情深浅也有关系，我并不知道你对那女孩的感情有多深。”

对于好友的话，诚重重点头。“我会作为参考。”

“每个人的价值观都不同，无论你得出什么结论，我都没有异议。”

“等结论出来，我会向你报告。”

“你想到再说吧。”筱冢笑了。

5

手绘地图上标示的大楼就在新宿伊势丹旁边，三楼挂着乡土居酒屋的招牌。

“既然要请，不会找好一点的地方啊？”进了电梯，朱美愤愤不平。

“没办法，大叔主办的嘛。”

听到千都留的话，朱美一脸不耐烦地点头说道：“也对啦。”

店门入口处装有自动式的和式格子门。还不到七点，就听得到喝醉的客人大声喧闹。隔着门，可以看到摘下领带的上班族。

千都留她们一进去，便听到有人喊：“喂！这边这边！”一干人都是东西电装专利部的熟面孔。他们占据了几张桌子，好几个已经喝得满脸通红。

“要是敢叫我倒酒，老娘立刻翻桌走人。”朱美在千都留耳边悄声说。事实上，她们不管去哪家公司，聚餐场合都经常被迫倒酒。

千都留猜想，今天应该不至于，再怎么说，这是她们的欢送会。

一群人照例说着告别的话，干了杯。千都留看开了，把这当作工作的一部分，露出亲切的笑容，心想散会时一定得提高警觉。非礼公司女同事，事情要是闹开来会很难堪，但对方若是派遣人员便无此后患。有这种想法的男人出乎意料地多，这一点千都留是凭过去经验知道的。

高宫诚坐在她斜对面，偶尔把菜送进口中，用中杯喝啤酒。平常话就不多的他，今天只被当作听众。

千都留感觉到他的视线不时投射在自己身上，她朝他看去，他便移开目光，她有这种感觉。不会吧，你想太多了。千都留告诫自己。

不知不觉间，话题转到朱美的婚事。有点醉意的主任开起老掉牙的玩笑，说什么很多男同事都想追朱美。

“在如此动荡的一年结婚，未来真令人担心。要是生了男孩，我一定要取名为虎男，让他沾沾阪神老虎队的光。”朱美大概也醉了，说这些话取悦大家。

“说到这里，听说高宫先生也要结婚了，对不对？”千都留问，特别留意不让声音听起来不自然。

“嗯，是啊……”高宫似乎有些不知如何作答。

“就是后天了，后天。”坐在千都留对面一个姓成田的男子，拍着高宫诚的肩膀说，“后天，这家伙多彩多姿的单身生活就要结束了。”

“恭喜恭喜。”

“谢谢。”高宫小声回答。

“这家伙啊，不管哪一方面都得天独厚，完全不需要恭喜他。”成田说起话来舌头有点不灵光。

“哪有啊？”高宫虽然露出困扰的表情，仍然保持笑容。

“有有有，你命实在太好了。嘿，三泽小姐，你听听，这家伙明明比我小两岁，却有了自己的房子。这种事有天理吗？”

“那不是我的。”

“怎么不是，那间公寓不必付房租吧？那不叫你的房子叫什么？”

成田说得唾沫横飞，就是不放过高宫。

“那是我妈的房子，我只是借住，跟食客没两样。”

“听到没有？他妈妈有房子。你不觉得他命很好吗？”成田一边征求千都留的同意，一边往自己的酒杯倒酒。一口气喝干后，又继续说：“而且啊，平常人家说的公寓，都是指两居或三居的，他可不是，他家有一整栋公寓，他分到其中一套。这种事有天理吗？”

“前辈，放过我吧。”

“不行，天理不容啊！还没完哩！这家伙要娶的老婆，还是个大美人。”

“成田前辈。”高宫露出全无招架之力的表情。为了让成田闭嘴，他往成田的酒杯中倒酒。

“那么漂亮呀？”千都留问成田，这正是她感兴趣的地方。

“漂亮，漂亮！漂亮得可以去当女明星了。而且，连茶道、花道什么的都会，对不对？”成田问高宫。

“呃，还好。”

“厉害吧？英文还溜得很咧。可恶！为什么你这家伙就这么走运！”

“好了，成田，你就等着看吧，人不会一直走运。不久好运也会找上你的。”坐在边上的科长说。

“哦，会吗？什么时候？”

“我看，大概下世纪中吧。”

“五十年以后的事，到时候我是不是还活着都不知道呢。”

成田的话把大家都逗笑了。千都留也笑了，偷眼看高宫，一瞬间两人目光相撞。千都留觉得他好像想说些什么，但这一定也是错觉。

欢送会在九点结束，离开店时，千都留叫住高宫。“这是结婚礼物。”她从包里取出一个小包裹，是她昨天下班后买的，“今天本来想在公司里拿给你的，但没有机会。”

“这……你不用破费。”他打开包装，里面是条蓝色手帕，“谢谢你，我会好好珍惜。”

“这半年来多谢你了。”她双手在身前并拢，低头行礼。

“我什么都没做啊。倒是你，以后有什么打算？”

“想暂时回老家休息一阵，后天回札幌。”

“哦……”他点点头，收起手帕。

“高宫先生是在赤坂的酒店举行婚礼吧？那时我大概已经在北海道了。”

“你一早出发？”

“明晚我准备去住品川的酒店，想早一点出发。”

“哪家酒店？”

“公园美景酒店。”

高宫闻言似乎还想说什么，但这时入口传来叫声：“哎，你们在干什么？大家都已经下去了。”

高宫稍稍举手，迈开脚步。千都留跟在他身后，想，以后再没机会看他的背影了。

6

参加三泽千都留等人的欢送会后，高宫诚回到成城的老家。

家里目前住着母亲赖子与外公外婆。已去世的父亲是赘婿，赖子才是代代均为资本家的高宫家嫡系传人。

“只剩两天了，明天可够忙的，得上美容院，还得去取定做的首饰。得起个大早才行。”赖子在古色古香的餐桌上摊开报纸，削着苹果皮说。

诚坐在她对面，假装看杂志，其实在注意时间。他准备十一点打电话。

“要结婚的是诚，你打扮得再美又有什么用。”坐在沙发上的外公仁一郎说。

他面前摆着国际象棋盘，左手握着烟斗。年过八旬的他走起路来背脊仍挺得笔直，声音也很洪亮。

“可是，参加孩子婚礼的机会，这辈子就这么一次，稍微打扮一下有什么关系，对不对？”

最后那句是朝坐在仁一郎对面织毛线的文子问的。娇小的外婆默默地微笑。

外公的国际象棋、外婆的毛线，以及母亲朝气蓬勃的话音，自诚的孩提时代，这些便构成这个家独特的世界，即使他后天就要结婚，今晚这一切仍旧没有改变。他深爱这个家不变的一切。

“不过，没想到诚要娶媳妇啦，那就表示我真的是个糟老头子了。”仁一郎颇有感触地说。

“我是觉得，要结婚，他们两个都太小了，不过都交往四年了，再拖下去也不是办法。”说着，赖子看看诚。

“雪穗那孩子非常好，这样我也放心了。”文子说。

“嗯，那孩子好，年纪虽轻，却很懂事。”

“我也是，从诚第一次带她到家里，我就很喜欢她。教得好的女孩儿家果然不一样。”赖子把切好的苹果装盘。

诚想起第一次带雪穗见赖子他们的情景。赖子首先便对她的容貌十分欣赏，接着对她与养母两人相依为命的境遇感到同情，后来知道养母不但教导雪穗大小家事，甚至指导她茶道、花道，更是佩服不已。

吃了两片苹果，诚站起来，快十一点了。“我上楼了。”

“明晚要跟雪穗她们吃饭，可别忘了。”赖子突然说。

“吃饭？”

“雪穗和她妈妈明晚不是住酒店吗？我打了电话过去，问她们要不要一起吃晚饭。”

“干吗自作主张啊？”诚的声音提高了。

“哎哟，不行吗？反正你明晚本来就要跟雪穗碰面嘛。”

“……几点开始？”

“我预约了七点，那家酒店的法国菜可是出了名的。”

诚一语不发地离开客厅，爬上楼梯，走向自己的房间。

除了最近刚买的衣服，所有东西几乎都原封不动地留在这里。诚坐在学生时代便爱用的书桌前，拿起桌上电话的听筒。这是他的专线电话，现在依然保持通话状态。

看着贴在墙上的号码，他按下按键式电话的数字键。响了两声，电话接通了。

“喂。”听筒传来冷淡的声音，对方可能正听着古典音乐以消除工作的疲惫。

“筱冢？是我。”

“哦，”声调变高了些，“怎么？”

“现在方便吗？”

“方便啊。”筱冢一个人住在四谷。

“我有重要的事跟你说，多半会吓到你，你要沉住气，听我说。”

这几句话似乎让筱冢猜到了接下来的谈话内容，他并未立刻回应，诚也保持沉默，耳边只听到电话的噪声。这时，诚想起大约三个月前，通话质量变差了，不容易听清对方的声音。

“上次那件事的后续？”筱冢总算开口问道。

“对，就是那件事。”

“喂！”听筒里传来轻笑声，但是，恐怕并非真笑。“后天就是你的婚礼了吧？”

“上次是你说，即使是前一天，你也会取消。”

“我是说过。”筱冢的呼吸有点乱了，“你是认真的？”

“对。”诚咽了一口口水才继续说，“明天，我想向她表明心意。”

“就是那位派遣人员，姓三泽的？”

“嗯。”

“表明之后呢？向她求婚？”

“我没有想那么多，只是想把心情告诉她，也想知道她的心意。就这样。”

“如果她说对你没意思呢？”

“那就一切到此为止。”

“然后你准备第二天装作什么事都没发生过，跟唐泽举行婚礼？”

“我知道这样很卑鄙。”

“不会，”筱冢顿了顿才说，“我想，这一点心机确实不能少。最重要的是选择你不会后悔的路。”

“你这么一说，我觉得稍微轻松一点了。”

“问题是，”筱冢压低声音，“如果那女孩也喜欢你，你怎么办？”

“到时候……”

“抛开一切？”

“我是这么打算的。”

耳边听到呼的一声叹息。“高宫，这可不是一桩小事。你明白吗？这会给多少人带来麻烦，会伤多少人的心？别的不说，唐泽会有什么感受……”

“我会补偿她，尽我所能。”

双方再度陷入沉默，只有噪声在电话线之间来去。

“好吧，既然你都这么说了，一定是痛下决心了，我不会再说什么。”

“抱歉，让你担心了。”

“你不用对我觉得过意不去，反倒是你，看来，后天可能会有一场大骚动。连我都忍不住浑身起鸡皮疙瘩了。”

“我也是，没法不紧张。”

“也难怪。”

“对了，我有件事想拜托你，明晚有空吗？”

7

决定命运的那一天从早上便阴沉沉的，好像随时都会下雨。诚较晚才吃早餐，然后在自己的房间里呆望着天空。昨晚没睡好，他头痛得很厉害。他思索着如何联系上三泽千都留。他知道她今晚将下榻品川的酒店，所以，迫不得已时，可以直接到酒店找她，但他希望尽可能在白天见到她，向她表白。

但他找不出方法。他们没有私下往来，他既不知道她的电话，也不知道住址。她是派遣人员，公司的通讯簿上自然不会有她的名字。

科长或主任也许知道，但该怎么开口询问？更何况，他们不见得会将通讯簿放在家里。

只有一个办法，就是到公司去直接查。今天虽然是星期六，公司加班的同事应该不少。即使他到办公室找东西，也不必担心有人起疑。

诚暗道事不宜迟，从椅子上站起，玄关的门铃忽然响了。他立即产生不祥的预感。

大约一分钟后，他证实了自己的直觉果然准确。房间外传来有人上楼的声音，像穿着拖鞋走路的独特脚步声，应该是赖子。

“诚，雪穗来了。”赖子在门外说。

“她来了？我马上下去。”

雪穗正在客厅和赖子、外公、外婆喝红茶。她今天穿着深棕色连衣裙。

“雪穗带来了蛋糕，来一块？”赖子问道，看来心情甚佳。

“不了。呃，你怎么会来？”诚看着雪穗问。

“我漏买了好几样旅行用品，想请你陪我去买。”她像唱歌般地说，一双杏眼发出宝石般闪耀的光辉。她已经露出新娘的表情了，这么一想，让诚觉得心中很痛。

“哦……那，该怎么办呢？我有点事要去公司一趟。”

“什么！都这时候了！”赖子双眉紧锁，“结婚前还叫人去上班，你们公司有毛病啊？”

“不是，也算不上是工作，只是想看一下资料。”

“那么，买东西时顺道去吧？”雪穗说，“不过，我可不可以跟你一起进公司？你不是说过，假日的时候不必穿制服，非公司职员也可以自由进出。”

“嗯，是可以……”诚内心彷徨不安，他全未料到雪穗会这么建议。

“工作狂真讨人厌。”赖子撇撇嘴，“家庭和工作，哪一个重要？”

“好，反正也不急，我今天就不去公司了。”

“真的？我无所谓呀。”雪穗说。

“嗯，不去了，没关系。”诚对着未婚妻笑，心里盘算着晚上直接到酒店向三泽千都留表白。

他说声“我去换衣服”，要雪穗等候，然后回到房间，立刻打电话给筱冢。“我是高宫。那件事没问题吧？”

“嗯，我九点准时到。你呢？跟她联系上了？”

“还没，我还是找不到她的联系方式。更麻烦的是我现在要陪雪穗去买东西。”

筱冢在电话那头叹气。“光听着我都替你觉得累。”

“抱歉，要你替我做这种事。”

“没办法啊，那就九点。”

“麻烦了。”

挂断电话，换好衣服，诚打开门，猛见雪穗就站在走廊上。他不禁吓了一跳。她双手放在背后，靠墙凝视着他，嘴角露出浅浅的笑容，看起来和平常的微笑似乎有所不同。“你好慢，我过来看看。”她说。

“抱歉，我在选衣服。”

正当他准备下楼，雪穗从背后问道：“那件事是什么事？”

诚差点一脚踩空。“你听我说话？”

“是声音自己传出来的。”

“哦……是工作上的事。”他走下楼梯，生怕她继续追问，好在她没再开口。

他们在银座购物，继三越、松屋等著名百货公司后，又走进名牌专卖店。

说是要买旅行用品，但诚看雪穗并无意买东西。他指出这一点，她耸耸肩，吐了吐舌头。“其实我只是想好好约个会。因为，今天是我们单身的最后一天呀，可以吧？”

诚轻叹口气，他总不能说不行。望着雪穗逛街的开心模样，他回想起他们在一起的四年时光，重新审视自己对她的感情。是啊，因为喜欢她，才会交往到现在。但是，决心结婚的直接原因是什么？是对她深厚的爱情吗？很遗憾，或许并非如此，他想。他是在两年前开始认真考虑结婚的，因为那时发生了一件意外。

一天早上，雪穗约他在东京一家小商务酒店见面。后来他才知道，她为什么在那里投宿。

雪穗以前所未见的严肃表情等候着他。

“我想让你看看这个。”说着，她往桌上一指。那里竖着一根透明的管子，长度大约只有香烟的一半，里面装了少量液体。“不要碰，从上面看。”她加了一句。

诚照她所言往下看，看到管底有两个小小的同心圆。他把看到的情形说出来，雪穗便默默地递给他一张纸。那是验孕器的说明书，上面说明若出现同心圆，便代表检验结果为阳性。

“说明书说要检查早上起床后第一道尿液。我想要让你看看结果，才来这里住的。”雪穗说，听得出她本已确信自己怀孕了。

诚的脸色想必极为难看，雪穗却开朗地说：“放心吧，我不会生下来，医院我也自己去。”

“真的？”诚问。

“嗯，因为现在还不能生孩子吧？”

坦白说，听到雪穗的话，诚忐忑不安的心才放了下来。自己即将成为父亲，这种事他连想都没想过，自然也没有心理准备。

正如雪穗所说，她单独上医院，悄悄接受了堕胎手术。那段时期，大约有一个星期没有看见她，后来她的举止和之前一样开朗。她绝口不提孩子的事，即使他想开口询问，她也立刻察觉，总是抢先摇头说：“什么都别再说了，我没事，真的。”

因为这件事，诚开始认真考虑和她的婚事，他认为这是男人的责任。

然而，诚现在却认为，当时自己是不是忘了更重要的事……

8

喝着餐后的咖啡，诚看看手表，已经九点多了。

高宫家与唐泽家七点开始的聚餐，从头到尾几乎全是赖子在说话，雪穗的养母唐泽礼子始终面带宽容的笑容扮演听众的角色。礼子是一位高雅的女士，她的高雅来自于理性。一想到明天也许会辜负她，诚不由得内疚。

离开餐厅时大约是九点十五分。这时，赖子一如诚所预料地提议，时间还早，不妨去酒吧坐坐。

"酒吧人一定很多，去一楼大厅吧。那里一样可以喝酒。"

唐泽礼子首先赞成诚的意见，她似乎不擅饮酒。

一行人搭乘电梯来到一楼，诚看看钟，已过了九点二十分。四个人进入大厅时，背后传来"高宫"的叫声，诚回头，筱冢正向他走来。

"哦！"诚故作惊讶。

"你怎么这么慢？我还以为计划中止了。"筱冢小声说。

"晚餐拖太久了，不过，你来得正好。"

假装交谈几句后，诚回到雪穗等人身边。"永明大学毕业的校友就在这附近聚会，我去露个脸。"

"何必在这时候去呢？"赖子显然很不高兴。

"有什么关系呢？和朋友之间的来往也很重要。"唐泽礼子说。

"不好意思。"诚向她低头道歉。

"要尽可能早点回来哦。"雪穗看着他的眼睛说。

"嗯。"诚点点头。

一离开大厅，诚便和筱冢冲出酒店。值得庆幸的，是筱冢开来了爱车保时捷。

"要是超速被抓，罚款可要你付。"说完，筱冢立刻发动。

公园美景酒店距品川车站五分钟路程。接近十点时，诚在酒店大门前下车。

他直奔前台，说要找在此住宿的名叫三泽千都留的女子。头发剪得干净利落的酒店职员礼貌地回答:“三泽小姐的确预约了，但尚未入住。”他还说，预定抵达时间是晚上九点。

诚向他道谢，离开了前台，环视大厅一周，在附近的沙发上坐下，那里可以清楚地看见前台。

不久，她就会出现，光是如此想象，心脏便加速跳动。

9

千都留于九点五十分抵达品川车站。整理房间、准备回家，比预期花费的时间要长。

她随人群走过车站前的十字路口，向酒店走去。

公园美景酒店的行人专用入口虽然在马路上，但要到正门，必须走过酒店的庭院。千都留提着沉重的行李，在蜿蜒的小路上前进。灯光照亮了五彩缤纷的花朵，她却无心欣赏。

总算接近酒店正门了，一辆辆出租车陆续驶进玄关，让乘客下车。千都留想，来这种酒店，毕竟还是坐车才有派头。酒店门房似乎也对徒步前来的客人视若不见。

正当千都留准备穿过正门时——

“小姐，打扰了。”背后突然有人叫她。回头一看，是一个穿黑色西装的年轻男子。

“很抱歉，请问您现在要去办理入住手续吗？”男子问道。

“是啊。”千都留颇有戒心地回答。

“是这样的，我是警察。”说着，男子从西装内侧翻出黑色的证件让她看了一眼，“有件事务必请您帮忙。”

“我？”千都留非常惊讶，她自认为并未涉入任何案件。

“麻烦移驾到这边。”男子往庭院走去，千都留无奈地跟着过去。

“今晚您是单独住宿吗？”男子问。

“是的。”

“您一定得住这家？后面也有酒店，不能住那边吗？”

“倒也无所谓，但是我预约了……”

“所以，我们才想请您帮忙。”

“怎么帮？”

“其实，有个嫌犯住在这家酒店，我们希望就近监视。可是很不巧，今晚有团体订房，酒店腾不出房间。”

男子想说的，千都留已经明白了。“所以想要我的？”

“是。”男子点头，“要已经入住的房客换房间太困难，而且如果有异常举动，恐怕会被嫌犯发现。所以，我才会在外面等候已经预约但还没有入住的房客。”

“哦，这样……”千都留看看对方。仔细一看，他给人的感觉相当年轻，可能是新警察，但他整齐的西装和极有诚意的态度博得了她的好感。

“如果您能体谅，我们会负责您今晚的住宿费用，并送您到酒店前。”男子说。他有一丝关西口音。

“后面是皇后大酒店吧？”千都留向他确认，那家酒店比公园美景可高档得多。

“我们保留了皇后大酒店四万元的房间。”男子似乎看穿了她的心思，提到房间的等级。

那是绝对不会自掏腰包去住的房间，她想，这让她打定了主意。“既然这样，我无所谓。”

“谢谢您！现在我送您去。”男子伸手接过千都留的行李。

10

时间超过十点半，三泽千都留仍未现身。

诚摊开别人留下的报纸，目光却没有从前台离开。这时，他并不急于表白，一心只想快点看到她。心脏的跳动依然急促。

一个女人走近前台，他登时精神一振，但发现长相完全不同，又失望地垂下视线。

“我没有预约，请问还有房间吗？”女性客人问。

“您一位吗？”前台里的男子问。

“是的。”

“单人房可以吗？”

“嗯，可以。”

“好的。我们有一万二千元、一万五千元和一万八千元三种房间，请问您要哪一种？”

“一万二的就可以。”

原来没有预约,空房也很多啊,诚想。今晚这里似乎没有团体客人。

诚一度将视线投向入口，接着又呆望着报纸。他看着文字，内容却完全没有进入脑海。

即使如此，仍有一则报道引起了他的兴趣，内容与窃听有关。

自去年起，共产党成员遭警方窃听事件频传。为此，各界对维护公共安全的做法议论纷纷。

但是，诚关心的并不是这类政治议题，他在意的是发现窃听的过程。

电话噪声增多和音量变小，是促使电话所有人委托NTT（日本电报电话公司）调查的原因。

我家应该没问题吧，他想，他的电话也出现了报道中描述的情形。只不过，他实在想不出窃听他的电话有什么用处。

正当诚折好报纸时，前台职员来到他身边。“您在等候三泽小姐吗？”来人问道。

“是。”诚不由得站起身来。

“是这样，刚才我们接到电话，说要取消三泽小姐的预约。”

“取消？”霎时间，诚全身发热，“她现在在哪里？”

“这一点我们没有问。”来人摇头，“而且，打来电话的是一位男士。”

“男的？”

“是的。”来人点点头。

诚踉踉跄跄地迈开脚步，不知如何是好。但至少他可以确定，继续在这里等下去已毫无意义。

他从大门离开。门前停着一列出租车，他搭上最前面的一辆，交代司机到成城。

一阵笑意不觉涌现，对自己的滑稽感到可笑。他想，自己与她之间终究没有命运之绳相连。平常极少有人会取消准备投宿的饭店，现在这种偶发事件竟然发生了。他不得不相信冥冥中有一股不知名的力量在作祟。回顾过去，他曾有无数告白机会。或许他一开始就错了，不该平白错过良机，蹉跎至今。

他从口袋里取出手帕，擦去额上不知何时冒出的汗水，这才发现那条手帕是千都留送给他的。

他想起明天婚宴的程序，闭上了眼睛。

第八章

1

在六点打烊之际进来两位客人，一个五十岁左右的矮小男子，一个高中生模样的瘦削少年，园村友彦从情态推测他们是父子。友彦认得少年，他曾经来过好几次。但别说买东西了，他连话都没说过，只是看看陈列的高级电脑就走了。这样的少年还有好几个，但友彦并不会对他们说什么，否则他们恐怕会以为这家店拒绝光看不买的客人，再也不踏进店里。爱怎么看就怎么看，等他们哪天有了额外的收入，或是成绩进步、要求父母买电脑作为奖励的时候，再来光顾就是了——这是老板桐原亮司的想法。

戴着金边眼镜的父亲在狭窄的店内逛了一圈，视线首先停在招牌商品上，那是少年每次都会看的个人电脑。父子俩看着商品，低声交谈。不久父亲说了句“这什么啊”，身子向后一仰，像是看到标价了。他以斥责的语气对儿子说：“这未免也贵得太离谱了。”

“不是，还有很多别的。”男孩回答。

友彦面向电脑屏幕，假装心思没有在客人身上，继续偷眼观察。

做父亲的只是以眺望外国风景般的眼神，呆呆望着陈列的主机和配件，多半没有电脑的相关知识。他混杂着些许银丝的头发梳理得整整齐齐，高领毛衣外罩一件开襟毛线外套的休闲打扮，仍消除不了白领的味道。友彦猜他是企业里经理级的人物，十二月份穿得这么单薄，想必是开车来的。

正在整理陈列架上零件的中岛弘惠瞄了友彦一眼，眼神里带着“去招呼一下比较好吧”的意味。友彦微微点头，表示“我知道”。

看好时机，友彦站起来，向那对父子露出亲切的笑容：“请问您在找什么商品吗？”

做父亲的露出有如得救、却又略带怯意的表情。儿子或许是害怕和店家交涉，板着脸望向架上的软件。

“是我儿子，说要买什么个人电脑。”父亲苦笑，“可又不知道该买什么样的。”

“您准备用在哪方面？”友彦交替看着父子俩。

“哪方面？”父亲问儿子。

“文字处理啊，联机啊……”男孩低着头，小声回答。

“游戏之类的？”友彦试着问。

男孩微微点头，依然板着脸，可能是因为想买东西却不得不带父亲一起来，用不高兴掩饰难为情。

“您的预算是多少？”友彦问男子。

“这个嘛……十万左右。”

“都跟你说了十万买不到！”少年口气很冲。

“请稍等。”

友彦回到座位，敲了敲键盘，屏幕上立刻出现库存清单。

“88 正好符合您的需求。”

“什么？”

“NEC的88系列，今年十月刚上市，有个机种不含税大约十万元。不过，我想应该可以再算便宜一点。东西不错，CPU是14Mega的，标准DRAM是64K，加上磁盘驱动器，算您十二万就好。”

友彦在后面的架子上找出产品介绍，递给这对父子。男子接过稍微翻了翻，递给儿子。

“需要打印机吗？”友彦问犹豫不决的少年。

“如果有当然好。”他自言自语般说。

友彦再次查看库存。“日文热转印打印机是六万九千八百元。”

“这样加起来就十九万了，”男子的脸色很难看，“远远超出预算。”

“很抱歉，此外，您还必须购买软件。”

“软件？”

“就是让电脑进行各项工作的程序，如果没有软件，电脑只是一个箱子。不过若是您自己能够写程序，就另当别论。”

“什么？那些东西没有含在里面？”

“因为视各种不同的用途，需要不同的程序。”

“哦。”

“加上文字处理和一些常用软件，”友彦按按计算器，对男子显示出169800这个数字，“这个价钱如何？别的店绝对不止这个数。”

做父亲的嘴角歪了，显然是为被迫掏更多的钱而郁闷。然而，少年想的却是另一回事。

“98还是很贵吗？”

“98系列没有三十万还是没办法。如果再备齐相关配置，恐怕会超过四十万。”

“想都别想！小孩子的玩具那么贵。”男子大摇其头，“那个什么88的就已经太贵了。”

“看您了，如果坚持预算，也有相对应的商品，只是性能差很多，机种也旧。”

做父亲的犹豫不决，注视儿子的目光表露出这一点，但终究敌不过儿子恳求的眼神，对友彦说：“那还是给我那个88好了。”

“谢谢，您要自己带回去吗？”

“嗯，我开车来的，自己应该搬得动吧。”

“好，我马上拿过来，请您稍等。”友彦把付款的手续交给中岛弘惠处理，离开店铺。虽说是店，其实只是改装成办公室的一间公寓。如果不是门上贴着“个人电脑商店　MUGEN”的招牌，恐怕看不出这是什么地方，他们的仓库则是隔壁的公寓。

作为仓库使用的这一户里摆着办公桌和简单的客用桌椅。友彦一进去，里面相对而坐的两个男人几乎同时看向他，一个是桐原，另一个姓金城。

“88卖掉了。”友彦边说边把小票拿给桐原看，“加显示器和打印机，169800。”

“88总算全部销出去了，谢天谢地，这样麻烦终于清掉了。”桐原一边脸颊浮现出笑容，“接下来可是98的时代。”

“一点不错。”

公寓里，装着个人电脑和相关机器的纸箱几乎快堆到天花板。友彦看着纸箱上印刷的型号，在箱子间走动。

“你做这生意还真踏实啊，许久才来一个肯花十万出头的客人。”金城揶揄道。友彦身处成堆的纸箱里，看不见金城的表情，但他不用看也想象得到。金城一定是歪着皮包骨头的脸颊，故意瞪大他那双凹陷的眼睛。每次看到这个人，友彦都不由得联想到骷髅。他经常穿着灰色西装，看起来就像挂在大小不适合的衣架上似的，肩部会凸出来。

“脚踏实地最好，”桐原亮司回答，“报酬低，风险也低。”

传来一阵沉闷的笑声，必是金城发出来的。

“去年的事你忘了吗？很好赚吧，所以你才能开这家店。不想再赌一把？”

“我早就说过了，要是知道那次那么惊险，我才不会蒙着眼跟你们走那一遭。要是走错一步，一切都完了。”

“别说得那么夸张。你当我们是白痴啊，该注意的地方我们都注意到了，根本没什么好担心的。再说，你又不是不知道我们这边的底，早该明白那次一点风险都没有。”

“总之这件事我没办法，请你去找别人。”

他们说的是哪件事？友彦边找纸箱边想，心里出现几个假设。对于金城来访的目的，友彦自认心中有谱。不久，他找到了，总共是主机、显示器和打印机三箱。他把箱子一一搬到屋外，每次都得经过桐原和金城身边，但他们俩只是默默盯着对方，他无法再听到更多消息。

“桐原，”离开房间前，友彦问道，“可以打烊了吗？”

“唔，”桐原听起来心不在焉，“行。”

友彦应声好，离开公寓。在他们对话期间，金城完全没有朝友彦看上一眼。

把货品交给那对父子后，友彦关了店门，和中岛弘惠一起去吃饭。

“那人来了吧？”弘惠皱着眉头说，“像骷髅的那个。”

听到她的话，友彦笑出声来。弘惠对那人的印象竟然与自己相同，他觉得很好笑。一说出来，她也笑了，但是笑了一阵，她的脸色沉了下来。

“桐原跟那个人讲些什么啊？他究竟是干吗的？你知不知道？”

“嗯，这件事慢慢再告诉你。”说着，友彦穿上外套。这并不是三言两语讲得完的。

离开店后，友彦和弘惠在夜色里的人行道上并肩漫步。才十二月初，街上便四处装饰着圣诞饰品。平安夜在哪里过呢？友彦想，去年他预约了大酒店里的法国餐厅，但今年还没有想到什么点子。不管怎么样，今年也和弘惠一起过吧，这将是他和她一起度过的第三个平安夜。

弘惠是友彦大二打工时认识的，工作的地点是标榜价格低廉的大型电器行。他在那里负责销售个人电脑和文字处理机。当时，对这个领域有所认识的人比现在少，所以友彦很受器重。他本应在店面负责销售，却不时被派去提供技术支持。

他之所以会去那里打工，是因为桐原开的无限企划陷入歇业的困境。由于电脑游戏热兴起，程序销售公司如雨后春笋般成立，导致质量粗糙的游戏软件过度泛滥，使得消费者对产品失去信心，大多数公司因而倒闭。无限企划可说是被这波浪潮吞没了。

但是，友彦现在反而对那次歇业心存感激，因为那造就了他与中岛弘惠相识的机缘。弘惠与友彦在同一个楼层负责电话与传真机的销售。他们经常碰面，不久便开始交谈。第一次约会，是友彦开始打工后一个月左右。他们并没有花太多时间,便把对方当作自己的男女朋友。

中岛弘惠并不漂亮，她单眼皮，鼻子也不挺，圆脸，小个头，而且瘦得不像个少女，倒像个少年。但她身上散发出一种令人心安的柔和气氛，友彦只要和她在一起，就会忘却内心的烦恼，而和她见过面后，也会认为绝大多数烦恼并不是什么大问题。

但友彦曾一度害苦了弘惠。大约两年前，他让她怀了孕，她不得不去堕胎。

即使如此，弘惠也只在动完手术当晚哭泣过。那天晚上，她说无论如何都不想一个人过，希望友彦和她一起到旅馆过夜。她在外面租房独居，白天工作，晚上上专科学校。友彦自然答应。躺在床上，他轻轻抱住刚动过手术的她，她颤抖着流下眼泪。此后，她从未因为想起那时的事而哭泣。

友彦的钱包里有一个透明的小管子，大小相当于半根香烟，从一头望进去，可以看到底部有双重的红色同心圆。那是弘惠确认怀孕时用的验孕器，双重同心圆代表阳性反应。只不过友彦带在身上的小管子底部的同心圆是他用红色油性笔画上去的。实际使用时，是弘惠的尿液在管子底部产生红色的沉淀物，形成代表阳性的判断记号。

友彦之所以随身携带小管子，唯一的目的就是提醒自己。他不想再让弘惠受那种罪，因此钱包里总有保险套。

友彦曾经将这“护身符”借给桐原。那是他将其作为警示拿给桐原看了之后，桐原便问他能不能借一下。

友彦问他要做什么，他说想拿去给一个人看，没有多说什么。归还时，桐原带着别有含意的冷笑，说：“男人真好应付，一听到怀孕，就举双手投降。”

他拿那个护身符去做什么，友彦至今仍不知情。

2

友彦和弘惠来到一家玄关装了格子拉门的小居酒屋，里面坐满了上班族，只有最外面的一张桌子是空的。友彦和弘惠相对而坐，把外套放在邻座。头顶上的电视正播放着综艺节目。

系着围裙的中年妇人前来招呼，他们点了两杯啤酒和几样菜。这家店除生鱼片外，日式蛋卷和卤菜尤其可口。

“我第一次见到那个姓金城的人，是去年春天。”友彦将店里送的凉拌乌贼明太子当下酒菜，喝着啤酒，开始说话，“桐原叫我出去，介绍给我认识。那时候，金城的面相还没那么差。”

“比骷髅多一点肉？”

弘惠应的这句话让友彦笑了。“可以这么说，不过他一定是刻意装好人。那时金城想找人做游戏程序，便跑来委托桐原。”

“游戏？什么游戏？”

“打高尔夫。”

“哦，他委托你们帮忙开发？”

“简单地说是这样，但其实复杂得多。”友彦一口气喝干剩下的半杯啤酒。

那事从一开始就很可疑。金城让友彦看的是游戏企划书和未完成的程序。他的委托内容，便是希望在两个月内完成这个程序。

“都已经写到这里了，剩下的为什么要找别人做？”友彦当即提出最大的疑问。

“负责写程序的人突发心脏病死了。这家程序公司其他的工程师都没什么本事，再这样下去，怕赶不上交货时间，才到处找可以接手的人。”那时金城客气的程度是现在无法想象的。

“怎么样？”桐原问，“虽然未完成，不过，系统大致已经架好。我们要做的就是把像被虫蛀掉的空洞填起来。两个月应该还可以。”

“问题是做完后的测试，”友彦回答，“我想程序一个月就行，可如果要做到完全没问题，剩下一个月够不够就很难说了。”

“拜托你们，我没有其他人可以找了。”金城鞠躬哈腰。这人唯有在这种时候才会摆出低姿态。

结果友彦他们接下了这份工作，最大的理由是条件很好。若一切顺利，也许能够让无限企划复活。

游戏的内容充分表现出高尔夫球的真实性。玩家视情况分别使用不同的球杆或打法，上了果岭还得判断草纹。为弄清楚这些特性，友彦和桐原必须研究高尔夫球，因为他们俩完全是门外汉。

做好的程序据说是要卖到电动游乐场或咖啡馆。金城说如果运气好，也许会成为太空侵略者第二。

友彦不清楚金城是什么来路，桐原也没有仔细介绍。但在几次对话当中，友彦听出他似乎与榎本宏有关。

榎本宏——曾与友彦他们一起工作的西口奈美江的情人。

奈美江在名古屋被杀的命案还未告破。榎本因为收受她盗领的款项而遭到警方怀疑，但警方并未握有关键证据，故盗领案目前仍在诉讼中。由于关键人物奈美江已死，警方的调查也无法顺利进行。

友彦相信奈美江是榎本杀的。但问题是奈美江人在名古屋的事，榎本由何得知？友彦当然能猜出答案。但他死也不敢说出口。

友彦不提西口奈美江的事，只向弘惠说明自己是在何种情况下投入高尔夫球游戏程序。这期间，什锦生鱼片和日式蛋卷已送上桌了。

“你们就把那个高尔夫程序做好了？”弘惠边问边用筷子把蛋卷分成两半。

友彦点点头。“我们照进度在两个月之后做好。又过了一个月，就开始出货到全国各地。”

“卖得很好吧？”

“是，你怎么知道？”

“那个游戏我也知道啊，还玩过好几次，切球和推杆挺难的。”

听弘惠说出高尔夫球术语，友彦感到有些意外。他以为她对高尔夫球一无所知。

“我很想感谢捧场，不过我不知道你玩的是不是我们做的那个。”

“咦！为什么？”

“那个高尔夫程序，全国大概卖了一万套。但其中只有一半是我们做的，其他都是别的公司卖的。”

“就跟太空侵略者一样，很多公司都仿冒？”

“有点不同。太空侵略者是先由一家公司推出，后来因为大受欢迎，其他公司才开始抄袭。可是这个高尔夫球程序，几乎在‘兆位娱乐’这家大型游戏公司推出的同时，盗版就出来了。”

“咦！”弘惠准备把烤茄子送进嘴里的手半路停了下来，双眼圆睁，“怎么回事？同一时期发售同一款程序，应该不是巧合吧？”

“不可能是碰巧。真相恐怕是有人事先拿到其中一边的程序，再拿来抄袭。”

“我先问一下，你们做的是原版还是盗版？”弘惠抬眼看友彦。

友彦叹了口气。“还用说吗？”

“也是。”

“我不知道金城他们走了什么门路，不过他们一定是在开发阶段就拿到了高尔夫球游戏程序和设计图。因为不全，才来找我们补齐。”

“这样竟然没有出事？”

“出了。兆位公司发疯般地调查盗版源头，但没找到。看来他们用的通路好像很复杂。”这里说的通路，其实就和黑道有关，但友彦并不想让弘惠知道这么多。

“你们不担心受到牵连吗？”弘惠不安地问。

“不知道，到目前为止没事。不过，万一警察来问，也只有推说不知道，装傻到底。而且我们本来就不知道。”

“哦。原来友彦你们做过这么危险的事啊。”弘惠凝视着友彦，眼神里夹杂着惊讶与好奇，但没有轻视。

“我已经受够了。”友彦说。虽然没有告诉弘惠，但他认为，桐原恐怕从一开始就已看穿整件事的底细。他那么精明，不可能把金城这种老狐狸的话全盘接受，证据就是当他们知道受托做的是盗版游戏时，桐原并不怎么惊讶。

过去桐原的所作所为，友彦都亲眼看到了。一想起那些，友彦认为或许写个盗版电脑软件对桐原来说不算什么。

以前，桐原热衷伪造银行卡，并亲身用伪卡盗取过别人的钱，友彦也帮过他的忙。虽然不知道桐原靠那些赚了多少，但可以肯定，绝对不止一两百万。

不久之前，桐原热衷窃听。友彦并不知道他是受谁之托、窃听谁的电话，但他曾几度找友彦讨论有效的方法。

只不过桐原现在似乎把心力集中在让个人电脑店顺利经营下去。但愿他不会受到金城那些人怂恿，友彦想。事实上，桐原并不是个会因为别人的话而改变想法的人，这一点友彦比谁都清楚。

送弘惠到车站后，友彦决定回店里，他估计桐原还在那里。桐原在另一栋公寓大楼租房居住。

来到公寓旁往上一看，店里的灯还亮着。个人电脑商店 MUGEN 位于二楼。

友彦爬上楼梯，拿出钥匙打开店门。从门口往里看，桐原正坐在电脑前喝着罐装啤酒。

“干吗又跑回来？”看到友彦，桐原说道。

“总觉得有点放心不下。”友彦打开靠墙放的折叠椅坐下，“金城又跑来做什么？”

“老样子。高尔夫赚了一票的事，他一直念念不忘。”桐原又拉开一罐啤酒的拉环，喝了一大口。他的脚边有个小冰箱，里面随时有一打左右的罐装喜力。

“这次说了什么？”

“异想天开。”桐原冷笑两声，“要是真的好赚，多少有些风险我也肯担，但这次不行，实在没法做。”

友彦从他的表情而不是话语中明白了这件事的危险性。桐原的眼睛射出他在认真思考时才会发出的精光。他虽然不想参与金城提议的事，但一定很有兴趣。那个骷髅男到底来谈什么，友彦越来越好奇了。

“他要干吗？”他问。

桐原看着友彦，冷冷一笑。“你还是不知道为好。”

“该不会……”友彦舔舔嘴唇。能让桐原这么紧张的猎物，他只想得到一个。“该不会是‘怪物’？”

桐原把啤酒举得高高的，似乎在说“答对了”。

友彦不知该说些什么，只是一味摇头。

怪物是他们给某个游戏软件取的绰号，不是基于内容，而是针对它一枝独秀的销售业绩。它的真名是“超级马里奥兄弟”，是任天堂为家用电脑推出的游戏软件。今年九月甫一上市便大受欢迎，各地频频缺货，销售量直逼两百万件。内容是主角马里奥一路躲避敌人攻击，拯救公主。除了突破重重关卡，还设计了绕路和捷径，并加入寻宝的要素。惊人的是不仅游戏本身畅销，连破解游戏关卡的图书杂志也一路畅销。在圣诞节前夕，热卖状况更是有增无减。友彦和桐原一致认为马里奥热明年仍会继续发烧。

“他们能拿马里奥怎样？难道又要做盗版？”友彦问。

“偏偏就是那个‘难道’啊。”桐原一副觉得可笑的样子，“金城那家伙问我要不要做盗版超级马里奥，还吹牛说什么技术上应该不怎么难。”

“技术上的确并不困难，成品都上市了，只要拿一个去复制 IC 芯片，弄到主板上就行。只要有个小工厂，马上可以做。”

桐原点点头。“金城就是要我们做这一段。至于说明书和仿正版包装的印刷，已经找好滋贺的印刷工厂了。”

“滋贺？他们找的印刷厂还真远。”

“那里的老板多半向金城背后的黑道借了钱。”桐原一副司空见惯的样子。

“可现在才做，赶不上圣诞节啊。”

“金城他们本来就没想赚圣诞档，他们看中的是小孩的压岁钱。

只是现在才开始做，再怎么赶，要做出完整的商品也得一个半月。那时小孩的压岁钱还在不在就很难说了。”桐原笑着说风凉话。

“就算做好了，他们打算怎么卖？若要铺到中盘，只能卖给专做现金交易的中盘……”

“那太危险。那些中盘消息灵通得很，突然拿一大堆到处都缺货的抢手游戏叫他们进货，他们当然会觉得有问题，一问任天堂就完了。”

“那在哪里卖？”

“他们最在行的黑市吧，不过，这次跟太空侵略者和高尔夫球那时候不一样，目标不是电子游乐场，也不是泡咖啡馆的大叔，是一般的小孩。”

“不管怎样，你回绝了吧？”友彦确认。

“当然，我可不想跟他们一起自寻死路。”

“你这么说，我就放心了。”友彦从冰箱里拿出一罐喜力，拉开拉环。细白的泡沫喷了出来。

3

友彦和桐原谈论超级马里奥的隔周星期一，那个男人来了。桐原出去进货了，友彦一个人招呼顾客。中岛弘惠也在，不过她的工作是接听电话。他们在杂志上刊登广告，所以打电话来询问和下单的人不少。MUGEN是去年底开张的，那时弘惠还不是员工，友彦和桐原两个人忙得晕头转向，她今年四月起才加入。友彦一开口，她便答应了。弘惠说原来的工作很无聊，正考虑辞职，她前一份工作就是在友彦工作到去年秋天的那家店。

半价买了旧款电脑的客人离去后，那个男人进来了。他中等身材，似乎不到五十岁，额际的发线有点退后，头发全往后梳。他穿着白色灯芯绒长裤和黑色麂皮运动夹克，一副金边绿色墨镜挂在夹克胸前的口袋。他脸色不好，两眼无神，嘴巴不悦地闭紧，嘴唇两端有点下垂，让友彦联想到鬣蜥。

他一进店，先看向友彦，接着以加倍的时间观察正在通电话的弘惠。弘惠注意到了他的视线，可能是觉得不舒服，便把椅子转到一侧。

男人随后盯上了架上堆的电脑和相关配置。看他的表情就知道他不打算买，对电脑也不感兴趣。

“没有游戏吗？”男人终于开口了，声音很沙哑。

“您要找什么样的？”友彦程序化地问道。

“马里奥。”男人说，“像超级马里奥那类很好玩的。有没有？”

“很抱歉，没有您说的那种电脑用的游戏。”

“哦，真可惜。”和说的话相反，男人丝毫没有失望的模样。他露出不明所以且令人反感的笑容，继续在房间里浏览。

“这样的话，我建议您用文字处理机。虽然电脑也可以进行文字处理，但用起来还是不太方便……NEC？是的，NEC 也推出了。高级机种有文豪 5V 或 5N……档案储存在磁盘里……平价的机种一次能显示的行数很少，要储存的时候，比较大的文件有时候必须分成几个档案来存……是的，如果您的工作是以书写文字为主，我想高级机种更适合。”弘惠对着听筒说话的声音，整个店里都听得到。友彦听得出来，她的声音比平常更快更响。他明白她的用意是想向男子表示店里很忙，没时间应付你这种莫名其妙的客人。

友彦思忖着他究竟是何方神圣，同时提高了警觉。他显然不是一般客人，从他嘴里听到超级马里奥，使友彦更加不安。这个人和上星期金城提的那件事有关吗？

弘惠挂上了电话，男子似乎就在等待这一刻，再度将视线投注在友彦他们身上。仿佛不知道该向谁开口似的，他的目光在他们两人脸上转来转去，最后停在弘惠身上。

“亮呢？”

“亮？”弘惠疑惑地看向友彦。

“亮司，桐原亮司。”男子冷冷地说，“他是这里的老板吧，他不在？”

“出去办事了。”友彦回答。

男子转向他：“什么时候回来？”

“不清楚，他说会晚一点。”

友彦说了假话，按照预定，桐原应该快回来了。但是友彦下意识地认为不能让这人见到桐原，至少，不能就这样让他们见面。称呼桐原为亮的人，据友彦所知，只有西口奈美江一个。

“哦。”男子直视友彦的眼睛，那是想看穿这个年轻人的话语背后有何含意的眼神。友彦很想把脸扭开。

“那好，”男子说，“我就等他一下。可以在这里等吧？”

“当然可以。”他不敢说不行，也认为桐原一定能从容处理这一场面，把此人赶走。他恨自己不能像桐原那样，把事情处理妥当。

男子坐在铁椅上，本来准备从夹克口袋里拿出香烟，好像是看到了墙上贴着禁烟的字条，便又放回口袋。他手上戴着白金尾戒。

友彦不理他，开始整理传票，却因为在意他的视线而弄错了好几次。弘惠背对着那男子确认订单。

“没想到那小子还挺有本事，这店不错啊。”男子环视店内，说，“亮那小子还好吧？”

“很好。”友彦看也不看，直接回答。

“那就好。不过，他从小就很少生病。”

友彦抬起头来，“从小”这字眼让他感到好奇。“这位客人，您跟桐原是什么样的朋友？”

“老相识了，”男人露出令人厌恶的笑容，“我从他小时候就认识他了。不但认识他，也认识他爸妈。”

“亲戚？”

“不是，也差不多吧。”说完，男子好像很满意自己的回答，嗯嗯有声地点头。他停下动作，反问道：“亮那家伙还是那样阴沉吗？”

“咦？”友彦发出一声疑问。

“我问他是不是很阴沉。他从小就阴森森的，脑袋里在想什么让人完全摸不透。我在想他现在是不是好一点了。”

“还好啊……很普通。”

“哦，很普通啊。”不知道哪里好笑，男人无声地笑了，“普通，真是太好了。”

友彦想，就算这人真是桐原的亲戚，桐原也绝对不想和他有所来往。

男子看看手表，一拍大腿，站了起来。“看来他一时不会回来，我下次再来好了。”

“如果需要留言，我可以转告。”

“不用了，我想直接跟他说。”

“那么我把您的大名转告他好了。”

“我说了不用。”男人瞪了友彦一眼，走向玄关。

那就算了，友彦想。只要把这人的特征告诉桐原，他一定会明白。再说，现在第一要务是让此人早点离去。

“谢谢光临。”友彦说道，男子却一言不发地伸手拉把手。

他的手碰到门把之前，把手便转动了。接着，门打开了。桐原就站在门外。他一脸惊讶，应该是看到面前有人的缘故。

但他的视线在男人脸上一聚焦，表情突然变了。虽然同样是惊讶，性质却完全不同。

他整张脸都扭曲了，接着变得像水泥面具般僵硬。阴影落在他的脸上，眼里没有任何光彩，嘴唇抗拒世上的一切。友彦第一次看到他这副模样，不明白究竟发生了什么。

然而，桐原这些变化只发生在刹那之间。下一刻，他竟然露出了笑容。“这不是松浦先生吗？”

“是啊。”男子笑着回应。

“好久不见，你好吗？”

两人当着友彦的面握起手来。

4

松浦是那人的姓氏，他们确实早就认识。桐原告诉友彦的只有这么多，交代了这句，两人便到隔壁仓库去了。

友彦感到疑惑。从桐原露出的笑脸看来，那人应该并非他不想见到的人。这么一来，友彦先前所想就错了。然而，比起桐原的笑容，他露出笑容之前的表情更让友彦放心不下。虽然只是短短的一刹那，但桐原全身射出一股由负面能量凝聚而成的暴戾之气。那种样子和随后的笑容实在无法连贯。虽然友彦怀疑是自己太多虑，但他委实不敢相信那种异常出自于他的误会。

弘惠回来了，她刚端茶去了隔壁。

“怎么样？”友彦问。

弘惠先歪着头想了想，才说：“看起来好像很开心。我一进去，他们正说着冷笑话，在那里笑。桐原竟然会说冷笑话，你能想象吗？”

“不能。”

“但那是事实，我还怀疑我的耳朵呢。”弘惠做了掏耳朵的动作。

“你听到松浦找他干吗吗？”

她歉然摇头。“我在的时候，他们净说些闲话，好像不想让别人听到。”

“哦。”友彦感到不安。他们究竟在隔壁谈什么？

又过了三十分钟左右，他感觉隔壁的门开了。又过了十秒，店门打开了，桐原探头进来。“我送一下松浦先生。”

“啊，他要走了？”

“嗯，聊了很久了。”

桐原身后的松浦说声“打扰”，挥挥手。

门再度关上，友彦看看弘惠，她也正看着他。

“到底怎么回事？”友彦说。

“我第一次看到桐原那样。”弘惠惊讶地睁大眼睛。

不久，桐原回来，一开门便说：“园村，来隔壁一下。”

“哦……好。”友彦回答时，门已经关上了。

友彦托弘惠看店，她惊讶地偏着头，友彦只能对她摇头。友彦虽然认识桐原多年，对他的了解却极为有限。

一到隔壁，桐原正打开窗户，让空气流通。友彦马上明白了他为何如此，因为房里烟雾弥漫。就友彦所知，这是桐原第一次准许访客抽烟。便利店买来的锅烧乌冬面的铝箔容器被当成了烟灰缸。

“他对我有恩，没什么好招待的，我想至少得让他抽烟。”桐原说，似乎是想解开友彦的疑惑。听起来很像借口，友彦反而觉得这不像桐原会做的事。

等室温降到和外面十二月的气温一样时，桐原关上窗户。“要是弘惠待会问你我们谈了什么，”他说着往沙发上坐去，“就说松浦先生要我用进价卖两台电脑给他。我想她现在一定在猜我们正说些什么。”

“这么说，其实不是这样？”友彦说，“是不能让她知道的事？”

“嗯。”

“跟那个松浦有关？”

“对。”桐原点点头。

友彦双手把头发往后拢。“怎么说呢，我觉得很没意思。我连他是谁都不知道。”

“我家雇用的人。”

“啊？”

“那男的是我家以前雇用的人。我不是说过我家以前开当铺吗？那时他在我家工作。”

“在当铺工作……这样啊。”这答案超出友彦想象。

“我爸死了以后，一直到当铺关门，他都在我家工作。也就是说，我和我妈其实是靠他养的。如果没有松浦先生，我爸一死，我们就流落街头了吧。”

友彦不知该如何回答。从桐原平常的样子，实在很难想象他会讲这种三流小说里的话。友彦想，大概是见到往日的恩人，情绪激动的缘故。

“那你们家的大恩人现在跑来找你做什么？不，等一下，他怎么知道你在这里？是你联系他的？”

“不。是他知道我在这里做生意，才找上门来。”

“他怎么知道？”

“这个啊，”桐原一边脸颊微微扭曲，“好像是听金城说的。”

“金城？”友彦内心生起一股不祥的预感。

“上次我跟你说过，即使做得出盗版超级马里奥，也不知他们打算怎么卖。现在找到答案了。”

“有什么玄机吗？”

“没那么夸张，”桐原晃了晃身体，“简单得很。小孩有小孩的黑市。”

“什么意思？”

“松浦先生专门经手一些来路有问题的商品。他什么都碰，只要能赚钱，就进货再转手卖掉。最近努力经营的听说是小孩的游戏。超级马里奥在正规商店里很难买到，价格不必比实际定价低多少，照样大卖。”

“他从哪里进马里奥？在任天堂有什么特别的门路？”

“哪来那种门路啊，不过他倒是有特别的进货渠道。”桐原别有含意地一笑，“就是一般的小孩，小孩会把东西带到他那里去卖。那些小孩的东西又来自哪里呢？很可笑，有的是偷来的，有的是去从有马里奥的小孩那里抢来的。松浦先生手里的名单上，这种坏小孩超过三百个，他们定期把收获卖给他。他用市价的一到三成买进，再以七成的价钱卖出。”

“假的超级马里奥也要在那家店卖吗？”

“松浦先生有他的销售网，说还有好几个跟他差不多的中间商。交给这些人，超级马里奥卖个五六千元，保证几下子就卖光。”

“桐原，”友彦微伸右手，“你说过不干的。我们上次说好这实在太危险，不是吗？”

听到友彦的话，桐原露出苦笑。友彦努力解读这一笑容，却无法明白其中的含意。

“松浦先生，”桐原说，“从金城那里听说我的事，发现我是他前雇主的儿子，才想来说服我。”

“你该不会因为这样就被说动了吧？”友彦追问。

桐原重重地叹了一口气，上身微微靠向友彦。“这事我一个人来，你完全不要碰，也不要管我在做什么。弘惠那边也一样，不要让她发现我在做什么。”

“桐原！”友彦摇头，“太危险了，这事做不得！”

“我知道。”

友彦凝视着桐原认真的眼神，感到绝望。当桐原出现这种眼神的时候，自己终究无法说服他。

“我也来……帮忙。”

“我拒绝。”

“可是，很危险啊……”友彦咕哝着。

5

MUGEN 十二月三十一日照常营业。对此，桐原列举了两个理由：第一，一直到年底最后一天才准备写贺年卡的人，可能会抱着有文字处理机便可轻松完成的心态上门；第二，年底必须结算各种款项的人，可能因为电脑临时出故障而冲进来。

事实上，圣诞节一过，店里几乎没什么客人。来的多是误以为这里是家庭游戏机店的小学生和初中生，友彦大都和弘惠玩扑克牌打发时间。两个人一边把扑克牌摊在桌上，一边聊着以后的小孩说不定连什么叫接龙、抓鬼都不知道。

店里没有客人，桐原却每天忙进忙出，肯定是为了制作盗版超级马里奥。对于弘惠提起桐原究竟去了哪里的疑问，友彦绞尽脑汁找理由搪塞。

松浦于二十九日再次露面。弘惠去看牙医了，店里只有友彦在。

自第一次见面后，友彦就没有见过松浦。松浦的脸色还是一样暗沉，眼睛也一样混浊。仿佛为了加以遮掩，他戴着浅色太阳镜。一听说桐原出门，他照例说声“那我等他好了”，便在铁椅上坐下。

松浦把毛领皮夹克脱下，挂在椅背上，环顾店内。“都年底了，还照样开店啊，连除夕都开？”

“是的。”

一听友彦这么回答，松浦微微耸肩，笑了。“真是遗传。那小子的爸爸也一样，主张大年夜开店开到晚上，说什么年底正是低价买进压箱宝的好机会。”

这还是友彦头一次从桐原以外的人口中听到他父亲的事。

“桐原的父亲去世时的事，您知道吗？”

友彦一问，松浦骨碌碌地转动眼珠看他。“亮没跟你讲？”

“没说详情，只提了一下，好像是被路煞刺死的……”

这是他好几年前听说的。我爸是在路上被刺死的——对父亲，桐原说过的只有这么多。这句话激起了友彦强烈的好奇，但不敢多问，桐原身上有一种不许别人触碰这个话题的气场。

“不知是不是路煞，因为一直没有捉到凶手。”

“原来如此。”

“他是在附近的废弃大楼里被杀的，胸口被刺了一下。”松浦的嘴角扭曲了，“钱被抢走了，所以警察以为是强盗干的。他那天身上偏偏带了一大笔钱，警察还怀疑凶手是不是认识他的人。”不知道有什么好笑，松浦说到一半便邪邪地笑了起来。

友彦看出了他笑容背后的含意。“松浦先生也被怀疑了？”

“是啊。”说着，松浦没出声，笑得更厉害了。一脸恶人相的人再怎么笑，也只是令人恶心。松浦脸上带着这样的笑容，继续说：“亮的妈妈那时才三十几岁，还算有点魅力，店里又有男店员，警察很难不乱想。”

友彦吃了一惊，视线再度回到眼前这人脸上。他们怀疑这人和桐原母亲的关系？“事情到底是怎样？”他问。

“什么怎样？我可没杀人。”

“不是，您和桐原的妈妈之间……”

“哦，”松浦开口了，似乎有点犹豫地摸摸下巴，才回答，“什么都没有，没有任何关系。”

“是吗？”

“你不相信？”

“哪里的话。”

友彦决定不再追问此事。但他心中得出一个结论，松浦与桐原的母亲之间恐怕的确有某种关系。至于和他父亲的命案有无关联，就不得而知了。

“警方也调查了您的不在场证明？”

“当然。警察很麻烦，随便一点的不在场证明，他们还不相信。不过，他父亲被杀的时候，正好有人往店里打电话找我，那是无法事先安排的电话，警察才总算放过我。”

“哦……”友彦想，简直就像推理小说。“桐原那时怎么样？”

“亮啊，那小子是被害人的儿子，社会都很同情他。命案发生的时候，我们说他跟我和他妈妈在一起。”

“你们说？”这种说法引起了友彦的注意，“什么意思？”

“没什么。”松浦露出泛黄的牙齿，“我问你，亮是怎么跟你说我的？只说我是以前他们家雇用的人吗？”

“怎么说……他说您是他的恩人，说是您养活了他和他妈妈。”

“是吗，恩人？”松浦耸耸肩，“很好，我的确算是他的恩人，所以他在我面前抬不起头来。”

友彦不懂这句话的意思，正想问——

“你们在说书啊！”突然间传来桐原的声音，他站在门口。

“啊，你回来了。”

“听那些八百年前的事很无聊吧。”说着，桐原拿下围巾。

“不会。以前都不知道，实在很惊讶。”

“我跟他讲那天的不在场证明。”松浦说，“你还记得那个姓笹垣的刑警吗？那家伙真够难缠的。他到底来对我、你和你妈妈确认过多少次不在场证明啊？同样的话要我们讲一百遍，烦得要死。”

桐原坐在置于店内一角的电热风扇前暖手。他维持着这个姿势，把脸转向松浦：“今天来有什么事？”

“哦，没什么，只是想在过年前来看看你。”

“那我送你出去。不好意思，今天有很多事要处理。”

“这样啊。”

“嗯，马里奥的事。”

“啊！那可不行，你可得好好干！还顺利吧？”

“跟计划一样。”

“那就好。”松浦满意地点点头。

桐原站起来，再次围上围巾，松浦也起身。“刚才那些下次再继续聊吧。”他对友彦说。

两人离开后不久，弘惠回来了，说在下面看到了桐原和松浦。桐原一直站在路边，直到松浦搭的出租车开走。

“桐原为什么会尊敬那种人？虽然以前受过他的照顾，说穿了也不过就是他爸爸去世以后，继续在他家工作而已。”弘惠大摇其头，似乎百思不得其解。

友彦也有同感，听了刚才的话，他更加迷惘。如果松浦和桐原的母亲关系不单纯，桐原那么精明，不可能没发现。既然发现了，实在很难相信他会用现在这种态度对待松浦。

难道松浦与桐原的母亲之间是清白的？刚确信的事，友彦却已经开始没有把握了。

“桐原真慢啊，”坐在办公桌前的弘惠抬起头来说，“在做些什么？”

“就是。”就算是目送松浦搭上出租车，也早该回来了。友彦有点担心，便来到外面，正准备下楼，却停下了脚步。桐原就站在一层、二层之间的楼梯间。人在二楼的友彦正好俯视着他的背影。

楼梯间有个窗户可以眺望外面。快六点了，马路上的车灯像扫描一般一一从他身上闪过。

友彦不敢出声相唤，从桐原凝视外面的背影中，他感觉到一股不寻常的气氛。和那时一样，友彦想，就是桐原和松浦重逢的时候。

友彦蹑手蹑脚地回到门口，小心翼翼地打开门，溜进室内。

6

MUGEN 一九八五年的营业于十二月三十一日晚六点画上句号。大扫除后，友彦、桐原和弘惠举杯稍事庆祝。弘惠问起明年的抱负，友彦回答："做出不输给家庭游戏机的游戏程序。"

桐原则回答："在白天走路。"

弘惠笑桐原，说他的回答和小学生一样。"桐原，你的生活这么不规律吗？"

"我的人生就像在白夜里走路。"

"白夜？"

"没什么。"桐原喝了口喜力，看看友彦又看看弘惠，"对了，你们不结婚吗？"

"结婚？"正喝啤酒的友彦差点呛到，他没想到桐原会提到这种话题，"还没想那么远。"

桐原伸手打开办公桌抽屉，从里面拿出一张 A4 复印纸和一个扁平细长的盒子。友彦没见过这个盒子，它颇为老旧，边缘都磨损了。

桐原打开盒子，取出里面的东西——一把剪刀，刀刃部分长达十余厘米，前端相当锐利。刀身闪耀着银色的光芒，流露出古典风格。

“这剪刀看起来真高级。”弘惠直率地说出感受。

“以前拿到我家当的，好像是德国造。”桐原拿起剪刀，让刀刃开合了两三次，发出清脆利落的唰唰声。他左手拿纸，用剪刀裁剪起来，细腻流畅地移动那张纸。友彦直盯着他的手，左右手的配合堪称绝妙。

未几，桐原剪完，把纸递给弘惠。她看着剪好的纸，眼睛睁得浑圆。“哇！真厉害！”

那张纸已经变成一个男孩与一个女孩手牵手的图案。男孩戴着帽子，女孩头上系着大大的蝴蝶结，非常精致。

“真了不起，”友彦说，“我都不知道你还有这项本领。”

“就当是预祝你们结婚！”

“谢谢！”弘惠道了谢，小心翼翼地把剪纸放在旁边的玻璃柜上。

“我说友彦，”桐原说，“以后是电脑时代了。这项买卖要赚多少有多少，就看怎么做了。”

“这家店可是你的啊。”

友彦一说完，桐原立刻摇头。“这家店以后会怎样就看你们了。”

“讲这种话让我压力很大哦。”友彦故意笑着回避问题，因为桐原的话里有某种莫名的严肃。

“我可不是在开玩笑。”

“桐原……”友彦想再次露出笑容，脸颊却僵住了。

这时电话响了。可能是出自习惯，坐得离电话最远的弘惠拿起听筒。“喂，MUGEN，您好。”

一瞬间，她将脸沉了下来，把听筒递给桐原：“金城先生。”

“这时候有什么事？”友彦说。

桐原把听筒拿到耳边：“喂，我是桐原。”

几秒钟后，桐原的脸色变得难看，拿着听筒就站了起来，另一只手已伸出去拿搭在椅背上的运动夹克。

“知道了，我这边会自己处理。盒子和包装……好，麻烦了。”放下听筒，他对两人说：“我出去一下。”

“去哪儿？”

“以后再解释，没时间了。”桐原围上他常用的围巾，走向玄关。

友彦跟着他出去，但桐原走得很快，直到出了公寓才追上。“桐原，究竟出了什么事？”

“还没出事，但快了。”桐原大步走向公务用厢型车，“盗版马里奥事发了，听说明天一大早，犯罪防治科就会去搜查工厂和仓库。”

“事发了？怎么会泄露出去？”

“不知道，可能有人告密。”

“消息准确吗？怎么知道明天一早警方要去查？”

“任何事都有门路。”

他们到了停车场，桐原坐进厢型车，发动引擎。在十二月的严寒中，引擎不太肯动。

“不知道会到几点，你们弄一弄就先走吧，别忘了关门窗。弘惠那边随便帮我找个理由。”

“我跟你一起去吧。”

“这是我的事，一开始我就说了。”轮胎发出声响，桐原开动汽车，然后以称得上粗暴的动作转动方向盘，消失在黑夜中。

友彦无奈地回到店里，弘惠正担心地等着。

“这种时候，桐原到底要去哪里？”

“大型游戏承包商那里。以前桐原碰过的机器，程序好像出了问题。”

“可是，都已经除夕夜了。”

“对游戏制造商来说，一月正是赚钱的时候，只想早点解决问题。”

“哦。”

弘惠显然看出友彦在说谎，但似乎明白现在不是怪他的时候。她闷闷不乐地望着窗外。

接着，两人看了一会儿电视。每个频道播的都是两小时以上的特别节目，有回顾今年的单元。屏幕上播出阪神老虎队的教练被队员抬起来的镜头，友彦想，这画面不知看过多少次了。

桐原大概不会回来了，友彦和弘惠几乎没说话。友彦的心思根本不在电视上，弘惠想必也是如此。

“弘惠，你还是先回去吧。”NHK 红白大赛开始的时候，友彦说。

“是吗？”

“嗯，这样更好些。”

弘惠似乎有些犹豫，但只说声“好吧”，便站起身。

“你要等吗？”

“嗯。”友彦点头。

“小心别感冒了。”

“谢谢。”

“今晚怎么办？”弘惠会这么问，是因为他们早已约好大年夜要一起过。

“我会过去，不过可能要晚一点。”

“嗯，那我先把荞麦面准备好。”弘惠穿上外套，离开店铺。

一落单，种种想象便在友彦的脑海里浮现。电视照例播出跨年节目，但他根本无心观看。一回过神来，电视节目已经改成庆祝新年了，友彦完全没察觉十二点已过。他打电话给弘惠，说他可能去不了了。

“桐原还没回来吗？”弘惠的声音有点颤抖。

“嗯，事情好像有点棘手，我再等他一会儿。弘惠，你要困了就先睡吧。”

“没事。今晚到天亮会播一些挺好看的电影，我要看电视。”可能是故意的吧，弘惠听上去很开心。

凌晨三点多，门开了。呆呆看着深夜电影的友彦听到声响转过头去，桐原一脸阴沉地站着。再往他身上一看，友彦吃了一惊。他牛仔裤上全是污泥，运动夹克的袖子也破了，围巾拿在手上。

“到底怎么了？怎么弄成这样……”

桐原没有回答，对于友彦在这里也没说什么。他整个人显得疲惫不堪，蹲在地上，垂着头。

“桐原……”

“回去。”桐原低着头，闭着眼睛说。

“啊？”

“我叫你回去。”

“可是——”

“回去！”桐原似乎没有说第三个字的意思。

友彦无可奈何，准备离去。桐原的姿势完全没有改变。

“那我走了。”最后友彦说，但桐原仍无回应。友彦死了心，走向门口，正要开门，却听到一声“园村”。

“怎么？”

桐原没有立刻说话，他仍直直盯着地面。正当友彦准备再度开口时，他说：“路上小心。”

“哦……嗯。桐原，你也赶快回去睡吧。”

没有回答。友彦死了心，开门离去。

7

一月三日的报纸上刊登了查获大量盗版超级马里奥兄弟的报道。查获的地点是某中间商住户的停车场，该中间商也经手电视游戏机二手软件。

就这篇报道判断，友彦认为该中间商就是松浦。松浦行踪不明，警方认为制作盗版软件的嫌犯和渠道极可能与黑道挂钩，但此外没有任何线索，也完全没有提及桐原。

友彦立刻打电话给桐原，但只听到铃响，无人接听。

一月五日，MUGEN 照原计划开门。然而桐原并没有出现，友彦便和弘惠完成进货与销售的工作。学校还在放寒假，很多初、高中生上门。

友彦趁工作空当打了好几次电话给桐原，但一直没人接听。

“桐原会不会出了什么事啊？”店里没有客人的时候，弘惠不安地说。

“我想应该不必担心，我回家的时候顺道过去看看。”

“对呀，去看看吧。”

弘惠看着桐原平常坐的椅子，椅背上挂着围巾，就是除夕夜桐原围的那条。

那把椅子后面的墙上，略高于椅子的地方挂着一个小画框，这是弘惠拿来的。画框里是桐原那晚用高超技巧剪出来的男孩与女孩的剪纸。

友彦脑海中突然浮现出一个想法。他拉开桐原办公桌的抽屉——收藏那把剪刀的盒子不见了！

顿时，友彦产生了一个预感——桐原可能再也不会出现了。

这天工作结束后，友彦在回家前去了桐原的住处。他不断按门铃，门后没有任何动静。他又来到大楼外，抬头看窗户，屋里一片漆黑。

第二天和接下来的几天，桐原都未现身。后来，桐原的电话似乎被停用，打不通了。友彦到他的住处去打探，正好遇到几个陌生人从他的住处搬出家具和电器。

“请问你们在做什么？”他问一个看似带头的人。

“我们……在清理房间，是这里的住户委托的。”

“几位是……”

“家政服务公司。”对方惊讶地看着友彦。

“桐原搬家了？”

“应该是，他把房子退了。”

“请问他搬到哪里去了？”

“这个我没听说。”

“没听说……你们不是要把东西搬过去吗？”

“对方交代全部处理掉。”

“处理掉？全部？”

“对，钱也事先付清了。不好意思，我还有工作要做。”说完，这男子便开始对其他人发号施令。

友彦退后一步，看他们把桐原的东西一一搬出。

听说了这事，弘惠显得不知所措。“怎么这样……他怎么会突然走掉了呢？”

“他有他的想法吧。反正，现在只能靠我们把店撑起来。”

“桐原以后会跟我们联系吗？”

“一定会。在那之前，我们俩一起努力吧。”

弘惠虽然一脸不安，还是对友彦点头。

开门后第五天的下午，一个男子来到店里。此人五十岁左右，穿着旧人字呢外套。就他那个年代的人而言，他个子很高，肩膀也很宽，厚厚的单眼皮，眼神既柔和又敏锐。友彦立刻判断他不是来买电脑的。

“你是这里的负责人吗？”男子问道。

“是的。”友彦回答。

“哦，真年轻，跟桐原君差不多吧……”

他一提桐原，友彦忍不住睁大双眼，男子似乎对他的反应很满意。他说：“可以打扰一下吗？有点事想请教。”

“这位客人……”

男子举手在面前挥了挥。“我不是客人，我是做这一行的。”男人从外套内袋掏出警察手册。

友彦并不是第一次看见警察手册，高二时，他曾被警察找去问过话。眼前这男子身上散发出与当时那两个警察相同的气味。他很庆幸弘惠恰巧出了门。

“是要问关于桐原的事吗？”

“对。我可以坐这里吗？”男子指着放在友彦对面的那把铁椅。

“请坐。”

“那我就不客气了。”男子在椅子上坐下，整个身体靠向椅背，环顾店内，“你们卖的东西真难懂，小孩会来买这些吗？”

“顾客以大人居多，不过有时候也有初中生来买。”

“哦，”说着，男子摇摇头，“这个世界越来越不得了，我已经跟不上了。”

“请问是什么事？”友彦有点心急。

警察似乎以观察友彦的神情为乐，露出一丝笑容。“这家店的老板原本是桐原亮司君吧，他现在在哪里？”

“您找桐原有什么事？”

“我想先请你回答我的问题。”警察笑得有点贼。

“他现在……不在这里。”

“嗯，这我知道。他去年还住的公寓也解了约，屋子全空了，我才来问你。”

友彦叹了口气，看来搪塞没有意义。“其实，我们很头疼，因为老板突然不见了。”

“报警了吗？”

“没有，”友彦摇摇头，“我一直认为他不久就会跟我们联系。”

“最后一次见到他是什么时候？”

“除夕那天，一直到打烊他都在。”

“后来通过电话吗？”

“没有。”

“对于你这个伙伴也是一句话都没有，就消失了？怎么会这样？”

“所以我们才头疼啊。”

“原来如此。”男子摸摸下巴，“你最后一次见到桐原君时，他的样子有没有什么不寻常的地方？”

“没有，我没有注意到有什么不寻常，跟平常一样。”友彦尽量不动声色，想着这个人提到桐原的时候，为什么会加个“君”。

男子伸手到上衣口袋里拿出一样东西。“你对这人有印象吗？”

是一张照片，松浦的大头照。

友彦必须迅速判断该怎么回话。最后，结论是谎话少说为妙。

“见过，是松浦先生吧，听说以前在桐原家工作过。”

“他来过这里吗？”

“来过几次。”

“来做什么？”

“不知道。”友彦故意歪着头，“我只听说他很久没见过桐原了，才来找他。我几乎没有跟他说过话，不太清楚。”

“哦。”男子目不转睛地凝视友彦的双眼，那是想看清他话里有多少谎言的眼神。友彦拼命忍住想扭过头去的念头。

“松浦先生来过后，桐原君有什么反应？有没有什么让你印象深刻的地方？”

“没什么，他们很怀念似的聊天。”

“很怀念？”

友彦感觉到男子的眼睛亮了起来。“是的。”

“哦……”男子深感兴趣地点点头，“你记不记得他们聊了些什么？我想应该提到了过去的事吧。”

“好像是，不过我没有听到详细内容，因为我正忙着招呼客人。”友彦想起松浦说过桐原父亲遇害的命案，但是，他下意识地判断现在最好不提。

这时门开了，一个高中生模样的小伙子走进来，友彦说声“欢迎光临”，招呼客人。

“唔，”男子总算站起来了，“我改天再来好了。”

“请问……桐原做了什么？”

友彦这么一问，男子霎时间露出了犹豫的表情，然后说：“现在还不知道。不过他肯定做了些什么，所以我才找他。”

“做了什么……”

“哦！”男子对友彦的话置若罔闻，把视线转向那个框了剪纸的画框，“这个是他剪的吧？”

“是啊。”

“他的手还是一样巧啊，而且是男孩女孩牵手的样子，真好。”

友彦想，他怎么知道这是桐原剪的？他相信这个人并不只是来追查制作盗版马里奥的嫌犯。

“打扰了。”男子向门口走去。

“请问……”友彦叫住那个背影，“可以请教您的大名吗？”

“哦，”男子停下脚步，回头说，“我姓笹垣。”

“笹垣先生……”

“告辞了。”男子离去。

友彦按住额头，笹垣……他听过这个姓氏，应该是松浦说的。他说，为了桐原父亲的命案，三番两次确认不在场证明的刑警就姓笹垣。

友彦转过身，凝视桐原留下的剪纸。

第九章

1

东西电装株式会社东京总公司各部门大多于星期一早上开会，由各部门主管传达会议决议事项，或指示工作方针。各单位负责人如果有事宣布，也会利用这个场合。

四月中旬的星期一，专利部专利一科科长长坂提到前几天通车的濑户大桥。他说，再加上上个月通车的青函隧道，缩短了日本各地的距离，进一步朝汽车社会发展。当然，竞争势必更趋激烈，同仁们必须要有忧患意识，严阵以待——谈话便以此作为结论，想必是把上个星期会议中某人的发言拿来照搬套用。

会议结束后，员工各自回座，开始工作。有人打电话，有人取文件，有人匆忙出门。每个星期一在这个部门几乎都可以见到类似情景。

高宫诚也像平常一样投入工作，着手完成上星期五未结束的专利申请手续。他习惯保留几件不甚紧急的工作待下星期处理，作为头脑的热身。

工作尚未完成，便听到有人说“E 组集合一下”。发话的是去年年底升任组长的成田。E 组是负责电气、电子、计算机相关专利的小组，E 取自英文 Electronics 第一个字母，连组长在内共有五名成员。

诚等人围着成田的办公桌坐下。“此事很重要，”成田的表情略显严肃，“跟生产技术专家系统有关。这是什么，大家都知道吧？”

包括诚在内，有三个人点头。只有去年刚进公司的山野歉然道：“我不是很清楚。”

“你知道专家系统吗？”成田问。

“不知道……只听说过名称。”

“那 AI 呢？”

“呃，指人工智能吧。”山野没什么把握地回答。

在近来快速成长的计算机行业，如何让电脑更接近人脑的研究日益蓬勃。例如，当一个人与他人擦肩而过时，并非刻意计算自己与对方的距离以决定移动的脚步，而是凭经验或直觉，“适当地”决定速度和方向。让电脑拥有这类具弹性的思考与判断能力，便称为“人工智能”。

“专家系统是人工智能的应用之一，就是以电脑取代专家的系统。”成田说，“平常被人称为专家的人，不只知识丰富，更具备了专业领域中的技能，对吧？把这些做成一个严谨的系统，让外行人有了这个系统，也可以作出专家的判断，这就是专家系统。现在医疗专家系统和经营顾问专家系统已经上市了。”说到这里，成田问山野是否明白。

“大致明白了。”山野回答。

“我们公司在两三年前就已注意到这个系统，部分原因是公司快速成长，以至于老手和新人间年龄差距很大。等老前辈一退休，公司就缺少专家了。尤其是像金属加工方面的热处理、化学处理等生产技术必须用到专业知识和技能，少了老手情况会很严重。所以，趁现在建立起专家系统，就算将来只剩下年轻的技术人员，也能够应付。”

“这就是生产技术专家系统？”

“没错。这是生产技术部和系统开发部共同开发的，现已加载工作站，应该可以用了吧？”成田望着其他三个人问道。

“应该可以用了，”诚回答，“但先决条件是拥有搜寻技术数据的密码。”技术数据中包含许多公司内部的机密，因此即使是公司员工，也必须另行申请才能取得密码。诚等专利部人员因为工作上必须搜寻专利数据，均已取得密码。

“好，说明就到此为止。”成田调整姿势，压低声音，“刚才讲的那些都跟我们没什么关系，可以说根本无关。因为生产技术专家系统的前提是仅供公司内部使用，基本上与专利部无缘。”

“出了什么事吗？”一个同事问。

成田微微点头。“刚才系统开发部的人来过。他们说现在好几家中坚制造商之间，出现了一种计算机软件，那个软件听说简直就是金属加工专家系统的翻版。”

他的话让后进们面面相觑。

“那个软件有什么问题？”诚问。

成田稍稍倾身向前。“机缘巧合下拿到了那份软件，系统开发部和生产技术部研究了其中的内容，发现里面的数据和我们的生产技术专家系统的金属加工部分很相似。”

“这么说，是我们的系统程序外流了？”一个比诚大一岁的前辈问。

“还不能完全肯定，但不排除这个可能。”

“不知道软件的出处吗？”

“这倒是知道，是东京某家软件开发公司，他们好像发布了那份软件作为宣传。”

“宣传？”

“那份软件算是试用版，里面只有少量数据。意思是先给你用用，要是满意，再向他们购买真正的金属加工专家系统。”

哦，诚明白了，同化妆品的试用装一样。

“问题是，”成田继续说，“万一真的是我们的生产技术专家系统的内容外流，那份软件的确是抄袭我们的东西做出来的，我们要如何证明？还有，如果能够证明，能不能采取法律手段制止他们制造、销售？”

“所以要我们调查？”诚问道。

成田点点头。“计算机程序作为著作权保护的对象已经有判例可循。不过，要证明内容是剽窃的并不简单。如同小说的抄袭一样，到底相似到什么程度才算违法很难界定。不过，我们试试吧。”

“但是，”山野说，“我们的专家系统内容怎么会外流呢？技术信息都受到严密的管理啊。”

成田露出冷笑。“讲一个有趣的故事给你听。有家公司高度机密地开发新型涡轮增压器，零件一个个做出来，样品一号总算完成了。但在两个小时之后，”成田靠近山野，“竞争公司的涡轮引擎开发科科长的办公桌上，就放上了一个一模一样的增压器。”

“啊！”山野惊呼一声，愣住了。

成田得意地笑了。“这就叫开发竞争。”

“是吗？”

看着依旧一脸不服气的山野，诚苦笑，因为他也听过同一个故事。

2

当天，诚在晚上八点刚过回到位于成城的公寓，由于调查专家系统一事，不得不加班。但是打开自家大门时，他却后悔了，早知道就在公司待久一点，因为家中仍一片黑暗。

玄关、走廊、客厅，他一一打开灯。虽然已入四月，但即使穿了拖鞋，一股寒气仍从一整天都没有热气的地板透上来。

诚脱掉上衣，坐在沙发上，松开领带，拿起桌上的遥控器，打开电视。几秒钟后，三十二英寸的大画面中出现了撞毁的火车车厢。这画面他已看过多次，是上个月发生于中国上海近郊的火车相撞事故，电视节目正播出车祸的后续发展。私立高知学艺高中修业旅行团一行一百九十三名师生搭上了这列出事的火车，一名领队老师与二十六名学生丧生。日本与中国就遇难者赔偿问题持续进行谈判，但迟迟无法达成一致，播报员说着类似的话。

诚想看棒球赛转播，切换频道，随即想起今天是星期一，便关掉电视，他立刻感到屋里比打开电视前更冷清了。看看墙上的时钟，那是他们收到的结婚贺礼，点缀着鲜花图案的底盘上，指针指向八点二十分。

诚站起来，一边解开衬衫的纽扣，一边探头看厨房。整体厨房收拾得一尘不染。水槽里没有待洗的餐具，整列拿取极为方便的各式烹饪用具有如全新般闪闪发光。

但是，这时候他想知道的，并不是厨房的清洁是否彻底，而是今天晚餐妻子到底有何打算。他想知道，她是在出门前便已作好晚餐的准备，还是想回家后再行处理。照厨房的样子看来，属于后者。

他又看了一下时钟，长针移动了两小格。

他从客厅的柜子抽屉中拿出圆珠笔，在墙上月历当天这一格画上大大的 ×，这是他先到家的记号。他从本月开始记录，但并未告诉妻子记号的意义。他打定主意找机会告诉她，尽管自知这种行为并不光明正大，但他认为，有必要以某种形式客观地记录目前的状况。

本月才过了一半，× 记号便已超过十个。

果然不该答应让她去工作，这不知道是诚第几次后悔了。同时，他又对自己怀有这种想法感到自我厌恶，认为自己是个气量狭小的男人。

和雪穗结婚已经两年半了。

正如诚所料，她是一个完美的妻子，不管做什么都干净利落，而且成果无可挑剔。尤其是高超厨艺令他感动不已，无论是法国菜、意大利菜还是日式料理，她做出来的每一道菜都足以媲美专业厨师。

“我很不想承认，可你的确是本世纪最幸运的男人。娶到那么美的老婆就该偷笑了，她竟然还烧得一手好菜！一想到我跟你活在同一个世界上，实在很难不嫌弃自己。”说这番话的是婚后在家里招待的一群朋友之一。其他人也颇有同感，讲了一大堆酸溜溜的话。

当然，诚也夸奖了她的手艺。新婚时，他几乎每天都赞美她。

“妈妈以前经常带我去别人口中的一流餐厅，她说，年轻时没有尝过美味，就不能培养真正的味觉。还说，有些人到一些价格昂贵却一点都不好吃的店还沾沾自喜，就是小时候没有吃过美味的证明。因为妈妈有这种想法，我对自己的舌头还算自信。不过，能让你吃得开心，我真的好高兴。”对于诚的赞美，雪穗开心地回答。略带娇羞的模样让他生起一股想永远紧抱住她的冲动。

然而，餐餐都得以享用她做的佳肴的生活，才两个月便宣告结束。原因是她的这一句话：“亲爱的，我可以买股票吗？”

“啊？”那时，诚无法意会“股票”这两个字，是因为这与雪穗的日常生活距离太遥远了。当他明白后，疑惑甚于惊讶：“你懂股票？”

“懂啊，我研究过了。”

“研究？”

雪穗从书架上拿出几本书，都是买卖股票的入门书或相关书籍。诚平常不太看书，完全没注意到客厅的仿古书架上摆着这些书。“你怎么会想到要买股票？”诚改变问题的方向。

“因为光是在家里做家事，有很多空闲时间呀。而且，现在股票行情很好，以后还会更好，比放在银行里生利息好得多。”

“可是，也可能会赔啊。”

“没办法，这是一种赌注嘛。”雪穗爽朗地笑了。这句“这是一种赌注嘛”，让诚第一次对雪穗产生反感，他生出遭到背叛的感觉。她接下来的话更加强了这种感觉。“你放心，我有信心，绝对不会赔。再说，我只用我的钱。”

“你的钱？”

“我自己也有点积蓄。”

“有归有……”“我的钱”这种想法让他心生排斥。既然是夫妻，还用得着分谁的钱吗？

“还是不行？”雪穗抬眼望着丈夫，看诚没有说话，便轻轻叹了口气，“也是，毕竟不行吧。我连家庭主妇都还不够格，没资格分心管别的事。对不起，我不会再说了。”她开始垂头丧气地收拾那几本书。

看着雪穗苗条的背影，诚不由得认为自己真是心胸狭窄，她至今从未提过任何无理要求。“我有条件，”他朝着雪穗的背影说，“不许太过投入，绝对不能借钱。这些你都能答应吗？”

雪穗回过头来，眼睛里闪耀着光彩。“可以吗？”

“我说的条件你都能做到？”

“一定做到，谢谢！”雪穗抱住他的脖子。

然而，诚双手环着她的纤腰，心里却生出不好的预感。

就结果而言，雪穗确实遵守了他开出来的条件。她通过股票顺利地增加资产。她最初投入多少资金、进行何种程度的买卖，诚一无所知。但听她与证券公司的电话对答，她动用的金额超过一千万。

她的生活从此改以股票为中心。由于必须随时掌握行情，她一天到证券公司报到两次。因担心漏接股票经纪人的来电，她极少外出，即使迫不得已时出门，也每隔一小时便打电话。报纸最少看六份，其中两份是经济报与工业报。

“你给我节制一点！”一天，雪穗挂掉证券公司打来的电话后，诚忍无可忍。电话从早上就响个不停，诚平常在公司，并不在意，但那天是公司的创立纪念日，他放假在家。“难得的休假都毁了。为了买卖股票，夫妻俩连出个门都不行！为了股票，搞得生活都没办法好好过，干脆别再玩了！”

诚对雪穗粗声粗气，连恋爱期间算在内，这还是第一次。那时，他们结婚八个月。

不知是因吃惊还是受到惊吓，雪穗茫然伫立。看到她惨白的脸蛋，诚立刻感到心疼。但是，还没等他开口道歉，她便低声说：“对不起。我一点都没有忽视你的意思，请一定要相信我。可是，因为股票有一点成绩，我好像有些得意忘形了。对不起，我根本没有尽到妻子的本分。”

“我不是这个意思。”

“没关系，我明白。”说完，雪穗拿起电话，打到方才的证券公司，当即交代把所有的股票脱手。挂掉电话，她转身面对诚：“只有信托基金没办法立刻解约。这样，能不能原谅我……”

“你真不后悔？”

“不会，这样才能断得一干二净。一想到给你带来那么多不愉快，我就觉得好难过……”雪穗跪坐在地毯上，低着头，双肩微微颤抖，眼泪一滴滴掉落在手背上。

“别再提这件事了。”诚把手放到她肩上。

从第二天起，与股票有关的资料完全从家里消失，雪穗也绝口不提股票。但是，她显然失去了活力，又闲得发慌。不出门就懒得化妆，连美容院都很少去。“我好像变成丑八怪了。”有时候她会看着镜子，无力地笑着说。诚建议她去学点东西，但她似乎提不起兴趣。诚猜想，可能是因为从小就学习茶道、花道和英文会话，造成这种反弹。他也知道，生个孩子是最好的解决之道，因为养儿育女一定会占据雪穗所有的空闲时间。可是他们没有小孩。两人只在新婚后半年内采取了避孕措施，但雪穗全无怀孕迹象。

诚的母亲赖子也认为养儿育女要趁早，对儿子儿媳完全没有消息感到不满。一有机会她就会对诚暗示，既然没有避孕却生不出小孩，最好去医院检查一番。

其实他也想去医院检查，事实上他曾向雪穗提议过。但是，她少见地坚决反对。问及原因，她红着眼眶说：“因为可能是那时候的手术让我不能生的啊，如果是那样，我一定会伤心得活不下去。”那时候的手术指先前的堕胎。

“所以彻底检查不好吗？也许治疗后就会好了。”

即使诚这么说，她仍然摇头。“不孕是很难治疗的，我才不想去检查不能怀孕的原因。而且，没有小孩不也很好吗？还是你不想跟一个不能生小孩的女人在一起？”

“没这回事，有没有小孩都没关系。好吧，我不再提这件事了。”

诚知道，责备一个无法怀孕的女人是件多么残酷的事。事实上，从他们这番对话后，他几乎再没提过孩子的事，对母亲也用谎言搪塞，说他们到医院接受了检查，双方都没有问题。

只是，有时雪穗会自言自语般喃喃道：“我为什么不能怀孕呢？”紧接着，她必定又说：“那时候是不是不该拿掉呢……”

诚只能默默聆听。

3

玄关传来开锁的声音，躺在沙发上发呆的诚爬了起来。墙上的时钟指着九点整。

走廊传来脚步声，门猛然打开。“对不起，我回来晚了。”身穿苔绿色套装的雪穗进来了，两手都拿着东西。右手是两个纸袋，左手是两个超市购物袋，肩上还挂着黑色的侧背包。

“你饿了吧？我马上准备。”她把购物袋放在厨房地板上，走进卧室。她经过的地方留下甜甜的香水味。几分钟后从房间出来的她已换上家居服，手里拿着围裙，边往身上系边走进厨房。“我买了现成的回来，不用等太久，而且还有罐头汤。”略带喘息的说话声从厨房里传来。

诚本来正在看报，听到这些，不由得心头火起。究竟是哪里惹恼了他，他自己也说不上来。真要理论，应该是她活力十足的声音。

诚放下报纸，站起来，走向有收拾声音的厨房。“你要让我吃买来的？”

“啊？你说什么？”雪穗大声说，抽油烟机的声音让她听不清楚，这让他更加暴躁。她正准备在煤气炉上烧水，不解地偏着头看站在厨房门口的他。

“我是问你，你让我等了这么久，终归还是要让我吃偷工减料的东西！”

她的嘴巴张成O形，接着，她关掉抽油烟机。空气立刻停止流动，整栋房子静了下来。“对不起，你不高兴？”

“如果只是偶尔，我也没话说。”诚说，“但最近根本就是每天，你每天都晚归，端出现成的菜，一直都是这样！”

“对不起，可是，我怕让你等太久……”

“我是等了很久，都不想再等了。我还想干脆吃泡面算了，结果等到吃买来的，跟吃泡面有什么两样？”

“对不起。我……虽然不成理由，可是最近真的很忙……给你添麻烦，我真的很抱歉。”

“生意兴隆，真是恭喜啊。”诚知道自己的嘴角难看地歪向一边。

“别这么说。对不起，以后我会注意的。”雪穗双手放在围裙上，低头道歉。

“这句话我听过好多遍了。”诚双手插进口袋，丢下这句话。

雪穗只是低着头，没作声，大概是因为无可反驳。然而，最近每当遇到这种场面，诚都会突然产生一种感觉，怀疑她是不是以为只要像这样低着头，等到风暴过去就算了。

“你的生意还是不要做了，”诚说，“我看，还是没法兼顾家里。你也很辛苦吧。”

雪穗什么都没说，避免为此事争吵。她的肩膀开始微微颤抖，双手抓起围裙的下摆蒙住眼睛，呜咽声从她手底传出。“对不起。”她又说了一次，“我真没用，真的好没用，只会给你添麻烦……你让我做我喜欢做的事，我却完全无法报答。我真没用，我真是个没用的人。诚，也许你不该和我结婚。”泪水让话语断断续续，还不时夹杂着抽噎。

听到她这一连串反省的话语，诚无法再责备她，反而觉得自己为了一点小事而大发雷霆，心眼未免太小了。“别哭了。”他就此收兵。既然雪穗一句反驳的话都没有，要吵也吵不起来。

诚回到沙发上，摊开报纸。雪穗却来问他：“那个……”

“干吗？”他回头问。

“晚餐……怎么办？要做也没有食材。”

“啊……”诚感到全身懒洋洋的，倦怠不堪，“今晚就算了，吃你买回来的就成。”

“可以吗？”

“不然也没办法。”

“对不起，我马上准备。”雪穗回到厨房。

听着抽油烟机再度运转的声音，诚仍有种无法释怀的感觉。

“我可以去工作吗？”再有一个月便要迎来结婚一周年的那一天，雪穗提出了这个问题。由于毫无准备，诚愣住了。

雪穗的说法是她在服装界的朋友要独立开店，问她要不要一起经营。她们打算开设进口服饰店。诚问她想不想做，她说想试试。

自从不再碰股票，她那双黯淡无神的眼睛首次闪闪发光。看到她这样，诚说不出反对的话。诚只说别太勉强自己，便答应了她。雪穗十指在胸前交握，以种种话语表达她的喜悦。

她们的店面在南青山，诚去过好几次。店里全面玻璃帷幕，感觉华丽明亮，路过时便可看到店里琳琅满目的进口女装和饰品。后来诚才知道，店面的装潢费用全由雪穗出资。

雪穗的合作伙伴叫田村纪子，脸孔和身体都圆滚滚的，有一股平民气质。正如外表给人的印象，那是个吃苦耐劳的人。照诚的观察，她们的工作似乎这样分工：雪穗负责招呼客人，取货、算账则是田村纪子的工作。这家店完全采取预约制，也就是顾客预约好来店日期。这样，她们便能依照客人的尺寸与喜好备妥商品。这种做法可以节省无谓的商品陈列空间，可说效率甚高。这种经营方式的成败全看她们的人脉如何，但开张以来，客人似乎没有断过。

雪穗会不会因为热衷经营服饰店，便忽略了家事，诚多少有点担心，但那时还没有这种现象。雪穗多半也怕诚这么想，开店后，她做起家事比以前更卖力，不但做饭不会敷衍了事，也不会比诚晚归。

开店后约两个月，雪穗再次出人意表，她问诚愿不愿意当店东。

“店东？我？为什么？”

“房东为了交遗产税，急需一笔钱，问我们要不要买。”

“你想买吗？”

“不是我想不想，只是觉得买下来绝对划算。那个地段以后一定只涨不跌。现在房东开的价钱，可以说是破盘价呢！”

“如果我不买呢？”

“那就没办法了，”雪穗叹气，“只好由我来买。”

“你买？”

“我想，考虑到那个地段，银行应该愿意贷款。”

“你要去借钱？”

“对呀。”

“你那么想买？”

“是，而且我认为，不买恐怕以后会有问题。如果我们不买，房东一定会去找房屋中介，这样要是运气不好，可能就得退租了。”

“退租？”

“叫我们退租，好以更高的价把土地卖掉呀。”

诚先是不置可否，然后开始认真考虑起来。他并不是买不起。高宫家在成城有好几块地，将来全归诚继承，只要卖掉一些就行了。如果说服得法，母亲应该也不会反对，因为他们家持有的地产实际上几乎都处于闲置状态。

他不赞成雪穗去向银行贷款，否则她很可能把所有心思放在事业上。况且，若以她的名义开店，总令人有家庭、工作无法分割的感觉。

“让我考虑两三天。”诚对雪穗说，其实当时他已下定决心。

一九八七年伊始，南青山的店便归诚所有。雪穗会从营业收入中定期将房租汇入他的账户。不久，诚便领教到雪穗的先见之明。由于东京都中心的办公大楼需求增加，地皮创下天价，短期内连翻三四倍已不足为奇。频频有人找上诚，询问南青山的店面与土地是否打算出售。每次听到对方开价，他都忍不住怀疑事情的真实性。

约当此时，他开始因雪穗而产生淡淡的自卑感。他渐渐认为，论生活能力、经营管理能力和大胆果断这几点，他可能都比不上这个女人。他并不清楚她事业上的成绩如何，但可以肯定的是她们的服饰店业绩蒸蒸日上。目前她计划在代官山开第二家店。

相形之下，自己呢？每念及此，诚便郁郁不乐。自己根本没有开创的勇气，只以个性适合为人所用为由，赖在公司不敢走。得天独厚继承的地产也不曾好好利用，住在家里出资购买的公寓里。

还有一件事更让他觉得抬不起头，那便是当前的股票热。去年NTT股票一上市立刻掀起狂飙，而股市仿佛也顺势被拉抬，开始上涨，甚至到了全民炒股的地步。然而，高宫家与股票无缘，理由当然是他因此责备过雪穗。在那之后，她也绝口不提股票。但一想到她怎样看待这场空前的股票热，他便感到浑身不自在。

4

这天晚上上床前，雪穗提起一件令诚意外的事。

"高尔夫教室？"诚躺在加大的单人床上，看着妻子映在梳妆镜里的脸问。从新婚起，他们就分床睡，雪穗睡单人床。

"对呀，我想，如果是星期六傍晚，我们可以一起去。"雪穗把一张传单放在诚面前。

"哦，美国高尔夫球基金会认可的学校，你早就想学高尔夫球了？"

“有一点啦，现在越来越多女性在打嘛。等上了年纪，夫妻俩也可以一起打高尔夫球呀。”

“上了年纪以后……我倒没想过那么遥远的事。”

“喏，开始学嘛，一起去一定很好玩的。”

“也是。”诚还记得父亲生前便喜欢打高尔夫球，每到假日，便把大大的高尔夫球袋放进后备厢驾车出门。那时父亲的神情总比平常更有活力，或许是因为赘婿的身份让他在家里悒悒不乐。

“听说下个星期六有说明会，要不要先去看看？”完成皮肤保养的雪穗一边上床一边说。

“好啊，去看看吧。”

“太好了。”

“这件事就说定了。你来不来？”

“啊，好。”雪穗离开自己的床，轻巧地滑进诚的床。

诚调整枕边的按钮，把灯光转暗，接着往她身边靠，手伸进白色睡衣的胸口。她的乳房非常柔软，比外表有分量得多。今天应该没问题吧？他想。这阵子因为某个原因，经常发生夫妻生活不协调的状况。

揉捏乳房、吸吮乳头一阵子后，他缓缓撩起雪穗的睡衣，从头部脱下，然后脱下自己的睡衣。他的阴茎已经完全勃起了。

全裸之后，他再度抱住雪穗，那是一个弹性十足的身体。抚摸她的腰，她似乎有点怕痒。他抱着她，亲吻她的颈部，轻咬她的乳头。

诚伸手褪下她的内裤，一褪到膝盖下方，便用脚一口气脱掉。这是他平常的做法。

接着，他怀着某种期待，伸手触摸她的三角地带，中指慢慢往下滑。

微微的失望在他心中蔓延。应接纳他的阴茎的部位一点都不湿润。他决定爱抚她的阴蒂，但是，无论手指的动作多么轻柔，也感觉不到湿润。

诚不认为自己的做法有问题，因为不久之前，这样便足以产生充分的润滑。

不得已，他把中指伸入阴道。但是，那里仍紧闭着。他正准备硬钻进去时，雪穗闷哼一声："好疼！"即使在昏暗中，也看得出她皱着眉。

"抱歉，很疼吗？"

"没关系，别介意，进来吧。"

"可是，才手指你就这么疼了。"

"没关系，我会忍耐的。慢慢进来反而会疼，一口气进来。"雪穗把腿张得更开一点。

诚来到她的双腿间，握住阴茎，让前端靠住她的阴道口，腰往前挺。

"啊！"雪穗叫出声来，可以看见她咬住牙的样子。诚不认为自己的动作这么具侵略性，困惑不已，因为他连前端都还没有进去。

如此反复了好几次，雪穗开始发出原因不明的呻吟。

"怎么了？"诚问。

"我肚子……好疼。"

"肚子？"

"就是子宫那边……"

"又来了啊。"诚叹气。

"对不起。不过没关系，马上就不疼了。"

"不用了，今晚还是算了吧。"诚捡起掉落在床下的内裤穿上，接着套上睡衣，想着不是"今晚还是"，而是"今晚也是"。最近总是这样。

雪穗也穿上内裤，拾起睡衣，回到自己床上。

"对不起，"她说，"我到底是怎么了……"

"还是去让医生看看吧。"

"嗯，我会的。只是……"

"只是什么？"

“我听说打过孩子的人，有时候会这样。”

“你是说不会湿润、子宫会疼吗？”

“嗯。”

“我倒没听说。”

“因为你是男人啊……”

“这倒也是。”眼见话风不对，诚侧身背对着她，盖上棉被。阴茎虽已疲软，性欲却没有消退。既然无法做爱，他希望雪穗至少用口或手来表达爱意，但雪穗绝不会这么做，诚也很难开口要求。

不久，啜泣声传入耳中。

诚懒得去安慰她，便把脸孔埋进棉被，装作没有听见。

5

老鹰高尔夫练习场建于规划成棋盘方格状的住宅区中，招牌上写着“全长二百码，备有最新型给球机”。绿色的网内侧，小白球不断交织飞舞。

这里距诚的公寓开车约二十分钟。两人刚过四点便离家，于四点半抵达。传单上写着说明会五点开始。

“果然太早了。我早说晚点再出门就行。”诚操控着宝马车的方向盘说。

“我怕会堵车呀。不过，可以看看别人打球，说不定能参考参考。”坐在副驾驶座的雪穗回答。

“外行人练习看再久也没有帮助。”

正值高尔夫热潮，又是星期六，客人相当多。停车场几乎客满的状态也证明了这一点。总算找到了车位，两人下了车，走向入口。路经一个电话亭时,雪穗停下脚步。“对不起,我可以打个电话吗？”说着,她从包里取出记事本。

“那我先进去看看。”

“好。”说话的时候，她已经拿起了听筒。

高尔夫练习场的入口宽敞明亮得像平价西餐厅一般。穿过玻璃自动门,诚来到里面。铺着灰色地毯的大厅里,有好几个无所事事的客人。一进来左边便是前台，两名穿着鲜艳制服的年轻女子正在招呼客人。

“不好意思，可以麻烦您在这里填上大名吗？一有空位，我们便会按顺序呼叫。”一名员工说。正和她说话的是一个看来与运动无缘的肥胖中年男子，身旁放着黑色高尔夫球袋。

“什么，人很多啊？”中年男子面露不悦。

“是啊，可能要请您等二三十分钟。”

“唔，真没办法。”男子不情愿地写下名字。

看来大厅里无事可做的那群人都是在排队。诚再次意识到，所谓的高尔夫热潮原来是真的。或许是因为无须接待客户，他的同事鲜少有人打高尔夫球。他走近前台，告诉工作人员他们要参加高尔夫球课的说明会。一个工作人员笑容可掬地回答:“我们会广播，请在这里稍候。”

这时雪穗进来了，一看到诚便立刻跑过来，但神情和刚才有些不同。“对不起，出了点问题。”

“怎么？”

“店里发生了一点麻烦，我不得不去处理。”雪穗咬着嘴唇。

她的店星期日公休，星期六由田村纪子与一名打工的女孩打理。

“现在就要去？”诚问，声音明显听出他非常不高兴。

“嗯。”雪穗点头。

“高尔夫球课怎么办？你不听说明会了？”

“不好意思，你一个人去好不好？我现在打车回店里。”

“我一个人？”诚叹气道，“真拿你没办法。”

“对不起。”雪穗双手合十，“你去听听，要是很无聊，就马上回家吧。”

“当然啦。”

“真抱歉。那我先走了。”雪穗快步走出大门。

目送她的背影离开后，诚再度轻叹口气。他设法压抑内心的怒气，因为他知道，任怒气蔓延，只会让自己身心俱疲。这种经验他不知有过多少次了。

诚决定到开设在大厅一角的高尔夫球用品店逛逛，店内除了高尔夫球杆、用品，还陈列着小饰品。光看这些并没有加深他的兴趣。事实上，他对高尔夫球几乎一无所知，顶多只知道基本规则，以及一般玩家的目标就是破百。但是，所谓的破百究竟是什么样的分数，他完全无法想象。

他正在浏览金属球杆，忽觉有人在看他。一双覆着长裤的女人的腿近在咫尺，那人似乎是面向他站着。他稍微把眼睛往上一抬，正好和她的双眸撞个正着。在他惊讶地喊出声前，有一两秒钟的空白。在这一刹那间，他认出了这名女子，脑袋里想着她不该在这里，但又的确是她。

是三泽千都留！她剪短了头发，整个人的感觉都不同了，但的确是她。

“三泽小姐……你怎么会在这里？”

“来练习高尔夫球……”千都留举起手上的球杆。

“啊，是这样。”明明不痒，诚却抓抓脸颊。

“高宫先生也是吧？”

“啊，嗯，是啊。”听到她还记得自己，诚暗自欣喜。

“你一个人来？”

“是呀，高宫先生呢？”

“我也是。啊，找个地方坐吧。”

等候的客人几乎占据了大厅所有椅子，幸好靠墙处正好有两个空位。他们在那里坐下。

“吓了我一跳，没想到会在这里见到你。”

“对呀，我也是，一时以为自己认错人了。”

“你现在在哪里？”

“我住下北泽，在新宿的建筑公司做事。”

“还是当派遣人员吗？”

“是的。”

“我记得你和我们公司的合约结束后，说要回札幌老家。”

“你记性真好。”千都留微笑，露出健康的白色牙齿。她的笑容让诚不禁认为她果真更适合剪短发。

“结果你没回去？”

“住了一阵子，但很快又回来了。”

“哦。”说着，诚看看手表，已经四点五十分了。说明会五点就要开始，他有点焦躁。

两年前的那个日子又在他脑海里浮现。和雪穗结婚前一天的那个晚上，他待在某家酒店大厅，因为千都留理应在那里出现。

他爱上了她，一心认为即使牺牲一切，也要向她表白。那一刻，他深信她才是他命中注定的另一半。然而她并没有出现。他不知道原因，只知道原来她不是他命运中的另一半。

再次相逢，诚自知当时的爱苗并没有完全消失。仅仅待在千都留身边，便让他感到飘飘然，那是一种许久不曾体会的、甜美的亢奋。

“高宫先生现在住哪里？”千都留问道。

“成城。”

“成城……之前你好像说过。”她露出搜寻记忆的眼神，“已经两年半了……有孩子了吗？”

“还没。”

“不打算生吗？”

“不是不打算，是生不出来吧……”诚露出苦笑。

“这样啊。”千都留的表情显得不知所措，一定是不知是否该表示同情。

“三泽小姐结婚了吗？”

“没有，还是孤家寡人。”

“哦，有计划吗？”诚观察着她的表情。

千都留笑着摇摇头：“没有对象呀。”

“哦，这样啊。”诚知道自己心中放下了一块大石头，但同时他又问另一个自己：她单身又能如何？“你常来这里？”他问。

“一星期一次，我在这里上高尔夫球课。”

“咦！高尔夫球课？”

“是的。”她点点头。她说，她从两个月前开始，参加每星期六下午五点的初学者课程，也就是诚他们准备参加的那个课程。

他说，他是来参加同一课程的说明会。

“这样啊！这里每两个月招生一次。那么以后每星期都会见面喽？”

“是啊。”他回答。

对于这次邂逅，诚心情很是复杂，因为雪穗也会一起来。他不想让千都留见到妻子，同时，也不敢向她表明妻子要和自己一同上课。

这时，广播在大厅内响起：“参加高尔夫球课说明会的来宾，请到前台集合。”

“那么，我去上课了。”千都留拿着球杆站起来。

“等会我去参观。”

“咦！不要啦，好丢脸哦。”她皱起鼻子笑了。

6

诚回到公寓时，雪穗的鞋子已经放在玄关，屋内传来炒菜的声响。他走进客厅，穿着围裙的雪穗正在厨房里做菜。

“你回来啦，好晚哦。”她一边翻动平底锅，一边大声说。已经过了八点半。

“你什么时候回来的？”诚站在厨房门口问。

“大概一个小时之前。我想得回来准备晚餐，就急忙赶回来了。”

“唔。”

“就快好了，稍等一下。”

“我跟你说，”他望着利落地做着色拉的雪穗的侧脸说，“今天，我在练习场遇到了以前的朋友。”

“哎呀，是吗？我不认识的人？”

“嗯。”

“哦，然后呢？”

“因为很久没见，便说一起吃个饭，就在附近的餐厅随便吃了。”

雪穗的手停了下来，举到脖子附近。“啊……”

“我以为你今天也会很晚才回来，因为你店里好像有麻烦。”

“那事很快就解决了。”雪穗擦了擦脖子，接着露出无力的笑容，“也是，谁叫我老是晚回来呢。”

“抱歉，我本该想办法和你联系。”

“别放在心上。那我还是把饭做好，要饿了就一起吃吧。”

“好。”

“高尔夫球课怎么样？”

“哦，”诚含糊地点头，“也说不上怎么样，只是说他们排了课程表，会按照课程安排一步步教。”

“你还喜欢吗？”

“唔……这个嘛……”该怎么解释呢？诚盘算，既然三泽千都留在那里上课，他不想和雪穗同去，只好决定放弃那里的课程，问题是怎么说服雪穗。

“我跟你说哦，”他还在思索该怎么开口，雪穗先说话了，“明明是我提出来的，现在要反悔实在很过意不去，可状况实在有点糟糕。”

“啊？”诚转头看她，“有困难？怎么了？”

“分店不是要开张了吗？我们正在招聘店员，可一直找不到适当的人。你也知道，最近就业市场完全是劳方市场，新人根本不肯来我们这种小店。”

“所以呢？”

“今天我跟纪子商量，以后我星期六也尽可能去上班。我想应该不至于每个星期六都要——”

“这么说，你确定能休息的就只有星期天了？”

“是啊。”雪穗缩着肩，抬眼看诚，显然是怕他生气。

但他并没有生气，他的心思完全被别的事情占据了。“这样，你不就没法去上高尔夫球课了？”

“是啊，所以我才向你道歉。是我出的主意，自己却不能去。对不起。”雪穗双手在身前并拢，深深低头。

“你不能去了啊。”

“嗯。”她轻轻点头。

“哦，”诚双手抱胸，走向沙发，“那就没办法了。”说着，一屁股在沙发上坐下，“那我自己去上吧，既然说明会都参加了。”

“你不生气？”雪穗似乎对丈夫的反应感到意外。

“不生气，我决定不再为这种事生气。”

“太好了，我还以为又会惹你生气，心里正七上八下的呢。别的问题都还好解决，可是，人手不足实在没办法……”

“算了，别提这件事了。只是即便你改变心意，还是想学，也赶不上我那一班了。”

“嗯，我知道。”

“好。”诚拿起桌上的遥控器，打开电视，把频道转到棒球赛转播。王贞治率领的巨人队在今年刚刚落成的东京巨蛋球场，与中日龙队陷入苦战。但是，他眼睛看着电视，心里想的既不是谁要补上去年退役的投手江川的空缺，也不是原选手本赛季能不能拿下全垒打王。[①]他在想何时才能背着雪穗打电话。

这天夜里，诚辗转难眠，一想到与三泽千都留重逢，身体就莫名发热。她的笑容在脑海中闪现，她的声音在耳内回荡。说明会安排了参观实际教学，他去观看千都留他们在教练的指导下击球。注意到他在场的千都留可能因为太紧张，失误了好几次。每次失误，她都会回头朝他吐出粉红色的舌头。

说明会结束后，诚鼓起勇气邀她一起吃饭。“我回家后也没的吃，本来就准备在外面吃完再回家。但一个人吃实在没什么意思。”他编了这样的借口。她的神色似乎有些犹豫，但笑着回答：“那就由我作陪吧。”他看在眼里，并不认为她是碍于情面不得不奉陪。

千都留是搭电车再步行来高尔夫球练习场的，诚让她坐上前座，

---

①江川指江川卓，原选手指原辰德，均为日本职业棒球读卖巨人队著名球员。

驱车前往去过几次的意大利面专卖店。这家店他从未带雪穗来过。

在照明刻意昏暗的店内，诚与千都留相对用餐。仔细回想起来，他们在同一家公司共事时，甚至不曾相偕进过咖啡馆。诚心情十分放松，不禁觉得他们天生即十分契合，和她在一起，话题便源源不绝地涌现，甚至觉得自己能言善道。她不时发出银铃般的笑声，间或说几句话。在各家公司辗转来去的她，提及自己经历时，有一些见识甚至令诚感到惊讶。

“你怎么会想学高尔夫球？为了美容？”用餐时，他问道。

“也没有为什么。一定要说原因，算是为了改变自己吧。”

“有那个必要吗？”

“我常想，最好改变一下，不能再过这种浮萍般随波逐流的生活了。”

“哦。”

“高宫先生为什么想学呢？”

“我？”诚一时不知如何回答，他不敢说是出于妻子的提议，“嗯，因为运动不足啊。”

她似乎接受了这个答复。

离开餐厅后，诚送她回家。她曾一度婉拒，但看来并非出于厌恶，于是诚再次坚持，她爽快地答应了。不知她是否刻意为之，用餐期间，她没有问及诚的家庭。他当然也没有说出让她意识到雪穗存在的话。但车子开动后不久，她问：“你太太今天不在家吗？”

或许是诚多心，但她的口气听起来有点不自然。他说：“她工作很忙，经常不在家。”

她默默地轻轻点头，之后再没提起类似的问题。

她的公寓位于沿铁路兴建的一座精致漂亮的三层建筑。

“谢谢你。那么，下星期见。”下车前她说。

"嗯……不过就像我刚才说的，我不一定会去。"他说。当时，他并不打算报名。

"哦。你一定很忙。"她露出遗憾的表情。

"不过我想我们可以偶尔见个面。我可以打电话给你吗？"他问。用餐时，他问过她的电话了。

"可以呀。"她边说边点头。

"那就这样。"

"拜拜。"

她下车时，一股冲动涌上心头，他想抓住她的手，抓住她，把她拉过来，吻她。但，这些只停留在想象之中。

从后视镜看到她目送着自己，诚发动了车子。

要是告诉她我要报名上高尔夫球课，她会感到欣喜吗？诚把头埋在枕头里，想。真想早点告诉她，因为今晚没有机会打电话。

以后每个星期都能见到她。光是这么想，他的心就像少年那般雀跃不已。下个星期六真令人万分期待……

他翻个身，才注意到身旁的床上传来熟睡的呼吸声。今晚，他丝毫没有拥抱妻子的念头。

7

"集合一下。"

成田在七月的某一天召集了 E 组成员。窗外飘着梅雨时节特有的绵绵细雨。空调设定的温度很低，成田依旧把衬衫袖子卷到胳膊肘上。

"关于专家系统，系统开发部那边有了新信息。"确认组员到齐后，成田说。他手上拿着一份报告。"系统开发部认为，如果数据遭窃，应该是有人以不正当的手段侵入了专家系统。在持续调查后，终于在前几天发现了有人侵入的迹象。”

“真的是遭窃了？”比诚大三岁的前辈说。

“去年二月，好像有人利用公司内部的工作站，复制了整个生产技术专家系统。这么做通常会留下记录，但据说那份记录被改写了，所以以前才找不到。”组长降低音量说。

“那么，把数据带出去的，果然是我们公司的人了？”诚说话时也注意四周。

“应该是。”成田严肃地点点头，“系统开发部说待进一步调查后，才会决定要不要报警。不过，虽然查出这件事，还是无法确认那个上市的专家系统是不是抄袭我们的，这件事必须审慎调查。但是，现在可以肯定的，是可能性已经提高了。”

“请问……”新进职员山野举手发问，“不一定是公司的人吧？只要趁假日潜进公司，操作工作站终端机就可以了。”

“还要有用户名和密码啊。”

“其实，关于这一点，”成田把声音压得更低了，“山野提的这个问题，系统开发部也考虑过了。下手的人一定相当精通电脑，否则想得手也很难。坦白说，这是专业人士搞的鬼，所以可能性有两种，一种就是公司有内奸，另一种就是歹徒通过某种关系，取得了某人的用户名和密码。我想大家都没有认清这两组记号的重要性，我也一样。别人或许就是看准了这个漏洞。”

诚摸摸放在长裤后口袋的钱包，他把工作证放在钱包里，使用工作站终端机需要的用户名和密码，就抄在工作证背面。

“不要把这两组记号放在别人看得到的地方。”诚想起拿到密码时曾被如此叮咛过。他想，最好赶快擦掉。

“哦，原来东西电装也发生了这种事。”千都留端着装了咖啡的纸杯，颇感兴趣地点头。

“听你这么说，别的公司也发生了？”诚问。

“最近很多呀，尤其以后的时代，信息就是金钱。现在不管哪家公司，都改用电脑来储存数据，这对想偷数据的人来说，真是正中下怀。因为以前的数据是数量庞大的文件，现在全都装在一张磁盘里，再加上只要操作几下键盘，就能找到自己需要的部分。”

“原来如此。”

“东西电装现在用的基本上只是公司的内部网络吧？现在有越来越多的公司可以与外部网络联机，这样心怀不轨的人便能从外部侵入，可能会发生更严重的案件。在美国，好几年前就开始发生这种事了。他们把擅自侵入别人电脑搞恶作剧的人称为黑客。”

“哦。”

千都留毕竟待过各种不同的公司，这方面的知识非常丰富。仔细想想，将诚公司里的专利数据从微型胶卷改存入计算机的正是她。

时间接近下午五点，诚把空纸杯扔进一旁的垃圾桶。老鹰高尔夫球练习场的大厅仍有许多客人排队等候。诚和千都留始终没找到空位，只好靠墙站着聊天。

“对了，后来你练习切球了吗？”诚把话题转移到高尔夫球。

千都留摇摇头。“还是没时间来练习。高宫先生呢？”

“我也一样，上星期上过课之后就没碰过球杆。”

“可高宫先生很厉害呀，明明是我先学的，现在你却已经在学更高级的课程了。运动神经好就是不一样。”

“只是刚好抓到了要领。学得稍慢的，最后反而打得更好。”

“你是在安慰我吗？听起来可不怎么让人高兴呢。”虽然这么说，千都留却笑得很开心。

诚上高尔夫球课已经快满三个月了。他一次都没有缺席。高尔夫球固然比他想象中有趣，能够见到千都留的喜悦更数倍于此。

“练习结束后去哪里？”诚问。上完课一起用餐已成为两人的习惯。

“哪里都行。”

“好久没吃意大利菜了，去吃吧。”

“嗯。”千都留应声点头，露出撒娇般的表情。

“我说啊，”诚稍稍留意四周，小声说，“下次我们另找时间出来见面吧。偶尔也想不必在意时间，好好聊聊。”他有把握，她不会拒绝，关键在于是否会犹豫。毕竟在其他日子碰面，意义完全不同于高尔夫球课后一同用餐。

“我都可以呀。”千都留爽快地回答。也许她是故意表现得很爽快，但她的口气并没有任何不自然，嘴角也保持着笑容。

“那么，等我定好日期跟你联系。”

“嗯。如果早点说，我可以调整一下工作。”

“知道了。”仅仅是这段短短的对答便让诚激动不已，感觉自己往前跨越了一大步。

8

与千都留约会的日子定于七月第三个星期五，因为次日是周末，不必急着回家，而且千都留说她那天可以早点离开公司。

还有一件更方便的事。从星期四起，雪穗便要前往意大利大约一个星期，不过不是去旅行，而是采购。每隔几个月，她便会去一趟意大利。

雪穗出发的前一天，也就是星期三晚上，诚回到家，雪穗在客厅摊开行李箱，为旅行作准备。

“你回来了。”她说，但并没有看他，而是面向桌上打开的记事本。

“晚餐呢？”诚问。

“我做好了奶油烩饭，随便吃吧，你一看就知道。我现在不太方便。”说这些话的时候，雪穗仍没有看丈夫。

诚默默进了卧室，换上T恤与运动裤。

他觉得最近雪穗变了。不久之前，对于无法把诚照料得无微不至，她会流着泪反省，而现在却叫他“随便吃”，说起话来语气也很冷淡。

定是事业上的得意所产生的自信，以这种方式表现在对丈夫的态度上。但是，诚认为更重要的原因是他也不再要求了。以前一有什么不满，他立刻火冒三丈，但现在连大声说话的情形都没有，他只求每天平安度过。诚自我分析，认为他与三泽千都留的重逢改变了一切。自那天起，他不再关心雪穗，也不再渴望她的关心了。所谓情淡意弛恐怕就是这种情形吧。

诚一回到客厅，雪穗便说：“啊，对了。今晚我叫夏美来我们家过夜，这样明天我们一起出门更方便些。”

“夏美？”

“你没见过？从开张就在店里工作的女孩呀，我这次和她一起去。”

“哦，你让她睡哪里？”

“我已经整理好小房间了。”

你什么都先斩后奏！诚忍住这句刻薄的话。

夏美在十点多到达，她二十出头，五官清秀。

“夏美，你该不会打算这身打扮去吧？”看到夏美穿着红色T恤和牛仔裤，雪穗问。

“我明天会换成套装，这身衣服就收进行李箱。”

“T恤和牛仔裤都不需要，我们不是去玩，不用带去。”雪穗的声音很严厉，诚从未听过她用这种语气说话。

“是……”夏美小声回答。

她们在客厅讨论起来，诚去冲澡。等他从浴室里出来，客厅已空无一人，她们似乎转移了阵地。

诚从客厅的橱柜中取出玻璃杯和苏格兰威士忌，用冰块调了一杯，坐在电视机前啜饮。他不太喜欢啤酒，想独自小酌时，一定会喝加冰的苏格兰威士忌。这也是他每晚的享受。

门开了，雪穗走了进来。诚没有看她，眼睛盯住体育新闻。“老公，”雪穗说，“把电视的声音关小一点，夏美会睡不着。”

“那个房间听不到吧。”

“听得到。正因为听得到，才请你把音量调小。”

这种说法很冲。诚听了很不高兴，但仍默默拿起遥控器，降低音量。

雪穗依然站着。诚感觉得到她的目光，也察觉到她似乎有话想说。是三泽千都留的事吗？诚脑海里突然闪过这个念头。但这不可能。

雪穗叹了口气，“真羡慕你。”

“啊？”他转头看她，“什么？”

“因为你每天可以这样过呀，喝你的酒，看你的职棒报道……”

“这有什么不对？”

“没有说你不对，只是说很羡慕。”雪穗掉头走向卧室。

“你先别走，你什么意思？你到底想说什么？有话就直说！”

“声音不要这么大，会被听到的。”雪穗皱起眉头。

“是你找我吵的。我问你，你到底想说什么？”

“没有……”说完，雪穗转身面对诚，“我是在想，你难道没有梦想、没有抱负、不求上进吗？难道你打算就这样放弃一切努力，不再磨炼自己，每天就这样无所事事地老去吗？我只是这样想。”

诚的神经很难不受到这几句话的刺激，他陡然间感到全身发热。

“你是想说，你有抱负，又求上进？你也不过是在装女强人的样子！”

“我可是认真在做。”

“店是谁的？那是我买给你的！”

“我们付了房租呀，而且，你不是用卖掉家里地产的钱买的吗？有什么好骄傲的！”诚站起来，瞪着雪穗，她还以凌厉的眼神。“我要睡了，明天还要早起。”她说，“你最好也早点睡，酒别喝过头了。”

“不用你管。”

“那好，晚安。”雪穗一边的眉毛挑了一下，消失在卧室里。

诚在沙发上坐下，抓住酒瓶，往只剩一小块冰的酒杯里猛倒。他喝了一大口，味道比平常辛辣。

一醒来，诚便感到一阵剧烈的头痛。他皱着眉头，揉揉视线模糊的眼睛，看到了雪穗坐在梳妆台前化妆的背影。他看看闹钟，差不多该起床了，身体却像铅一样重。他想和雪穗说话，却想不出该说些什么。不知为何，她的身影感觉非常遥远。但一看到她映在镜中的面孔，他不禁觉得奇怪，因为她一只眼睛上戴着眼罩。

“你那是怎么了？”他问。

涂完口红、正在整理化妆包的雪穗停下手上的动作。“什么怎么了？”

“你的左眼，为什么戴着眼罩？”

雪穗缓缓转过身来，像能剧面具一般面无表情。“因为昨晚那件事。”

“哪件事？”

“你不记得了？”

诚没说话，努力想唤起昨晚的记忆。他和雪穗吵了几句，然后多喝了一点酒。到这里他都还记得，但之后发生了什么却想不起来，只恍恍惚惚记得非常困倦。但那之后他完全没了印象，头痛也让他无法回想。

“我做了什么？”诚问。

“昨天晚上我睡了之后，你突然掀开我的被子……”雪穗咽了一口唾沫才继续，“不知道吼了什么，就动手打我。”

“什么？”诚睁大了眼睛，“我没有！”

“你在说什么，明明就动手了。我的脑袋、我的脸……才会变成这样。”

“我完全……没印象了。”

“也难怪，你好像醉了。”雪穗从椅子上站起来，走向门口。

“等等，”诚叫住她，“我真的不记得了。”

“是吗？我却忘不了。”

“雪穗，”他试图调整呼吸，脑中一片混乱，“如果我动了手，我向你道歉，对不起……”

雪穗站着俯视他片刻，说：“我下星期六回来。”说完便开门离去。

诚倒回床上，凝视着天花板，试着再度回忆。但他仍然什么都想不起来。

9

千都留手上的平底玻璃酒杯里，冰块叮当作响。她的眼睛下缘有些泛红。“今天真的很开心，聊了这么多，又吃了好吃的东西。”她像唱歌一般缓缓地左右晃动脑袋。

“我也开心极了，好久没这么痛快了。”诚一只胳膊肘架在吧台上，身体朝向她，“这都要感谢你，今天真的要谢谢你陪我。”这句话要是被别人听见，不免令人脸红，所幸酒保并不在旁边。

他们在赤坂的某家酒店。在法国餐厅用餐后，两人来到这里。

“应该道谢的是我，总觉得这几年来的郁闷一下子全烟消云散了。”

“你有什么郁闷的事吗？”

“当然喽，人家也是有很多烦恼的。”说着，千都留喝了一口“新加坡司令”。

“我啊，”诚摇着装了“芝华士”的玻璃杯说，“能遇见你真的很高兴，甚至想感谢上天。”

这句话可以解释为大胆的告白，千都留微笑着，微微垂下眼睛。

“有件事我要向你坦白。”

一听他这么说，千都留抬起头来，眼睛有些湿润。

“大约三年前，我结婚了。但事实上，在结婚典礼前一天，我作了一个重大决定，到某个地方去了一趟。”

千都留偏着头，笑容从她脸上消失了。

“我要告诉你此事的经过。”

“好的。”

“但是，”他说，“要在我们两人独处的地方。”

她似乎吃了一惊，睁大了眼睛。诚把右手伸到她面前摊开，手心里是一把酒店的房间钥匙。

千都留低着头，默不作声。诚十分明白她心中正激烈斗争。

“我刚才说的某个地方，”他说，“就是公园美景，那天晚上你预订的那家酒店。”

她再度抬起头来，这次，她的眼圈红了。

“去房间吧。”

千都留凝视着他的眼睛，轻轻点了点头。

前往酒店房间的路上，诚告诉自己，这样才对。自己以前走错了路，现在，他总算找到了正确的路标。

他停在房门前，把钥匙插进锁孔。

10

委托人叫高宫雪穗，是个脸蛋漂亮得足以做明星的少妇，然而她的表情却和其他人一样黯淡。

“这么说，是您先生要求您和他离婚的了？”

“是的。”

“理由他却不肯明说，是吗？只说没法再和你在一起了？”

“是的。”

“您心里有没有怀疑什么？”

委托人闻言先是显得有些犹豫，然后才说：“他好像喜欢上了别的女人。这个是我请人调查的。”

她从香奈儿包里拿出几张照片，上面清楚地拍到一对男女在各种不同的地方约会。男方是头发三七分、一脸勤恳老实相的上班族，女方是短发的年轻姑娘，两人看上去显然沉醉在无比的幸福中。

“您曾经问过您先生这位小姐是谁吗？”

“还没有，我想先跟您谈完再决定。”

“明白了。您有分手的意愿吗？”

“有。我想我们已经无法挽回，以前我就这么想了。”

“发生了什么事情，让您有了这种想法？”

“我想应该是他和这位小姐交往后才开始的，他有时候会动粗……不过只是喝醉的时候。”

“真是太过分了。有人知道此事吗？我是说，谁能够作证？”

“我没有跟任何人提过。不过，有一次刚好我们店里的女孩来我家里过夜。我想她应该记得。”

“我明白了。”女律师一边记录谈话内容，一边想，有了证人，要对方就范就太容易了。那种乍看之下像好好先生，却回家欺凌老婆的纸老虎，是她最厌恶的类型。

“我真不敢相信，他竟然会这样对我。他以前明明那么温柔……”高宫雪穗用雪白的双手掩住嘴，开始啜泣。

第十章

1

进了停车场，今枝直巳便皱起眉头，因为几十个停车位几乎全满了。“泡沫经济不是已经破灭了吗？”他嘀咕道。

今枝在最里边的车位上停好爱车本田序曲，从车厢里拉出高尔夫球袋。袋上薄薄的一层灰尘是在房间角落放了两年的结果。他在公司前辈的建议下学打高尔夫球，有一段时间相当热衷，但独立开业后一个人工作，球杆便再也没有离开过球袋。并不是因为工作忙碌，而是没有机会上场。他深深感到，高尔夫球这种运动，实在不适合独来独往的人。

老鹰高尔夫球练习场正门令人联想到平价的商务酒店。走进大门，今枝再度感到不耐烦，大厅里排队等候的玩家无聊地看着电视，共有将近十人。

虽然很想改天再来，但凡是假日，状况应该都是如此。他无奈地走向前台排队登记。

之后，今枝在沙发上坐下，茫然地望着电视。正在转播相扑，是大相扑的夏场所[1]。因为时间还早，画面上出现的是十两力士的对战。最近相扑越来越受欢迎，十两和幕内较低级别的比赛也受到越来越多的相扑迷关注，想必是受到若贵兄弟、贵斗力、舞之海等新星崛起的影响。尤其是贵花田在三月场所成为史上最年轻的三赏力士，随即在夏场所首日便打败千代富士，成为史上最年轻的“金星”。[2]两天后，千代富士又败给贵斗力，从而宣告引退。

今枝看着电视，心想时代的确不停地改变。媒体连日报道泡沫经济已经破灭。那些靠股票和地产身价暴涨的人，看到梦想如泡沫般消逝，想必寝食难安。这个国家也许会因此沉淀一点，今枝如此期待。花五十亿元买一幅梵高的画，便是社会陷入疯狂的明证。

只是，环视大厅，今枝认为年轻女子的奢华作风仍未改变。不久之前，高尔夫球还是男人的游戏，而且是具有某种地位的成年男子的娱乐。然而最近，高尔夫球场似乎已被年轻姑娘攻占。事实上，排队等候的玩家有一半是女性。

只不过，我也是因为这样，才把闲置已久的球杆又翻了出来——他暗自发笑。四天前接到学生时代的朋友来电，说与两位公关小姐相约打高尔夫球，问他要不要一同前往。听朋友的说法，应是原本同行的男子无法前去。

想到许久不曾进行像样的运动，他便答应了。不过听到有年轻女子同行，让他有所期待也是事实。唯一担心的是自己好久没握球杆了，他想到这里有练习场，便过来练习。实际上场是两周后的事，他希望在那之前找回以往的球感，至少不要在球场上出丑。

---

①本场所指日本大相扑比赛，每年共有6次，分别于1、3、5、7、9、11月举行，每次赛期为15天。5月举行的5月场所一般称为夏场所。

②日本大相扑的力士等级由低至高为：序之口、序二段、三段目、幕下、十枚目（又称十两）、前头、小结、关胁、大关、横纲，自前头至横纲称为幕内力士。金星是指前头击败横纲。

可能是来的时间还不错，等了三十分钟左右，广播便呼叫他的名字。在前台接过打击席位的号码牌和出球用的代币，他走进练习场。

他分到的打击席位在一楼右侧。在附近的给球机投入代币，先拿了两盒球。

稍作热身后，他在打击席上就位。因为荒疏许久，他决定从过去拿手的七号铁杆开始，且不全力挥杆，先练习击球。

最初还有些生涩，但感觉慢慢回来了。打完二十球左右，他便能用力挥杆，重心移动也很顺畅，也掌握到以球杆面的甜蜜点[①]击球的要领。据他目测，铁杆应该打出了一百五六十码远。他很高兴，觉得疏于练习也没什么，还算挺能打。他热衷高尔夫球时，曾请认识的专业教练指导过。

换成五号铁杆打了几球后，今枝感觉到斜后方有一道目光。在他前一个打击席打球的男子正坐在椅子上休息，不过那人似乎从刚才就一直在看今枝打球。感觉虽然不至于不舒服，但在别人注视下打自然有些别扭。

今枝边换球杆边偷瞄男子。那人很年轻，可能还不到三十岁。

咦？今枝微偏着头，觉得这个人似曾相识，再偷偷看几眼，果然没错，有印象，他们一定在哪里见过。但是，就男子的模样看来，他似乎不认得今枝。

尚未回想起来，今枝便练习起三号铁杆。不久，前面的男子开始打了，球技相当高明，姿势也很潇洒。他用的虽然是一号木杆，但打出的球仍直扑二百码外的网。

男子的脸稍微偏右时，露出颈后并排的两颗痣。今枝见状差点失声惊呼——他突然想起男子是谁了。

---

①指高尔夫球杆杆头上的一个区域，以那里触球能令球飞出最远距离。

他是高宫诚！在东西电装株式会社专利部工作。

啊，对，这下一切都说得通了。在这里遇到高宫完全不是偶然。想练习高尔夫球时立刻想起这家练习场，是因为三年前那件案子，他就是在那时认识了高宫。

难怪高宫不认得他，这是理所当然的。

不知道事情后来怎么样了？今枝想。他现在仍和那女子来往吗？

三号铁杆怎么打都打不好，今枝决定稍事休息，在自动售货机买了可乐，坐下来看高宫打球。高宫正在练习劈球，看来目标是五十码之前的那面旗子。轻挥杆打出去的球轻轻上抛，落在旗子旁边。真是好身手。

或许是感觉到有人在看，高宫回过头来。今枝转过视线，把罐装可乐送到嘴边。

高宫走近今枝："那是勃朗宁吧？"

今枝咦了一声，抬起头来。

"那根铁杆，是不是勃朗宁的？"高宫指着今枝的球袋说。

"哦……"今枝看向刻在杆头的商标，"好像是，我也不太清楚。"那是他在随意逛一家高尔夫球店时一时冲动购物的结果，店主推荐了这支球杆。店主在长篇大论地说明球杆的优点后，还说"最适合像你这种体格稍瘦的人"。但今枝决定购买并不是因为相信店主的说法，而是喜欢这个制造商名称。他有一段时间对枪支相当着迷。

"可以借看一下吗？"高宫问。

"请。"今枝说。

高宫抽出五号铁杆。"我有个朋友球技突飞猛进，用的就是这个牌子。"

"哦，不过应该是你朋友球技好吧。"

"可他是换了铁杆后突然变好的，所以我想或许应该找一支适合自己的球杆。”

“哦。不过，你已经很厉害了。”

“哪里，当真上场就不行了。”说着，高宫摆好姿势，轻轻挥了挥，“嗯，握把细了点……”

“要不要打打看？”

“可以吗？”

“请吧，请。”

高宫说声“那我就不客气了”，便拿着球杆进入打击席，开始一球、两球地打。转速极快的球以冲天之势往上飞。

“漂亮！”今枝并非在恭维。

“感觉很棒。”高宫满意地说。

“你请尽量打吧，我要用木杆练习。”

“是吗？谢谢。”

高宫再度挥杆，几乎没有失误。这并不是球杆的功劳，而是因为他的姿势正确。今枝想，高尔夫球教室果然没有白上。是的，高宫曾经在这里的高尔夫球教室上课，还和此处的女学员交往。稍作思索，今枝便想起了那名女学员的名字——三泽千都留。

2

三年前，今枝待在“东京综合研究”这家公司，公司专门承办调查企业或个人信息，在全国各地拥有十七家事务所，今枝服务于目黑事务所。公司的特点在于委托人多半是企业，委托内容包罗万象，从调查潜在合作企业的业绩和运营状况，到是否有猎头公司对自己的员工展开挖角行动等，不一而足。也有委托案是调查年轻的社长与哪个女职员有染，后来查明该公司隶属于董事会的四名女职员全遭该年轻社长染指，负责调查的今枝等人也不由得苦笑。

那个自称东西电装株式会社相关人士的男子委托的事务也颇为奇特，他希望调查某家公司的一种产品。公司是一家叫“Memorix”的软件开发公司，产品则是该公司正强力促销的金属加工专家系统软件。

换句话说，这件委托案是调查该软件的研发过程，以及主要研发者的简历和人际关系等。

至于调查的目的，委托人并没有详细说明，但从他的言谈中可隐约窥知一二。东西电装似乎认定该软件窃自他们内部自行研发的系统，但仅通过产品比较实难证明，因此想找出软件盗用者。委托人认为要窃取东西电装的软件，必有内部共犯，只要调查 Memorix 研发负责人，应可找出与东西电装之间的交叉点。那时目黑事务所约有二十名调查员，其中半数被指派进行此项工作，今枝也在其中。

展开调查约两周后，他们便掌握了 Memorix 的概况。该公司成立于一九八四年，由曾任程序设计师的安西彻担任社长。包括兼职者在内，共有十二名系统程序设计师。主要是接受客户委托，进行各种程序的研发，以此追求企业成长。

该公司研发的金属加工专家系统的确有很多疑点，其中最主要的是与金属加工相关的庞大技术与资料的来源。他们对外宣称，进行软件研发时曾与某中坚金属材料制造商进行技术合作，但今枝等人详细调查的结果显示，软件早已研发完成，那家金属材料制造商只是进行确认。

最可能的情况便是盗用过去往来客户的数据。Memorix 曾与多家公司合作，有机会接触各方技术信息，其中自然包含金属加工的相关资料。

然而，这样的可能性毕竟极低。因为 Memorix 就信息管理方面与客户签有数份规范详尽的合约，若 Memorix 员工未经许可擅自将资料携出、泄露，一经发现，Memorix 必须赔偿巨额罚金。

因此，东西电装的软件被窃是合理的推测。Memorix 与东西电装完全没有联系，而且，东西电装的软件从未离开过公司。即使软件内容有极大相似之处，Memorix 仍可声称纯属偶然。

深度调查后，终于锁定一名男子，此人的头衔是 Memorix 的主任研发员，叫秋吉雄一。

此人于一九八六年进入 Memorix，他一加入，Memorix 便突然展开金属加工专家系统的研究。翌年，研发工作已初步完成，速度之快超乎常理，这样的研究一般再短也需要三年。

莫非秋吉雄一带着金属加工专家系统的基础数据投效了 Memorix？这是今枝等人的推论。

然而，对于秋吉这个人，他们的调查却不得要领。

他住在丰岛区的出租公寓，但没有在此区入籍。今枝等人通过公寓管理公司调查秋吉入住前的地址，没想到竟然在名古屋。

调查员立刻前往，却只见一栋如烟囱般高耸的大楼昂然挺立。调查员在附近打听，但终无法问到该大楼动工前是否曾有姓秋吉的人在此居住。向区公所查询的结果也一样，秋吉雄一的户籍并不在此。此外，秋吉租屋时填写的保证人住在名古屋，但其住处却空无一人。

秋吉究竟是何许人也？为查明这一点，他们进行了最基础的调查，即持续监视。

他们趁秋吉不在时，在他丰岛区的公寓设置了两部窃听器，一听屋内，一听电话。同时，寄给他的邮件除了挂号与限时专递外，几乎全数拆封查看，然后再重新封好，放回信箱。当然，用这类手法获得的资料无法用来对簿公堂，但此时以查明他身份为第一优先。

秋吉似乎只在公司与住宅间来去。没人造访他的住处，也没有值得调查的电话。毋宁说，几乎连电话都没有。

“这个人活着到底有什么乐趣？简直孤独得要命。”和今枝同组的男子曾望着镜头里的房间窗户说。那时，他们正坐在伪装成干洗店货车的厢型车里，摄像头设在车顶。

“或许他是在逃命，”今枝说，“才隐姓埋名。”

“比如杀了人之类？”搭档笑了。

“可能。”今枝也笑着回答。

不久，他们查出秋吉至少会与一个人联系。有一次他待在屋里，突然传来一阵刺耳的电子音，原来是传呼。今枝绷紧神经，把注意力集中在耳机上，以为秋吉会打电话。

然而，秋吉却离开房间，径直走出公寓大楼。今枝他们急忙尾随其后。

秋吉在烟酒店外的公共电话前停下脚步，拨打电话，面无表情地说了些什么，谈话期间也不忘注意四周，所以今枝他们无法靠近。

这种情况发生了好几次。传呼响后，秋吉一定会外出打电话。因为他绝不使用屋内的电话，今枝也曾以为他发现了窃听器，但如果真是如此，他应该会拆掉窃听器。他恐怕是养成了凡是重要电话都使用公共电话的习惯，而且纵使拨打公共电话，也绝不固定于一处，而是每次更换不同的场所，防范相当彻底。

是谁拨打他的传呼呢？这是当时最大的谜。

但这个谜还没有解开，事情便朝另一个方向发展了。因为秋吉采取了令人不解的行动。

先是某个星期四，秋吉难得地在下班后来到新宿。其实这不叫难得，因为根本是今枝一行展开调查以来的第一次。秋吉进入新宿车站西口旁的咖啡馆。

在那里，秋吉与一个男子碰面。男子年约四十五岁，身材瘦小，面无表情，心思难测。今枝第一眼看到那人，心中便生起一阵不安。

秋吉从男子手里接过一个大信封，确认过后，便交换一般递给男子一个小信封。男子抽出信封里的东西，是现金。男子迅速点数后塞进外套的内袋，再拿出一张纸给秋吉。

一定是收据，今枝估计。

接着，秋吉与男子交谈了几分钟，同时站起身来。今枝与搭档分头跟踪。今枝跟秋吉，发现他直接回到住处。

搭档跟踪的人，经查，乃是于东京都内开设事务所的侦探社社长，虽名为社长，其实只有一个由妻子兼任助手的员工。

果然不出所料，今枝并不意外，因为那名男子身上有一股同行特有的气息。

他们想知道秋吉通过侦探在调查什么。如果是与东京综合研究有关联的侦探社，并非无法可想。但秋吉雇用的是以自由工作者身份营业的人，若接触时稍有不慎，被人探出了底，后果不堪设想。

他们决定暂时继续锁定秋吉。

一个周六，秋吉再度行动。今枝等人照例监视公寓，只见秋吉穿着运动衫与牛仔裤，一身休闲打扮，今枝与搭档一同跟踪。秋吉的背影散发出一股不寻常的气息，今枝有种预感，感觉这不是单纯的外出。

秋吉换了电车，在下北泽车站下车。他不时以锐利的眼神扫视四周，但似乎并未发现自己已被跟踪。他在车站附近走动，手上拿着张小纸条，不时查看门牌标志，今枝推测他在找某户人家。

不久，他停下脚步。地点是铁路旁一幢三层楼的小型建筑前，看来是供单身人士居住的套房式公寓。

秋吉并未踏入那幢公寓，而是进入对面的咖啡馆。今枝犹豫片刻后，要同行的搭档进入咖啡馆，他估计秋吉可能与人相约在此。他自己则到附近的书店等候。

一小时后，搭档独自从咖啡馆出来。“他不是约了人，”搭档说，“是在监视，一定是监视住在那里面的人。”他朝对面的公寓扬了扬下巴。

今枝想起之前的侦探，秋吉难道在请人调查住在这里的人？“那我们只好继续待在这里了。”今枝说。

“没错。”

今枝叹了一口气，寻找公共电话，请事务所开车过来。但车还没到，秋吉便离开了咖啡馆。

今枝往公寓看去，一个年轻女子正往车站走去，手里拿着高尔夫球袋。秋吉跟在该女子十数米后，今枝两人则尾随秋吉。

女子的目的地是老鹰高尔夫球练习场，秋吉也进入场内，这次换今枝跟进去。

今枝继续观察，发现女子参加了高尔夫球教室。秋吉仿佛确认一般目送她进去之后，拿了一张高尔夫球教室的简介便离开了。当天他并未再次前往练习场。

今枝等人对女子展开调查，立刻查明了她的身份。她叫三泽千都留，服务于人才派遣公司。今枝等人向该公司查询，得知她曾被派遣至东西电装。于是，秋吉与东西电装总算连起来了。

今枝等人乘胜追击，继续锁定秋吉，深信他迟早会与三泽千都留接触。

然而，事情却往意外的方向发展。

一段时间均无异动的秋吉，于一个星期六再度前往老鹰高尔夫球练习场，时间正是三泽千都留参加的高尔夫球教室开始前。秋吉并没有接近三泽，照样在暗地里监视。

不久，三泽千都留与一个男子比邻而坐，亲密地交谈起来，宛如情侣。

至此，秋吉离开了练习场，他的目的仿佛就是亲眼确认这一幕。

就结果而言，这是秋吉最后一次接近三泽千都留。之后，他再也不曾前往老鹰高尔夫球场。

今枝等人调查了与三泽千都留言谈甚欢的男子。男子名叫高宫诚，是东西电装的员工，隶属专利部。

他们认为其中必有蹊跷，便调查了两人的关系，以及与秋吉之间的关联。然而，调查的结果并未发现任何与盗用软件相关的线索，唯一的收获是已婚的高宫诚似乎与三泽千都留发生了婚外情。

不久，委托人便提出了中止调查的请求。这也难怪，调查费不断增加，却得不到丝毫有用的情报。东京综合研究交给委托人厚厚一沓报告，但对方如何运用不得而知。今枝猜想，多半是直接送进碎纸机。

3

不寻常的金属声让今枝回过神来，一抬头，只见高宫诚一脸错愕地站着。“啊，啊，啊……”高宫诚看着手上的球杆，嘴巴张得老大，球杆的前端整个儿断了。

“啊！断了。”今枝看看四周，杆头落在高宫前方约三米处。

四周的人也发现异样，纷纷停下看着高宫。今枝走上前，捡起断裂的杆头。

“啊！真对不起。怎么会这样？”高宫握着失去杆头的球杆，不知如何是好，脸色都发青了。

“怕是所谓的金属疲劳吧，这杆子之前被我用得很凶。”今枝说。

“真的很抱歉，我认为我的打法没错……”

“哦，这我知道。定是我以前没打好，今天才这样。就算是我来打，也会断。请别放在心上。倒是你，有没有受伤？”

“没有，我没事。那……请让我赔，球杆毕竟是我打断的。”

今枝挥了挥手：“不必不必。反正本来迟早会断。要让你赔，我才不好意思呢。”

“可这样我过意不去。更何况，赔偿也不是我自掏腰包，我有保险。”

“保险？”

“是，我买了高尔夫玩家保险。只要办好手续，应该可以获得全额理赔。”

“可这是我的球杆，保险应该不能用吧？”

“应该可以。我去问问这里的高尔夫球用品店。”高宫拿着折断的球杆走向大厅，今枝跟在后面。

店位于大厅一角。高宫似乎是熟客，脸孔晒得黝黑的店员一看到他便打招呼。高宫出示断裂的球杆，说明缘由。

“哦，没问题，保险会理赔。”店员立刻说道，“申请保险金需要损坏地点的证明、损坏球杆的照片和修理费清单。至于球杆是否为本人所有，无法证明。相关文件由我们准备，麻烦高宫先生与保险公司联络。”

“麻烦了。请问修好球杆大概要几天？”

“这个，必须先找到同样的杆身，可能要两个星期左右。”

“两个星期……”高宫为难地回头望着今枝，“可以吗？”

“可以，没问题。”今枝笑着说。如果要花上两个星期，可能赶不上球场之约，但他并不认为少一根球杆会对成绩造成什么影响，也不想再让高宫过意不去。

今枝他们当场便委托修理，随即离开了用品店。

“啊，诚。”两人正准备再度前往练习场，有人叫住了高宫。一看来人，今枝不由得闭紧嘴巴，他认得那张脸，是三泽千都留。她身后站着一个高个男子，这个人他不认识。

“哦。”高宫对两人说。

“练习结束啦？”千都留问。

“还没，发生了一点小意外，给这位先生造成不少麻烦。”高宫把事情告诉两人。听着听着，千都留现出了担忧的神色。“原来是这样啊。真是对不起，向您借球杆已经够厚脸皮了，竟然还折断……”她向今枝鞠躬道歉。

“哪里，真的没关系。”今枝连忙摇手，向高宫问道，“呃，这位是尊夫人吗？”

“嗯，是啊。”高宫显得有点难为情。

这么说，外遇修成正果了，天底下果真无奇不有，今枝心想。

“没有人受伤吧？”千都留身后的男子问。

“这倒是不用担心。啊，对了，忘了给你我的名片。”高宫从长裤的口袋里取出皮夹，拿出名片递给今枝。“敝姓高宫。”

“啊，幸会幸会。”

今枝也取出皮夹，他也习惯把名片放在那里。但一时间他犹豫了，不知该给他哪一张。他随身携带有好几种名片，每一张的姓名和头衔都不同。

他最终决定给高宫真正的名片。这时候用假名毫无意义，而且谁也不能断定高宫他们将来不会成为他的顾客。

“哦，原来是侦探事务所啊。”看了今枝的名片，高宫一脸不可思议。

“若有什么需要，请务必光顾。”今枝轻轻施礼。

“比如说调查外遇？”千都留问道。

“是啊，当然。”今枝点点头，“这类业务最多了。”

她嘻嘻一笑，对高宫说：“那这张名片最好还是交给我保管喽！”

“也许哦。”高宫也逗趣地笑着回答。

今枝也想对千都留说，是啊，尤其是现在这个时期最危险了，你最好小心点。

因为她的下腹部已经高高隆起。

4

今枝直巳的事务所兼住处位于西新宿，在一栋面对小路建造的五层建筑的二楼。大楼旁便有公车站，从新宿车站到这里只要几分钟。但是，这对客人来说并不见得方便。每次在电话里说出路径，客人都会不约而同地发出犹豫的沉吟。为说服客人大驾光临，今枝往往好话说尽，但每次电话一挂，疲倦感总是如浪潮般席卷而来。

他也知道搬到车站旁更有利。委托人在前往侦探事务所的路上，多半抱着种种烦恼疑惑，极有可能在搭公交车的那几分钟改变心意，决定放弃。

但随着地价高涨，房租也跟着走高。今枝实在不想为了租一间小小的办公室，每个月付出令人咋舌的大把钞票。毕竟羊毛出在羊身上，房租贵，调查费也会随之水涨船高。尽可能以合理的收费为委托人服务，这是他创业的宗旨。

筱冢一成打电话到事务所，是七月将至的一个星期三。窗外飘着丝丝细雨，今枝已经死了心，以为那天不会有客人了。一听到来电人是筱冢，今枝的直觉登时告诉他有生意上门了，因为委托人的声音会有一种独特的语气。

果然，对方表示有些私事想谈，询问是否方便现在前来拜访。今枝回答："我等你。"

挂掉电话，今枝歪着头思忖，筱冢一成应该未婚，这么说，或许不是一般的外遇调查。而且，他看起来也不像是发现情人异常时会委托他人调查的人。

与高宫诚在高尔夫球练习场偶遇那天，站在成为高宫妻子的千都留身后的，便是篠冢一成。那天他们三个人相约用餐，约在高尔夫球练习场碰面。今枝自然不可能参与他们的聚会，不过在练习场大厅喝着纸杯装的速溶咖啡时，倒是和三人相谈甚欢。篠冢便是那时候递给他名片的。

后来，今枝在高尔夫球练习场和他再次碰面，篠冢的高尔夫球艺也颇高。他们曾略微提及今枝的工作，篠冢看似不甚在意，但或许当时他内心已经有所盘算。

今枝抽出一根万宝路，用一次性打火机点了火，双脚往文件乱堆的办公桌一跷，靠在椅子上吞云吐雾一番。灰白色的烟在微暗的天花板上飘荡。篠冢一成并不是一般上班族。他伯父是篠冢药品的社长，他是未来的领导层。这么一来，他要委托的调查可能与产业有关。想到这里，今枝感到全身血流加速，好久没有这种感觉了。

今枝在两年前辞掉东京综合研究的工作自立门户。他厌倦了被当成廉价劳工剥削，有了单枪匹马闯天下的自信，也建立起了各方面的人脉。事实上，他的营业状况不错。委托的工作相当稳定，要养活自己不成问题。他有一小笔积蓄，也有一个月享受一次高尔夫球的宽裕。

但就是缺乏成就感。他目前的工作多半是外遇调查，任职于东京综合研究时常接触的产业调查，现在可说已绝缘了。他每天都为追查男人与女人的爱恨情仇奔波。他并不讨厌这种情况，只是发现自己不再像以前那样，随时绷紧神经。从前，他一度想当警察，甚至考进了警校。然而，警校毫无意义的严谨纪律令他心生反感，他便中途退学。这是他二十来岁时的事。

后来他打过几份工。有一天，在报纸上看到东京综合研究招聘职员的广告。既然当不了警察，就当侦探吧。他以这种半开玩笑的心情接受面试，虽被录取，但一开始是工读生待遇，过了半年才成为正式职员。

当上调查员，他发现自己极为适合这一行。这份工作完全不像影视中的私家侦探那般精彩，只是一味地重复着孤独而单调的工作。因为不具备警察的权力，并不是所有地方都能堂而皇之地进去。此外，他们负有保守委托人秘密的义务，尽最大可能不留下调查痕迹，同时不能有任何遗漏。而历经千辛万苦得到梦寐以求的资料时，那种喜悦与成就感，是从别的地方体会不到的。

或许可以找回那种亢奋——接到筱冢的电话，今枝怀着这样的期待。他有不错的预感。但他摇摇头，在烟灰缸里摁熄了烟。算了吧，期待越高只会越失望。想必又是调查女人的品行，十之八九错不了。他站起来，准备泡咖啡，墙上的时钟指着两点。

5

筱冢一成于两点二十分抵达。他穿着浅灰色西装，尽管下着雨，发型仍一丝不乱，看起来比在高尔夫球练习场时大上四五岁。这就是精英分子的气派吧，今枝想。

“最近很少在练习场碰面啊。”在椅子上坐下后，筱冢说。

“没有上球场，就不禁散漫起来。”今枝边端出咖啡边说。自从上次和公关小姐去打球后，他只去过练习场一次，还是为了去拿修理好的五号铁杆，顺便练习。

“下次一起去吧，有好几个球场可以带朋友去。”

“真不错，请务必要找我。”

“那么，也找高宫一起去吧。”说完，筱冢把咖啡杯端到嘴边。今枝发现，他的姿势和口吻出现了委托人特有的不自然。筱冢放下咖啡杯，吐了一口气才开口："其实，我要拜托你的，是一件不太合常理的事。"

今枝点点头。"来这里的客人大多都认为自己的委托不合常理。什么事？"

"是关于某个女子，"筱冢说，"我希望你帮忙调查一个女子。"

"哦。"今枝略感失望，果然是女人的问题啊。"是筱冢先生的女友？"

"不，这女子和我没有直接关系……"筱冢把手伸进西装外套的内袋，取出一张照片，放在桌上，"就是她。"

"我看一下。"今枝伸手拿起。

照片里是一个美丽女子，似乎是在某豪宅前拍摄的。她穿着外套，季节应该是冬天，那是件白色皮草。她朝着镜头微笑的表情极为自然，即使说是专业模特儿也不足为奇。"真是个美人。"今枝说出感想。

"我堂兄正在和她交往。"

"堂兄？这么说，是筱冢社长的……"

"儿子，现在担任常务董事。"

"他今年贵庚？"

"四十五……吧？"

今枝耸耸肩。这个年龄当上大制药公司的常务董事，一般上班族根本无法企及。"应该有夫人吧？"

"现在没有，六年前因为空难去世了。"

"空难？"

"日航客机坠落失事那次。"

"哦，"今枝点点头，"原来你堂嫂搭了那班飞机啊，真是令人遗憾。还有其他亲人亡故吗？"

“没有，搭乘那班飞机的亲人只有她。”

“没有孩子？”

“有两个，一男一女。幸好这两个孩子当时没有搭那班飞机。”

“真是不幸中的大幸。”

“是啊。”筱冢说。

今枝再度看向照片中的女子，那双微微上扬的大眼睛令人联想到猫咪。“既然夫人已经过世，你堂兄和人交往，应该没有问题吧？”

“当然。身为亲戚，我也希望他尽快找到好对象。毕竟，不久的将来，他便要肩负起我们整个公司。”

“这么说，”今枝的指尖在照片旁咚咚地敲着，“这女子有问题了？”

筱冢调整了一下坐姿，身体前倾：“老实说，正是如此。”

“哦。”今枝再度拿起照片。里面的女子越看越美，肌肤看上去如瓷器般洁白光滑。“怎么说？如果方便，可以请教一下吗？”

筱冢微微点头，双手在桌上十指交叉。“其实，这女子结过婚。不过这当然不成问题，问题是与她结婚的人。”

“是谁？”今枝忍不住压低声音。

筱冢缓缓做了个深呼吸后才说：“那人你也认识。”

“啊？”

“高宫。”

“什么？”今枝陡然挺直了背脊，直直地盯着筱冢，“你说的高宫，就是那位高宫先生？”

“正是高宫诚，她是他前妻。”

“这真是，太……”今枝看着照片，摇摇头，“太令人惊讶了。”

“可不是！”筱冢露出一丝苦笑，“以前我好像提过，我和高宫在大学都参加了社交舞社。照片里的女子，是和我们联合练习的女子大学社交舞社的社员。他们就是因此而认识、交往、结婚的。”

"什么时候离的婚？"

"一九八八年……三年前。"

"离婚是因为千都留小姐？"

"详情我并没有听说，不过我想应该是吧。"筱冢的嘴角微妙地扭曲了。

今枝双手盘在胸前，回想起三年前的情况。这么说，他们停止调查后不久，高宫就与妻子离异了。"高宫先生的前妻正与你堂兄交往？"

"是的。"

"这是偶然吗？我的意思是说，你堂兄是在你完全不知情的状况下遇见高宫先生的前妻，开始交往的吗？"

"不，也不能说是偶然。现在想来，算是我把堂兄介绍给她认识。"

"怎么？"

"我带我堂兄去了她店里。"

"店？"

"一家位于南青山的精品店。"

筱冢说，这个叫唐泽雪穗的女子，与高宫离婚前便开了好几家精品店，当时筱冢从未去过。但她与高宫离婚后不久，他收到精品店特卖会的邀请函，才首次光顾。至于原因，他解释："是高宫拜托我的。他们虽然离婚了，但曾是枕边人的女人要独立生活，他似乎是想暗地里为她出一点力。离婚的原因好像出在他身上，所以也有点补偿的意味在内。"

今枝点点头，这种情形很常见。每次听到这种事，他都深深感到男人真是心软的动物。偶尔甚至有些男人，即使离婚肇因于妻子，分手后仍希望为前妻尽力。反观女人，分手后对男人往往不闻不问，就算错在自己也一样。

"我对她多少也有些关心，所以决定亲自去看看她过得好不好。

我跟我堂兄提起这件事，他说要跟我一起去，理由是想找时髦一点的休闲服，我们于是一同前往。”

“命运的邂逅就这样发生了。”

“看来似乎如此。”

筱冢说，他完全没注意到堂兄康晴强烈地受到唐泽雪穗的吸引，事后康晴坦承：“说来难为情，但我对她真的一见钟情。”甚至表明非卿莫娶。

“他不知道这位唐泽雪穗是你好友的前妻吗？”

“知道。第一次带他去精品店之前，我就告诉了他。”

“即使如此，仍然爱上她？”

“是。他本就是个很热情的人，一旦栽进去，任谁也拉不回。我之前全然不知，不过听说我带他去之后，他三天两头往她的精品店跑。女佣抱怨家里多了好些衣服，我堂兄根本也不穿。”

筱冢的话让今枝忍俊不禁。“我可以想象，那真是不得了。那么，你堂兄的努力追求有结果了？你刚才说他们已经在交往了。”

“我堂兄想和她结婚，但听说女方不肯给明确的答复。似乎是因为年龄的差距，再加上有孩子，让她犹豫不决。”

“的确，也或许是因为第一次婚姻失败，让她更加慎重吧？这也是人之常情。”

“也许。”

“那么，”今枝放开盘在胸前的双手，放在桌上，“要调查这女子的哪一部分？照刚才的描述，你对这位唐泽雪穗似乎已相当了解了。”

“其实不然。老实说，她全身上下充满了谜团。”

“与你不相干的人充满了谜团也很自然，不是吗？”

筱冢却缓缓摇头：“问题在于谜团的性质。”

“性质？”

筱冢拿起唐泽雪穗的照片。“我认为，如果我堂兄真能得到幸福，跟她结婚也无妨。虽然她是我好友的前妻，的确让我有点排斥，但我想通了就会习惯。只是……”他把照片转向今枝，继续说，“看着她，总会感到一种莫名的诡异，我实在不认为她只是个坚强的女子。”

“这世上有哪个女子只是坚强呢？”

“她这个人乍看之下就会让人这么认为。无论如何艰辛困苦，她都咬牙忍耐，拼命露出笑容，她就是给人这种印象。我堂兄也说他之所以受到吸引，不仅是因为她的美貌，也是因为来自内在的光辉。”

“你是说，她的光辉是假的？”

“就是希望你调查这一点。”

“很难哪。有什么具体理由让你怀疑她？”

今枝这么一问，筱冢低着头沉默了一会儿，才又抬起头来。“有。”

“什么？”

“钱。”

“哦？”今枝往椅背靠去，再次望着筱冢，“怎么说？”

筱冢轻轻吸了一口气。“这一点高宫也觉得很奇怪，因为她的资产似乎有很多是不透明的。就拿开设精品店来说，高宫说他完全没有给予资助。据说她当时对股票非常热衷，但一个外行的投资人不可能在短期内赚那么多钱。”

“是因为娘家有钱吗？”

筱冢摇头：“照高宫的说法显然不是，听说她母亲是教茶道的，加上年金，只能勉强度日。”

今枝点点头，他开始产生兴趣了。“筱冢先生，你心里有什么疑虑？你认为这位唐泽雪穗背后有金主吗？”

“我不知道。结了婚仍与金主维持关系，这实在说不通……但我认为她背地里一定有鬼。”

“背地里啊……”今枝伸小指挠了挠鼻翼。

“还有一件事也让我起疑。”

“什么事？”

“每个和她有密切关系的人，”筱冢压低音量，“都遭遇了某种形式的不幸。”

“咦？”今枝回视他的脸，“不会吧！”

“高宫便是一个。虽然他现在跟千都留结了婚，过得很幸福，但我想离婚毕竟是一种不幸的事。”

“但原因不是出在他身上吗？”

“表面上是这样，但真相就不见得了。”

“哦……好吧。其他遭遇不幸的人呢？”

“我以前的女朋友。”说完，筱冢的双唇紧紧抿上。

“哦……”今枝喝了口咖啡，只剩微温了，“发生了什么事？如果方便告诉我……”

“那是很惨痛的遭遇，对女性而言非常不幸。这件事导致我们分手。所以，我也是遭遇不幸的人之一。”

6

今枝把脏脏的本田序曲停在距离精品店稍远的路旁。若被看穿了连换新车的余力都没有，特地向筱冢借的高级西装和手表就失去意义了。

“我问你，真的什么都不给我买吗？连便宜的也不行？”走在他身旁的菅原绘里问。她把她最好的一件衣服穿在身上。

“我想那里没什么便宜的东西吧，恐怕每件东西的标价都会吓得你眼珠子掉下来。”

“咦！那要是我想要怎么办？”

“你可以用你自己的钱买啊，那就不干我事了。”

“什么嘛，小气！”

“别抱怨了，都说会付你钟点费了。”

不久，两人来到精品店“R&Y”门前。精品店的门面全是透明玻璃，从外头看，只见店内摆满了各式女装、饰品。

“哇！”绘里发出赞叹，“果然每一件看起来都贵得要命。”

“小心你的用词。”他用肘轻顶绘里侧腰。

菅原绘里是在今枝事务所旁一家居酒屋工作的女孩，白天在专科学校上课，今枝不清楚她在学些什么。不过她值得信任，遇到最好携伴同行的场面时，他有时会付钱请她帮忙。绘里似乎也喜欢帮今枝工作。

今枝打开玻璃门走进店里。空调的温度恰到好处，空气中弥漫着香水味，却不流于低俗。

“欢迎光临。”一个年轻女子从后方出现。她穿着白色套装，露出空姐般的职业笑容。她并不是唐泽雪穗。

“敝姓菅原，我们预约了。”

听今枝这么说，女子行礼说道：“菅原先生您好，我们正在等候您。”

和绘里一起行动的时候，今枝尽可能用菅原这个姓氏。因为若用别的，有时绘里会反应不及。

“今天您要找什么样的衣服呢？”白衣女子问道。

“适合她的。”今枝说，“夏天到秋天都可以穿的，要有型，但不要太花哨，穿去上班也不会太惹眼。她刚入社会，要是太出风头，怕会被欺负。”

“好的，”白衣女子点头表示明白，“我们有衣服正好符合您的要求。

我现在就去拿。”

女子转身的同时，绘里也转向今枝，他轻轻向她点头。就在这时，里面出现了另一个人，今枝看向那个方向。

唐泽雪穗像穿梭于衣饰间一般，缓缓向他们靠近，露出微笑，笑容一点都不做作，因为她眼中同样流露出满是温柔的光，竭诚款待来店顾客的真诚，像光晕般自她全身散发出来。“欢迎光临。”她微微点头说道，其间视线没有离开过两人。

今枝也默默朝她点头。

“您是菅原先生吧，听说是筱冢先生介绍您来的？”

“是。”今枝说。预约的时候，对方便问过介绍人了。

“您是筱冢……一成先生的朋友？”雪穗微偏着头。

“是。”点头应答后，今枝想，为什么她提起的是一成，而不是康晴呢？

“今天是为夫人置装？”

“不，”今枝笑着摇摇手，“是我侄女。她刚进职场，我还没送礼物。”

“哦，原来是这样呀，我太冒失了。”雪穗微笑着，垂下长长的睫毛。这时，刘海飘然落在脸上，她伸出无名指撩起。这个动作着实优雅，今枝不禁想起外国老电影里的贵族女子。

唐泽雪穗应该刚满二十九岁，这么年轻，她是如何培养出这种气质的呢？今枝感到不可思议。他现在能够了解筱冢康晴对她一见钟情的心境了，但凡男人，大概没有人能不受她吸引。

白衣女子拿着好几件衣服出来，向绘里介绍，问她的意见。

“需要什么尽管说，选适合你的衣服。”今枝对绘里说。

绘里转身朝着他，挑了挑眉毛，露出别有深意的笑容，眼神分明在说：你根本就不肯买给我，还说呢！

“筱冢先生还好吗？”雪穗问。

“好，还是一样忙。”

“不好意思，方便请教您和筱冢先生的关系吗？”

“我们是朋友，高尔夫球伴。”

“哦，高尔夫球……哦。”她点点头，那双杏眼的视线落在今枝的手腕上，“好棒的手表。”

“啊？哦……”今枝用右手遮住手表，“别人送的。”

雪穗再度点头，但今枝觉得她脸上浮现的微笑改变了。一时之间，今枝还以为露出了马脚，被她看出这只手表是向筱冢借的。筱冢出借时曾告诉他：“别担心，我没在她面前戴过这只表。”不可能露出马脚的。

“你这家店真是不错。要备齐这么多一流商品，想必需要相当的经营管理能力，你还这么年轻，真了不起。”今枝环视店内说。

“谢谢您的称赞。但是我们还是无法完全满足顾客的需求，还得继续努力。”

“你太谦虚了。”

“是真的。啊，您要喝点冷饮吗？冰咖啡或冰红茶？也有热饮。”

“那么，请给我咖啡，热的。”

“好的。请您在那边稍候。我马上送过来。”雪穗指向放置沙发和桌子的角落。

今枝在一张看似意大利制的猫腿式沙发上坐下。桌子兼做陈列架，玻璃桌面下精心布置着项链、手环等饰品。上面没有标价，但想必是商品，目的显然是在客人稍事休息时，吸引他们的目光。

今枝从上衣口袋里取出万宝路与打火机，打火机也是向筱冢借的。点着火，让整个肺里吸满烟，感觉紧绷的神经缓缓松弛下来。今枝暗想：这是怎么回事？我竟然会紧张，只不过面对一个女人……

这个女人优雅的气质是怎么来的？究竟是如何培养，又是如何磨炼的呢？今枝的脑海里浮现出一幢老旧的两层建筑，吉田公寓。那是一幢屋龄高达三十年的老房子，至今没垮掉令人不可思议。

今枝上周去过那里一趟，因为唐泽雪穗曾住过那里。听了筱冢的叙述，他决定先查明她的身世。

公寓四周有不少又小又旧的房子，应该是战前便有了。住户中有好几个人还记得当初住在吉田公寓一〇三室的母女。

这家人姓西本，西本雪穗是她的本名。

由于父亲去世得早，她与生母文代相依为命。文代据说是靠兼职来维持生活。文代在雪穗六年级时亡故，据说死于煤气中毒。虽然被视作意外处理，但附近的主妇称"也有人说好像是自杀"。

"西本太太好像吃了药，而且听说还有很多奇怪的地方。她先生死得突然，日子过得很苦。不过最后还是没搞清楚，好像就当作意外了。"在当地住了三十几年的主妇悄声说。

经过吉田公寓时，今枝特意走近些，绕到后面。有一扇窗户敞开着，屋内一览无余。屋里的隔间除了厨房外，只有一间小小的和室。老式五斗柜、破旧的藤篮等靠墙摆放，和室中央有一张没有铺上棉被的暖桌，应该是用来代替矮脚桌的，桌上放着眼镜和药袋。今枝想起附近主妇的话："现在公寓里住的都是老人。"

他想象着一个小学女生和年近四十的母亲生活在这个房间里的情景。女孩或许就着暖桌，权充书桌做功课，母亲则一副极度疲惫的模样准备晚餐……

这时，今枝感到内心深处纠结起来。

在吉田公寓四周打探的结果，让他注意到另一件异事。

一桩杀人案。

文代死前一年左右，附近发生一起凶案，据说她也受到警方调查。遇害的是当铺老板，西本文代经常出入该当铺，因而被列入嫌疑名单。但是她并未遭到逮捕，如此说嫌疑应该很快便洗清了。

“可是啊，被调查的事情一下子就传开了，害得她丢了工作，大概吃了更多苦吧。”附近卖香烟的老人以满怀同情的口吻告诉今枝。

今枝通过微缩胶卷查阅这桩杀人案的报道。文代死前一年是一九七三年，而且他知道是在秋天。

很快他便找到相关报道。说尸体是在大江一栋未完工的大楼中发现的，有多处刺伤。凶器推测为细长的刀具，但并未找到。被害人桐原洋介前一天下午离家未归，妻子正欲报警。被害人当时身上持有的一百万元现金不见踪影，警方判断应是见财起意，而且是知道桐原身怀巨款的人所为。就今枝找到的资料，并没有关于这起命案告破的报道。卖烟的老者也说，他记得并没有捉到凶手。

若西本文代真的经常出入那家当铺，受到警方注意也合乎情理。既是熟面孔，当铺老板自然不会防备，而即使是女人，要趁隙刺杀一个人也不无可能。但是，只要被警察找过一次，来自社会的目光自然有所不同。这么看来，西本母女也算是这起命案的受害者。

7

今枝察觉身旁有人，回过神来，接着咖啡香扑鼻而来。一个二十来岁的女子穿着围裙，用托盘端来咖啡，围裙底下穿着紧身T恤，身体曲线毕露。

“谢谢。”今枝伸手拿起咖啡杯。在这种地方，连咖啡的香味都显得浓郁起来。“这家店就你们三位照顾吗？”

“是的，大致上如此。不过，我们老板经常到另一家店去。”穿围裙的女子拿着托盘回答。

“另一家？”

“在代官山。”

“哦，真厉害，这么年轻就有两家店。”

“我们还准备在自由之丘开一家童装专卖店。”

“还要开第三家？真令人佩服。难道唐泽小姐家里有聚宝盆吗？”

“我们老板真的很勤奋，我们都怀疑她到底睡不睡觉。”她小声说了这句话后，悄悄向里面瞥了一眼，然后说声“请慢用”，便退下了。

今枝不加糖、不加奶精地喝了咖啡。比一般咖啡馆煮得还好喝。

今枝想，也许这个叫唐泽雪穗的女人，是那种相比外表更看重金钱的人，否则做生意不会这么成功。而且，据他推测，她这种特质一定是住在吉田公寓时便已形成。失去亲生母亲后，雪穗被住在附近的唐泽礼子收养，礼子是雪穗父亲的表姐。

今枝去看过唐泽礼子的住处，那是一幢高雅的日式房舍，有一座小小的庭院，门上挂着“茶道里千家”的门牌。

在唐泽家，雪穗向养母学习茶道、花道等好几项对女子有益的技艺。现在雪穗全身上下散发出来的女人味，想必就是在那个时期萌芽的。

唐泽礼子仍住在那里，因此无法在附近毫无顾忌地打听消息，但雪穗被收养后的生活似乎没有什么异状，当地居民也只记得“有个长得很漂亮、很文静的女孩”。

“叔叔。”

听到有人叫，今枝抬起头来。菅原绘里穿着一件黑色天鹅绒连衣裙站在那里，裙子短得令人心跳加速，露出一双美腿。

“你敢穿成这样上班？”

“不行吗？”

“这件怎么样呢？”白衣女子拿出一件蓝底的西式上衣，只有领口是白色的，“搭配裙子或裤子都很适合。”

“嗯……”绘里沉吟一声，“我好像有一件类似的。”

“那就算了。”今枝说，然后看看表，该走了。

“叔叔，可不可以下次再来？我都搞不清楚自己到底有什么衣服了。”绘里说出他们事先套好的说辞。

“真拿你没办法，那就下次吧。”

“对不起，看了那么多件都没买。”绘里向白衣女子道歉。

“哪里，没关系呀。”女子亲切地笑着回答。

今枝站起身，等绘里换回自己的衣服。这时，唐泽雪穗从后面走出来，“您侄女似乎没有找到中意的衣服。”

“真不好意思，她就是三心二意的，让人伤透脑筋。”

“哪里，请别放在心上。要找适合自己的东西，其实是一件很困难的事。”

“好像是。”

“我认为服装和饰物不是用来掩饰一个人的内在，而是用来衬托。因此我认为，当我们为客人挑选衣服的时候，必须了解客人的内在。”

“哦。”

“例如，真的有气质有教养的人来穿，不管是什么衣服，看起来都显得高雅非凡。当然……”雪穗直视着今枝的双眼，“反之亦然。”

今枝微微点头，扭过脸去。她是在说我吗？这套西装不合身？还是绘里有什么不自然的地方？

绘里换好衣服走过来。

“久等了。”

“我们会寄邀请函给您，可以麻烦您填一下联系信息吗？”雪穗把一张纸递给绘里。绘里不安地看今枝。

“写你那里更方便吧？”

听他这么说，绘里点点头，接过笔开始填写。

“您的表真的很棒。”雪穗再度看着今枝的左手手腕。

“你似乎很喜欢这只表。”

“是啊，那是卡地亚的限量款。除您之外，拥有这款表的人我只知道一个。”

“哦……”今枝把左手藏到背后。

“请您务必再度光临。”雪穗说。

“一定。”今枝回答。

离开精品店，今枝开车送绘里回她的公寓。钟点费是一万元。

“试穿高级女装还有一万元可赚，这份工不错吧。”

“根本就是吊人胃口，下次一定要买东西给我哦。”

“如果有下次的话。”说着，今枝踩下油门，他认为应该不会有第二次了。今天特地走这一趟并非为了调查，而是想亲眼看看唐泽雪穗是个什么样的人物。况且，接近这家店太危险了。唐泽雪穗这个女人，或许比他想象的更令人无法掉以轻心。

回到事务所，他打电话给筱冢。

“怎么样？”一听到来电的人是今枝，筱冢立刻问道。

“我现在多少明白你的意思了。”

“你是指……”

“她的确是个令人摸不清底细的女人。”

“可不是！”

“不过，实在是个大美人，难怪令堂兄会爱上她。”

“……是啊。”

“我会继续调查。”

“麻烦你了。”

“对了，我想确认一件事，就是向你借的那只手表。”

“请说。”

“你真的从没在她面前戴过它吗？是不是曾经向她提起过？”

“没有啊，应该没有……她说了什么？”

“也不算说了什么。”今枝把店里发生的事大略说了，筱冢发出沉吟。

“她应该不知道。”说完这句话，筱冢低声继续道，“只不过……”

“什么？”

“严格来说，我曾经在她在场的时候戴过这只表。可那个场合她绝对看不到，即使看到，也应该不会记得。”

“什么场合？”

“婚宴。”

“婚宴？哪一位的？”

“他们的。参加高宫和雪穗小姐的结婚喜宴时，我戴的就是那只表。”

“啊……”

“但是，我虽然在高宫身边，却几乎没有靠近过她。最靠近的时候，应该是点蜡烛的时候吧，我实在很难想象她会记得我的手表。”

“点蜡烛……那么，是我多虑了吗？”

“应该是吧。”

今枝拿着听筒点点头。筱冢是个聪明人，既然他这么说，应该没有记错。

“真对不起，拜托你这种麻烦事。”筱冢向他道歉。

“哪里，这也是工作啊。再说，”今枝继续说，“我个人也对她产生了兴趣。不过请你不要误会，不是指我爱上她。我觉得，她背后似乎有些什么。”

“这是侦探的直觉吗？”

“唔，可以这么说。”

筱冢沉默下来，也许是在思考这种直觉的根据。片刻，他说：“那就麻烦你了。”

“好的，我会好好调查。”今枝挂上电话。

8

两天后，今枝再度来到大阪。此行目的之一是约见一名女子，他上次在唐泽家附近调查时，碰巧听说了她。

“你如果是要问唐泽家小姐的事，元冈家的小姐可能知道。我听说她们都上过清华女子学园。”一家小面包店的老板娘告诉他。

今枝打听她的年龄，这让面包店老板娘大伤脑筋。“我想应该是和唐泽家小姐同年，不过不太确定。”

她叫元冈邦子，有时会光顾面包店。老板娘只知道她是与大型不动产公司签约合作的室内设计师。

回到东京后，今枝向那家不动产公司查询。经过好几道关卡，总算得以通过电话与元冈邦子取得联系。今枝声称自己是自由记者，正在为某女性杂志进行采访。

“这次我想做一个专题报道，探讨名门女校毕业生创业的情况。我到处打听毕业自东京和大阪两地的女校、目前正在职场上冲刺的杰出人物，有人向我推荐元冈小姐。”

元冈邦子在电话中发出意外的轻呼，谦虚地说“我算不上啦”之类的话，但听得出她并非全然否定。“到底是谁提起我呀？”

“很抱歉，我无法奉告，因为我答应保密。我想请教一下，元冈小姐是哪一年从清华女子学园毕业的？”

“我？我是一九八一年从高中部毕业。”

今枝内心暗自欢呼。一如他的期待，她和唐泽雪穗同届。

“这么说，您知道唐泽小姐了？”

“唐泽……唐泽雪穗小姐？”

“是的，是的。您知道她吧？”

“知道，不过我不和她同班。她怎么了？”元冈邦子的声音显得有些警惕。

“我也准备采访她，她目前在东京经营精品店。”

“哦。”

“那么，”今枝一鼓作气道，“只要一小时就好，能不能请您拨冗见面？希望能和您谈谈您现在的工作、生活方式等等。”

元冈邦子似乎有些犹豫，但最后还是答应若是不影响工作就没有问题。

元冈邦子的工作地点位于距地铁御堂筋线本町站步行几分钟的地方，也就是俗称为“船场”的大阪市中心地带。这里不愧是以批发业、金融业聚集闻名，商业大楼林立。虽然人人都说泡沫经济已经破灭，但来往于人行道上的企业精英仍脚步匆匆，仿佛连一秒钟都舍不得浪费。

不动产公司的大楼第二十层是“Designmake”公司的办公室。今枝在地下一层的一家咖啡馆等候元冈邦子。

当玻璃挂钟指着下午一点五分时，一名穿着白色西装上衣的女子进来了。她戴着镜框稍大的眼镜，就女性而言，她身材相当高挑。这符合电话里听说的所有特征。她还有一双修长的腿，是个颇具魅力的美女。

今枝起身相迎，一边打招呼，一边递出印着自由记者头衔的名片，名字当然也是假的。然后，他拿出在东京购买的一盒点心，元冈邦子客气地收下了。她点了奶茶之后就座。

“对不起，在您百忙之中打扰。”

“哪里，倒是我真的有采访价值吗？”元冈邦子似有些无法释怀。她操着关西口音。

“那当然，我想多采访各个行业的杰出女性。”

“你所说的报道会用真名吗？”

“原则上是用假名，当然如果您希望以真名……”

“不不不，”她连忙摇手，“用假名就好。”

“那我们开始吧。”

今枝拿出纸笔，开始提出一些关于“名门女校毕业生创业情况”的问题。这是他在搭新干线时构思的。元冈邦子不知就里，对每个问题都认真作答。看着她这样，今枝总觉得过意不去，认为至少要认真进行采访，如顾客聘请室内设计师的优点、不动产公司因为她的努力而意外得到不少好处等等，和她的谈话至少也让他增加了些见闻。

大约三十分钟后，问题问完了。元冈邦子似乎也松了一口气，把奶茶端到唇边。

今枝正在盘算该何时提起唐泽雪穗的话题。前几天的电话已经预留伏笔，但他绝不能让话题显得不自然。

元冈邦子竟突然说道：“你说也要去采访唐泽小姐？”

“是的。”今枝回视对方的脸，心想被猜中心思了。

“你说她在经营精品店？”

“是的，在东京南青山。”

“哦……她也很努力嘛。”元冈邦子把视线移开，表情显得有些僵硬。

今枝的直觉开始启动，元冈邦子对唐泽雪穗似乎没什么好印象。

这真是求之不得，要打听雪穗的过去，找的如果是一个不肯说真心话的人也没有意义。他把手伸进上衣口袋，问道：“请问，我可以抽根烟吗？”

“请。”她说。

今枝嘴里叼着万宝路，点上火。这个姿势表示接下来是闲谈时间。

“关于唐泽小姐，”今枝说，“现在出了点问题，让我很头疼。”

“怎么？”元冈邦子脸上的表情出现变化，显然对这个话题极有兴趣。

“也不是什么大问题，”今枝把烟灰抖落在烟灰缸里，“有些人提起她的时候，话说得不太好听。”

“啊？”

“她那么年轻就开了好几家店，招人忌妒在所难免。而且，我想实际上她一路走来，做的事情未必都像外表看上去那么高雅。”今枝喝了一口变凉的咖啡，“总而言之，就是说她见钱眼开、为做生意不惜利用别人，诸如此类的。”

“哦。”

“我们想报道的是年轻有为的女性创业者，编辑部里有人认为如果做人方面的风评不太好，不如暂停，所以我才觉得头疼。”

“因为事关杂志的形象嘛。”

“是啊，是啊。”今枝边点头边观察元冈邦子的表情，看来她并没有因为听到校友的不良风评而感到不快。他摁熄烟，立刻又点上一根。他很小心，不让烟熏到对方的脸。

“元冈小姐初中、高中都和她同校吧？”

“是的。”

“那么，就您的记忆，您觉得她怎么样？”

“什么怎么样？”

“您认为她是这样的人吗？这些我不会写在报道里，希望您给我最真实的意见。”

“我也不清楚。”元冈邦子偏了偏头，瞄了手表一眼，似乎很在意时间，“我在电话里也说过，我没有和她同班过。不过唐泽小姐是学校里的名人，不同班也认识她，我想其他年级的人大概也都认得她吧。”

“她为什么这么有名？”

“这还用说？”说着，她眨了眨眼，“她那么漂亮，不引人注目也难，还有男生组织后援会之类的呢。”

“哦。”今枝回想起雪穗的容貌，认为这不难想象。

“成绩好像也挺优秀。我一个朋友说的，她初中跟唐泽同班。”

“那就是才女了。”

“不过，像个性或为人之类的，我就不知道了。我从没跟她说过话。”

“你那个跟她同班的朋友对她评价如何？”

“她倒没说过唐泽小姐什么坏话，只曾经半开玩笑半忌妒地说，天生是那种大美人，真是走运。”

元冈邦子的话里有种微妙的含意，今枝并没有错过。“您刚才说……那位朋友没有说唐泽小姐的坏话，”他说，“那么，其他人对唐泽小姐没有好评吗？”

可能是没想到会被紧追不放，元冈邦子眉头微蹙。但今枝看得出来，这绝非她的真心话。

“初中时代，有一则关于她的传闻相当诡异。”元冈邦子说，声音压得极低。

“说什么？”

他一问，她先是以怀疑的眼光看着他：“你真的不会写进报道？”

“当然。”他用力点头。

元冈邦子吸了一口气才说：“传闻说她谎报经历。”

“嗯？”

“说她其实生长在一个环境很糟的家庭，却隐瞒事实，装作千金大小姐。”

“请等一下，那是指她小时候被亲戚收养吗？”那不算什么新闻，今枝想。

元冈邦子闻言微微探过身来。“没错，问题是她的原家庭。据说她的生母靠着男女关系来赚钱。”

“哦……”今枝并没有表现得大惊小怪，“是指做别人的情妇？”

“也许吧，不过，对象不止一个。这些都是传闻。”元冈邦子特别强调“传闻”二字。她继续说：“而且，听说其中一个还被杀了。”

“啊！”今枝发出惊呼，“真的？”

她肯定地点头。“听说唐泽小姐的亲生母亲因此受到警方侦讯。”

今枝忘了回应，眼睛只顾盯着烟头。就是当铺老板那件命案，他想。警察盯上西本文代，看来似乎并非只因她是当铺的常客。前提是如果传闻属实的话。

“请不要告诉任何人这是我说的，好吗？”

“一定，请放心。”今枝对她笑了笑，但马上恢复严肃的表情，“不过，既然有这种传闻，一定造成了不小的骚动吧？”

“没有，没有造成多大的风波。虽说是传闻，但流传的范围其实极为有限，而且大家也知道这些话是谁在散播。”

“咦！是吗？”

“她好像是因为有朋友住在唐泽小姐老家附近，才知道我说的那些事。我跟她不是很熟，是听别人说的。”

“她也是清华女子学园的……”

“和我们同届。”

“她叫什么？”

“这就不太方便说了……”元冈邦子垂下头。

“也是，我失礼了。”今枝抖落烟灰，他不希望因追根究底而遭到怀疑，“那么，她怎么会放出这些传闻呢？难道没有考虑到会传进当事人耳中吗？”

“她当时似乎对唐泽小姐怀有敌意。可能是她自己也有才女之称，所以把唐泽小姐当作竞争对手吧。”

“很像女校常有的故事。”

听到今枝这么说，元冈邦子露齿而笑。“现在回想起来，真的是呢。”

“后来她们两人的敌对关系有什么变化？”

“关于这一点……”说完，她沉默了一会儿，才缓缓开口，“因为发生了一件意外，让她们变得很要好。”

“哦？”

元冈邦子向四周环视一番，附近没有其他客人。

“放出这个传闻的女孩被袭击了。”

“被袭击？”今枝上半身向前倾，“您是指……”

“她有好长一段时间请假没有上学，声称出了车祸，其实听说是在放学回家的路上遭到袭击，身心受创无法复原，才请假的。”

“遭到了性侵害？”

元冈邦子摇摇头。“详情我不清楚。有人说她被强暴，也有未遂的说法。只不过，遭到袭击似乎是事实。因为住在出事地点附近的人，说看到警察进行种种调查。”

有一件事引起了今枝的注意，他认为不应该放过：“您刚才说，因为发生了这件意外，她和唐泽小姐变得很要好？”

元冈邦子点点头。“发现她昏倒的就是唐泽小姐。后来唐泽小姐好像也常去探望她，对她很照顾。”

唐泽雪穗去探望、照顾对方……今枝心中一震，他佯装平静，却感到浑身发热。“是唐泽小姐一个人发现的吗？”

“不，我听说她是和朋友两个人一起。”

今枝咽下一口唾沫，点头回应。

晚上，今枝住在梅田车站旁一家商务酒店。隐藏式录音机播放出元冈邦子的话，今枝把内容整理在笔记上。她并未发现他在外套内侧口袋藏了录音机。

今枝想，今后大概有好一阵子，元冈邦子都会持续购买那本理应刊登自己故事的女性杂志。虽然有点可怜，但他认为，这也算是给了她一个小小的梦想。手边处理的事情告一段落，他拿起床头柜上的电话，看着记事本按下号码。

铃响了三声之后，对方接起电话。

“喂，筱冢先生？……是的，我是今枝。我现在在大阪。对，是为了那个调查。其实，有个人我无论如何都想见上一面，希望能和她取得联系，才来请教筱冢先生她的联络方式。”今枝说出了那人的名字。

9

玄关的铃声响起时，江利子正要拿出烘干机里的衣物。她把抱在手上的床单和内衣裤扔进旁边的篮子。对讲机设在餐厅的墙上，江利子拿起听筒“喂”了一声。

“请问是手冢太太吗？敝姓前田，从东京来。”

“啊，好。我现在就开门。”

江利子脱下围裙，走向玄关。新买的这栋二手房，走廊有些地方会发出声响。她一直催丈夫民雄趁早修好，他却迟迟不肯动手。他的缺点就是有点懒。

她没有取下链条直接开门。一个穿短袖白衬衫、打蓝领带的男子站在门外，年龄三十开外。

“不好意思，突然打扰。”男子行了礼，头发梳得很整齐。“请问，伯母转告您了吗？”

“是的，我母亲跟我说过了。”

“好。”男子露出安心的笑容，取出名片，“这是我的名片，请多多指教。”

名片上写着“红心婚姻顾问协调中心调查员　前田和郎”。

“不好意思，稍等一下。”江利子先把门关上，取下链条后再次打开。但是，她并不想让陌生男子进门。“那个……我家里很乱……”

“没关系，没关系。”男子摇摇手，“这里就可以。”说着，他从白衬衫胸前的口袋取出记事本。

今天早上她接到母亲打来的电话，告诉她专门调查婚姻状况的调查员要来。看来调查员似乎先去了江利子的娘家。

“调查员说是想打听唐泽的事。”

“打听雪穗？她离婚了呀。”

“就是因为这样啊，好像又有人要跟她提亲。”

母亲说，调查员好像是受到男方的委托，前来调查雪穗。

“说是想听听以前朋友的说法，才来我们家的。我跟他说江利子结了婚不住在这里，他问我可不可以告诉他你夫家地址。可以吗？”

调查员显然正在一旁等待。

“我无所谓啊。”

“他说，如果可以，今天下午就过去找你。”

“噢……好啊，可以。”

“那我就跟他说了。”母亲告诉她，调查员姓前田。

如果是平常，她讨厌这种来路不明的人物，自会请母亲回绝。这次她之所以没有这么做，是因为对方调查的是唐泽雪穗。江利子也想知道她现在过得怎么样。只不过，她还以为调查结婚对象的行动会更加隐秘。调查员竟然大大方方地自道姓名来访，倒是颇令她意外。

男子站着，仿佛要挤进半开的门缝中，针对江利子与雪穗之前的来往提出问题。她大略说明她们在清华女子学园初中部三年级时同班，因而熟络起来，大学也选择同校同系。男子用圆珠笔将这些一一记下。

“请问，男方是什么样的人？”问题告一段落时，江利子反问道。

男子的表情显得有些出乎意料，露出苦笑，抓抓脑袋。“很抱歉，目前还不能告诉您。”

“你说目前是指……”

“若是这件婚事成功，我想您总会知道。但很遗憾，现阶段还没有成定局。”

“你是说，对方的新娘候选人有好几位？”

男子略显迟疑，但还是点点头。“可以这么解释。”

看来，对方相当有身份地位。“那么你来找我的事，最好也不要告诉唐泽小姐？”

“是，您肯这么做就太好了。知道有人背地里调查自己，那种滋味总是不好受。呃，您与唐泽小姐现在还有来往吗？”

“几乎没有了，只写写贺年卡。”

“哦。不好意思，请问手冢太太是什么时候结婚的？”

“两年前。”

“唐泽小姐没有出席您的婚礼吗？”

江利子摇摇头。“我们虽然举行了婚礼，但没有盛大宴请，只是近亲聚个餐而已，所以我没有给她寄喜帖，只写信告诉一声。她在东京，而且，怎么说呢，时机有点不太对，我也不太好意思邀请她……”

“时机？”说完，男子恍然大悟般用力点头，“那时唐泽小姐刚离婚吧？”

“她在那年的贺年卡上简单地写着他们分手了，我就不太好意思邀请她参加我的婚礼。”

“哦。”

得知雪穗离婚时，江利子本想打电话去关心。但觉得自己这么做未免太不识相，就作罢了。她估计也许雪穗会主动和她联系。但雪穗并不曾来电。她至今仍不清楚雪穗离婚的原因，贺年卡上只写着“于是，我又再度回到起跑点，重新出发”。

一直到大学二年级，江利子都和初中、高中时代一样，经常和雪穗在一起。不管是去逛街购物，还是去听演唱会，总是请她作陪。一年级发生的那起可怕的意外，使江利子不但不敢结交陌生男子，甚至害怕认识新朋友，雪穗便成为她唯一的依靠。甚至可以说，她是江利子与外部社会联系的渠道。

然而，这种状态自然不可能永远持续下去，这一点江利子比谁都清楚。同时，她也认为不能总拖累雪穗。尽管雪穗从未表现出丝毫不满，但江利子知道她正与社交舞社的高宫学长交往，自然会想多陪陪男朋友。

还有另一个真正的原因。雪穗和高宫交往，让江利子经常想起一个男子——筱冢一成。

雪穗从不在江利子面前提起高宫，但她无心的只言片语，还是会透露出男友的存在。这时，江利子便感到心里蒙上一层灰色的纱，无法制止自己的心跌落至黑暗的深渊。

大约在大二下学期时，江利子刻意减少和雪穗碰面的次数。雪穗一开始似乎感到困惑，但慢慢地，她也不再主动和江利子接触。或许是聪慧的她察觉了江利子的用意，也或许是认为再这样下去，江利子永远无法靠自己站起来。

她们并非不再做朋友，也没有完全断绝联系。见了面还是会聊天，偶尔也会互通电话。但是，和其他朋友比起来，并没有特别亲密。

大学毕业后，两人的关系更加疏远。江利子通过亲戚的介绍，在当地的信用金库任职，雪穗则迁居东京与高宫结婚……

“我想请教一下，就您的印象，”男子继续发问，“唐泽小姐是哪种类型的女子？只要简略形容一下就可以了，比如是内向而纤细敏感，或是好胜而不拘小节等等。”

“要这样形容很难。”

“那么，用您自己的话来说也可以。”

“用一句话来说啊，”江利子稍加思考后说，“她是个坚强的女子。虽然不是特别活跃，但靠近她身边，会感到她释放出一股能量。”

“光芒四射？”

“是的。”江利子一本正经地点头。

“其他呢？”

“其他啊……嗯，她什么都知道。”

“哦？”男子的眼睛稍微睁大了些，“这倒挺有意思。您是指她很博学吗？”

“不是一般所说的知识丰富，而是她对于人的本质或社会各层面都很了解。所以，和她在一起的时候，感觉非常……”她停顿了一下才继续说，“可以学到很多东西。”

“学到很多东西啊。如此人情练达的女子，婚姻却以失败收场。对此您有什么看法？”

江利子明白调查员的目的了，原来他还是着眼于雪穗的离婚，担心离婚的根本问题在雪穗身上。“那次婚姻，也许她做错了。”

“怎么说？”

“我觉得，她好像是受到氛围的影响才决定结婚的，这在她来说很难得。我想，如果她更坚持自己的意见，应该不会结婚。”

“您是说，是男方强烈要求结婚？”

“不，也说不上是强烈要求。”江利子小心翼翼地选择措辞，“一般人恋爱结婚的时候，我认为彼此的感情一定要达到某种平衡状态才行。但他们就有点……”

“和高宫先生比起来，唐泽小姐的感情没有那么强烈，您是这个意思吗？”

调查员说出高宫这个姓氏。他们不可能忽略雪穗的前夫，所以并不值得惊讶。“我不太会说……”她不知该如何表达,困惑地说:“我想，他不是她最爱的人。”

“哦？”调查员睁大了眼睛。

话一出口,江利子就后悔了。她多嘴了,这种话不应该随便说。“对不起，刚才是我自己的想象，请不要放在心上。”

调查员不知为何陷入沉默，凝视着她。后来才好像注意到什么似的回过神来，慢慢恢复笑容。“不会。我刚才也说过，只要依您的印象来说就可以。”

“可是，我还是别再说了。我不希望因为我随便乱讲，给她造成不便。请问你问完了吗？我想应该有人比我更清楚她的事。”江利子伸手拉门把。

“请等一下，最后一个问题。”调查员竖起食指，“有件初中时的事想请教。”

“初中时代？”

“是一件意外。您读初三的时候，有位同学遭到歹徒攻击，听说是您和唐泽小姐发现的，是吗？”

江利子感到血液从脸上消退。“这有什么……”

“那时唐泽小姐有没有什么让您印象深刻的地方？比如可以看出她为人的小插曲——”

不等他把话说完，江利子便猛摇头：“完全没有。拜托你问到这里就好，我很忙。”

可能是慑于她的气势，调查员很干脆地从门口抽身。“好的，谢谢您宝贵的时间。”

江利子没有回应他的道谢，便关上了门。明知不能让对方看出自己心情大受影响，她仍无法佯作平静。她在玄关门垫上坐下。头部隐隐作痛，她举起右手按住额头。灰暗的记忆自心中扩散开来。都这么多年了，心头的伤口仍未愈合，只是暂时忘记了。

调查员提起藤村都子也是原因之一。事实上在此之前，那件可怕的往事便已在脑海里蠢蠢欲动——从他提起雪穗开始。

不知从什么时候起，江利子心里便暗藏着一个想象。一开始，只是一闪而过的念头，后来便慢慢发展成一个故事。然而，这件事她绝对不能说出口。因为她认为这种想象非常邪恶，绝不能让别人发现自己心中有这种想法，她也努力要自己抛开这种愚蠢的幻想。

但这念头在她心中盘踞，不肯消失，这让她万分厌恶自己。每当受到雪穗温柔对待，她都认为自己是个卑鄙小人。但同时，还是有一个再三审视这个想象的自己。这真的只是想象？难道不是事实吗？其实，这才是她疏远雪穗的最大原因，内心不断扩大的疑惑与自我厌恶让她无法负荷。

江利子扶着墙站起来，全身疲惫不堪，仿佛有无数废物在体内各处沉淀。她抬起头，发现玄关的门还没上锁。她伸手锁上，牢牢扣紧链条。

第十一章

1

约好碰面的咖啡馆朝向银座中央大道。正值下午五点四十七分，刚下班的男女与购物者熙来攘往，每个人脸上或多或少都露出满足的表情。也许泡沫经济破灭的影响还没有波及一般市井小民，今枝有这种感觉。

一对年轻男女走在他前面，顶多才二十岁，男子身上穿的夏季西装大概是阿玛尼的，刚才今枝亲眼看到他们从停在路边的宝马下车，那辆车想必是景气好的时候买的。乳臭未干的小鬼开高级进口车的时代最好赶快过去，他暗忖。

爬楼梯经过店里一楼的蛋糕房时，手表指着五点五十分，已经比他预定的时间晚了。比约定时间早到十五至三十分钟是他的信条，同时也是一种在心理上占上风的技巧。只不过，对今天要见的人无需这种心机。

他飞快扫视一下咖啡馆，筱冢一成还没有来。今枝在一个可以俯瞰中央大道的靠窗位子坐下。店内大约坐满了五成。一个东南亚裔轮廓的服务生走了过来。人工费因泡沫景气高涨之际，雇用外籍劳工的经营者增加了。或许这家店也是这样存活下来的，这样总比雇用一些工作态度不可一世的日本年轻人好多了。他一边想着这些，一边点了咖啡。

叼上一根万宝路，点了火，他往马路上看去。这几分钟人似乎更多了。据说各行各业都削减了交际费，但他怀疑那是否只是一小部分。或者，这是蜡烛将熄前最后的光辉？他在熙熙攘攘的人群中锁定一个男子。那人手上拿着米色西装，大步前行。时间是五点五十五分。今枝再度见识到，一流的人果然准时。

几乎在肤色黝黑的服务生端咖啡上桌的同一时间，筱冢一成举起手打了招呼，向桌边走来。筱冢一边就座，一边点了冰咖啡。“真热！”筱冢以手掌代替扇子在脸旁扇动。

“是啊。”

“今枝先生的工作也有中元扫墓之类的假期吗？”

“没有。”今枝笑着说，“因为没有工作的时候就等于是放假了。更何况，中元扫墓可说是进行某一类调查的好时机。”

“你是指……”

“外遇。”说着，今枝点点头，“例如，我会向委托调查丈夫外遇的太太这样建议：请向你先生说，中元节无论如何都想回一趟娘家。如果先生面有难色，那就说，要是他不方便，你就自己回去。”

“这样，如果男方在外面有女人……”

“不可能会错过这个机会。做太太的在娘家坐立难安时，我就把她丈夫和情人开车出去兜风、过夜的情况拍下来。”

“真有这种事？”

“发生过好几次，男方上当的概率是百分之百。”

筱冢无声地笑了，似乎多少缓和了紧张的气氛。他走进咖啡馆时，表情有点僵硬。服务生把冰咖啡送上来。筱冢没有用吸管，也没加糖或奶精，便大口喝了起来。

“那么,查到什么了？”筱冢说。他大概一开始就巴不得赶紧提问。

“进行了很多调查，不过调查报告也许不是你想看到的。”

“可以先让我看看吗？”

“好。”

今枝从公文包里取出档案夹，放在筱冢面前。筱冢立刻翻开。

今枝喝着咖啡，观察委托人的反应。对于调查唐泽雪穗的身世、经历和目前情况这几项，他有把握已全数完成。

不久，筱冢抬起头来。“我不知道她的亲生母亲是自杀身亡的。”

“请看仔细，上面并没有写自杀。只说可能是，但并未发现关键性证据。”

“可凭她们当时的处境，自杀不足为奇。”

“的确。”

“真让人意外。”筱冢立刻又补上一句，“不，也不见得。”

“怎么？”

“她虽然有一种出身和教养都宛如千金大小姐的气质，只是偶尔显露出来的表情和动作，该怎么说呢……”

“看得出出身不好？”今枝露出不怀好意的笑容。

“还不至于。只是有时候觉得她在优雅之外，总有一种随时全神戒备、严密防范的感觉。今枝先生，你养过猫吗？”

“没有。”今枝摇摇头。

“我小时候养过好几只，全是捡来的，不是那种有血统证明的猫。我自认为是以同样的方式来饲养，但猫对人的态度，却因为它们被捡回来的时期不同而有很大区别。如果捡回来的是小猫，从懂事起就待在家里，在人的庇护下生活，对人不会太有戒心，天真无邪，喜欢撒娇。但是，如果大一点才捡回来，猫虽然也会跟你亲近，却不会百分之百解除戒心。看得出来，它们好像对自己说：既然有人喂我，那就暂时跟他一起住，但绝对不能掉以轻心。”

“你是说，唐泽雪穗小姐也有同样的感觉？”

“要是知道别人用野猫来比喻她，她一定会气得发疯。”筱冢的嘴角露出笑容。

“可是，”今枝回想起唐泽雪穗那双令人联想到猫眼的锐利眼睛，说，“有时这种特色反而是一种魅力。”

“一点不错，所以女人实在可怕。”

“我有同感。”今枝喝了一口水，“股票交易的部分你看到了吗？”

“看了一下，真亏你找得到证券公司的承办营业员。”

“因为高宫先生那里还留有一点资料，我就是从那里找出来的。”

“高宫那里……”筱冢的脸色微微一暗，那是种种忧虑在脑里交织闪过的表情，“这次调查，你是怎么跟他说的？”

“单刀直入。我说受希望迎娶唐泽雪穗小姐的男方家人委托进行调查。这样不太好吗？”

“不，很好。万一真要结婚，他迟早会知道。他作何反应？”

“他说，但愿她能够找到好人家。”

“你没有告诉他是我亲戚？”

“没有，但是他似乎隐约察觉到是你委托的。这也难怪，虽然我与高宫先生只有几面之缘，但如果说正好有个不相干的人委托我调查唐泽雪穗，也未免太巧了。”

“也对。我最好找个机会主动告诉他。”筱冢自言自语，视线再度落在档案夹上，“根据这份报告，她似乎靠股票赚了不少。”

“是啊。可惜负责承办她业务的营业员今年春天结婚离职了，所以得到的资料完全出自营业员的记忆。”今枝想，如果不是已经离职，她应该也不肯透露客户的秘密。

“我听说一直到去年，即使是普通外行散户也赚了不少，可上面写她投资了两千万元买‘理卡德’的股票，是真的吗？”

“应该是真的，承办的女营业员说她印象非常深刻。”

理卡德株式会社本是半导体制造商，大约两年前，该公司宣布开发出氟氯碳化物替代品。自从一九八七年九月联合国通过限用氟氯碳化物的规定后，国内外的开发竞争便日益激烈，最后，理卡德脱颖而出。一九八九年五月，“赫尔辛基宣言”决议于二十世纪末全面停用氟氯碳化物，此后理卡德的股票便一路长红。

令营业员诧异的，是唐泽雪穗购买股票时，理卡德的研发状况尚未对外公开，甚至业界对理卡德进行哪方面研究都一无所知。国内数一数二的氟氯碳化物厂商“太平洋玻璃”，数名长期从事氟氯碳化物开发的技术人员被挖走一事，也是在宣布研发替代品的记者会结束后才曝光。

“其他还有很多类似例子。虽然不知道唐泽小姐基于什么根据，但凡是她买进股票的公司，不久都会有惊人表现。营业员说，概率几乎是百分之百。”

“她有内线？”筱冢放低音量说。

“营业员似乎也这么怀疑。她说，唐泽小姐的先生好像是在某家制造商工作，或许是通过什么特殊渠道得知其他公司的开发状况。但她并没有询问唐泽小姐本人。”

“我记得高宫是在……”

“东西电装株式会社的专利部。那个部门的确得以掌握其他企业的技术，但也仅限于已公开的。不可能得到关于未公开，而且还在开发中的技术的消息。”

“看来只能说她在股票方面的直觉很准了。”

“的确很准。那位营业员说，她抛售股票的时机也抓得很准。在股票还有些微涨势的阶段，她就很干脆地切换到下一个目标。营业员说，一般外行的散户很难做到这一点。不过，光靠直觉是玩不了股票的。”

“她背后有鬼……你是这个意思？”

“我不知道，但有这种感觉。”今枝微微耸了耸肩，“这就真的是我的直觉了。”

筱冢的视线再度转向档案夹，微微偏着头，“还有一点让我感到不解。”

“什么？”

“这份报告说，一直到去年，她都频繁地买卖股票，现在也没有收手的样子。”

“是啊。大概是因为店里很忙，暂时没法专心在这方面。不过，她手上好像还持有好几支强势股票。”

筱冢沉吟了一会儿。“奇怪。”

“有什么不对吗？报告有什么错误吗？”

“不，不是。只是跟高宫说的有点不同。”

“他怎么说？”

“我知道他们离婚前，雪穗小姐就已经开始玩股票了。但我听说，后来因为她忽略了家事，便自己决定全卖掉了。”

“卖掉了？全部？高宫先生确认过吗？”

“这我就不知道了，大概没有。”

“就那个营业员所说，唐泽雪穗小姐从未离开过股市。”

“看来是这样。”筱冢不快地抿紧嘴唇。

“我们大致明白了她的资金运用。只是，最重要的问题依然没有解决。”

“你是说，本金来自哪里？”

“正是。因为没有具体数据，要正确追溯很难，但以营业员的记忆来推测，她应该从一开始就有一笔不小的资金。而且，绝不只是主妇的私房钱。”

“有几百万元？”

“可能不止。”

筱冢双手抱胸，低声道：“高宫也说摸不清她有多少资金。”

“你说过，她的养母唐泽礼子并没有多大的资产。至少，要动用几百万元并不容易。”

“这一点你可以设法调查吗？”

“我也准备这么做。可以再多给我一些时间吗？”

“好的，那就麻烦你了。这份档案可以给我吗？”

“请便，我手边有副本。”

筱冢带着一个薄薄的硬皮公文包，他收起报告。

“对了，这个还你。”今枝从公文包中拿出一个纸包。一打开，里面是只手表，他把手表放在桌上。“上次向你借的。衣服已经请快递送了，应该这两天就会到。”

“手表也一起快递就行啊。”

“那怎么行？万一出了什么事，快递公司可不赔。听说这是卡地亚的限量表。”

“是吗？别人送的。”筱冢朝手表瞄了一眼，放进西装外套的内袋。

“是她说的，唐泽雪穗小姐。”

“哦。”筱冢的视线在空中游移了一下，才说，“既然她做那一行，对这些东西应该很清楚。”

“我想原因不止如此。”今枝意味深长地说。

“什么意思？”

今枝稍微把身体前移，双手在桌上交扣。“筱冢先生，你说唐泽雪穗小姐对于令堂兄的求婚一直不肯给予正面答复？”

“是，有什么不对？”

“对她为什么会这么做，我想到一个原因。”

“是什么？请务必告诉我。”

“我想，”今枝注视着筱冢的眼睛说，“她可能另有喜欢的人。”

笑容顿时从筱冢脸上消失，取而代之的是学者般的冷静。点了好几次头后，他才开口：“这一点我也不是没有想过，虽然只是胡乱猜测。听你的口气，对于那个人是谁已有头绪了？”

“嗯，”今枝点点头，“不错。”

“谁？我认识吗？啊，如果不方便，不说也没关系。”

“不会不方便，方不方便是在于你。”今枝喝了杯里的水，直视筱冢，“就是你。”

“什么？”

“我想她真正喜欢的不是令堂兄，而是你。”

筱冢像是听到什么胡言乱语般皱起眉头，肩膀抖动了一下，轻声笑了，还轻轻摇了摇头。“别开玩笑。”

“虽然不能跟你比，但我也很忙，不会把时间浪费在无聊的笑话上。”

今枝的语气令筱冢也严肃起来。其实，他应该也不是真以为侦探突然开起这种不识相的玩笑。只是太过突兀，他不知如何反应。

“你为什么会这么想？”筱冢问道。

“如果我说是直觉，你会笑吗？”

“笑倒不会，但也不信，只是姑且一听。”

“我想也是。”

“真是你的直觉吗？”

“不，我有根据。一个就是那只表，唐泽雪穗小姐很清楚地记得手表的主人。你戴这只表的时间短得连你自己都不记得，但她只看了一眼便至今不忘。这难道不是因为对表的主人怀有特别的感情？”

“所以我说，这是她的职业使然啊。”

“你在她面前戴这只表的时候，她应该还不是精品店的老板。”

“这个……”说完两个字，筱冢没有再接下去。

“还有，我去精品店时，被问到介绍人，我便回答筱冢先生，她首先就说出你的名字。照理说,她应该会提到令堂兄筱冢康晴才对吧?因为康晴先生年纪比你大，在公司里的职位也比你高，而且最近经常造访那家店。”

“只是巧合吧，她应该是不好意思，才没提起康晴的名字。再怎么说，我堂兄都是向她求婚的人哪。”

“她可不是那种类型的女子，她做生意很精明。很抱歉，请问你到她店里去过几次？”

“两次……吧？”

“最后一次去是什么时候？”

今枝的问题让筱冢陷入沉默。今枝又问：“超过一年了吧？”筱冢微微点头。

“现在在她店里提到筱冢先生，应该是大主顾筱冢康晴先生才对。如果她对你没有特殊感情，在那种场合不可能会提起你的名字。”

“这实在太……”筱冢苦笑。

今枝也笑了。“太牵强？”

“我是这么认为。”

今枝伸手拿起咖啡，喝了一口，背往后靠，忽又叹了口气，再度像刚才那样挺起上身。“你说过，你和唐泽小姐是大学时代认识的？”

“是，因为社交舞社的关系。”

“请你回想当时的情况，有没有令人起疑的地方？也就是可以解释为她对你有好感的细节。”

提起社交舞社的话题，筱冢似乎想起了什么，他的脸色变得有些难看。“你还是去找她了？”他眨了眨眼才说，“川岛江利子。”

“去了。但你不必担心，我完全没有提起你，没有丝毫令人起疑的举止。”

筱冢叹了口气，轻轻摇了摇头。“她好吗？”

“很好。两年前结婚了，对方是电气工程公司的总务人员。据说是相亲结婚的。”

“那就好。”筱冢微一颔首，然后抬起头来，“她说了什么？”

“高宫先生可能不是唐泽雪穗最中意的人——这是川岛小姐的看法。换句话说，她最爱的另有其人。”

“那个人就是我？真是太可笑了。”筱冢笑着在面前挥动手掌。

“但是，”今枝说，“川岛小姐似乎是这么认为的。”

“怎么可能？”筱冢的笑容登时消失了，“她这么说的？”

“不，是我根据她的样子感觉到的。”

“光凭感觉来判断是很危险的。”

“这我知道，所以并没有写在报告里。但我确信是如此。”

高宫不是唐泽雪穗最爱的人——今枝还记得川岛江利子说出这句话时的表情。很显然，她感到无比后悔，有所畏惧。今枝与她面对面，发现了她畏惧的原因。她害怕的是“那么，唐泽雪穗最爱的人是谁”这个问题。想到这里，好几片拼图似乎组合起来了。

筱冢呼出一口气，抓住盛着咖啡的玻璃杯，一口气喝掉一半。冰块在杯中晃动，发出清脆的声响。“你叫我想，我想不出任何迹象。她从没向我告白过，生日或圣诞节也没送过我礼物。勉强算得上的，就只有情人节的巧克力吧。可全体男社员人人有份。”

“也许只有你的巧克力里有特别的含意。”

“没有，绝对没有。”筱冢摇头。

今枝伸出手指探进万宝路烟盒，还剩最后一根。他衔起烟，用一次性打火机点燃，用左手捏扁空盒。“还有一点，我也没有写进报告。她初中时代发生的事情当中，有一件让我特别注意。”

“什么？”

“强暴案。不对，有没有发生强暴并不确定。”

今枝把雪穗同年级的学生遇袭，由雪穗与川岛江利子发现，被害人原本对雪穗怀有敌意等事一一说来。筱冢的表情不出所料地微微僵住了。“这件案子有什么疑点？”他问，声音也生硬起来。

“你不认为很像吗，和你大学时代经历的那件事？”

“像又怎样？”筱冢的语气明显表现出不快。

“那个案子最后让唐泽雪穗成功地怀柔了她的对手。学会这招后，为赶走情敌，她让同样的戏码上演——这种可能性是存在的。”

筱冢盯着今枝，他的眼神可以用恶狠狠来形容。“这种事就算是假想，也不怎么令人愉快。川岛小姐可是她的好友！”

“川岛小姐是这么认为，但唐泽雪穗究竟是否也这么想，就不得而知了。我甚至怀疑初中时代的那件事也是她设计的。这样想，一切就都解释得通——”

筱冢张开右手手掌阻止今枝：“别再说了，我只想要事实。”

今枝点点头：“知道了。”

“我等你下一份报告。”

筱冢站起来，要拿放在桌边的账单，今枝却抢先一步按住。“如果我发现了证据，能够证明刚才所言不是假想，而是事实，你有勇气告诉令堂兄吗？”

筱冢用另一只手推开今枝的手，拿起账单。这一连串动作十分缓慢。“当然，如果是事实。”

“我明白。”

“那么，我等你下一份报告，查有实据的报告。”筱冢拿着账单迈开脚步。

2

菅原绘里打来电话，是在今枝与筱冢在银座碰面两天后的晚上。今枝因为另一份委托，在涩谷监视一家宾馆直到晚上十一点多，回到家里已超过十二点。他脱去衣服，正想冲个澡，电话响了。

绘里说，有点不对劲，才打电话过来。听她的语气，并不是开玩笑。

“电话录音里有好几个无声来电，害我心里毛毛的。不是今枝先生打的吧？”

“我对打那种电话没兴趣，会不会是居酒屋哪个花钱捧你场的客人？”

“才没有那样的人呢，而且，我从不把电话号码告诉客人。”

“号码随便就查得到。”例如打开信箱，偷看电信局寄来的电话账单，今枝不禁想起自己惯用的手段。说出来只会让绘里更害怕，他便没有说。

“还有一件事也让我觉得奇怪。”

“什么事？”

“可能是我太多心了。”绘里放低音量说，“我总觉得好像有人进过我房间。”

“什么？”

“刚才我下班回来，一开门就有这种感觉，就是怪怪的。”

“有什么具体的异常情况让你这么觉得？”

“嗯。首先，凉鞋倒了。”

“凉鞋？”

“一双跟很高的凉鞋，我放在玄关，有一只倒了。我最讨厌鞋子倒了，不管多急着出门，都一定会把鞋子放好。”

“它却倒了？”

“嗯，电话也是。”

“电话怎么了？”

“放的角度变了。我习惯斜斜地摆在架子上，这样我坐着左手就可以拿到听筒。可是不知道为什么，现在电话和架子是平行的。”

“不是你自己弄的？”

“不是，我不记得这样放过。”

今枝脑海里立刻浮出一个想法，但他没有告诉绘里，只说：“知道了。绘里，你听清楚，我现在就过去，可以吗？”

“今枝先生要过来？呃……是可以啦。”

“你不必担心，我不会变成大野狼。还有，在我到之前，千万不要用电话。知道了吗？”

“知道了……可这究竟是怎么回事？”

“我到了再解释。我会敲门，但你一定要确认是我才开门，明白吗？”

“嗯，好的。”绘里回答，声音显得比刚通上电话时更加不安。

今枝一挂掉电话就穿上衣服，迅速将几样工具放进运动背包，穿上运动鞋，走出房间。外面下着小雨。一时间他想回去拿伞，但随即决定跑过去，从这里到绘里的公寓只有几百米。

公寓所在的巷子位于公交车行经的大路后面，对着收费停车场，外墙已经有了裂缝。今枝跑上公寓的户外梯，敲了二〇五室的门。门开了，露出绘里担忧的脸。

“怎么回事？”她皱着眉头。

“我也不知道，但愿只是你神经过敏。”

“才不是。”绘里摇摇头，“挂掉电话后，我心里更毛了，觉得这里简直不像我住的地方。”

这的确是神经过敏。尽管这么想，今枝却默默点头，从门缝里钻了进去。

玄关摆着三双鞋：一双运动鞋，一双便鞋，一双凉鞋。凉鞋的跟果然很高。这种高度，稍微一碰就会倒。

今枝脱鞋进屋。绘里的住处是套房，只有一个小小的流理台，没有厨房和客厅。即使如此，她还是在中间挂上布帘，免得整个房间在门口就一览无余。布帘后面摆了床、电视和桌子，老旧的空调可能是她搬进来时就有，噪音虽大，吹出来的好歹是冷风。

“电话呢？”

“那里。”绘里指着床铺旁边。那里有个小架子，架子上方几乎呈正方形，上面放着一部白色电话。不是最近流行的无线电话，想来是因为这个小房间用不着。

今枝从背包里取出一个黑色四方形装置，上面装了天线，表面上有好几个小小的马表和开关类的东西。

“那是什么？无线电？”绘里问。

“不，一个小玩具。”今枝打开电源，接着转动调整频率的旋钮。不久，马表在一百兆赫附近出现了变化，显示感应的灯开始闪烁。他保持这种状态，有时靠近电话，有时拿远些，马表的反应始终没变。

今枝关掉装置的开关，拿起电话查看底部，然后从背包中取出一组螺丝起子。他拿起十字起子，拧开卡住电话外壳的十字螺丝。果然不出所料，松开螺丝并不费力，因为有人拆过了。

“你在做什么？要把电话弄坏？”

“不，是修理。”

“咦？”

取下所有螺丝后，今枝小心地拆下电话底座，露出电子零件罗列的底盘。他立刻注意到一个用胶带固定的小盒子，便伸出手指夹出。

“那是什么？拿掉没关系吗？”

今枝没有回答，用螺丝起子撬开盒盖，里面有纽扣式汞电池。他挖出电池。

“好，这样就没事了。”

“那到底是什么？告诉我啊！”绘里吵闹着。

“没什么大不了，是窃听器。”今枝边说边把电话外壳复原。

“什么！”绘里惊讶得眼珠子几乎掉下来，拿起拆下的盒子，“不得了了！干吗在我房间装窃听器？”

“我还想问你呢，你是不是被什么男人纠缠上了？”

“我都说没有了。”

今枝再度打开窃听装置侦测器的开关，一边改变频率，一边在室内走动。这次马表没有任何反应。“看来没有慎重到装两三道。”今枝关掉开关，把侦测器和整组螺丝起子收进背包。

“你怎么知道有人装了窃听器？”

“先给我来点喝的，跑来跑去的，真热。”

“啊，好好好。”

绘里从约半人高的小冰箱里拿出两罐啤酒，一罐放在桌上，一罐拉开拉环。今枝盘腿坐在地上，喝了一口。放松的同时，汗水也从全身上下冒了出来。“简单地说，就是来自经验的直觉。”他说，“发现有人进屋的迹象，电话被动过，这么一来，怀疑有人对电话动过手脚不是很合理吗？”

“啊，对，还挺简单的嘛。”

“听你这么说，倒是很想告诉你并没有那么简单，不过算了。”他又喝了一口啤酒，用手背擦擦嘴角，“你真不知道什么可疑人物？”

“不知道，完全没有。”绘里坐在床上，用力点头。

“这么说，目标果然是……我了。”

“目标是今枝先生？怎么说？”

“你不是说电话留言里有很多无声电话吗？你觉得很不放心，打电话给我。但是，这可能中了计。也就是说，窃听者的目的是要你打电话。发现留言里有无声电话，会先问可能打来的人，这是人之常情。”

“要我打电话干吗？”

“好掌握你的人际关系。像是你的好朋友是谁，万一有事的时候，你会依靠谁。”

“知道这些半点好处都没有啊，想知道，直接来问我不就得了，根本不必装什么窃听器。”

“他想知道，却不想被你发现。好了，把我们刚才说过的话整理一下：窃听者想知道某个人的名字和身份，但只有你这条线索。窃听者大概只知道那个人和你很亲近。”今枝把啤酒喝光，用手心压扁空罐，“对此你想到什么？”

绘里左手拿着啤酒罐，低头啃着右手拇指的指甲。“上次那家南青山的精品店？”

“聪明。”今枝点点头，“那时你在店里留下了联系方式，我却什么都没留。想知道我是谁，只能从你身上下手。”

“这么说，是那家店的人想调查今枝先生？为什么？”

“这个嘛，原因很多。”今枝意味深长地笑了，“大人的事。”

手表那件事，今枝一直无法释怀。唐泽雪穗显然看穿了那只表是筱冢的。有人不惜去借贵重的手表佩戴也要到她店里来，她自会疑心这个人是何方神圣，于是雇用今枝的同行，从菅原绘里这条线索展开调查——这极有可能。今枝回想刚才在电话里与绘里的对答。她称他为“今枝先生”。装了窃听器的人迟早会查出，这户公寓附近有一家侦探事务所由一个名叫今枝直巳的人经营。

“可我没有写正确的住址啊。明明假扮有钱人家的小姐，住址却是山本公寓，不就露出马脚了吗？而且我连电话号码也故意写错。”

“真的？”

“是啊，人家好歹也能当侦探的助手，多少会动脑的。”

今枝回想起在唐泽雪穗精品店的那段时间，是不是哪里有陷阱？

“那天你带钱包了吗？”今枝问。

“带了。”

“放在包里？”

“嗯。”

“那时你不停地换衣服，那段时间你把包放在哪里？”

“嗯……我想应该是更衣室。”

“一直放在那里？”

“嗯。”绘里点头回答，表情变得有点不安。

“那个钱包给我看一下。”今枝伸出左手。

“啊？里面又没有多少钱。”

“钱不重要，我要看的是钱以外的东西。”

绘里打开挂在床铺一角的侧背式包，拿出一个黑色钱包，形状细细长长的，上面有古驰的标志。

“你也有高档货嘛。”

“店长送的。”

“那个小胡子店长？”

“嗯。”

“哦，真是大头啊。”今枝打开钱包，查看其中的卡片。驾照和百货公司、美容院的卡放在一起。他抽出驾照，上面的住址写的是这里。

“咦！你是说，她们偷看我的东西？”绘里很惊讶。

“我是说也许，概率在百分之六十以上。”

“真过分！平常人会做这种事吗？那是什么意思？她们从一开始就怀疑我们？”

“没错。”从看到手表的那一刻起，唐泽雪穗便起疑了，暗中查看别人的钱包对她而言也许不算什么。今枝脑海里浮现出那双猫眼。

“可既然这样，我们离开那家店前，她们干吗要我留姓名住址啊？还说什么要寄邀请函给我。”

“大概是为了确认。”

“什么？”

“确认你会不会写下真实的姓名住址，结果没有。”

绘里很过意不去地点点头。“我故意把区码写错。”

“这样她就确定我们不是去买衣服的。”

“对不起，我不应该做那种小动作。”

“没关系，反正我们早就被怀疑了。”今枝站起来，拿起背包，“要小心门户，我想你也知道，在行家手里，这种公寓的锁有跟没有一样。你在房间里时，一定要记得扣上链条。”

“嗯，我知道了。”

“那我走了。”今枝把脚伸进运动鞋。

“今枝先生，你不会有事吧？会不会有人来要你的命？”

绘里的话让今枝笑出了声。“说得跟007一样。不用担心，顶多是一脸凶相的杀手来找我。”

“啊！”绘里的脸沉了下来。

“我走了，晚安。门要锁好啊。”今枝走出房间，带上门。他没有立刻离开，而是确信听到上锁和扣链条的声音后，才迈开脚步。

好了，会有什么样的人找上门来呢？

今枝抬头仰望天空，小雨仍下个不停。

3

翌日，小雨转为持续的阴雨，气温也因此下降了一些，使得这天早晨在持续酷热的八月里感觉分外舒适。

今枝早上九点多起床，穿着T恤和牛仔裤离开住处，撑起伞骨弯了一截的雨伞，进入大楼对面一家叫“波丽露”的咖啡馆。木门上挂着一个小小的铃，每当门开关时，便会发出清脆悦耳的声响。每天在这里吃早餐、看体育娱乐报纸已是今枝的习惯。

这家店很小，只有四张桌子和吧台。其中两张桌子有人，吧台也坐了一个客人。秃头老板在吧台内向今枝点头。今枝犹豫了一会儿，然后在最里面的桌位就座。他估计这个时间应该没什么客人了。要是位子真的不够，到时候再移到吧台就好。

今枝没有点餐。静静地坐上几分钟，老板就会送上夹着粗大香肠的热狗和咖啡，热狗里还夹着炒卷心菜丝。就在他身旁的报刊架上放了好几份报纸。吧台的客人在看运动娱乐报，只剩下一般报纸和财经日报。今枝无奈地抽出《朝日新闻》。店里也有《读卖新闻》，但那他也订了。他正准备打开报纸，忽然传来叮叮当当的声响。他条件反射般朝门口看，一个男子走了进来。

男子看来将近六十岁，小平头上已见白发。体格很健壮，穿着白衬衫的胸膛很厚实，短袖里露出的手臂也很粗。身高在一百七十厘米以上，姿态如古代武士般挺拔。

然而，最吸引今枝注意的并不是他的外表，而是他一踏进店里，锐利的目光便朝今枝射来，仿佛他在走进之前，就已知道今枝坐在那里。其实这只是一眨眼间的事，男子立刻把视线转移到其他方向，人也移动起来。他在吧台边坐下。

“我要咖啡。”男子对老板说。

听到他说话，视线已经回到报纸上的今枝又抬起头来。男子带着关西口音，他感到有些意外。正在这时，男子又朝今枝望来。一瞬间，两人的眼神对上了。男子的眼里并没有威吓的意味，似乎也不带恶意。那是一双看尽人性丑恶的眼睛，一种堪称真正冷静清澈的光静静地栖息其中。今枝感觉到背上泛过一股凉意。

两人目光交会的时间其实非常短暂，可能不到一秒。不约而同地移开视线数秒后，今枝看着报纸社会版的标题，一则大型拖车在高速公路上肇事的报道。但是，他无法忽略那男子。他究竟是何方神圣？这样的思绪如撇不清的丝絮棉屑般，紧黏着意识不放。

老板送来热狗加咖啡的套餐。今枝在热狗上加了大量番茄酱和芥末酱，大口咬下。他喜欢门牙刺破肠衣的感觉。

吃热狗时，今枝刻意不去看那男子。他觉得若是看了，两人的视线不免再度交会。把最后一口热狗塞进嘴里，他一边端起咖啡杯，一边偷瞄男子。男子正好转动脑袋，面向前方准备喝咖啡。

刚才他一直看着我——这是今枝的直觉。

今枝喝完咖啡，站起来，手伸进牛仔裤口袋，掏出千元钞放在柜台上。老板默默地找回四百五十元。

这段期间，男子的姿势几乎没变，背脊挺得笔直地喝着咖啡，有如机器设定一般，节奏相同，动作也相同，看也不看今枝。

今枝走出店门，伞也不撑便跑过马路，疾奔上楼。进屋前往下看了看波丽露，那上了年纪的男子并没有出来。

今枝打开钢架上的迷你音响开关。惠特妮·休斯敦的CD一直放在唱盘里。不一会儿，架在墙上的两个喇叭便传出极具穿透力的歌声。

他脱掉T恤，准备淋浴。昨晚从绘里那里回来后，他径直睡了，头发油腻腻的。他刚拉下牛仔裤的拉链，玄关的门铃就响了。

平常听惯的铃声今天听来却别有意味。今枝没有接起对讲机，铃声又响了。他拉起拉链，穿上T恤，一边在心里嘀咕着究竟什么时候才能冲澡，一边走到玄关开门。

那个男子站在门外。

若是平常，这样的场面应该令人惊讶，但今枝几乎不为所动。从听到第一声门铃，他便有预感。男子看到今枝，露出浅浅的笑容。他左手持伞，右手拿着收费员常用的黑色手包。

“有什么事？”今枝问。

“你是今枝先生吧？”男子说，果然是关西口音，“今枝直巳先生……没错吧？”

“是我。”

“有点事情想请教，可以耽误你一点时间吗？”发自丹田般低沉的声音响起，以眉间为中心，有如雕刻而成的皱纹布满整张脸庞。今枝注意到，其中有一道是刀刃留下的疤痕。

“抱歉，请问你是哪位？”

“敝姓笹垣，从大阪来。”

“真是远道而来。不过很抱歉，我接下来有工作，得立刻出门。”

“不会花你多少时间，只请你回答两三个问题就好。”

“麻烦你改天再来，我真的赶时间。”

“赶时间还在咖啡馆看报纸看得那么悠游啊。”男子的嘴角向上弯。

“我要怎么使用我的时间跟你无关，请你回去。”今枝想关门。男子将手上的雨伞插进门缝。

“热爱工作是很好，不过我这边也是工作。”男子把手伸进灰色长裤的口袋，掏出一本黑色手册，上面印着“大阪府”的字样。

今枝呼出一口气，拉门把的力道减轻了。“既然是警察，一开始明说不就得了？”

“有些人不喜欢警察在门口表明身份——可以请教你几件事吗？”

“请进。”

今枝让男子坐在为委托人准备的椅子上，自己也就座。那把椅子稍低一些。光是这么一点把戏，便足以让他在洽谈时处于有利位置。但是看着眼前这张满是皱纹的脸，今枝想，这个把戏对他大概不管用。

今枝要求对方出示名片，男子却称没有。这肯定是谎言，但今枝不想为了这点小事和他争论，便要求再看一次警察手册。“我应该有这个权利吧，你又不能证明你真的是警察。”

“你当然有这个权利，爱怎么看就怎么看吧。”男子打开手册，翻到身份证明那一页。名叫笹垣润三，照片上的脸稍瘦一些，但看来是同一个人。

“这样你相信了？”笹垣收起手册，“我现在在西布施警局，刑事科一组。”

“一组？这么说，是调查凶杀案了？”真令人意外。这一点今枝倒没想到。

“是。”

“怎么了？我没听说身边发生了凶杀案。”

“当然，命案也有很多种。有些会被当作话题，有些则无人问津。但不管怎样，都是命案。”

“是谁？什么时候？在哪里被杀？”

笹垣笑了，脸上的皱纹形成复杂的图案。“今枝先生，可以请你先回答问题吗？等你回答后，我会礼尚往来的。”

今枝看着他。来自大阪的老刑警在椅子上微微摇晃着身体，表情却丝毫没有动摇。

“好吧，你先问。要问些什么？”

笹垣把伞立在身前，双手放在伞柄上。“今枝先生，大约两个星期前，你去了大阪，在生野区大江那一带徘徊，是不是？”

今枝有突然被击中要害的感觉。自从听到对方是大阪府的警察，他就想起去过大阪的事。同时，他也想起当时曾在布施车站搭车。

“怎么样啊？”笹垣又问了一次，但他脸上却一副知道答案的表情。

“是，”今枝只好承认，“你还真清楚。”

“那一带啊，连哪只野猫怀孕我都知道。”笹垣咧开嘴笑了，没发出笑声，却发出漏气般奇特的嘶嘶声。他先把嘴闭起，又开口说：“你去做什么？”

今枝脑筋快速转动，回答：“工作。”

“哦，工作。什么样的工作？”

这次换今枝露出笑容了，他想稍示从容。“笹垣先生，你明知故问。”

“你的工作好像很有趣啊。”笹垣望着摆满档案的钢架，“我朋友也在大阪做这行，不过，赚不赚钱我就不知道了。”

“我就是为了这份工作到大阪去的。”

“到大阪调查唐泽雪穗就是你的工作？”

今枝明白了，他果然是从这条线追查过来的。思考着他是如何查出自己，不禁想起昨天的窃听事件。

“要是你能告诉我，为什么要调查唐泽雪穗出生、成长的环境，那真是求之不得。”笹垣用他的三白眼看着今枝，语调黏稠得似乎字字句句紧紧纠缠在一起。

“笹垣先生，既然你的朋友也从事这份工作，你应该明白，我们不能透露委托人的姓名。”

"你是说，你受托调查唐泽雪穗？"

"是。"今枝一边回答，一边思考这位警察连名带姓称呼唐泽雪穗的原因。是因为特别亲近，还是来自警察的职业习惯？或者是……

"与婚事有关？"笹垣突然问。

"啊？"

"听说有人想向唐泽雪穗提亲。作为男方的家人，得知他要娶一个似乎在从事投机事业的女人，当然会仔细调查她的身家。"

"你在说什么？"

"就是婚事啊。"笹垣嘴边露出令人不舒服的笑容，看着今枝。他的视线往办公桌上移动。"可以抽烟吗？"他指着烟灰缸问。

"请。"今枝回答。

笹垣从衬衫胸前口袋拿出已被压扁的Hilite烟盒。抽出来的香烟有点弯曲。他衔着烟，用火柴点了火。那火柴看来是从波丽露拿的。

仿佛要表示自己时间充足，警察缓缓地抽着，吐出来的烟摇晃着上升，在空气中散去。

他显然是要给今枝考虑的时间。自己先出几张牌，看对方如何反应，这种做法可能是他的拿手好戏。故意在咖啡馆现身，暗示"你一直在我的监视之下"，也是要让自己手里的牌显得更强势的手法。刑警毫无表情地看着烟的去向，那双眼睛似乎隐藏了无尽的狡猾算计。

今枝极想知道那些牌的内容，为什么负责凶杀案的刑警会追查唐泽雪穗？不，"追查"这个说法并不准确，这名男子一定握有关于唐泽现状的大量资料。

"我也知道有人和唐泽小姐论及婚嫁。"今枝考虑后回答，"但是，如果你问我这件事与我的调查有没有关系，我既不能回答有，也不能回答没有。"

笹垣夹着烟点头，表情显得很满意。他慢慢把烟在烟灰缸里摁熄。

“今枝先生，你记得马里奥吗？”

“什么？”

“超级马里奥兄弟，小朋友的玩意儿。不过，听说最近连大人都很着迷。”

“电视游戏机那个啊，我当然记得。”

“几年前真是疯狂啊，玩具店前面还有人大排长龙呢。”

“是啊。”今枝疑惑地附和，不知道警察说这些话到底有什么目的。

“在大阪，有个人想卖那个游戏的假货，东西已经做好，只等出货销售，却在最后阶段被警方查出。假货被扣押，人却没了，失踪了。”

“逃走了？”

“那时警方是这么想的。不对，现在也是。还在通缉他。”笹垣打开手包，拿出一张折起的传单类的纸，展开给今枝看。在“若发现此人”这几个熟悉的字眼下，是一个头发全往后梳的男子，看来年约五十，叫松浦勇。“我还是问问好了，你见过这个人吗？”

“没有。”

“我想也是。”笹垣把纸折起来，收进手包。

“你在追查那个姓松浦的人？”

“也可以这么说。”

“什么？”今枝再次看着笹垣。来自大阪的刑警嘴角别有意味地撇了撇。

一瞬间，今枝恍然大悟。一个办凶杀案的刑警不可能单单追查一个游戏软件盗版嫌疑犯。笹垣认为松浦被杀了，他在找松浦的尸体，以及杀松浦的凶手。

“那人和唐泽雪穗小姐有关系吗？”今枝问。

“也许没有直接的关系。”

“那为什么……”

“有个男人和松浦一起消失了，”笹垣说，“这人极可能参与了盗版制造。而他大概……”他好像为了选择用词，略微停顿才开口，“就在唐泽雪穗身边的某个地方。”

“身边的某个地方？”今枝跟着问，“什么意思？”

“就是字面上的意思，他应该是藏起来了。你知道枪虾吗？”警察又提出了一个用意不明的话题。

“不知道。”

“枪虾会挖洞，住在洞里。可有个家伙却要去住在它的洞里，那就是虾虎鱼。不过虾虎鱼也不白住，它会在洞口巡视，要是有外敌靠近，就摆动尾鳍通知洞里的枪虾。它们合作无间，这好像叫互利共生。”

“请等一下，”今枝微微伸出左手，“你是说，唐泽雪穗小姐有这样一个共生的人吗？”如果有，事情就不得了了，但今枝无法相信。截至目前的调查中，完全没有此人的任何蛛丝马迹。

笹垣露出得意的笑容。“这是我的想象，什么证据都没有。”

“可是，你一定是因为有什么根据，才会这么想象吧？”

“没什么说得上是根据的东西，只是老刑警的直觉，当然也有猜错的可能，实在不能当真。”

骗人，今枝想。他一定有什么确切的根据，否则绝不会单枪匹马来到东京。

笹垣再度打开手包，拿出一张照片。“你对这个人有印象吗？”

今枝伸手拿起他放在办公桌上的照片。里面的男子正对镜头，可能是驾照的照片。大约三十岁左右，下巴很尖。

今枝第一感觉是见过这张脸。他小心不让表情透露出半点迹象，在记忆中搜索。他善于记住别人的长相，也有信心一定想得起来。

当他凝视着照片时，雾突然散了。他清清楚楚地想起是在哪里见过照片里的男子。他的姓名、职业、住址，一切全都在瞬间显露出来。

与此同时，他差点惊呼出声，因为这实在太令人意外了。他很想表达诧异，但强行按捺住。“这人就是唐泽雪穗小姐的共生对象？”他以相同的声调问。

“这就难说了，你有印象吗？”

“好像有，又好像没有。”今枝把照片拿在手里，故意喃喃说着，“我要确认一下，可以到隔壁房间去一下吗？我想对比一下资料。”

“什么资料？”

“我会拿过来，请稍等。”今枝不等筱垣回答就站起来，匆匆走进隔壁房间，上了锁。

这里是他的卧室，也被当成暗房。若要冲洗黑白照片，在这里便能进行。他从排列在架上的摄影器材中拿起可近距离拍摄的拍立得。那是一台显像后必须把正负层剥离的撕开式相机。

今枝把照片放在地上，手拿相机，一边从取景窗查看，一边调整距离对焦。因为调整镜头更花时间。

在对好焦距的位置按下快门，闪光灯闪了一下。

他抽出底片，把相机归回原位，轻轻挥动底片，另一只手从书架上拿出一本厚厚的档案，为调查唐泽雪穗所拍的照片都已整理好，放在里面。他快速翻阅，确认给筱垣看是否妥当。他瞄了一下手表，确定时间已过了几十秒，便撕下底片的正层。翻拍非常成功，连原版照片细微的污渍都复制过来了。他把照片放进抽屉，拿着原版照片和档案离开房间。

“不好意思，花了一点时间。”今枝把档案放在办公桌上，“我以为见过，结果是我弄错了。很遗憾，我不知道他是谁。”

“这份档案是……”筱垣问。

“关于唐泽雪穗小姐的调查资料。不过，没什么大不了的照片。”

“可以借给我看吗？”

“请。不过我不能针对照片说明，还请见谅。”

筱垣一一仔细查看档案里的照片。有些拍的是唐泽雪穗娘家附近，有的是偷拍证券公司的承办营业员。

看完，筱垣抬起头来。“这些照片真有意思。”

“有帮得上忙的吗？”

“如果纯粹是调查结婚对象，还真是特别。比如，为什么连唐泽雪穗进出银行都要拍呢？我实在不懂。”

“这个就任你想象了。”

事实上，唐泽雪穗在那家银行租了保险箱，今枝是靠跟踪才查明这一点的。拍摄她进银行前后的样子，是为了观察她的穿着打扮有没有任何变化，比如若她出来时戴着原先没戴的项链，那就表明东西存放在保险箱里。这虽然是个笨法子，却也是调查财产的手法之一。

“今枝先生，你能答应我一件事吗？”

“什么？”

“往后你继续调查时，要是看到这个人……”说着，筱垣拿起刚才那张照片，“要是看到这张照片上的人，请务必通知我，越快越好。”

今枝的视线在照片与筱垣满是皱纹的脸上来回。“那么，请告诉我一件事。”他说。

“什么？”

“名字。请告诉我这人的名字，还有，他最后的住址。”

筱垣第一次露出犹豫之色：“如果你看到他，到时候他的资料你要多少都给你。”

“我现在就想要。”

筱垣注视了今枝数秒，点点头，从办公桌上撕下一张便条，用便条附带的圆珠笔写了些什么，放在今枝面前——“桐原亮司　大阪市中央区日本桥 2 － × － ×　MUGEN”。

“桐原亮司……MUGEN 是什么？”

“桐原以前经营的电脑店。”

“哦。”

筱垣又在一张纸上写了些什么，也放在今枝面前。上面写着“筱垣润三”和一串应该是电话号码的数字，大概是要他打这个号码。

“我打扰很久了，又在你正准备出门工作的时候，真是不好意思。”

“哪里。”今枝想，你明明看穿了我不准备工作。“对了，你怎么知道我在调查唐泽雪穗呢？”

筱垣微微一笑。“这种事到处走访一番就会知道。”

“到处走访？不是听收音机吗？”今枝做了转动旋钮的动作，意指窃听器的收讯机。

“收音机？你在说什么？”筱垣露出惊讶的表情。如果是演戏，他的演技也太逼真了。今枝认定他应该不是在装傻。

“没事，没事。”

筱垣将伞代替拐杖般拄着走向门口，在开门前回头。“你可能嫌我多事，不过，我有句话很想告诉委托你调查唐泽雪穗的人。”

“什么话？”

筱垣的嘴角扭曲。“最好不要娶那女人，她可不是普通的狐狸精。”

“嗯，”今枝点点头，“这我知道。”

筱垣也点点头，开门走出。

4

一群看似从某才艺教室下课的女人占据了两张桌子。今枝很想换地方，但他约的人应该已经离开了办公室，他只好选择距离她们最远的桌子。她们平均年龄四十岁左右，桌上除了饮料杯，还有三明治和意大利面的盘子。时间是下午一点半，本来看准了这个时段午休刚结束，咖啡馆应该很空，没想到却大为失算。才艺教室课程结束后，来这里边吃午饭边话家常，肯定是她们最大的乐趣。

今枝喝了两口咖啡，益田均便走进店里。他看起来比以前共事时略瘦一些，穿着短袖衬衫，打了深蓝色的领带，手上拿着一个牛皮纸袋。

益田很快就看到今枝，向他走近。"好久不见。"说着，在对面坐下，却对前来的女服务生说："不用了，我马上就走。"

"看来还是那么忙啊。"今枝说。

"是啊。"益田冷冷地说，心情显然不太好。他把牛皮纸袋放在桌上。"这样就行了吧？"

今枝拿起纸袋查看，里面是二十多张 A4 打印纸。他翻了一下，用力点头。东西他曾经看过，其中还有他亲笔写的文件的复印件。"行了。不好意思，麻烦你了。"

"我先把话说清楚，以后可别再要我帮你做这种事。把公司的资料给外人看意味着什么，你干了那么多年侦探，不可能不知道吧？"

"抱歉，只此一次，下不为例。"

益田站起来，但没有立刻走向出口，而是低头看着今枝问："你现在才想要这些东西，到底是怎么回事？找到悬案的新线索了？"

"没有，只是有点事想确认。"

"哦，随便吧。"益田迈开脚步。他不可能就此相信今枝的话，但似乎不想插手管工作以外的事情。

看着益田离开咖啡馆，今枝再次翻阅文件，三年前的那些日子立刻在脑海复苏。那时接受自称东西电装株式会社相关人士委托进行调查，此刻手上的文件便是当时调查报告的复印件。

当时调查受挫的最大原因，在于他们始终无法查出 Memorix 公司秋吉雄一这号人物的真实身份。无论是真名、经历，还是来自何方，他们都一无所知。然而，几天前，今枝却从出乎意料之处得知了秋吉的真实身份。笹垣出示的那张照片里的男子，桐原亮司，便是他曾经监视很久的秋吉雄一。绝对没错。不仅曾经营个人电脑专卖店的经历适用于秋吉，连桐原自大阪销声匿迹，也与秋吉进入 Memorix 的时间吻合。

一开始，今枝以为这纯属巧合。他认为若长期从事这份工作，过去追查某人的真实身份未果，数年后在另一件全然不同的调查中意外查明，这种状况也许的确有可能发生。然而，当他在脑中进行整理时，却发现这是一个天大的错觉。他越想越认为这并非巧合，东西电装委托的调查与这次的调查，追根究底其实是相通的。

他之所以会受筱冢之托对唐泽雪穗进行调查，是因为他在高尔夫球练习场上遇见了高宫诚。那么，他为何会到那家高尔夫球练习场去呢？那是因为三年前，他跟踪秋吉时曾经去过，他也是在那时知道高宫此人。高宫同秋吉跟踪的那位叫三泽千都留的女子相当亲密。而高宫诚当时的妻子，正是唐泽雪穗。

刑警笹垣把桐原亮司形容为与唐泽雪穗互利共生的对象。那位老刑警会这么说，一定有所根据。今枝假设桐原与唐泽雪穗实际上关系密切，回头重新审视三年前的调查，那么会得到什么结论？

非常简单，答案立刻显现。雪穗的丈夫任职于东西电装专利部，掌管公司技术信息，这意味着他能接触最高机密，公司自然会给他利用电脑查询机密数据的用户名与密码。只是这绝对不能让外人知道，想必高宫也遵守了这条规定。但是，对妻子又如何呢？他的妻子是否得知了他的用户名和密码？

三年前，今枝亟欲找出秋吉雄一与高宫诚间的关联，却一无所获。也难怪他们找不到，因为他们的目标本该是高宫雪穗才对。

由此，今枝又产生另一个疑问，那便是三泽千都留与高宫诚的关系。秋吉，也就是桐原，究竟为什么要监视千都留？

受雪穗之托调查她丈夫的外遇，这样推理不算离谱。然而，这个想法有太多不合理的地方。她为何要委托桐原？若要调查外遇，只要请个侦探就行了。而且，如果是调查高宫诚的外遇，应该监视高宫，但桐原监视的却是三泽千都留，这是因为他们已经确定她就是高宫的外遇对象了？既然如此，应该没有继续调查的必要。

今枝一边思考，一边看着益田给他的复印件。不久，他注意到一件令人不解的事。桐原首次跟踪三泽千都留来到老鹰高尔夫球练习场，是三年前的四月初。当时高宫诚并未出现在高尔夫球练习场。两周后，桐原再度前往球场。这时，高宫诚才第一次出现在今枝眼中，与三泽千都留亲密地交谈。

之后，桐原便再也不曾前往球场，但今枝却继续观察三泽千都留与高宫诚。只要追溯当时的记录，便能明显看出他们关系日渐亲密。到调查中止的八月上旬，他们已完全陷入外遇关系。但令人不解的便是此处。

明知他们的关系越来越深入，雪穗却没有采取任何措施。她对此不可能一无所知，她早应已从桐原处得知事情原委。

今枝把杯子端到嘴边，咖啡已经凉了。他想起不久前也喝过这种冷掉的咖啡，就是在银座的咖啡馆与筱冢碰面时。一瞬间，一个念头突然浮现在脑中。那是一个角度全然不同的设想——

如果是雪穗想和高宫分手呢？

这并非不可能。借用川岛江利子的话，从一开始，高宫应该就不是雪穗最爱的人。想与之分手的丈夫正好爱上其他女人。既然如此，就等这段关系发展成外遇吧。雪穗会不会是这么想的？

不，今枝在心里摇头，那女人不是那种听天由命的人。

如果三泽千都留与高宫相遇及其后的进展，都在雪穗的计划中呢？

不可能。但今枝立刻觉得，可能。唐泽雪穗这个女人有一种特质，让人无法以一句“不可能”便予以否定。

然而，这就形成一个疑问：人心能够如此轻易地操控吗？三泽千都留即使是世界第一美女，也不能保证每个人都会爱上她。不过，若是曾经心仪过的对象，自然另当别论。

今枝一走出咖啡馆，便寻找公用电话亭。他边看记事本边按号码，电话打到东西电装东京总公司，找高宫诚。等候片刻后，听筒里传来高宫的声音：“喂，我是高宫。”

“喂，我是今枝。不好意思，打扰你工作。”

“哦。”对方传来略带困惑的声音，可能是因为一般人都不太希望侦探打电话到工作地点。

“前几天真不好意思，你那么忙还去打扰。”他先针对先前询问唐泽雪穗买股票一事道歉，“其实，我还想向你请教一件事。”

“什么事？”

“我希望能面谈。”他实在不好意思在电话里说，想询问你与现任妻子认识的经过。“今晚或明晚，不知你有没有空？”

“明天没问题。”

“那明天我再打给你，好吗？”

“好。啊，对了，今枝先生，有件事我必须跟你说一声。”

“什么事？”

“其实，”他把音量放低，“几天前，有个警察来找我，是一位年纪相当大的大阪刑警。”

“然后呢？”

“他问我，最近有没有人向我问起前妻的事情，我就把你的名字告诉他了。这样是不是不太好？”

“啊，原来是这样……”

“给你造成麻烦了？”

“没有，这个嘛，没关系。请问，你也把我的职业告诉他了吗？”

“是啊。”高宫回答。

“我知道了。好，我心里有数。不耽误你的时间了。”说完，今枝挂了电话。

原来还有这条线，今枝纳闷自己怎么没想到。原来筱垣不费吹灰之力，便找到了我。那么，那个窃听器究竟是谁装的呢？

今枝当天很晚才回公寓。他为另一件工作四处奔波后，还光顾了菅原绘里工作的那家居酒屋，他很久没去了。

“后来我只要在家里，就一定上链条。”绘里还说感觉没人再次潜入她的住处。

公寓前停着一辆陌生的白色厢型车。今枝绕过那辆车，进入公寓，爬上楼梯。身体很重，连抬脚都觉得困难。来到房间前，掏口袋想开锁时，他看到走廊上有小推车和折起来的纸箱靠墙而立。纸箱很大，大概连洗衣机都放得下。他想，谁放的啊？但并没有放在心上。这栋公寓的居民没什么公德心，把垃圾袋直接放在走廊是家常便饭，况且连他自己也绝不是什么模范房客。他拿出钥匙圈，把钥匙插进锁孔，右转，听到咔嗒一声的同时，也传来锁开了的感触。

这时，他突然觉得不太对劲，钥匙似乎与平常不同。他想了一两秒钟，把门打开。他决定当作是自己神经过敏。

开了灯，环顾室内，并无异样。房间和平常一样冷清，和平常一样蒙了一层灰。为了去除男人的体臭，刻意调得略浓的芳香剂也和平常一样。他把东西放在椅子上，走向卫生间。他醉得正舒服，有点困，有点懒。

打开卫生间的灯时，他发现排气扇开着。他觉得奇怪，自己做了这么浪费的事吗?

打开门，马桶盖盖着，这也让他纳闷。他没有盖上马桶盖的习惯，平常连坐垫都不放下来。

关上门，他掀开马桶盖。

突然间，全身的警报器开始响起。他感到一种非比寻常的危险向自己袭来。他想盖上马桶盖，必须尽快离开……然而身体却动不了，也发不出声音。不要说出声，连呼吸都有困难，肺好像不再属于自己。

他的视野突然大大地晃动，转了好大一圈。他感到身体似乎撞到什么东西，却不觉疼痛，所有的感觉在瞬间全被夺走。他拼命想移动四肢，却连一根手指头都不听使唤。

似乎有人站在他身边，也许是他的错觉。

视野逐渐被黑暗包围。

第十二章

1

九月的雨比梅雨更没完没了。天气预报说入夜雨便会停，但如粉末般细微的雨幕仍包围着整条街道。

栗原典子走进西武池袋线练马站前的商店街，商店前的通道盖有天棚，从车站到公寓步行约十分钟。

途经电器行门前，面向通道放置的电视正播着恰克与飞鸟的《Say Yes》。听说这首歌是当红连续剧的主题曲，CD也跟着大卖。典子这才想起，同事提到今天好像是最后一集。她几乎不看电视剧。

一走出商店街，就没有东西遮雨了。典子取出蓝灰相间的格子手帕盖在头上，再度迈开脚步。再往前一点有一家便利店，她走进去，买了豆腐和葱。本来也想买透明雨伞，看了价钱便打消了念头。

她的公寓位于西武池袋线旁，两室一厅，月租八万元。一个人住是太大了点，但当初找房子时，她本打算和某人同住。事实上，那个男子也曾住过几次，但也仅止于此。那“几次”过后，她便形单影只，宽敞的房间变得多余。但她没有搬家的心力，便这么住了下来。

现在，她庆幸当初没有搬家。

旧公寓的外墙被雨打湿，变成泥土般的颜色。典子小心不让衣服被墙壁的雨水沾湿，爬上公寓的户外梯。这幢建筑的一、二楼各有四户，她住的是二楼最里面的那一户。开了锁，打开门。室内一片昏暗，一进门的厨房与里面的和室都没有开灯。

“我回来了。”她说着，打开厨房的灯。家里有人，看玄关脱鞋处就知道了。肮脏的运动鞋扔在那边，“他”就只有这双鞋。

除了里面那间和室，还有一间西式房间。她打开西式房间的门，这个房间也是暗的，但里面有个东西在发光，是放在窗边的电脑屏幕。“他”就盘坐在屏幕前。

“我回来了。”典子朝着男子的背影又说了一次。

男子正在键盘上输入的手停了下来。他转过身，看了一眼书架上的闹钟，再转头看她。“真慢啊。”

“被留下来了。你饿了吧？我现在马上做晚饭。今天也是汤豆腐，可以吗？”

“都行。”

“那你等一下哦。”

“典子。”男子叫住正准备到厨房的她，她回过头来。男子站起来，走近她，用手心抚触她的后颈。

“你淋湿了？”

“一点点，没关系。”

男子仿佛没有听见，手从她的脖子移到肩膀。透过针织布料，典子感觉到一股强大的握力。

就这样，她被紧紧抱住，无法动弹。男子吸吮她的耳垂，他熟知她的敏感部位。他粗野却又灵巧地操纵着嘴唇与舌头，典子感到背后有如一阵电流蹿过，使她几乎无法站立。“我……站不住了。”她喘息着说。

即使如此，男子依然不作答，用力支撑着想往地上坐的她。不久，他放松了手臂的力道，把她的身子转过去背向他。接着撩起她的裙子，把丝袜与内裤往下拉。褪到膝盖下方后，右脚一踩，一下子全部脱掉。

典子的腰被男子抱住，也无法蹲下。她身体向前弓，双手抓住门把。门的金属配件发出声响。他以左手箍住她的腰，就这样爱抚起她最敏感的部位。快感的脉动穿透了典子的中心，她把身体向后挺。

她感觉到男子匆匆脱下长裤与内裤，又热又硬的东西抵住了她。在承受压力的同时，传来一阵刺痛。她咬牙忍住，她知道男子喜欢这个姿势。

男子的部位完全进入体内后，疼痛依然没有消退。男子一开始动，疼痛登时加剧，然而，痛苦的巅峰到此为止。典子咬紧牙根后，快感便紧接而来。疼痛仿佛不曾出现般消失了。

男子拉起典子的针织衫，把胸罩向上扯开，双手揉捏乳房，以指尖逗弄乳头。典子听着他的气息，每当他吐气，脖子便感到一阵暖意。

不久，如雷鸣由远而近般，高潮的预感逐渐逼近。典子四肢绷紧，男子的律动更加激烈。他的动作与快感的周期在她的体内开始共鸣。接着，雷电贯穿了典子的中心。她发出声音，全身痉挛，失去了平衡感，一阵天旋地转。典子的手自门把松开。她再也站不住了，双腿猛烈颤抖。

男子将阴茎自典子的阴道抽离。典子跌坐在地板上，双手撑着地板，双肩上下起伏，喘着气，脑袋里阵阵耳鸣。

男子把内裤与长裤同时拉起。他的阴茎依旧昂然挺立，但他不予理会，拉上长裤的拉链。然后，宛如什么事都不曾发生过一般，回到电脑前，盘腿坐下，敲击键盘。从他手指的节奏里，感觉不出丝毫紊乱。

典子无力地撑起身子，穿好胸罩，拉下针织衫，然后右手抓住内裤和丝袜。

“我得去准备晚饭。”她扶着墙站起来。

男子叫秋吉雄一，只不过典子并不知道这是不是他的本名。既然他本人自称如此，她也只能相信。

典子是在今年五月中旬遇见秋吉的。那天天气微凉，她回到公寓附近时，看到一个人蹲在路旁。一个三十岁左右的瘦削男子，穿着黑色丹宁布长裤，上身是黑色皮夹克。

“你怎么了？”她边查看男子状况边问。男子面容扭曲，刘海覆盖的额头冒出黏湿的汗水，右手按着腹部，挥动左手，似乎在说没事。但是，他看起来一点都不像没事的样子。从他按住的腹部位置推测，似乎是胃痛。

“我帮你叫救护车吧。”

男子还是挥手，同时摇了摇头。

“你常常这样吗？”她问。

男子继续摇头。

她犹豫了一会儿，说句“你等一下”，便爬上公寓的楼梯，进了住处，用最大的马克杯装了热水瓶里的热水，加了一点冷水后，拿到男子身边。

“把这个喝下去。”她把马克杯端到男子面前，“不管怎么样，都要先把胃清干净。”

男子并没有伸手来接，反而说了一句令人意外的话。“有没有酒？”

“什么？”

“酒……最好是威士忌。直接灌下去就不疼了。从前有一次，我就是这样治好的。”

“别胡说八道了，那样会伤到胃的。你先喝了这个再说。”典子再次递过杯子。

男子皱着眉头注视马克杯，可能是认为喝下去总比束手待毙好，便不情愿地接过，喝了一口。

“全部喝下去，要洗胃。”

听典子这么说，男子露出反感的表情。但并没有抱怨，一口气喝光。

“觉得怎样？想吐吗？”

“有点。”

“那最好把胃里的东西吐出来。吐得出来吗？”

男子点点头，缓缓站起。他按着腹部，想绕到公寓后面。

“在这里吐就好。没关系，我已经习惯看别人吐了。”

他不可能没有听到典子的话，却默默地消失在公寓后方。有好一阵子，他都没有出来，只是不时发出呻吟。典子无法袖手离去，便等在原处。

男子终于出来了，表情看起来比先前轻松了几分。他在路旁的垃圾桶上坐下。

“怎么样？”典子问道。

“好一点了。”男子口气很冷。

“哦，那真是太好了。”

男子依然皱着眉头，坐在垃圾桶上跷起脚，手伸进夹克的内口袋，拿出一盒烟。他叼住一根，准备用一次性打火机点燃。

典子快步走近，一把抽走他嘴里的烟。男子手里还拿着打火机，惊愕地看着她。

“如果你爱惜自己的身体，最好不要抽烟。你知道吗？抽烟会让胃液比平常多分泌几十倍。饭后一根烟，快乐似神仙，就是这个原因。但是，空腹的时候抽烟，胃液会伤害胃壁，结果就变成胃溃疡。”

典子把抢来的烟折成两截，寻找丢弃的地方，却发现垃圾桶在男子的屁股底下。“站起来。”她要男子站起来，把烟扔进垃圾桶，接着朝男子伸出右手。“盒子给我。”

“盒子？”

“烟盒。”

男子露出苦笑，将手伸进内袋，拿出烟盒。典子接过来，扔进垃圾桶，盖上盖子，拍了拍手。“请，可以坐了。”

听典子这么说，男子再度坐上垃圾桶，稍感兴趣地看着她。

“你是医生？”他问。

“怎么可能？”她笑了，“不过也不大远。我是药剂师。”

“哦，”男子点点头，“难怪。”

“你家在这附近？”

“对。”

“你自己走得回去吗？”

“没问题。托你的福，已经不疼了。”男子站起身。

“要是有时间，最好去医院让医生看看，急性胃炎其实是很可怕的。”

“医院在哪里？”

“医院啊，这附近光之丘综合医院就不错……”

典子才讲到一半，男子便摇头：“我是说你上班的医院。”

“哦。”典子点点头，“帝都大学附属医院，在荻窪那边……”

“我知道了。”男子迈开脚步，却又停了下来，回头说，“谢谢你。”

“请多保重。”典子说。男子举起一只手算是招呼，再度前行，就这样消失在夜晚的街道中。

她并不认为会再次与他相逢。即使如此，从第二天起，就连在医院上班，她也无法控制地挂念着他。他该不会真的跑到医院来吧？心里这么想，不时到内科候诊室张望。递进药房的处方笺如果与胃病有关，而且患者是男性，她便会边配药，边在脑海里延伸出无限想象。

但是，男子并没有出现在医院里，而是再度出现在他们邂逅的地方，时间是一周之后。

那天，她晚上十一点多回到公寓。典子的工作有白、夜班之分，当时她轮值夜班。男子和上次一样，坐在垃圾桶上。因为天色很暗，典子没有认出他，准备装作没看见，赶紧走过。说实话，她觉得心里有点发毛。

“帝都大学附属医院可真会压榨员工。”男子对她说。

典子记得这个声音，看到是他，惊呼出声：“你怎么会在这里？”

“在等你，我想为上次的事道谢。”

“等我……你从什么时候开始等的？”

“不知道，”男子看看表，“我来的时候好像是六点。”

“六点？”典子睁大了眼睛，“你等了五个钟头？”

“因为上次遇到你是六点。”

“我上星期值白班。”

“白班？”

“我这个星期值夜班。”典子向他说明自己的工作有两种上班时间。

“好吧，既然见到了你，那都无所谓了。”男子站起来，“去吃个饭吧。”

“现在这附近没的吃了。”

“搭出租车，二十分钟就到新宿了。”

“我不想到太远的地方去，我累了。”

“哦，那就没办法了。”男子稍稍举起双手，“那就下次吧。那我走了。”说着，男子掉头迈开脚步。看着他的背影，典子有些着急。

“等等！”她叫住男子，对回过头来的他说，“那边应该还有。”她指着马路对面的一幢建筑。

那幢建筑上挂着“Denny’s”的招牌。

喝着啤酒，男子说他已经五年没进这种大众化平价西餐厅了。他面前摆着盛了香肠和炸鸡的盘子，典子点了和风套餐。

秋吉雄一，便是当时他报上来的名字，他的名片上也这么印着。那时，典子完全没有怀疑他会使用假名。名片上印着 Memorix 的公司名称，他说那是开发电脑软件的公司，典子自然没有听过。

“反正就是专门承包计算机方面的工作。”对于自己的公司与工作，秋吉只向典子作了以上说明。此后，他绝口不提这方面的话题。

相反，他却对典子工作的细节十分好奇，举凡工作形态、薪资、津贴和每天的工作内容等，都仔细询问。典子以为这些一定会让他觉得无聊透顶，但听她说话时，他的眼神却显得无比认真。

典子并不是没有与男性交往的经验，但过去约会时，她都主要在聆听。她本来就口齿笨拙，完全不知道说什么才能取悦对方。然而，秋吉却要她说话，而且不管她说什么，都显得极有兴趣。至少看起来如此。

“我再跟你联系。”分手之际，他这么说。

三天后秋吉打电话给她。这次，他们来到新宿。在咖啡吧里喝酒，典子又说了好多，因为他接二连三地发问，问她故乡的情形、成长经历、学生时代的事情等等。

“你老家在哪里？”典子发问。

他的回答是“没那种东西”，而且变得有点不快。于是，她便不再提这个话题。不过，从他的口音听得出他来自关西。

离开店后，秋吉送典子回公寓。越接近公寓，她内心越迷惘。应该若无其事地道别，还是该请他上去坐坐呢？该如何决定，秋吉给了她线索。走到公寓旁，他在自动售货机前停下脚步。

“你口渴啊？”她问。

“我想喝咖啡。”他把硬币投入机器，瞄了陈列的商品一眼，准备按下罐装咖啡的按钮。

“等等，”她说，“要喝咖啡，我冲给你喝。”

他的指尖停在按钮前，并没有特别惊讶的样子，只是点了点头，转动退币钮。硬币退回时发出清脆的声响，他一语不发地取回硬币。

进了门，秋吉在室内到处打量。典子冲着咖啡，一颗心七上八下。因为她怕他会发现“上一个”男人的痕迹。

他津津有味地喝着咖啡，称赞她房间整理得很干净。

“最近我很少打扫。”

“嗯，书架上的烟灰缸有一层灰，是因为这样吗？”

他的话让典子心头一震，抬头看那个烟灰缸。那是上一个男人用的东西，她不抽烟。

“那个……不是因为没有打扫。”

“哦。”

“两年前，我交过男朋友。”

“我不太想听这种告白。”

“啊……对不起。”

秋吉从椅子上站起，典子以为他要走了，也跟着起身。她刚站起来，他的手便伸过来。她还来不及发出声音，便被他紧紧抱住。

但她并没有抗拒。当他的嘴唇靠过来时，她放松了自己，闭上眼睛。

2

投影仪的灯光从下方斜照着讲解人的侧脸。讲解人是国际业务部的男职员，不到三十五岁，头衔是主任。

“……所以，在高脂血症治疗用药‘美巴隆’方面，已确定获得美国食品和药物管理局的制造许可。因此，正如各位手边的资料，我们正考虑在美国市场销售。”讲解人口气有点生硬地说着，挺直了背脊，眼睛扫视会议室，还舔了舔嘴唇。这一幕都被筱冢一成看在眼里。

筱冢药品东京总公司二〇一会议室正在举行会议，讨论新药品如何打开国际市场。与会者共有十七人，几乎都是营业总部的人，开发部长与生产技术部长也在其中。与会人士中，职位最高的是常务董事筱冢康晴。四十五岁的常务董事坐在排列成ㄇ形的会议桌中央，用足以穿透别人的眼神看着讲解人，咄咄逼人的气势似乎是想告诉大家，他一个字都不会错过。一成等人认为他有点太过卖力，但这也许是无可奈何的。公司的人背地里说他是靠父亲荫庇才坐上常务董事的位子，这一点他本人不可能不知道，而在这种场合打一个哈欠的危险性，想必他也十分清楚。

康晴慢条斯理地开口：“与‘史洛托迈亚公司’的对外授权签约日期，比上次会议报告提出的晚了两周。这是怎么回事？”他从资料里抬起头来，看着讲解人，金属框眼镜的镜片发出闪光。

“我们花了一点时间确认出口的形态。”回答的不是发表人，而是坐在前面的小个子男子，声音有点走调。

“不是要以粉末原料的形态出口吗？跟出口到欧洲一样。”

“是的，不过双方在如何处理粉末原料方面，看法有些不同。”

“我怎么没听说？相关报告呈给我了吗？”康晴打开档案。像他这样带档案来开会的董事很少，事实上，就一成所知，只有康晴一人。

小个子男子焦急地与邻座的人及讲解人低声交谈后，面向常务董事：“我们马上将相关资料呈上。”

“麻烦了，以最快速度送来。”康晴的视线回到档案上，“美巴隆这方面我了解了，但是抗生素和糖尿病治疗用药方面进展如何？在美国的上市申请手续应该完成了吧？”

这一点由讲解人作答：“抗生素‘瓦南’与糖尿病治疗用药‘古科斯’，两者目前都进行到人体试验阶段。下月初，报告便会送到。”

“嗯，最好尽可能加快速度。其他公司莫不积极开发新药，设法增加海外工业产权收入。”

“是。”包括讲解人在内有好几个人点头。

历经一个半小时的会议结束了。一成整理东西时，康晴走过来，在一成耳边说：“等一下可以到我办公室来一下吗？我有话跟你说。”

“啊……是。”一成小声回答。

康晴随即离开。虽然他们是堂兄弟，但双方的父亲严格规定他们不得在公司内私下交谈。

一成先回到他在企划管理室的座位，他的头衔是副室长。这个部门原本没有副室长这个职位，是专门为他设立的。截至去年，一成已经待过营业总部、会计部、人事部等部门。于各个部门历练后分派至企划管理室，是筱冢家男子的标准进程。就一成而言，比起目前监督各单位的这个职位，他宁愿与其他年轻职员一样从事实务方面的工作。事实上，他也曾向父亲叔伯表明过意愿。然而，进公司一年后，他明白既然继承了筱冢家的血统，那是不可能的。为了让复杂的系统顺利发挥功能，对于上司来说，手下不能是不好使唤的齿轮。

一成的办公桌旁设置了一个黑板式的公告栏，用来交代去处。他把栏内的二〇一会议室改成常务董事室后方才离开。

他敲了敲常务董事室的门，听到低沉的嗓音回答“进来”。一成打开门，康晴正坐在书桌前看书。

“哦，不好意思，还要你特地过来。”康晴抬头说。

“哪里。”说着，一成环顾室内。这是为了确认有没有其他人。说是常务董事室，但只有书桌、书架和简单的客用桌椅，绝对说不上宽敞。

康晴得意地笑了。“刚才，国际业务部的人很紧张吧。他们一定没想到，我竟然连授权签约的日期都记得。”

“一定是的。”

“这么重大的事竟然不向我这个主管报告，他们胆子也真大。”

“经过这件事，他们应该也知道不能不把常务董事放在眼里了。”

“但愿如此。不过，这都多亏了你。一成，谢了。”

“哪里，这不算什么。”一成苦笑着摇摇手。

授权签约日期更动一事，的确是一成告诉康晴的。一成是从隶属于国际业务部、同一时期进入公司的同事那里问出来的。像这样偶尔将各部门的小情报告诉康晴，也是他的工作之一。这不是什么愉快的工作，但现任社长、康晴的父亲要一成做年轻常务董事的得力助手。

“那么，请问有什么吩咐？”一成问。

康晴皱起眉头。“不是跟你说过，就我们两个人的时候，不要那么见外吗？再说，我要跟你说的也不是工作，是私事。”

一成有不好的预感，不由得握紧了右拳。

“好了，你先坐下。”康晴一边站起来，一边要一成在沙发上坐下。即使如此，一成还是等康晴在沙发上就座，方才坐下。

“其实，我是在看这个。”康晴把一本书放在茶几上，封面印着“婚丧喜庆入门”的字样。

“有什么喜事吗？”

“有就好了，不是，正好相反。”

“那是丧事了，哪一位亡故了？”

“不是，还没有，只是有可能。”

“是哪一位？如果方便告诉我……”

“如果你能保密，是没什么不方便的，是她母亲。”

“她？”明知用不着问，一成还是向康晴确认。

“雪穗小姐。”康晴有几分难为情，但语气很是明确。

果然，一成想，他一点都不意外。“她母亲哪里不舒服？”

“昨天，她跟我联系，说她母亲昏倒在大阪的家里。”

“倒在家里？”

“蛛网膜出血。她好像是昨天早上接到电话的。学茶道的学生去她家跟她母亲商量茶会的事，竟发现她母亲倒在院子里。”

一成知道唐泽雪穗的母亲在大阪独居。“这么说，现在人在医院？”

“好像马上就送过去了，雪穗小姐是在医院打电话给我的。”

“哦。那么，情况如何？”一成虽发问，却也知道这是个没有意义的问题。如果能顺利康复，康晴就不会看什么《婚丧喜庆入门》了。

果然，康晴轻轻摇头。“刚才我跟她联系，听说意识一直没有恢复，医生的说法也不怎么乐观。她在电话里说，可能很危险。很少听她说起话来这么柔弱。”

“她母亲今年高寿？”

“嗯，记得她以前提过大概七十了吧，你也知道她不是亲生女儿，年龄差距很大。”

一成点点头，这件事他知道。“那么，为什么是常务董事在看这个呢？”一成看着桌上的《婚丧喜庆入门》问。

“别叫我常务董事，至少在谈这件事的时候别这样叫。”康晴露出不胜其烦的表情。

“康晴哥应该不必为她母亲的葬礼操心吧？”

“你的意思是说，人都还没死，现在想到葬礼太性急了吗？”

一成摇摇头：“我的意思是，这不是康晴哥该做的事。”

“为什么？”

“我知道康晴哥向她求婚了，可她还没有答应，对吧？换句话说，在目前这个阶段，怎么说呢……”一成想着修辞，最后还是照原本想到的说了出来，“她还是与我们无关的外人。高高在上的筱冢药品常务董事为了这样一个人的母亲过世忙着张罗，这样会有问题。”

听到“无关的外人”这个说法，康晴整个人往后一仰，看着天花板，无声地笑了。然后他将笑脸转向一成。“听你这么一说，还真吓了我一跳。的确，她并没有给我肯定的答复，但也没有给我否定的答复。如果没有希望，她早就拒绝了。”

“如果有那个意思，早就已经答复了，我说的是正面的答复。”

康晴摇摇头，手也跟着挥动。“那是因为你还年轻，也没结过婚，才会这么想。我跟她一样，都结过婚。像我们这种人，如果有机会再次组织家庭，怎么可能不慎重？尤其是她，她跟她前夫并不是死别。”

“这我知道。”

“最好的证明就是，”康晴竖起食指，“自己的母亲病危，会通知一个无关的外人吗？我倒是认为，她在心酸难过的时候找上我，也算是一种答复。”

难怪刚才他心情这么好，一成这才恍然大悟。

“更何况，当朋友遇到困难时伸出援手，这也是人之常情吧。这不仅是一个社会人士的常识，也是做人的道理。”

“她遇到困难了吗？她是因为不知如何是好，才打电话给康晴哥吗？”

“当然，坚强的她并不是找我哭诉，也不是向我求助，只是说明一下情况。但是，不必想就知道她一定遇到了困难。你想，虽然大阪是她的故乡，但是她在那里已经没有亲人了。万一她母亲就这么走了，她不但伤心难过，还得准备葬礼，也许就连她这么能干的人，也会惊慌失措。”

“所谓的葬礼，”一成注视着堂兄，“包含准备阶段在内，整个程序安排会让逝者家属连悲伤难过的时间都没有。她只要拨一通电话给葬仪公司就行。只要一通电话，其他一切都由公司打理。她只须同意公司的建议，在文件上签名，把钱备妥就没事了。要是还有一点空闲时间，就朝着遗像掉掉眼泪，不是什么天大的事。”

康晴无法理解地皱起眉头。“你竟然能说得这么无情，雪穗小姐可是你大学的学妹啊。”

“她不是我学妹，只是在社交舞社一起练习过。”

“不必分得这么清楚。不管怎样，是你介绍我们认识的。”康晴盯着一成。

所以我后悔得不得了——一成想说这句话，却忍耐着不作声。

“反正，”康晴跷起脚，往沙发上靠，“这种事准备得太周到也不太好，不过我个人希望要是她母亲有什么万一，心里能有准备。只是，刚才你也说过，我有我的立场。就算她母亲过世了，我能不能立刻飞到大阪也是个问题。所以，”他指着一成，“到时候可能请你到大阪去一趟。那地方你熟，雪穗小姐看到熟人也比较安心。”

一成闻言皱起眉头。“康晴哥，拜托你放过我吧。”

“为什么？”

“这就叫公私不分，别人平常就在背地里说，筱冢一成是常务董事的私人秘书了。”

“辅佐董事也是企划管理室的工作。”康晴瞪着他。

“这件事跟公司没有关系吧？”

“有没有关系，事后再想就好。你应该想的就只有一件事：谁下的命令。”说完，康晴嘴边露出得意的笑容，盯着一成，“不是吗？”

一成叹了口气，很想问“就我们两个人的时候，不要叫我常务董事”这句话是谁说的。

一回到座位，一成便拿起听筒，另一只手打开办公桌抽屉，拿出记事本，翻开通讯簿的第一页，搜寻今枝，边确认号码边按键，听筒抵在耳边等待。铃声响了一声，两声。右手手指在办公桌上敲得笃笃作响。

铃声响了六次，电话通了，然而一成知道不会有人接，因为今枝的电话设定于铃响六声后启动答录功能。

果然，接下来听筒里传来的，不是今枝低沉的声音，而是以电脑合成、活像捏着鼻子说话的女人声音："您要找的人现在无法接听电话，请在哔声后，留下您的姓名、电话与联络事项。"一成在听到信号声前便挂上听筒。他忍不住咂了下嘴，声音可能不小，坐在他正前方的女同事脑袋颤了一下。

这是怎么回事？他想。

最后一次与今枝直巳见面是八月中旬，现在已经过了一个多月，却音讯全无。一成打过好几次电话，总是转为语音答录。一成留过两次话，希望今枝与他联络，但至今未接到回电。一成想过，今枝可能出门旅行了。若当真如此，这个侦探的工作态度也太随便了。从委托他开始，一成便要他与自己保持密切联系。或者，一成又想，或者他追唐泽雪穗追到大阪去了？这也不无可能，但没有同委托人联系毕竟不太对劲。

办公桌边缘一份文件映入眼帘，他顺手拿起，原来是两天前开会的会议记录传阅到了他这里。那场会议讨论的是开发一种自动组合物质之化学构造的计算机系统。一成对这项研究颇感兴趣，也出席了，但现在他只是机械地看过了事，心里想着完全无关的事：康晴，还有唐泽雪穗。

一成由衷地后悔带康晴到唐泽雪穗店里去。受高宫诚之托，他才想到店里看看，便以极轻松随意的心态邀康晴一同前往。他万万不该这么做。

康晴第一次见到雪穗时的情景，一成还记得一清二楚。当时康晴的样子实在不像是坠入情网，甚至显得老大不高兴。雪穗向他说话，他也只是爱理不理地应上几句。然而事后回想起来，那正是康晴心旌摇动时会有的反应。

当然，他能够找到心仪的女子，这件事本身是值得高兴的。他才四十五岁，没有理由带着两个孩子孤独地终老一生。一成认为如果有适合的对象，他理应再婚。然而，一成就是不喜欢他现在这个对象。

一成到底对唐泽雪穗的哪一点不满，其实自己也说不上来。就像今枝所言，她身边有些来路不明的金钱周转，的确令人感到不对劲。但是，仔细想想，这也可以说是欲加之罪，何患无辞。他只能说，大学时在社交舞练习场首次见面的印象，一直留在他心里。

一成认为，这件婚事能缓则缓。然而，要说服康晴，需要充分的理由，否则向他说多少次那女人很危险、不要娶她，他也不会当真。不，多半还会惹恼他。正因如此，一成对今枝的调查寄予厚望，甚至可以说，他把一切都寄托在揭露唐泽雪穗的真面目上。

刚才康晴托他的事重回脑海。如果有了万一，一成必须去一趟大阪，而且是去帮助唐泽雪穗。开什么玩笑，一成在心里嘀咕。他又想起今枝曾经对他说过的话："她喜欢的其实不是令堂兄，而是你……"

"开什么玩笑。"这次，他小声说了出来。

3

"我要出去两三天。"秋吉突然说。当时典子刚洗完澡，坐在梳妆台前。

"去哪里？"她问。

"收集资料。"

“跟我讲一下地点有什么关系？”

秋吉似乎有点犹豫，但还是一脸厌烦地回答：“大阪。”

“大阪？”

“明天就出发。”

“等等。”典子走过来，面对他坐下，“我也要去。”

“你不工作吗？”

“请假就好了，我从去年到现在一天假都没休。”

“我又不是去玩。”

“我知道，我不会妨碍你。你工作的时候，我就一个人在大阪四处看看。”

秋吉皱着眉头考虑了好一会儿，显然举棋不定。若是平常，典子态度不会这么强硬，但她一听目的地是大阪，便认为无论如何都要去，原因之一是她想看看他的故乡。他对自己的家世绝口不提，但典子由这些日子以来的对话，察觉他似乎是在大阪出生的。

然而，典子之所以想与他同行，还有一个更重大的理由。她的直觉告诉她，要了解他，那里一定有什么线索。

“我去那里没明确计划，也不知道行程会有什么改变，说得夸张一点，连什么时候回来都没决定。”

“那也没关系。”典子回答。

“随便你。”他似乎不想再多说了。

望着他面向电脑的背影，典子不安得几乎无法呼吸。她怕自己这个决定会造成无可挽回的后果。然而，一定要采取什么行动的想法更加强烈。再这样下去，他们的关系一定无法维持——同居才两个月，典子便饱受这种强迫性思考之苦。

两人住在一起的起因是秋吉离职。

她无法从他口中问出明确的理由，他只说是想休息一下。“我有存款，可以撑一阵子，以后的事以后再说。”

在他们的交往中，典子了解到这个男子这辈子恐怕从没依靠过别人。即使如此，他没有找她商量，仍让她感到失落，她由此才打定主意要尽力帮他，希望能成为他不可或缺的助力。

提议同居的是典子。秋吉起初似乎不怎么感兴趣，但一周后，他搬了进来，一套电脑器材和六个纸箱是他所有的行李。

于是，典子朝思暮想和爱人双宿双飞的同居生活开始了。早上醒来时，他就在身旁。但愿这样的幸福可以持续到永远。至于结婚，她并不强求。若说不想是骗人的，但她更怕提起这件事会让两人的关系发生变化。

然而，不祥的风不久便席卷而至。

当时，他们一如往常在薄薄的被榻上缠绵，典子二度迎向高潮，然后秋吉射精，这是他们做爱的模式。

秋吉从第一次就没有用保险套。他的做法是，在剧烈的抽动后从她的阴道里抽出阴茎，射在纸巾上。对此，她从来没有抱怨过。

她无法说明那时为何会发现，只能说是直觉。若一定要解释，勉强可以算是从他的表情察觉。

完事后，他往床上一躺，典子将手伸到他的双腿之间，想摸他的阴茎。

“别这样。”说着，他扭过身子，背向她。

“雄一，你……”典子撑起上半身，窥探他的侧脸。“你没有射出来吗？”他没有回答，表情也没有变，只是闭上了眼睛。典子离开被窝，伸手进垃圾桶，翻找他扔掉的纸巾。

“别这样。”耳边传来他冷冷的声音。典子一回头，他转过身朝向她：“少无聊了。”

“为什么？”她问。

他没有回答，抓抓脸颊，像是在闹脾气。

“从什么时候开始的？”

他仍未回答。

典子赫然惊觉。“从一开始……一直到现在都是这样？”

“这一点都不重要。”

“很重要！”她一丝不挂地在他面前坐下，“这是怎么回事？跟我就不行吗？跟我做爱一点快感都没有？”

“不是这样。”

“那是为什么？你说啊！”

典子真的动气了。她有种被愚弄的感觉，既可悲，又凄惨，同时又感到万分羞耻，一想起以前和他的性事就羞得无地自容。她这么歇斯底里地逼问，其实是一种遮羞的举动。

秋吉叹了口气，轻轻摇头：“并不是只对你这样。”

“什么？”

“我这辈子，从来没有在女人体内射精过。就算我想，也出不来。”

“你是说……迟泄？”

“应该是，而且很严重。”

“真不敢相信。你不是在开玩笑吧？”

“这样你满意了吗？”

“你看过医生吗？”

“没有。”

“为什么不去？”

“我觉得这样没什么不好。”

“怎么会好？”

“你烦不烦啊！我觉得好就好，不要你管！”他再度背向她。

典子以为，或许他们再也不会做爱了，但三天后，他却主动要求。

她任凭他摆布，想着既然他不能达到高潮，那自己也不要有感觉，然而，她却无法控制身体。羞耻与悲伤包围了她。

“这样就好。”他难得地用温柔的声音说没关系，抚摸她的头发。

有一次，他问典子愿不愿意用嘴巴和手试一次。她当然照做，热烈地以舌头缠绕，以手指爱抚。然而，他虽然勃起，却完全没有要射精的样子。“算了，别弄了。抱歉。”他说。

“对不起。”

“不是你的错。”

“为什么不行呢……”

秋吉没有回答，望着她正握着自己阴茎的手，然后冒出一句：“真小。”

“啊？”

“手。你的手真小。”

她看看自己的手，同时突然惊觉。他是不是拿我跟别人比？是不是有别的女人像这样爱抚他，他才拿我的手跟她比？

而……是不是在那个女子的手与口中，他就能射精？

他的阴茎在典子的手心里完全疲软了。

典子正因这件事开始不安与疑惑的时候，秋吉突然说出意想不到的话。

他问她，能不能弄到氰化钾。

“是为了写小说，”他说，“我想写推理小说，总不能一直闲混不做事。我想在小说里用氰化钾，可没亲眼见过，也不知道性质。所以我想，不知能不能拿到真东西。典子，你们医院那么大，应该有吧？”

这件事着实让典子感到意外，她没有想到他会写小说。

“这个……不查一下不知道呢。”典子先搪塞过去，其实她知道那东西放在一个特殊的保管库里，不是用来治疗，而是作为研究用的样品。只有少数几个院方的人能进入保管库。“你只是要看看吧？”

“最好能借一下。”

“借……”

“我还没有决定要怎么用，想等看过实物再说。我想请你帮我弄一点。如果你实在不愿意，也不必勉强。我再去找别的渠道。”

“你有其他的渠道？”

“因为之前的工作，我跟各行各业的公司都有来往。利用这点关系，应该不至于弄不到。”

如果不知道他有其他渠道，也许典子会拒绝他的请求。然而，她不希望他和其他人私相授受如此危险的物品，便答应了他。

八月中旬，典子把一瓶从药房拿出来的氰化钾放在他面前。

“你不是要拿去用，对不对？只是要看看，对不对？”她再三确认。

“对，你一点都不需要担心。”秋吉把瓶子拿在手上。

“绝对不能打开盖子，如果只是要看，这样就可以了吧。”

他没有回答，只是注视着瓶子里的白色粉末。“致死量大概是多少？”他问。

“据说是一百五十毫克到二百毫克之间。”

“不明白。”

“挖耳勺差不多一勺到两勺吧，差不多就那样。”

“够毒啊！溶于水吗？”

“是，可如果你想的办法是在果汁里下毒的话，我想光是挖耳勺一两勺是行不通的。”

“为什么？”

“喝一口就会觉得奇怪呀，听说味道对舌头很刺激，虽然我没喝过。”

“你是说，如果要让人喝一口就没命，一定要加很多？可这么一来味道会更奇怪，被害人可能不会喝下去，直接就吐出来。”

“而且氰化钾有一种怪味，鼻子灵的人可能还没喝就发现了。”

“杏仁味？”

“不是杏仁的味道，是杏子的味道。我们平常吃的杏仁是杏子的核仁。”

“小说里有人用过把氰化钾溶液涂在邮票背面的手法……”

典子摇头微笑。“那很不实际。那么一点溶液，离致死量差太多了。”

“还有混在口红里的手法。”

“也不够。要是太浓，因为氰化钾是强碱，大概会让皮肤溃烂。再说，用这种方法，氰化钾不会进到胃里，无法发挥毒性。”

“怎么说？”

“氰化钾本身是一种很稳定的物质，但若到了胃里，会跟胃酸反应产生氰化氢，这样才引起中毒症状。”

“原来不必让被害人喝，只要让他吸进氰化氢就行。”

“没错，可实际要做很困难，因为行凶的人也可能会死。氰化氢可经由皮肤、呼吸被人体吸收，光是屏住气不呼吸可能没有用。”

“原来如此。既然这样，我再想想。”秋吉说。

事实上，他们谈过后，有两天他一直坐在电脑前思考。

“假设想杀的人家里的卫生间是西式的，”晚餐吃到一半时，他说，“在他快到家时先行潜入，把氰化钾和硫酸倒进马桶，盖上马桶盖，立刻离开，这样凶手就不会中毒了吧？”

“应该不会。”典子说。

“这时被害人回来，进了卫生间。马桶里已发生化学反应，产生了大量的氰化氢，但他不知道，打开马桶盖，氰化氢全部冒出来，他吸了进去——这个手法怎么样？”

典子略作思索，说应该还不错。“我觉得基本上没有问题。反正是小说，这样就差不多了，要讲究细节就没完没了了。”

这句话似乎让秋吉不满，他放下筷子，拿起记事本和圆珠笔。“我不想随便。既然有问题,就详细告诉我。我就是为了这个才找你商量。”

典子心头一凛，正襟危坐。“说不上是有问题。照你所说的方法，也许会成功。但如果有什么闪失，对方可能不会死。”

“为什么？”

“氰化氢会漏出来，就算把马桶盖盖上，也不是密闭的，整间卫生间会充满漏出来的氰化氢，再慢慢跑出去。这样一来，想杀的人还没进卫生间，可能就发现情况异常了。不对，说发现不太贴切，应该是说，可能会吸进一点点氰化氢，出现中毒症状。如果这样就一命呜呼当然是很好……”

“你是说,要是吸进去的氰化氢量太少,即使中毒也不一定致死？”

“这是我的推测。”

“不，也许就像你说的这样。”秋吉双手盘在胸前，“那就得花点心思，让马桶盖密合度高一点。”

“再打开排气扇，也许更好。”她建议。

“排气扇？”

“卫生间的排气扇啊，打开排气扇，让马桶里漏出来的氰化氢排出去，就不会跑进屋里了。”

秋吉默默思考片刻，然后看着典子点点头。“好！就这么办！幸好我找你商量。”

“希望你能写出一部好小说。”典子说。

典子把氰化钾带出医院时，心里本有一抹不安，但这时那份不安也烟消云散了。她觉得自己帮了他，心里非常高兴。

然而，一星期后，典子从医院回到家，却不见秋吉身影。她以为他到外面小酌，但到了深夜他依然没有回家，也没打电话。她开始担心，想寻找他可能的去处，却发现连一丁点儿线索都没有。她不知道秋吉有哪些朋友，也不晓得他可能会到哪里去。她认识的秋吉永远在房间里面对电脑。

天亮时，他回来了。典子一直没有合眼，妆也未卸，饭也没吃。

“你跑到哪里去了？”典子问在玄关脱鞋的他。

“去搜集小说的资料。那里刚好没有公用电话，没法跟你联系。”

“我好担心。”

秋吉身穿T恤、牛仔裤，白色T恤肮脏不堪。他把手上的运动包放在计算机旁，脱掉T恤，身体因汗水而发亮。“我去冲个澡。”

“你等一下，我去放洗澡水让你泡澡。”

“淋浴就好。”他拿着脱下的T恤走进浴室。

典子准备把他的运动鞋摆好时，发现鞋也很脏。明明不是很旧，鞋边却沾着土，仿佛在山里走动过。他到底去了哪里？

典子觉得秋吉不会把当晚的行踪告诉她，他身上的气场也让典子难以开口询问。她的直觉告诉她，搜集小说资料云云一定是谎言。

她很在意他带出门的包，翻看背包是不是就能知道他的去处？浴室里传来水声。没时间犹豫了，她走进里面的房间，打开他刚才放下的运动包。

首先看到的是几本档案夹，典子拿出最厚的一本，但里面是空的。她又翻看了其他档案夹，都是空的，只有一本贴着一张贴纸，上面写着“今枝侦探事务所”。

这是什么？典子感到不解。秋吉为什么会有侦探事务所的档案夹，而且是空无一物的档案夹？是基于某些原因，将里面的资料处理掉了？

典子进一步查看包，看到最下面的东西时，她倒抽了一口凉气。

是那瓶氰化钾。

她胆战心惊地拿出瓶子。里面仍装着白色粉末，量却比以前少了将近一半。她心里狂潮大作，感到恶心反胃，心跳加剧。

这时，水声停了。她急忙把瓶子和档案放回原位，将包收好。

一如典子所料，秋吉对当晚的行踪绝口不提，从浴室出来后便坐在窗边，久久凝视着窗外。他的侧脸显露出典子未曾见过的晦涩阴狠。

典子不敢发问。她知道如果自己开口，他一定会给出答案，但她害怕他的解释将是显而易见的谎言。他到底把氰化钾用在了什么地方？她稍加想象，恐惧便排山倒海而来。

之后，秋吉突然向典子求爱。他的粗鲁急迫也前所未见，简直就像是想忘却什么。当然，这次他也没有射精。他们两人做爱，只要典子没有达到高潮就不会结束。

那天，典子第一次假装自己因快感而痉挛。

4

那名男子来电，是在康晴找一成商量雪穗母亲一事的三天之后。一成开完业务会议，刚回到座位，电话便响了起来。一列并排在话机上的小灯之一亮起，显示来电为外线。

男子自称姓笹垣，一成对这个姓氏全然陌生。听声音应是年长者，带着明显的关西口音。

男子身为大阪府刑警这一点，让一成更加困惑。

“我是从高宫先生那里得知筱冢先生大名的，抱歉在你百忙之中，仍冒昧来电。”男人以略带黏稠的口吻说。

“请问有什么事？”一成的声音有点生硬。

“我在调查一件案子，想和你谈谈。只要三十分钟就行，能请你抽个时间吗？”

“什么案子？”

“这个见面再说。”

听筒中传来类似低笑的声音。来自大阪、老奸巨猾的中年男子形象，在一成的脑海中迅速扩展开来。究竟和什么案子有关呢？一成感到好奇。既然从大阪远道而来，应该不会是小案子。

男子仿佛猜透他的心思一般，说道：“其实，此事与今枝先生也有关，你认识今枝直巳先生吧？”

一成握住听筒的手一紧，一股紧张感从脚边爬上来，心中的不安也加深了。此人怎么会知道今枝？他怎么会知道今枝与我的关系？一成相信从事那类工作的人，即使遭到警方盘问，也不会轻易透露委托人的姓名。

只有一个可能性。

“今枝先生出事了吗？”

“这个，”男子说，“我要和你谈的也包括这件事。请你务必抽空见个面。”男子的声音比之前更多了几分犀利。

“你在哪里？”

“就在贵公司旁边，可以看到白色的建筑，好像是七层楼。”

“请告诉前台你要找企划管理室的筱冢一成，我会先交代好。”

“企划管理室？知道了，我马上过去。”

“好。”

挂断电话，一成再度拿起听筒，拨打内线给公司正门的前台，交代若有一位姓笹垣的先生来访，请他到第七会客室。那个房间主要是为董事们处理私事准备的。

在第七会客室等候一成的，是一位年龄虽长、体格却相当健壮的男子，头发剃得很短，远望即知其中掺杂了白发。也许是因为一成开门前先敲了门，男子是站着的。尽管天气依旧相当闷热，男子仍穿着棕色西装，还系着领带。由于他电话中操着关西口音，一成原本对他隐约产生了一种厚脸皮、没正经的印象，此刻看来这个印象必须稍加修正。

“不好意思，在你百忙之中前来打扰。”男子递出名片。

一成也递出名片交换，然而看到对方的名片，他不禁有些迷惑。因为上面既没有警局名，也没有部门与职衔，只印着“筐垣润三”，以及住址和电话。住址是在大阪府八尾市。

“基本上，如果不是十分有必要，我不用印有警察字样的名片。”筐垣的笑容让脸上的皱纹显得更深，“以前，我用的警察名片曾被人拿去做坏事。从此，我只用个人名义的名片。”

一成默默点头，他一定是活在一个不容丝毫大意的世界。

筐垣伸手探进西装内袋，拿出证件，翻开贴了照片的身份证明页让一成看。“请确认。”

一成瞥了一眼，便说“请坐”，以手掌指向沙发。

刑警道谢后坐下。膝盖弯曲的那一瞬间，他微微皱了皱眉，这一瞬间显示出他毕竟还是上了年纪。

两人刚相对坐下，便听到敲门声。一名女职员用托盘端来两个茶杯，在桌上放妥后，行礼离开。

“贵公司真气派。”筐垣边说边伸手拿茶杯，“会客室也一样。”

“哪里。”一成说。事实上他认为这个会客室并不怎么气派。虽然是董事专用，但沙发和茶几都和其他会客室相同。之所以作为董事专用，只是因为这个房间具有隔音功能。

一成看着警察说：“您要谈的是什么事呢？”

笹垣唔了一声，点点头，把茶杯放在桌上。“筱冢先生，你曾委托今枝先生办事吧？”

一成轻轻咬住牙根，他怎么知道？

“也难怪你会提高警觉，但我想请你诚实回答。我并不是从今枝先生那里打听到你的。事实上，今枝先生失踪了。”

“咦！”一成不由得失声惊呼，“真的吗？”

“正是。”

“什么时候的事？”

“唔，这个……”笹垣抓了抓白发斑斑的脑袋，“还不明确。但听说上个月二十日，他曾打电话给高宫先生，说希望当天或次日碰面。高宫先生回答次日可以，今枝先生说会再打电话联系。但第二天他却没有打电话给高宫先生。”

“这么说，从二十日或二十一日之后就失踪了……”

“目前看来是如此。”

“怎么会？”一成双臂抱胸，不自觉地沉吟，“他怎么会失踪……”

“其实，我在那之前不久见过他。”笹垣说，“那时为了调查一起案子，有事向他请教。后来，我想再和他联系，打了好几次电话都没人接。我觉得很奇怪，昨天来到东京，就到他的事务所去了一趟。”

“没有人？”

笹垣点点头。“我看了他的信箱，积了不少邮件。我觉得有问题，就请管理员开了门。”

“屋里什么状况？”一成把上半身凑过来。

“很正常，没有发生过打斗的痕迹。我通知了管区警察局，但是照现在这个情况，他们可能不会积极寻找。”

“他是自行消失的吗？”

“也许是。但是，”笹垣搓了搓下巴，“我认为这个可能性极低。”

“这么说……”

“我认为，推测今枝先生出事了应该更合理。”

一成咽了一口唾沫，但喉咙仍又干又渴。他拿起杯子，喝了一口茶。“他会不会接下了什么危险的委托？”

“问题就在这里。”笹垣再度伸手进内袋，“呃，可以抽烟吗？”

“哦，请。”他把放在茶几一端的不锈钢烟灰缸移到笹垣面前。

笹垣拿出一盒 Hilite。看着白底蓝字的包装，一成想，这年头抽这种烟可真少见。

警察手指夹着烟，吐出乳白色的浓雾。“照我上次与今枝先生碰面时的感觉，最近他主要的工作是调查一名女子。这女子是谁，筱冢先生，你应当知道吧？”一直到上一瞬间，笹垣的眼神甚至令人以为他是个老好人，这时却突然射出爬行动物般混浊的光芒。他的视线似乎要黏糊糊地往一成的身上爬。

一成感觉到，这时候装傻也没有意义，而他将造成这种感觉的原因解释为所谓刑警的气势。他缓缓点头。“是的，我知道。”

笹垣点点头，仿佛在说很好，将烟灰抖入烟灰缸中。“委托他调查唐泽雪穗小姐的……就是你？”

一成不答反问：“您说，您是从高宫那里听说我的，我实在不明白您怎么能从那里得出这种联想？”

“这一点都不难，你不必放在心上。”

“但若您不解释清楚……”

“你就难以奉告？”

“是。”一成点头。对面前这个想必经历过大风大浪的警察，再怎么投以凶狠的眼神多半也没有任何效果，但至少要直视着他。

笹垣露出笑容，抽了一口烟。“由于某种缘故，我也对唐泽雪穗这个女子产生浓厚的兴趣。但是，我发觉最近有人四处打听她的事情。

是何方神圣所为，我自然感到好奇。所以，我便去找唐泽雪穗小姐的前夫高宫先生。我就是在那时知道了今枝先生这个人。高宫先生说，有人和唐泽雪穗小姐论及婚嫁，男方的家人委托今枝先生对她进行调查。”

一成想起，今枝说过他已将事情如实告诉高宫。

“然后呢？”他催警察说下去。

只见笹垣把身边的旧提包放在膝上，拉开拉链，从中拿出一台小录音机。他露出别有含意的笑容，把录音机放在桌上，按了播音键。

首先传出来的是“哔”的信号和杂音，接着是说话声。“……呃，我是筱冢。关于唐泽雪穗的调查，后来怎么样了？请与我联系。”

笹垣按下停止键，直接把录音机收进提包。“这是我昨天从今枝先生的电话里调出来的。筱冢先生，这段话是你说的吧？”

“的确，本月初，我是在录音机里留下了这段话。”一成叹息着回答。这时和警察争论隐私权也没有意义。

“听了这段话，我再次和高宫先生联络，问他认不认识筱冢先生。”

“他当场就把我的事告诉你了？”

“正是。”笹垣点点头，“跟我刚才说的一样，没花多少工夫。”

“的确，一点也没错，是不难。”

“那么我再次请教，是你委托调查唐泽雪穗小姐的吧？”

“是。”一成点头回答。

“和她论及婚嫁的是……”

“我亲戚。只不过婚事还没有决定，只是当事人个人的希望。”

“可以请教这位亲戚的姓名吗？”笹垣打开记事本，拿好笔。

“您有必要知道吗？”

“这就很难说了。警察这种人，不管什么事情，都想了解一下。

如果你不肯告诉我，我会去四处打听，问别人是谁想和唐泽雪穗小姐结婚。”

一成的嘴变形了。如果他真的这么做，自己可吃不消。“是我堂兄筱冢康晴，康是健康的康，晴是晴天的晴。”

笹垣在记事本上写好，问道：“他也在这家公司工作吧？”

听到一成回答他是常务董事，老警察睁大了眼睛，头部微微晃动，然后把这件事一并记下。

“有几件事我不太明白，可以请教吗？”一成说。

“请说，但能不能回答我不能保证。”

“您刚才说，您因为某个缘故，对唐泽雪穗小姐有兴趣。请问是什么缘故？”

笹垣闻言露出苦笑，拍了两下后脑勺。“很遗憾，这一点我现在无法说明。”

“因为调查上必须保密吗？”

“你可以这么解释，不过最大的理由，是因为不确定的部分太多，现阶段实在不能明言。再怎么说，相关案件距今已将近十八年了。”

“十八年……”一成在脑海里想象这个字眼代表的时间长短。这么遥远的过去，究竟发生了什么？“这起十八年前的案子，是哪一类？这也不能透露吗？”

老练的警察脸上露出犹豫之色。几秒后，他眨了眨眼，回答：“命案。”

一成挺直了背脊，呼出一口长气。“谁被杀了？”

“恕难奉告。”笹垣两手一摊。

“这个案子和她……唐泽雪穗小姐有关？”

“我现在只能说，她可能是关键人物。”

“可是……”一成发现了一件重要的事，“十八年，命案的时效已经过了。”

“是啊。”

“可您还在继续追查？”

警察拿起烟盒，探入手指抽出第二根烟。第一根是什么时候摁熄的，一成浑然未觉。笹垣用一次性打火机点了烟，动作比点燃第一根时慢得多,怕是刻意为之。“这就像长篇小说。故事是十八年前开始的，但到现在还没有结束。要结束,就得回到开头的地方。大概就是这样。”

“可以请您告诉我整个故事——”

“先不要吧，”笹垣笑了，烟从他嘴里冒了出来，“要是讲起这十八年的事，有多少时间都不够。”

“那么，下次可以请您告诉我吗？等您有空的时候。”

“也好。”警察正面迎着他的目光，吸着烟点头，表情已经恢复先前的严肃，“下次找时间慢慢聊吧。”

一成想拿茶杯，发现已空了，便缩回手，一看，笹垣的茶也喝光了。

“我再请他们倒茶。”

“不，不用了。筱冢先生，方便让我问几个问题吗？”

“什么问题？”

“我想请你告诉我，你委托今枝先生调查唐泽雪穗小姐的真正理由。”

“这您已经知道了，没有什么真假可言。当亲人考虑结婚时，调查对方的背景，这种事很常见。”

“的确很常见，尤其是对像筱冢先生堂兄弟这样必须继承庞大家业的人来说更不足为奇。但是，如果委托是出自双亲，我能理解，但堂弟私下聘请侦探调查，倒是没听过。”

“就算这样，也没有什么不妥吧？”

“还有一些事情不合常理。说起来，你调查唐泽雪穗这件事本身就很奇特。你和高宫先生是老朋友，而她是你这位老友的前妻。再说到更久之前，听说你们在大学社交舞社是一起练习的同伴。也就是说，不用调查，你对唐泽雪穗应该已经有了相当程度的认识，为什么还要聘请侦探？”

笹垣的语调不知不觉提高了不少，一成不禁暗自庆幸自己选用了这里。

“刚才，我提及她时都没有加称呼，直呼其名。”笹垣仿佛在确认一成的反应般，慢条斯理地说，“但是，怎么样？筱冢先生，你也不觉得有什么不自然，对吧？我想你听在耳里并不觉得突兀。”

“不知道……您是怎么说的，我并未留意。”

“你对于直呼她的名字这件事，应该不介意。至于原因，筱冢先生，因为你自己也是这样。”说着，笹垣拍拍提包，“要再听一次刚才那卷带子吗？你是这么说的：关于唐泽雪穗的调查，后来怎么样了？请与我联系。”

一成想解释，因为她以前是社团的学妹，那是习惯，但笹垣在他出声前便开口：“你连名带姓的语气里，有一种难以形容的高度警戒。说实话，我听到这段录音时，一下就听出来了，这就是刑警的直觉。我当时就想，有必要找这位筱冢先生谈谈。”警察在烟灰缸里摁熄了第二根烟。接着，身子向前倾，双手撑在茶几上。“请你说实话，你委托今枝先生调查的真正用意是什么？”

笹垣的眼光还是一样犀利，却没有胁迫威逼的意味，甚至令人感到一种包容。一成想，也许在审讯室里和嫌犯面对面时，他就是利用这种气势。而且，一成明白了这位警察今天来找他的主要目的就在于此，唐泽雪穗要和谁结婚恐怕无关紧要。

“笹垣先生，您只说中了一半。”

“哦，”笹垣抿起嘴，“那我想先请教说错的那部分。”

“我委托今枝先生调查她，纯粹是为了我堂兄。如果我堂兄不想和她结婚，那么她是个什么样的女人、度过了什么样的人生，我一点兴趣都没有。”

“哦。那么，我说中的部分是……”

“我对她的确特别有戒心。”

“哈哈！”笹垣靠回沙发，凝视一成，“原因呢？”

“极度主观而模糊，可以吗？”

“没关系，我最喜欢这种含混不清的事情。”笹垣笑了。

一成将委托今枝时所作的说明几乎原封不动地告诉了笹垣。例如在金钱方面，他感到唐泽雪穗背后有股看不到的力量，而且对她产生一种印象，感觉她身边的人都会遭遇某些不幸。一成说着，也认为这些想法实在是既主观又模糊，但笹垣却抽着第三根烟，认真地听着。

“你说的我明白了。谢谢你告诉我。”笹垣一边摁熄手上的烟，一边低下头致意。

“您不认为这是无聊的妄想？”

“哪里的话！”笹垣像是要赶走什么似的挥手，“说实在的，筱冢先生看得这么透彻，让我颇为惊讶。你这么年轻却有这种眼光，真了不起。”

“透彻……您这么认为？”

“是，”笹垣点点头，“你看穿了唐泽雪穗那女人的本质。一般人都没有你这么好的眼力，就连我也一样，有好长一段时间，根本什么都看不见。”

“您是说，我的直觉没错？”

“没错，”笹垣说，“和那女人扯上关系，绝对不会有好事。这是我调查了十八年所得到的结论。”

“真想让我堂兄见见笹垣先生。”

“我也希望有机会当面劝他。但我想他一定听不进去。老实说，能够和我这么开诚布公谈这件事的，你还是第一个。”

“真想找到确切的证据，所以我很期待今枝的调查。”一成松开盘在胸前的双手，换了姿势。

“今枝先生给过你什么程度的报告？”

“刚着手调查后不久，他向我报告过她在股票交易方面的成果。”唐泽雪穗真正喜欢的是你——今枝对他说的这句话，他决定按下不表。

“我猜，”筱垣低声说，“今枝先生很可能查到了什么。”

“您这话有什么根据？”

筱垣点点头。“昨天，我稍稍查看了今枝先生的事务所，与唐泽雪穗有关的资料全部消失了，一张照片都没留下。”

“啊！”一成睁大了眼睛，“这就表示……”

“以目前状况来说，今枝先生不可能不向筱冢先生通报一声就不知去向。这样一来，能想到的最可能的答案只有一个——有人造成今枝先生失踪。说得更清楚一点，那个人害怕今枝先生的调查。”

筱垣这几句话的意思，一成当然懂，他也明白筱垣并不是随意猜测。然而，他心里依然存有不现实的感觉。“怎么可能，”他喃喃地说，“怎么会做到那种地步……”

“你认为她没那么心狠手辣？”

“失踪真的不是偶然吗？或许发生了意外？”

“不，不可能是意外。”筱垣说得斩钉截铁，“今枝先生订有两份报纸，我向派报中心确认过，上个月二十一日他们接到电话，说今枝先生要去旅行，要他们暂时停止送报，是一个男子打的。”

“男子？也可能是今枝先生自己打的吧？”

“也可能，但我认为不是。”筱垣摇摇头，“我认为，是那个设计让今枝先生失踪的人采取了一些防范措施，尽可能不让人发现他失踪了。如果报纸在信箱前堆积如山，邻居或管理员不免会觉得奇怪。”

“事情如果真是这样，那个人岂不太无法无天了？因为照您所说，今枝先生可能已经不在人世了。”

一成的话让笹垣的脸如能剧面具般失去表情。他说：“我认为，他还活着的可能性极低。”

一成长出一口气，转头看着旁边。这真是一场消磨心神的对话，心脏早已怦怦加速搏动。“既然是男子打电话给派报中心，也许和唐泽雪穗无关。”说着，一成自己也觉得奇怪。他分明想证实她并不是个常人眼中的普通女子，然而一旦事关人命，说出来的话反而像在为她辩解。

笹垣再度将手伸进西服的内袋，但这次是另一边。他拿出一张照片。“你见过这人吗？”

“借看一下。”一成接过照片。

照片上是一个脸形瘦削的年轻男子，肩膀很宽，与身上的深色上衣相当协调。不知为何，给人一种冷静深沉的印象。一成不认识，如实相告。

“是吗，真可惜。”

“这是什么人？”

“我一直在追查的人。刚才和你交换的名片，可以借一下吗？”

一成递给他，他在背面写了一些字，说声“请收下”，还给一成。一成翻看背面，上面写着“桐原亮司”。

“桐原……亮司，这是谁？”

“一个像幽灵一样的人。”

“幽灵？”

“筱冢先生，请你把这张照片上的面孔和这个名字牢记在心。一旦看到他，无论是什么时候，都请立刻和我联络。”

“您要我这么做，但这人究竟在哪里呢？不知道他在哪里，就跟一般的通缉犯一样啊。”一成将两手一摊。

“现在还不知道。但他一定会在一个地方现身。”

“哪里？”

“那就是，”笹垣舔了舔嘴唇，说，“唐泽雪穗身边。虾虎鱼一定会待在枪虾身边。”

老警察话里的含义，一成一时无法明白。

5

田园风光掠过窗外。偶尔，有些写着企业或商品名称的广告牌竖立在田地里，风景既单调又无聊。想要眺望城镇街景，但新干线经过城镇时，总是被隔音墙包围，什么景色都看不见。

典子肘靠窗沿，看向邻座。秋吉雄一闭着眼睛，一动也不动。她发现，他并没有睡着，而是在思索。

她再度将视线移往窗外。令人窒息的紧张感一直压在她的心头，这趟大阪之行，会不会招来不祥的风暴呢？她总抛不开这个念头。

然而，她认为这或许是自己了解秋吉的最后一次机会。回顾过去，典子几乎是在对他一无所知的状况下与他交往，直到现在。她并不是对他的过去不感兴趣，但她心里的确存在着“现在比过去更重要”的想法。在极短的时间内，他便在她心里占据了不可取代的地位。

窗外的风景有了些微变化，似乎到了爱知县，汽车制造相关产业的广告牌增加了。典子想起了老家，她来自新潟，她家附近也有一家生产汽车零件的小工厂。

栗原典子十八岁来到东京。那时，她并没有打定主意要当药剂师，只是报了几个有可能考上的系，恰巧考上某大学药学系。

大学毕业后，在朋友的介绍下，她顺利进入现在的医院工作。典子认为，大学时代和在医院上班的前五年，应该是自己最惬意的时期。

工作的第六年，她有了情人，是在同一家医院任职的三十五岁男子，她甚至认真考虑要和他结婚。但是要这么做有困难，因为他有妻小。“我准备和她分手。”他这么说。典子相信了他，因此租下现在的房子。要是离了婚，他就无处可去了，当他离开家时，她希望能给他一个可以休憩的所在。

然而，正如大多数的外遇，一旦女方下定决心，男方便逐步退缩。他们碰面时，他开始抛出各式各样的借口：担心小孩、现在离婚得付为数可观的补偿金、花时间慢慢解决才聪明等等。“我和你见面不是为了听这些话。”这句话她不知说了多少次。

他们的分手来得相当令人意外。一天早上，到了医院，不见他的踪影。典子询问其他职员，得到的回答是：“他好像辞职了。”

“他好像私吞了病人的钱。”女职员悄声说，一脸以散布小道消息为乐的表情。她并不知道他与典子的关系。

“私吞？”

“患者的治疗费、住院费等缴费明细，不是全由电脑管理吗？他啊，故意弄得像是数据输入失误，把入账记录删掉，然后把那部分钱据为己有。有好几个病人反映，分明付了钱却还收到催款通知，这才发现。”

“什么时候开始的？”

“不清楚，好像一年多前就有了异常迹象。从那时起，患者缴款就有延迟的现象，很多都是差一点就要寄催款通知。他好像是动用后面的病人缴的款项补前面的亏空，加以掩饰。当然，这样就会产生新亏空。新的亏空就像滚雪球一样越滚越大，最后终于没法补救，爆发出来。”

典子茫然地望着喋喋不休的女职员的红唇，感觉宛如身陷噩梦一般，一点都不真实。

“私吞的金额有多少？”典子极力佯装平静地问。

“听说是两百多万。”

“他拿那些钱做什么？”

“听说是去付公寓的贷款。他啊，什么时候不好买，偏偏挑房价炒得最高的时候。”女职员两眼发光地说。她还告诉典子，院方似乎不打算循法律途径，只要他还钱，便息事宁人，多半是怕媒体报道损害医院信誉。

过了几天都没有他的消息。那段期间，她工作心不在焉，发呆失误的情况大增，让同事大为惊讶。她也想过要打电话到他家，但一考虑到接听者可能不是他，就犹豫不决。

一天半夜，电话响了。听到铃响，典子知道一定是他。果然，听筒另一端传来他的声音，只是显得非常微弱。

“你还好吗？”他先问候她。

“不太好。”

“我想也是。”他说。她眼前似乎可以看到他露出自嘲的笑容。“你应该已经听说了，我不能再回医院了。”

“钱怎么办？”

“我会还，不过得分期，已经谈妥了。”

“能负担吗？”

“不知道……不过非还不可。要是真没办法，把房子卖了也得还。”

“听说是两百万？”

“呃，两百四十万吧。”

“这笔钱我来想办法吧。”

“什么？”

“我还有点存款，两百万左右我可以帮忙。”

“是吗……”

“等我付了这笔钱，那个……你就跟你太太——”

她正要说“离婚”，他开口了：“不用了，你不必这么做。”

“咦？什么意思？”

“我不想麻烦你，我自己会想办法。”

“可是……”

“当初买房子的时候，我向岳父借了钱。”

“借了多少？”

“一千万。”

她感到胸口如遭重击，一阵心痛，腋下流下一道汗水。

“如果要离婚，就得想办法筹到这笔钱。”

“可是，你之前从来没有提过这件事。”

“跟你提有什么用。”

“这次的事，你太太怎么说？”

“你问这个干吗？”男子的声音显得不悦。

“我想知道啊，你太太没生气？”

典子内心暗自期待着，他太太为此生气，也许就会提出离婚的要求。然而，他的回答令人意外。“我老婆向我道歉。”

“道歉？”

“吵着要买房子的是她，我本来就不怎么起劲，贷款也还得有点吃力。她大概也知道，那是造成这件事的原因。”

“啊……”

“为了还钱，她说她要去打零工。”

一句“真是个好太太”已经爬上典子的喉咙。她咽下这句话，在嘴里留下苦苦的余味。

“那，我们之间，暂时不能指望有任何进展了。”

她勉强开口说了这句话，却让男子顿时陷入沉默。接下来，典子听到了叹息：“唉，求你别再这样了。”

“我怎么了？”

“别再说这种挖苦人的话了，反正你早就心知肚明了吧？”

“我心知肚明什么？”

“我不可能离婚，你应该也只是玩玩而已吧？”

男子的话让典子瞬间失声。她多想向他咆哮：“我是认真的！”但是当这句话来到嘴边的那一刻，一股无可言喻的凄惨迎面袭来，她唯有沉默以对。他会说这种话，当然是看准了她的自尊心会让她拉不下脸来。

电话中传来人声，问他这么晚了在跟谁说话，一定是他妻子。他说是朋友，因为担心，打电话来问候。过了一会儿，他以更微弱的声音对典子说：“那，事情就是这样。”

典子很想质问他，什么叫“就是这样”，但满心的空虚让她发不出声音。男子似乎认为目的已经达成，不等她回答便挂断了电话。

不用说，这是典子与他最后一次对话。此后，他再不曾出现在她面前。

典子把屋里他所有的日常用品全部丢弃：牙刷、刮胡刀、剃须液和保险套。她忘了扔烟灰缸，只有这样东西一直摆在书架上。烟灰缸渐渐蒙上了灰尘，似乎代表她心头的伤口也慢慢愈合了。

这件事后，典子没有和任何人交往。但她并不是决心孤独一生，毋宁说，她对结婚的渴望反而更加强烈。她渴望找到一个合适的男人，结婚生子，建立一个平凡的家庭。

与他分手正好一年后，她找到一家婚介所。吸引她的是一套用电脑选出最佳配对的系统。她决定将感情恋爱放一边，由其他条件来选择人生伴侣。她已经受够了恋爱。

一个看上去十分亲切的中年女人问了她几个问题，将答案输入电脑，其间还对她说了好几次“别担心，一定会找到好对象”。

对方没有食言，这家婚介所陆续为典子介绍适合的男子。她前后共与六人见过面。然而其中五个只见过一次，因为这些人一见面便令她大失所望。有的照片与本人完全不符，甚至有人登记的资料显示未婚，见了面却突然表明自己有孩子。

典子与一个上班族约会了三次。此人四十出头，样子老实勤恳，让典子认真考虑要不要结婚。然而，第三次约会时，她才知道他和患了老年痴呆症的母亲相依为命。他说：“如果是你，一定可以助我们一臂之力。”他只不过是想找一个能够照顾他母亲的女子。一问之下，他对婚介所提的条件竟是“从事医疗工作的女性”。

“请保重。”典子留下这句话，便与他分手了，此后也没有再见面。她认为，他太瞧不起人了，不仅瞧不起她，也瞧不起所有女人。

见过六个人后，典子便与这家婚介所解约了，她觉得根本是在浪费时间。

又过了半年，她遇见了秋吉雄一。

抵达大阪时已是傍晚。在酒店办好住房手续，秋吉便为典子介绍大阪这座城市。虽然她表示想同行时他曾面露难色，但今天不知为何，他对她很温柔。典子猜想，也许是回到故乡的缘故。

两人漫步心斋桥，跨越道顿堀桥，吃了烤章鱼丸。这是他们首次结伴远行，典子虽然为接下来可能发生的事情忐忑不安，心情却也相当兴奋，毕竟她第一次来到大阪。

“你老家离这里远不远？”在可以眺望道顿堀的啤酒屋喝啤酒时，典子问道。

“搭电车差不多五站。”

“很近啊。”

“因为大阪很小。”秋吉看着窗外说。格力高的巨大广告牌闪闪发光。

“喏，”典子犹豫了一会儿说，“等一下带我去好不好？”

秋吉看着她，眉间出现皱纹。

“我想看看你住过的地方。”

“只能玩到这里。”

“可是——”

“我有事要做。”秋吉移开目光，心情显然变得很差。

“对不起。”典子低下头。

两人默默喝着啤酒，典子望着跨越道顿堀的一波波人潮。时间刚过八点，大阪的夜晚似乎刚刚开始。

“那是个很普通的地方。”秋吉突然说。

典子转过头，他的眼睛仍朝向窗外。“一个破破烂烂的地方，灰尘满天，脏兮兮的，一些小老百姓像虫子一样蠢蠢欲动，只有一双眼睛特别锐利。那是个丝毫大意不得的地方。”他喝光啤酒，“那种地方你也想去？”

“想。”

秋吉沉思片刻，手放开啤酒杯，插进长裤口袋，掏出一张万元钞。“你去结账。”

典子接过，朝柜台走去。

一离开啤酒屋，秋吉便拦了出租车。他告诉司机的是典子完全陌生的地名。更吸引她注意的是他说大阪话，这让她感到非常新鲜。

秋吉在出租车里几乎没开口，只是一直凝视着车窗外。典子想，他可能后悔了。出租车开进一条又窄又暗的路，途中秋吉详细指示道路，这时他说的也是大阪话。不久，车停了，他们来到一座公园旁。

下了车，秋吉走进公园，典子跟在身后。公园颇为宽敞，足以打棒球，还有秋千、攀爬架、沙坑，是旧式公园，没有喷水池。

“我小时候常在这里玩。”

“打棒球？”

“棒球、躲避球，足球也玩。”

“有那时候的照片吗？”

“没有。”

“是吗，真可惜。”

“以前这附近没有别的空旷地带可以玩，所以这座公园很重要。和公园一样重要的，还有这里。”秋吉向后看去。

典子跟着转头，他们身后是一栋老旧的大楼。“大楼？”

“这里也是我们的游乐场。”

“这种地方也能玩呀？”

“时光隧道。”

“咦？”

“我小时候，这栋大楼还没盖好，盖到一半就被闲置在那里。出入大楼的只有沟鼠和我们这些住在附近的小孩。”

“不危险吗？”

“就是危险，小鬼才会跑来啊！”秋吉笑了，但立刻恢复严肃的表情，叹了口气，再度抬头看大楼。“有一天，有个家伙发现了一具尸体，是男人的尸体。”“被杀的……”他接着说。

一听到这句话，典子觉得心口一阵闷痛。“是你认识的人吗？”

“算是，”他回答，“一个守财奴，每个人都讨厌他，我也一样。那时大概每个人都觉得他死了活该，所有住在这一区的人都受到警察怀疑。”接着，他指着大楼的墙，“墙上画了东西，看得出来吧？”

典子凝神细看。颜色掉得很厉害，几乎难以辨识，但灰色墙上的确有类似画的东西。看来像是裸体的男女，彼此交缠，互相爱抚，实在算不上是艺术作品。

“命案发生后，这栋大楼就完全禁止进入。不久，这栋触霉头的大楼仍有人要租，一楼有一部分又开始施工，大楼四周也用塑料布围了起来。工程结束，塑料布拆掉，露出来的就是这幅下流的图。”

秋吉伸手从外套的内袋抽出一根烟，叼住，用刚才那家啤酒屋送的火柴点着。“不久，一些鬼鬼祟祟的男人就常往这里跑，进大楼的时候还偷偷摸摸的，怕别人看到。一开始，我不知道在大楼里能干吗，问别的小孩，也没人知道，大人也不肯告诉我们。不过没多久，就有人搜集到消息了。他说那里好像是男人买女人的地方，只要付一万元，就可以对女人为所欲为，还可以做墙上画的那档事之类的。我难以置信，那时的一万元很值钱，不过我还是不能想象怎么会有女人去做那种买卖。”吐了一口烟，秋吉低声笑了，“那时候算是很单纯吧，再怎么说也才上小学。”

“如果还在读小学，我想换成我也会很震惊。”

“我没有很震惊，只是学到了这个世界上最重要的东西是什么。”他把没抽几口的烟丢在地上踩熄，“说这些很无聊吧。”

“喏，”典子说，“那个凶手抓到了吗？”

“凶手？”

“命案的凶手啊。”

“哦，”秋吉摇摇头，“不知道。”

“哦……”

“走了。”秋吉迈开脚步。

“去哪里？”

“地铁站，就在前面。”

典子和他并肩走在幽暗的小路上。又旧又小的民宅密密麻麻地并排而立，其中有很多连栋住宅。各户人家的门紧邻道路，近得甚至令人以为这里没有建蔽率的规定。

走了几分钟后，秋吉停了下来，注视着小路另一边的某户人家。那户人家在这附近算是比较大的，是一幢两层的和式建筑，好像是店铺，门面有一部分是卷匣门。

典子不经意地抬头看二楼，那里挂着旧招牌，桐原当铺几个字已经模糊了。“你认识这户人家？”

“算是，”他回答，“算认识吧。”然后又开始向前走。当他们走到距当铺十米的地方，有一个五十岁左右的胖女人从一户人家走出来。那户人家门前摆着十来个小盆栽，有一半以上挤到马路上。女人似乎准备为盆栽浇水，手上拿着喷壶。

穿着旧T恤的女人似乎对路过的情侣产生了兴趣，先盯着典子看，用的是那种为了满足好奇心，即使对方不舒服也毫不在意的眼神。那双蛇一般的眼睛转向秋吉，女人出现了意外的反应，原本为了浇水而微微前倾的身体挺了起来。她看着秋吉说：“小亮？”

但秋吉看也不看那女人一眼，好像没注意到有人对他说话。他的速度并没有改变，笔直地前进，典子只好跟上。很快，两人从女人面前经过。典子发现女人一直看着秋吉。

“认错人了啊。”他们走过之后，典子听到背后传来这么一句，是那女人在自言自语。秋吉对这句话也全无反应。但是，那声“小亮”却一直在典子耳边萦绕，不仅如此，更有如共鸣一般，在脑海里大声回响。

在大阪的第二天，典子必须单独度过。早餐后，秋吉说今天有很多资料要搜集，晚上才能回来，便出了门。

待在酒店也不是办法，典子决定再到前一天秋吉带她去过的心斋桥等处走走。银座有的高级精品店这里也不少，和银座不同，弹子房、游乐场和精品店在这里比邻而立。也许要在大阪做生意，就须先学会放下身段。典子买了点东西，但时间还是很多。她兴起了再去一次昨晚那个地方的念头，那座公园，以及那家当铺。她决定在难波站搭地铁。她记得站名，应该也还记得从车站过去的路。

买了车票，她一时兴起，到零售店买了一部拍立得相机。

典子下了车，沿前一天跟着秋吉走过的路反方向前进。白天和黑夜的景色大不相同，好几家商店在营业，路上的行人也很多。商店老板和路人的眼睛都炯炯有神，当然，并不纯粹是活力十足，而是仿佛有不良居心栖息在闪烁不定的目光里，要是有人一时大意，便要乘虚而入，占一顿便宜。看来秋吉的形容是正确的。

她在路上漫步，偶尔随兴按下快门。她想以自己的方式记录秋吉生长的地方。只是，她认为不能让他知道此事。

她来到那家当铺前，店门却紧闭，也许已经歇业了。昨天晚上她没有注意到，如今看来，这里有一种废墟般的气氛。她拍下了这幢破屋。

然后是那栋大楼。公园里，孩子们踢着足球，典子在喧哗声中拍下了照片，也将那幅淫猥的壁画纳入镜头。随后，她绕到大楼的正面。现在这里看来并没有经营见不得人的买卖，和泡沫经济崩溃后那些用途不明的大楼没什么差别，不同的只是这里老朽得厉害。

她来到大路上，拦了出租车回饭店。

晚上十一点多，秋吉回来了。他看起来心情极差，疲惫不堪。

“工作顺利结束了？”她小心翼翼地探问。

他整个人瘫在床上，重重地叹了一口气。“结束了，”他说，“一切都结束了。”

啊，那太好了。典子想对他这么说，但不知为何说不出口。

两人几乎没有任何交谈，在各自的床上入睡。

6

辗转反侧的夜晚接连而至，筱冢一成翻个身，前几天与笹垣的一席话一直在脑海里盘旋不去。自己可能处于一个不寻常的状况，这个想法随着现实感压迫着他的胸口。

那位老刑警虽没有明言，但他暗示今枝可能已遭遇不测。就他所描述的失踪与房内的状态，一成也认为这样的推论很合理。然而，他附和老刑警时的心情，仍有部分像是在看电视剧或小说的情节。即使大脑明白这些事情便发生在周遭，却缺乏真实感。即使笹垣临别之际对他说"你可别以为自己能高枕无忧"，他也感到事不关己。

等到他独自一人，关掉房间的灯，躺在床上，一闭上眼睛，类似焦躁的冲击便席卷而来，让他全身直冒冷汗。他早就知道唐泽雪穗不是一个普通女子，才不赞成康晴迎娶她。然而，万万没有想到自己委托今枝调查，竟然危及他的性命。

她究竟是什么人？他再次思索，那女人真正的身份到底是什么？还有那个叫桐原亮司的男人。

他是个什么样的人，笹垣并没有清楚交代。他以枪虾和虾虎鱼来比喻，说桐原与唐泽雪穗就像这两种动物一样，互利共生。

"但我不知道他们的巢穴在哪里，为此我追查了将近二十年。"说这几句话时，刑警的脸上露出了自嘲的笑容。

一成听得一头雾水。无论十几二十年前大阪发生了什么事，又怎么会影响到自己？

一成在黑暗中睁大眼睛，拿起放在床头柜上的空调遥控器，按下开关，不久便满室凉意。这时，电话响起。他心头一惊，打开台灯，闹钟就快指向一点。一时之间，他以为家里出事了。现在一成独自住在三田，这套两室两厅的房子是去年买的。

他轻轻清了清喉咙，拿起听筒：“喂。”

“一成，抱歉这时候打电话给你。”

光听声音就知道来电者是谁，心里同时涌现不好的预感。与其叫预感，不如说是确信更为接近。“康晴哥……出了什么事？”

“嗯，上次跟你提过的那件事，刚才，她跟我联络了。”康晴压低声音的原因，恐怕不单单是因为夜深了，一成更加确信。

“她母亲……”

“嗯，已经走了，终究没醒过来。”

“哦，真可怜……”一成说，但并非出自肺腑，只是自然反应。

“明天你没问题吧。”康晴说，他的口气不给一成任何反对的余地。

即使如此，一成还是加以确认：“要我去大阪？”

“明天我实在走不开，史洛托迈亚公司的人要来，我得跟他们见面。”

“我知道，是为了美巴隆的事吧。按预定，我也要出席。”

“你的行程已经改了，明天不用上班，尽量搭早一点的新干线去大阪，知道了吧？幸好明天是星期五，我可能还得接待客人，要是晚上没法过去，后天早上应该走得成。”

“这件事社长那边……”

“明天我会说一声。这个时间再打电话过去吵醒他，他老人家的身体怕吃不消。”

社长指筱冢总辅，社长府邸与康晴家同样位于世田谷的住宅区。康晴是在结婚时搬离老家的。

“你向社长介绍过唐泽雪穗小姐了吗？”尽管认为这个问题涉及

私人领域，一成还是问了。

“还没有。不过我跟他提过我在考虑结婚。我爸那种个性，看样子也不怎么关心。我看他也没有闲工夫管四十五岁儿子的婚事。”

筱冢总辅被普遍认为是个不拘小节的人，他也的确不曾过问一成他们的私事。但一成早就发现，这是一种极端的工作狂个性，对生意之外的事概不关心。一成猜想，伯父心里恐怕认为只要那个女人不会让筱冢家名声扫地，儿子再婚对象是谁都无所谓。

“明天你会去吧？”康晴最后一次确认。

真想拒绝。听过笹垣的话之后，一成更加不想与唐泽雪穗有所牵扯。然而，他找不到拒绝的理由。计划结婚的对象的母亲死了，希望堂弟代为帮忙处理葬礼等事宜——康晴的请托从某个角度来看合情合理。

“在大阪哪里？”

“她上午应该是在葬礼会场安排事情，她说下午会先回娘家一趟。我已经收到传真，两个地方的地址和电话都有了，一会儿传给你。你的传真也是这个号码吧？”

“对。”

“那我先挂了。你收到传真后可以打个电话给我吗？”

“好的，我知道了。”

“那就麻烦你了。”电话挂断了。

一成下了床。人头马白兰地和酒杯就放在玻璃门书柜里。他将酒往杯中倒进约一厘米半高，站着便送进口中，让白兰地停留在舌上，细细品味其酒香、味道与刺激后才入喉。有种全身血液都苏醒过来的感觉，他知道神经敏锐了起来。

自从康晴表明对唐泽雪穗的爱意后，一成不知有多少次想找父亲筱冢繁之商量。他认为，只要将她的不寻常处告诉父亲，伯父迟早会从父亲口中得知此事。但是，要干预未来筱冢家族掌权人康晴的婚事，他握有的信息实在太过暧昧，不具说服力。光是空口说她有问题，只会为父亲徒增困扰。父亲极有可能反过来斥责他，要他担心别人之前先担心自己。而且，父亲去年甫出任筱冢药品旗下筱冢化学公司的社长，肯定没有余力为侄子的再婚操心。

第二口白兰地流进喉咙时，电话响了。一成站在原地，没有接起听筒。联结着电话的传真机开始吐出白色的纸。

一成将近正午时抵达新大阪车站。踏上月台的那一刻，立即感觉到湿度与温度的差别。已过了九月中旬，仍暑气逼人。一成这才想起，是啊，大阪的秋老虎素来凶猛。

下了月台楼梯，走出收票口。车站建筑物的出口就在眼前，出租车停靠站在对面。他走过去，心想先到葬礼会场再说。就在这时，有人喊了声“筱冢先生”，是女人的声音。他停下脚步，环顾四周。一个二十四五岁的女子小跑着靠近，她身上穿着深蓝色套装，内搭T恤，长发扎成马尾。“谢谢您大老远赶过来，辛苦您了。”一在他面前站定，她便客气地施礼，头发恰似马尾般扫动。

一成见过这女子，她是唐泽雪穗南青山精品店的员工。“呃，你是……”

“我姓滨本。”她再次行礼，取出名片，上面印着滨本夏美。

“你是来接我的？”

“是的。”

“你怎么知道我要来？”

“是社长交代的。社长说，您应该会在中午前到达，但是我因为堵车来晚了，真是抱歉。”

“哪里，没关系……呃，她现在在哪里？”

“社长在家与葬仪公司的人谈事情。”

“家？”

“我们社长的老家，社长要我带筱冢先生过去。”

“啊，这样啊……”

滨本夏美朝出租车停靠站走去，一成跟在她身后。他推测一定是他搭乘新干线时，康晴打电话告诉雪穗。也许康晴曾对她说会派一成过去，有什么事尽管吩咐之类的话。

滨本夏美告诉司机去天王寺。一成昨晚接到康晴的传真，知道唐泽礼子家位于天王寺区真光院町。不过，那是在大阪哪个地方，他几乎全然不知。

“突然发生这种事，你们一定措手不及吧？”出租车开动后，他问道。

“是啊。”她点点头，“因为可能有危险，我昨天就先过来了，可是没想到竟然就走了。”

“什么时候去世的？”

“医院是昨晚九点左右通知的。那时候还没有走，只说情况突然恶化。可是，等我们赶到，已经断气了。”滨本夏美淡淡地叙述。

“她……唐泽小姐的情况怎么样？”

“这个啊，”滨本夏美蹙起眉，摇了摇头，“连我们看的人都难过。我们社长那种人是不会放声大哭的，可是她把脸埋在母亲的床上好久，一动不动。我想，社长一定是想忍住悲伤，可是我们连她的肩膀都不敢碰。”

“昨晚大概也没怎么睡吧？”

“我想应该是没有合过眼。我在唐泽家的二楼过夜，半夜有一次下楼，看到房间里开着灯，还听到微弱的声音，我想大概是社长在哭。”

“哦。”

一成想，无论唐泽雪穗有什么样的过去，怀着什么样的秘密，终究无法不为母亲的死悲伤。根据今枝的调查，雪穗应该是成为唐泽礼子的养女后，才得以过上无忧无虑的生活，也才拥有接受高等教育的机会。

目的地大概不远了，滨本夏美开始为司机指路。一成从口音判断，她应该也是大阪人，这才明白唐泽雪穗在众多员工中选她来的理由。

经过古老的寺庙，转入幽静的住宅区，出租车停了。一成准备付车费，却被滨本夏美坚拒："社长交代，绝对不能让筱冢先生付钱。"她带着笑，语气却明白而笃定。

唐泽雪穗的老家是一幢木篱环绕、古意盎然的日式房舍，有一扇小小的腕木门。学生时代，雪穗一定每天都会穿过这道门，也许她一边走过，一边对养母说"我上学去了"。一成想象着那样的情景，那是一幅美得令人想深深烙印下来的画面。

门上设有对讲机。滨本夏美按了钮，一声"喂"立刻从对讲机里传出来，是雪穗的声音。

"我把筱冢先生接来了。"

"哦。那么，直接请他进来，玄关的门没有锁。"

"是。"滨本夏美回答后，抬头看一成，"请进。"

一成随她穿过大门，玄关还安装了拉门。他想，最近一次看到这么传统的房子是什么时候呢？他想不起来。

在滨本夏美的带领下，他来到屋内，走上走廊。木质走廊打磨得极为光亮，绽放出的光泽来自耗费无数精力的手工擦拭，而非打蜡使然，同样的光泽也出现在每一根柱子上。一成仿佛看到了唐泽礼子的人品，同时想到，雪穗是由这样一位女士教养成人。

耳边听到说话声，滨本夏美停下脚步，朝身边一道拉上的纸门说："社长，方便打扰吗？"

“请进。”应答声从里面传来。

滨本夏美把纸门拉开三十厘米左右，“我把筱冢先生带来了。”

“请客人进来。”

在滨本夏美示意下，一成跨过门槛。房间虽是和室，却按西式房间布置。榻榻米上铺着棉质地毯，上面摆着藤桌椅。一把长椅上坐着一对男女，他们对面本应是唐泽雪穗，但她为迎接一成站了起来。

“筱冢先生……谢谢你特地远道而来。”她行礼致意。她身上穿着深灰色长裙，比起上次见到时瘦了不少，可能是因丧母而憔悴。几乎素颜,尽管素净的脸上难掩疲惫之色,却仍有其魅力。她是真正的美人。

“请节哀顺变。”

“嗯。”她好像应了一声，但声音低不可闻。

坐在对面的两人脸上露出困惑的表情。

雪穗似乎察觉到了，便向一成介绍:“这两位是葬仪公司的。”接着对他们介绍一成:“这位是工作上的客户。”

“请多指教。”一成对他们说。

“筱冢先生，你来得正好。我们现在正在讨论，可是我实在不知如何是好，正头疼呢。”雪穗坐下后说。

“我也没有这方面的经验。”

“可是，一个人拿主意总是叫人不安，身旁有人可以商量心里就笃定多了。”

“但愿我能帮得上忙。”一成说。

与葬仪公司讨论完种种细节，时间已将近两点。在讨论过程中，一成得知守灵的准备工作已着手进行。守灵与葬礼都会在距此十分钟左右车程的灵堂举行，灵堂在一栋七层大楼里。滨本夏美与葬仪公司的人先行前往灵堂，唐泽雪穗表示她必须等东京的东西送到。

“什么东西？”一成问。

“丧服，我托店里的女孩送来。我想，她应该快到新大阪站了。”她看着墙上的钟说。

雪穗到大阪时可能没有预料到要办葬礼。即使养母的状况一直没有好转，想必她也不希望预先备好丧服。

“不通知学生时代的朋友吗？”

“哦……我想不必了，因为现在几乎已没有来往。”

“社交舞社的人呢？”

一成的问题让雪穗瞬间睁大了双眼，表情仿佛被触动了心灵死角。但她立刻恢复平常的表情，轻轻点头。“嗯，我想不必特地通知。”

“好。”搭乘新干线时，一成曾在记事本上写下好几则葬礼的准备事项，他将其中“联系学生时代的朋友”一则划掉。

“糟糕，我真是的，竟然连茶都没有端给筱冢先生。”雪穗匆忙站起，“咖啡可以吗？还是要喝冷饮？”

“不用费心了。”

“对不起，我太漫不经心了。也有啤酒。”

“那，我喝茶就好。有没有凉的？”

“有乌龙茶。”说着，她离开了房间。

一落单，一成便从椅子上站起，环视室内。房间被布置成西式的，却在一角放着传统的茶具柜，但这款家具也与整个房间相当协调。

看来极为坚固的木质书架上，并排放着茶道与花道的相关书籍，也掺杂了初中参考书和钢琴初级教本等等，当是雪穗用过的。一成想，她也曾在这个客厅读书，钢琴可能在别的房间。

他打开与进房纸门相对的隔扇，出现了一个小小的外廊，角落里堆着旧杂志。

他站在外廊上望着庭院，虽然不大，但植株和颇富野趣的石灯笼营造出素雅的和风庭院气氛。原本可能由草皮覆盖的地方已经令人遗憾地全被杂草占据。年过七旬的老人要让这个庭院维持美观，想必实在困难。

他面前摆着许多小盆栽，几乎都是仙人掌，有许多呈球状。

“院子很见不得人吧？完全没有整理。”声音从后面传来。雪穗端着摆了玻璃杯的托盘站在那里。

“稍微整理一下就会像以前一样漂亮了。像那个石灯笼，真的很不错。”

“可是已经没有人来欣赏了。”雪穗把装了乌龙茶的玻璃杯放在桌上。

“这栋房子你有什么打算？”

“不知道，我还没有想到这里。”她露出悲伤的笑容。

“啊……也是。”

“不过，我不想卖掉，也不想拆……”她把手放在纸门框上，怜爱地抚摸着上面的小小伤痕，然后像是突然想起什么似的抬头看一成，“筱冢先生，真的很谢谢你，我还以为你不会来。”

“为什么？”

“因为……”雪穗先垂下眼睛，又再次抬起，她眼眶泛红，珠泪欲滴，“筱冢先生讨厌我呀。”

一成一惊，要掩饰内心的波动并不容易。“我为什么会讨厌你？”

“这我就不知道了。也许你对我和诚离婚不满，也许还有别的理由。只是我确实感觉到，你躲着我，讨厌我。”

“你想太多了，没这回事。”一成摇摇头。

“真的吗？我能相信你这句话吗？”她向他靠近一步，两个人仅相距咫尺。

“我没有理由讨厌你啊。”

“太好了。”雪穗闭上眼睛，仿佛由衷感到安心般舒了一口气。甜美的香味瞬间麻痹了一成的神经。她睁开眼睛，已经不再泛红了，难以言喻的深色虹膜想吸住一成的心。

他移开目光，稍微拉开些距离。在她身边会产生一种错觉，似乎会被一种无形的力量牢牢捕获。

“你母亲，”他看着庭院说，“一定很喜欢仙人掌。”

“跟这个院子很不协调吧？不过，妈妈一直很喜欢，种了很多又分送给别人。”

“这些仙人掌以后怎么办？”

“我也不知道。虽然不太需要照顾，但总不能就这样放着不管。”

“只好送人了。”

“是啊。筱冢先生，你对盆栽有兴趣吗？”

“不了，谢谢。”

“哦。”她露出浅浅的笑容，转身面向院子蹲下，“这些孩子真可怜，没了主人了。”

话音刚落，她的肩膀便开始微微颤抖，不久，颤抖加剧，她全身都在晃动，而且发出呜咽声。“孤零零的，不止它们，我也无依无靠了……”

她哽咽的呢喃大大撼动了一成，他站在雪穗身后，将右手放在她摇晃的肩上。她将白皙的手叠了上来。好冷的手。他感觉到她的颤抖趋于平缓。

突然间，连自己都无法说明的感情从心底泉涌而出，简直像是封印在内心深处的东西获得了释放，甚至连他都不知道自己拥有这样的感情。这份感情逐渐转变为冲动，他的眼睛注视着雪穗雪白的脖子。

正当他的心防就要瓦解的那一刹那，电话响了。他回过神来，抽回放在她肩上的手。

雪穗似乎有所迟疑般静静地等了几秒钟，随即迅速起身。电话在矮脚桌上。

“喂，哦，淳子，你到了？……哦，一定很累吧，辛苦你了。不好意思，可以麻烦你带着丧服去我说的地方吗？你上了出租车以后，先……”

一成愣愣地听着她明朗的声音。

7

葬礼会场位于五楼。一出电梯便是一个类似摄影棚的空间，祭坛已布置好，开始排列铁椅。

那个叫广田淳子的年轻女子业已抵达，她从东京带来了雪穗与滨本夏美的丧服，滨本夏美已换装完毕。

“那么，我去换衣服。”雪穗接过丧服，消失在休息室里。

一成坐在椅上，望着祭坛。雪穗曾说：“钱不是问题，请做得体面一点，不要委屈了母亲。”一成看不出眼前的祭坛和一般的有何不同。

一回想起在唐泽家的事，一成就捏了一把冷汗。要是那时电话没有响，他一定会从雪穗身后紧紧抱住她。为什么会有那种心情，他自己也不明白。分明已经再三告诫自己，必须对她提高警觉，但那一刻，他却完全卸下了心防。

他警告自己，一定要小心唐泽雪穗，不能臣服于她的魔力。然而另一方面，他开始产生一个想法，认为自己也许对她产生了天大的误会。她的眼泪，她的颤抖，实在不像作假。她看到仙人掌而呜咽的身影，与过去一成对她的印象截然不同。她的本质……

一成想，她的本质刚才不就显现出来了吗？会不会是因为自己向来对此不加正视，才会在心里塑造出一个扭曲的形象？反而是高宫诚和康晴从一开始就看到了她的原貌？

视野的一角有东西在移动，一成往那个方向望去，恰好看到换上西式丧服的雪穗缓缓靠近。

一朵黑玫瑰，他想。他从未见过如此绚丽、光芒如此夺目的女子。一身黑衣更凸显出雪穗的魅力。

她注意到一成的视线，嘴角微微上扬，然而双眼仍带着泪光，那是黑色花瓣上的露珠。

雪穗慢慢走近设置于会场后面的接待台。滨本夏美与广田淳子正在讨论事情，她也加入讨论，针对细节给予两名员工指示。一成痴痴地望着她。

不久，前来吊唁的客人陆续来到，几乎都是中年女人。唐泽礼子在自宅教授茶道与花道，她们应该是她的学生。她们往祭坛上的遗像前一站，几乎毫无例外地流泪不止。

某个认识雪穗的女人握住她的手，絮絮不休地谈着唐泽礼子的过往，一开口，她自己也悲从中来，泣不成声。这样的情况周而复始。即使是这些稍嫌麻烦的吊唁者，雪穗也不会随便应付，而是认真倾听，直到对方满意为止。那光景从旁看来，真不知是谁在安慰谁。

一成与滨本夏美讨论葬礼的流程，发现自己无事可做。另一个房间备有餐点与酒水，但他总不能大剌剌地坐在那里。

他漫无目的地在会场四周走动，看到楼梯旁有自动售货机。虽然不是特别想喝，他仍伸手探进口袋，掏出零钱。正当他买咖啡时，听到女子说话的声音。是雪穗的员工，似乎是在楼梯间门后。或许这时也是她们的午茶时间。

“不过，真是幸好，虽然妈妈去世实在可怜。”滨本夏美说。

“就是啊。以前虽然陷入昏迷，可也许还会活很久，这样的话，可能会忙不过来。”广田淳子回答。

“而且又有自由之丘的三号店，那里又不能延期开业。”

“如果社长的妈妈没走，社长有什么打算？”

“不知道。可能会在开业那天露个脸，然后就回大阪。说真的，我最怕的就是这样，客人来的时候社长不在，实在说不过去。”

“真险。”

“对啊。而且，我觉得不光是店里的事，能早点过去也好。你看嘛，就算人没醒过来，还是得照顾，那真的挺惨的。”

“嗯，你说得对。”

“已经七十几了吧。像我，还想到能不能安乐死呢。”

“哇！你好坏！”

“别告诉别人哦。”

“我知道啦，这还用说。”两人哧哧地笑着。

一成拿着装了咖啡的纸杯离开那里，回到会场，把纸杯放在接待台上。滨本夏美的话还留在耳际：安乐死。不会吧，他在心中喃喃地说，那不可能。心里这么想，大脑却开始审视这不祥的可能。

他不由得想起几件事。首先，滨本夏美被叫到大阪后不久，唐泽礼子便亡故，而且是晚上她们两人在一起的时候，接到医院的通知。于是雪穗有了不在场证明。然而，这同时也可以怀疑她叫滨本夏美来大阪，是为了给自己制造出完美的不在场证明，而有人在此期间偷偷溜进医院，在唐泽礼子的看护仪器上动手脚。

这真是鸡蛋里挑骨头的推理，也可以说是胡乱推测。然而，一成无法将这个想法置于脑后，因为他忘不了刑警笹垣告诉他的那个名字——

桐原亮司。

滨本夏美说，半夜里听到雪穗房间里有声音。她说一定是雪穗在哭，但真的是这样吗？她是不是在与“犯罪者”联络？

一成拿着咖啡杯，看着雪穗。她正在接待一对刚迈入老年的夫妇，每当老夫妇开口，她便深有所感般点头。

晚上十点过后，已不见吊唁客的身影。绝大多数亲朋故旧大概都准备参加明天的葬礼。雪穗命两个员工回酒店。

“社长您呢？”滨本夏美问。

“我今晚住这里，这是守灵的规矩。”

的确，会场旁备有让主家过夜的房间。

“您一个人不要紧吗？”

“没事，辛苦你们了。”

“社长辛苦了。”说着，两人离去。

只剩他们俩，一成感到空气的浓度仿佛骤然升高。他看看手表，准备告辞。但雪穗抢先一步说：“要不要喝杯茶？还可以再待一会儿吧？”

“哦，嗯，可以。”

“这边请。”她先迈开脚步。

房间是和室，感觉像温泉旅馆的房间。桌上有热水瓶、茶壶和茶杯，雪穗为他泡茶。“这样和筱冢先生在一起，感觉真不可思议。”

“是啊。”

“让我想起集训的时候，比赛前的集训。”

“嗯，听你这么一说，果然很像。”

上大学时，他们为了取得佳绩，在比赛前都会进行集训。

“那时大家常说，要是永明大学的人来夜袭该怎么办。当然是开玩笑的。”

一成啜了一口茶，笑了。“的确是有人放话说要这么做，只不过从没听说付诸实行。但是，”他看看她，“没有人说要偷袭你。因为那时你已经是高宫的女朋友了。”

雪穗微笑着低下头。“诚一定跟你提过很多关于我的事吧。”

“没有，也没怎么提……”

“没关系，我能理解。我想，我也有很多遭人非议之处，诚才会移情别恋。”

“他说都是他的错。”

“是吗？”

“他是这么说的。当然，你们两个人的事，你们自己最清楚。”一成把玩着手里的茶杯。

雪穗呼出一口气，道：“我不懂。”

一成抬起头来：“不懂什么？”

“怎么爱人，”她定定地凝视他的双眼，“我不懂得怎么去爱一个男人。”

“这种事没有一定之规吧，我想。”一成移开视线，把茶杯送到嘴边，但茶几乎没有入口。

两人陷入沉默，空气似乎更沉重了，一成感到无法呼吸。“我要走了。”他站起来。

“不好意思，把你留下。”她说。

一成穿好鞋，再度回头面向她：“那我走了，明天我会再来。”

“麻烦你了。”

他伸手握住把手，准备开门。然而，就在他打开门的前一瞬，忽觉背后有人。

不必回头，他也知道雪穗就站在身后。她纤细的手触碰着他的背。“其实，我好怕，”她说，“我好怕孤零零一个人。”

一成自知内心正剧烈起伏。想直接转身面对她的冲动，如浪涛般排山倒海而来，他发现警示信号已由黄灯变成红灯。现在要是看见她的双眼，一定难敌她的魔力。

一成打开门，头也不回地朝着前方说：“晚安。”

这句话如同解开魔法的咒语，她的气息倏地消失。接着，响起她与先前毫无两样的冷静声音：“晚安。”

一成踏出房门。离开房间后，背后传来关门声，他这时才终于回头。

又传来咔嗒的上锁声。

一成凝视着紧闭的门，在心里低声道：你真的是“一个人”吗……

一成迈开步伐，脚步声在夜晚的走廊回响。

第十三章

1

一下公交车，外套的下摆便被风扬起。直到昨天，天气都还算暖和，今天却突然变冷了。不，应该是东京的气温比大阪低，笹垣想。

走在已经熟悉的路上，到达要去的大楼时正值下午四点，和预计差不多。虽然多花了点时间绕到新宿的百货公司，但如果不买对方指定的礼物，恐怕会令其大失所望。

沿楼梯来到二层，右膝有些疼痛。以疼痛的程度来感受季节的变化，是从几年前开始的？

他在二楼一扇门前停步。门上贴着今枝侦探事务所的门牌，擦得很干净，不知情的人一定会以为还在营业。

笹垣按了对讲机，感觉室内有动静，肯定是站在门后，透过窥视孔看门外的访客。

锁开了，菅原绘里笑盈盈地开了门。“辛苦了，这次比较晚呢。”

“买这个花了点时间。”笹垣拿出蛋糕盒。

“哇！谢谢，好感动哦！”绘里开心地双手接过盒子，当场打开盒盖确认里面的东西，“您真的帮我买了想要的樱桃派呀。”

“找这家店找了半天。还有别的女孩也买了同样的蛋糕。我倒不觉得看起来特别好吃。”

“今年樱桃派当红啊，因为《双峰》[①]的关系。”

“这我就不懂了，蛋糕还有红不红的？不久前不是才流行过提拉米苏，姑娘的想法真是无法理解。”

“大叔不必懂这些啦，好，马上就来吃。大叔要不要也来一点？我帮你泡咖啡。”

“蛋糕就不必了，咖啡倒是不错。”

“没问题！”绘里雀跃地回答，走进厨房。

笹垣脱下外套，在旁边的椅子上坐下。室内的摆设和今枝直巳从事侦探业务时几乎一模一样，铁质书架和文件柜也原封不动。不同的是多了台电视，有些地方摆上了少女风格的小东西，这些都是绘里的。

“大叔，这次要在这边待几天？”绘里边操作咖啡壶边问。

“还没决定，大概三四天吧。我不能离家太久。”

“担心老婆啊。”

“老太婆倒是没什么好担心的。”

“好过分哦。不过，才三四天，做不了什么吧？”

“是啊，不过没办法。”

笹垣拿出盒七星，擦火柴燃起一根。今枝的办公桌上就有一个玻璃烟灰缸，他把着过的火柴丢在里面。铁质办公桌的桌面擦得一尘不染，今枝一回来，马上可以开始工作。只不过桌上的日历一直停留在去年八月，那是今枝失踪的时候，已经是一年又三个月前了。

---

①指美国导演大卫·林奇执导的电影《双峰：与火同行》，于1992年上映。

笹垣望着绘里的身影，她穿着牛仔裤，脚踏着节奏哼歌，正在切樱桃派。她看起来总是那么开朗乐观，但一想到她内心的悲伤与不安，他就为她难过。她不可能没有猜到今枝已经不在人世了。

笹垣是在去年这个时候见到绘里的。他想知道今枝身边是否有所变化，便来事务所查看，却发现一个陌生的年轻女孩住在这里，女孩就是绘里。

她一开始对笹垣高度警戒，但知道他是警察，且在今枝失踪前与他见过面后，便慢慢解除了戒心。

绘里虽没有明说，但她与今枝似乎是恋爱关系，至少她把他当作那样的对象。因此，她用自己的方法拼命寻找今枝的下落。她之所以退掉自己的公寓搬到事务所来，也是怕这里若被收走，就会失去所有线索。待在这里，可以查看寄给今枝的邮件，也可以见到来找他的人。所幸，房东并不反对她住在这里。考虑到房客失踪，也不好放着房子不管，答应让她搬进来应该是顺水人情。

认识绘里后，笹垣每次来到东京必定会顺道来看看她。她会告诉他关于东京的街道分布与流行事物，这对笹垣而言求之不得。最重要的是和她聊天很愉快。

绘里用托盘端来两个马克杯与一个小碟子，小碟子上装了笹垣买来的樱桃派。她把托盘放在铁质办公桌上。

“来，请用。”她把蓝色马克杯递给笹垣。

“哦，谢谢。”笹垣接过杯子，喝了一口，暖暖受寒的身体。

绘里坐在今枝的椅子上，说声“开动”，大口咬下樱桃派，一边嚼，一边向笹垣做出 OK 手势。

“后来怎么样，有没有什么事？”笹垣不敢问得太直接。

绘里开朗的脸上出现了一丝阴影，她把没吃完的派放回碟子，喝了一口咖啡。“没什么值得向大叔报告的。这阵子几乎没有他的信，就算有人打电话来，也只是有工作要委托。”

今枝的电话仍保持通话状态，这当然是因为绘里定期交费。电话簿上既然刊登今枝侦探事务所的电话，自然会有人来电委托工作。

“已经没有客人直接过来了吗？”

“是啊，本来到今年初都还挺多的……”说着，绘里打开抽屉，拿出一个笔记本。筱垣知道，她以自己的方式把事情记在笔记本上。“今年夏天来过一个，九月有一个，就这样。两个都是女人，夏天来的那个是回锅的。”

“回锅？”

“就是以前委托过今枝先生的客人。那女人姓川上，我跟她说，今枝住院了，短时间内可能没法出院，她很失望地回去了。后来我一查，原来两年前她来查过老公的外遇。那时好像没有查到关键的证据，这次大概也是想查她老公吧，一定是安分一阵子的老公又开始痒了。”绘里开心地说。她本就喜欢刺探别人的秘密，也帮过今枝。

“九月来的是什么样的人？也是之前来过的客人吗？”

“不是，那个女人就不是了。她好像是想知道朋友以前有没有找过今枝先生帮忙。”

“咦？怎么说？”

“就是，”绘里从笔记本里抬起头来，看着筱垣，“她想知道大概一年前，有没有一个姓秋吉的人委托我们调查。”

“哦？”乍听到“秋吉”这个姓氏，筱垣觉得有些耳熟，但想不起来，“奇怪的问题。”

“其实也不见得哦。”绘里笑得不怀好意。

“怎么说？”

“以前我听今枝先生说过，搞外遇的人啊，怕老婆或老公找侦探调查自己的人其实很多，我想那个女人多半也是。我猜，她一定是发现了什么蛛丝马迹，知道她老公一年前找过侦探，才跑来确认。”

“看你自信满满的样子。”

“我对这种事的直觉最准了。而且啊，我跟她说，我当场没办法帮她查，等我查出来再跟她联系，结果她说不要打电话到她家，要我打到她上班的地方。这不是很奇怪吗？这就表示她怕她老公接到电话嘛。”

“哦。这么说，这个女人也姓……呃……”

“秋吉，可是她却跟我说她姓栗原。我想这应该是她结婚前的姓，出外工作还是用原名。有很多婚后继续工作的女人都这么做。”

筐垣打量眼前的女孩，摇摇头。“了不起啊，绘里，你不仅能当侦探，也可以当警察了。”

绘里一脸得意，嘿嘿笑了。“那我再来推理一下吧。那个栗原小姐好像是在帝都大学附属医院当药剂师，她外遇的对象就是医院的医生，而且对方有老婆小孩。就是现在最流行的双重外遇。”

“这算什么啊！你这已经不是推理了，该叫幻想才对。”筐垣皱着眉头笑了。

2

离开今枝的事务所，筐垣前往位于新宿市郊的旅店，走进大门时正好七点。

这家店整体感觉昏暗冷清，没有像样的大厅，所谓的前台也只是一张横放的长桌，有个不太适合从事服务业的中年男子板着脸站在那里。但是，如果想在东京住上几天，只好在这种水平的旅店里委屈一下。事实上，就连住这里筐垣负担起来也不轻松。只是他没法住现在流行的胶囊旅馆，他住过两次，但老骨头承受不起，根本无法消除疲劳。他只求一间可以好好休息的单人房，简陋点也无妨。

他照常办好住房手续，那个冷冰冰的前台服务员说“这里有给笹垣先生的留言”，把一个白色信封连同钥匙一起递给他。

“留言？”

“是的。”交代完这句，他做起其他的工作。

笹垣打开信封查看，一张便条纸上写着“进房后请打电话到三〇八号房”。

这是什么？笹垣百思不解。那个前台服务员不但态度不佳，而且心不在焉，笹垣不禁怀疑他是不是把留言给错了人。

笹垣住三二一号房，和留言的人同一楼层。搭上电梯，前往自己房间途中，便经过三〇八号房。他踌躇片刻，还是敲了门。

里面传来穿着拖鞋的脚步声，接着门开了。看到门后出现的面孔，笹垣不禁一愣，完全出乎他意料之外。

“现在才到啊，真晚。”露出笑容说话的竟是古贺久志。

“你……你怎么会在这里？”笹垣有些口吃地问。

“这个嘛，原因很多。我在等老爹，您吃过晚饭了吗？”

“还没有。”

“那我们去吃饭吧。老爹的行李可以先放在这里。”古贺把笹垣的行李放进房间，打开衣橱，拿出西装外套和大衣。

古贺问笹垣想吃什么，笹垣回答只要不是西餐就好，于是古贺带他来到一家相当平民化的小酒馆。店内有榻榻米座位，放着四张小小的方形餐桌，他们在其中一张桌子旁相对坐下。古贺说，这家店他来东京时经常光顾，生鱼片和卤菜相当不错。

“先干一杯。”古贺说着拿起啤酒瓶倒酒，笹垣拿着杯子接了。当他要为古贺倒酒时，古贺辞谢了，自行斟满。

没有原因地说声“干杯”，喝了一口后，筥垣问：“你怎么来了？”

“警察厅[①] 有个会议，本来应该由部长来，但他说什么实在抽不出时间，要我代他出席。真是没辙。”

“这表示你受重用啊，该高兴才是。”筥垣伸筷子夹起鲔鱼中肚肉，果然好吃。

古贺曾是筥垣的后进，现已成为大阪府警搜查一科的科长。由于他接二连三通过升级考，有些人背地里喊他考试虫，这一点筥垣也知道。但就筥垣所见，古贺从未在实务上松懈过。他和其他人一样精于实务，同时又发奋用功，一一通过升级考的难关，这是一般人难以望其项背的。

“想想也真好笑，”筥垣说，“一个忙碌的警视[②] 大人，怎么会跑到这种地方来浪费时间呢？而且还住那种廉价旅店。”

古贺笑了。“就是啊，老爹，您也挑稍微像样一点的饭店住嘛。”

“别傻了，我可不是来玩的。”

“问题就在这里。”古贺往筥垣的杯子里倒啤酒，“如果您是来玩的，我什么话都不说。一直到今年春天，您都做牛做马地拼命，现在大可游山玩水，您绝对有这个权利。但是，一想到老爹来东京的目的，我实在没资格在一旁袖手，姑姑也很担心啊。”

“哼，果然是克子要你来的，真拿她没办法。她把府警的搜查科长当成什么了？”

“不是姑姑要我来的。我是听姑姑提起，很担心老爹，才来了。”

“都一样！还不都是克子找你发牢骚，还是跟织江说的？”

“这个嘛，事实上大家都很担心。”

---

①日本警察的中央行政机关。

②日本警察职衔由上向下分为警视总监、警视监、警视长、警视正、警视、警部、警部补、巡查部长、巡查。

“哼！无聊。”

古贺现在算是笹垣的亲戚，因为他娶了笹垣妻子克子的侄女织江。他们不是通过相亲，是恋爱结婚的。但笹垣不清楚他们两人认识的经过，多半是克子牵的红线，他一直被蒙在鼓里，以至于将近二十年后的现在，他还心存芥蒂。

两瓶啤酒都空了，古贺点了清酒，笹垣向卤菜下箸。虽是关东口味，仍不失鲜美。古贺往笹垣的杯中倒上清酒，冒出一句：“您还放不下那桩案子吗？”

“那是我的旧伤。”

“可是，被打进冷宫的不止那件啊，而且打进冷宫这个说法也不知对不对。凶手可能就是因车祸死亡的那个人，专案小组应该也是偏向这个意见。”

“寺崎不是凶手。”笹垣一口干了杯中酒。命案发生已过了十九年，他的脑海里仍牢记着相关人物的姓名。十九年前的那桩当铺命案！

“寺崎那里再怎么找都找不到桐原那一百万。虽然有人认为他藏起来了，我却不这么想。当时，寺崎被债务压得喘不过气来，如果他有一百万，应该会拿去还钱，他却没有这么做。唯一可能的原因就是他根本没有这笔钱，也就是说，他没有杀桐原。”

“我基本上赞成这个意见。那时也是因为这么想，所以在寺崎死后，我也跟着您一起到处查访。可是老爹，已经快二十年了。”

“时效已经过了，这我知道。知道归知道，但唯独这件案子，不查个水落石出，我死不瞑目。”

古贺准备往笹垣空了的酒杯里倒酒，笹垣挡住了，抢过酒瓶，先斟满古贺的酒杯，接着才为自己倒酒。“是啊，被打入冷宫的不止这件案子，其他更大、更残忍的案子，最后连凶手的边都摸不到的也很多，每个案子都让人沮丧，让我们办案的没脸见人。但是，我特别放不下这件案子是有理由的。我觉得，因为这件案子没破，害得好几个无辜的人遭到不幸。”

“怎么说？”

“有一株芽应该在那时就摘掉，因为没摘，芽一天天成长茁壮，长大了还开了花，而且是作恶的花。”笹垣张开嘴，让酒流进咽喉。

古贺松开领带和衬衫的第一颗纽扣。“你是说唐泽雪穗？”

笹垣将手伸进外套的内袋，抽出一张折起的纸，放在古贺面前。

“这是什么？”

“你看啊。”

古贺把纸打开，浓浓的双眉紧紧蹙起。“R&Y 大阪店开业……这是……”

“唐泽雪穗的店。厉害吧，终于要进军大阪了，在心斋桥。你看，上面说要在今年圣诞节前一天开业。”

“这就是作恶的花吗？”古贺把传单整齐地折好，放在笹垣面前。

“算是结出来的果实吧。”

“从什么时候开始的？老爹什么时候开始怀疑唐泽雪穗？不对，那时还叫西本雪穗。”

“在她还是西本雪穗的时候。桐原洋介被杀的第二年，西本文代也死了。从那件案子后，我对那女孩的看法就变了。”

“那件案子好像是被当作意外结案了。可是，老爹到最后都坚持那不是单纯的意外死亡。”

“绝对不是。报告上说，被害人喝了平常不喝的酒，又吃了五倍于一般用量的感冒药，哪有这种意外死亡？但很遗憾，那不是我们这组负责的，不能随便表示意见。”

“应该也有人认为是自杀，只是后来……”古贺双臂抱胸，脸上露出回想的表情。

“是雪穗作证说她妈妈感冒了，身体畏寒时会喝杯装清酒什么的，才排除了自杀的可能。”

“一般人不会想到女儿会作伪证啊。”

“但是，除了雪穗，没有人说文代感冒了，所以有说谎的可能。”

“何必说谎呢？对她来说，是自杀还是意外，没有什么差别吧？如果说前一年文代保了寿险，那或许是想要理赔金，可是又没有这种事。再说，当时雪穗还是小学生，应该不会想到那里……”古贺突然一副惊觉的样子，“您该不会是说，文代是雪穗杀的吧？”

古贺用了玩笑的语气，筱垣却没有笑，说道：“我没这么说，但她可能动了什么手脚。”

“手脚？”

“比如，她可能发现母亲有自杀的征兆，却装作没有发现之类的。”

“你是说，她希望文代死？”

“文代死后不久，雪穗就被唐泽礼子收养了。或许她们很早之前就提过这件事了。很可能是文代不同意，但雪穗本人很想当养女。”

“可是，总不会因为这样就对亲生母亲见死不救吧？”

“那女孩不会把这种事放在心上。她隐瞒母亲自杀还有另一个理由。可能这对她来说才是最重要的，那就是形象。母亲死于意外会引起世人同情，但若是自杀，就会被别人以有色眼光看待，怀疑背后有什么不单纯的原因。为将来着想，要选哪一边应该很清楚。”

“老爹的意思我懂，可……还是有点难以接受。”古贺又点了两瓶清酒。

“我也一样，当时没有想到这些，是这些年来追查唐泽雪穗，才慢慢整理出这些想法。哦，这个好吃！是用什么炸的？”他用筷子夹起一小块，仔细端详。

“您觉得呢？”古贺得意地笑。

“就是不知道才问你啊，是什么？这味道我没尝过。”

“这个啊，是纳豆。”

“纳豆？那种烂掉的豆子？”

“是啊。”古贺笑着把酒杯端到嘴边，“就算老爹再怎么讨厌纳豆，如果这样做，应该也敢吃才对。”

“哦，这就是那个黏不拉叽的纳豆啊。”笹垣嗅了嗅，再次细看后才放进嘴里，满口都是焦香味，“嗯，好吃。”

“不管对什么事情都不能有先入为主的观念。”

“完全正确。”笹垣喝了酒，胸口感觉相当暖和，“没错，就是先入为主的观念。就是因为这样，我们犯下大错。我开始觉得雪穗不是普通小孩后，重新再看当铺命案，发现我们错失了好几个重点。”

“什么重点？”古贺的眼神很认真。

笹垣迎向他的视线，说：“首先，鞋印。”

“哦？”

“陈尸现场的鞋印。地板积了一层灰，留下了不少鞋印。但我们完全没有留意。你还记得是为什么吗？”

“因为没有发现属于凶手的，对吧？”

笹垣点点头。“留在现场的鞋印，除了被害人的皮鞋，全是小孩子的运动鞋。那里被小孩子当作游乐场，发现尸体的又是大江小学的学生，有小孩子的鞋印理所当然。但是，陷阱就在这里。”

“你是说，凶手穿着小孩子的运动鞋？”

“你不觉得，完全没想到这一点，我们实在太大意了吗？”

笹垣的话让古贺嘴角上扬。他给自己斟满酒，一口气喝干。“小孩子不可能那样杀人吧？”

“换个角度，正因为是小孩子才做得到。因为被害人是在没有防备的状态下被杀的。”

“可是……”

“我们还漏了一点，”笹垣放下筷子，竖起食指，“就是不在场证明。”

“有什么漏洞？”

“我们盯上西本文代，确认她的不在场证明，首先想到有没有男性共犯，并因此找到寺崎这个人。但在那之前，我们应该更注意另一个人。”

“我记得，”古贺抚着下巴，视线上移，“雪穗那时去图书馆了。”

笹垣瞧着比自己年轻的警视。“你记得还真清楚。”

古贺苦笑：“老爹也认为我是不懂实务、只会考试的考试虫吗？”

“不是，我没这个意思。我只是以为，我们警察没有半个人掌握到雪穗那天的行踪。没错，雪穗是去了图书馆。但是，仔细调查，那座图书馆和命案现场大楼近在咫尺。对雪穗来说，那栋大楼就在从图书馆回家的路上。”

“我懂老爹的意思，可再怎么说，她才五年级啊，五年级也才……”

“十一岁。那个年纪的人已经有相当的智慧见识了。”笹垣拿出七星，抽出一根衔在嘴里，开始找火柴。

古贺的手迅速伸过来，手里握着打火机。“是吗？”他边说边点火。高级打火机连点火的声音都显得沉稳。

笹垣先道了声谢，才凑近火苗点着，吐出白烟，盯着古贺的手。“登喜路吗？”

“不，卡地亚。”

笹垣嗯了一声，把烟灰缸拉过来。“寺崎死于车祸后，从他车里找到了一个登喜路打火机。你还记得吗？”

“当时大家怀疑是遇害的当铺老板的东西，但查不出来，就不了了之了。”

“我认为那就是被害人的打火机，但凶手不是寺崎。照我的推论，想让寺崎背黑锅的人如果不是把那东西偷偷放在他那里，就是找了什么借口给了他。”

“这也是雪穗玩的把戏？”

“这样推论比较合理，总好过寺崎刚好与被害人有同一款打火机。”

古贺叹了口气，随即变成沉吟：“老爹会怀疑雪穗，思路这么开阔，这一点我很佩服。的确，那时我们因为她年纪小，没有详加调查，可能真的太大意了。但是老爹，这只不过是一种可能性啊，不是吗？你有证明雪穗就是凶手的关键证据吗？”

“关键证据……”笹垣深深吸了口烟，缓缓地吐出来，有一瞬间烟凝聚在古贺头部，随即扩散开来。“没有，我只能说没有。”

“既然这样，不如从头再重新想一次吧。再说，老爹，很遗憾，那个案子已经过了时效。就算老爹真的找到真凶，我们也奈何不了他。”

“我知道。”

“那……”

“你听我说，”笹垣在烟灰缸里摁熄了烟，然后看了看四周，确定没有人在偷听，“你误会了最重要的一件事，我不是在追查那件当铺老板命案。顺便再告诉你，我也不止在追查唐泽雪穗一个人。”

“你是说，你在追查别的案件？”古贺两眼射出锐利光芒，脸上也现出搜查一科科长应有的表情。

“我在追查的，”笹垣露出自得的笑容，“是枪虾和虾虎鱼。”

3

帝都大学附属医院的诊疗时间从早上九点开始，栗原典子的上班时间则是八点五十分。这是因为从医生开始接诊到处方传回药房，有相当长的一段时间差。

处方一传到药房，药剂师便以两人一组的方式配药。一个人实际配药，另一个人确认是否有误，再将药装袋。确认者要在药袋上盖章。

除了为门诊病人服务，还有来自住院病房的工作，例如运送药剂或配制紧急药品等。

这一天，典子正与同事为这些工作忙得不可开交时，一个男子始终坐在药房一角。他是医学系的年轻副教授，眼睛一直盯着电脑屏幕。

帝都大学于两年前开始通过电脑积极与其他研究机构进行信息交流。其中最具体的成果之一，便是与某制药公司中央研究所进行线上合作。凡是该制药公司生产销售的药品，院方均可通过此系统即时取得必要数据。

基本上任何人都可以使用这套系统，但条件是必须取得用户名与密码。这两者典子都有，但是，这台用途不明的机器搬进来后，典子从没碰过。想了解药品相关信息时，她会采取以往的方式，即询问制药公司。其他药剂师也都这么做。

坐在电脑前的年轻副教授正与某制药公司合作，共同进行某项研究，这件事众所皆知。典子认为，这样的系统对他们而言一定很方便。但电脑似乎不是万能的，就在几天前，院外的技术人员前来和医生们讨论，他们怀疑电脑被黑客侵入了。典子对这些事情一窍不通。

下午，典子到病房指导住院病人服药，和医生、护士讨论各患者的用药，然后回到药房配药。这是一如往常的一天，她也一如往常地工作到五点。正准备回家，同事叫住了她，说有电话找她。她心里一阵激动，也许是他。

“喂。”她对着听筒说，声音有些沙哑。

“啊……栗原典子小姐？”是一个男子的声音，但一点都不像典子期待的那个声音。对方的声音细小得令人联想到易得腺体疾病的体质，有点耳熟。

她回答：“我就是。”

“你还记得我吗？我是藤井，藤井保。”

“藤井先生……”这个名字一出口，典子便想起来了。藤井保是通过婚介所认识的男子，唯一约会过三次的那个。她哦了一声。“你好吗？”

“很好，托福。栗原小姐也不错吧？”

“还好……”

“其实，我现在就在医院附近。刚才我在里面看到你，你好像比以前瘦了一点。”

“啊……”典子很惊讶，不知道他到底找她做什么。

“请问，等一下可以见个面吗？一起喝杯茶。”

典子感到不胜其烦，还以为他有什么正事。

“不好意思，我今天有事。”

“只要一会儿就好。有件事我无论如何都要告诉你。只要三十分钟，可以吗？”

典子故意大声叹气，让对方听见。“请别再这样了。你光是打电话来，就已经造成了我的麻烦，我要挂了。”

“请等一下。那么，请你回答我的问题：你还和那个人同居吗？”

“咦……”

“如果你还跟他住在一起，我一定得把这件事告诉你。”

典子用手掌遮住听筒，压低声音问：“什么事？”

“我要当面告诉你。”可能是感觉到这句话已引起她的关切，男子坚定地说。

典子有些犹豫，但无法置之不理。“好吧，在哪里碰面？”

藤井指定的是距离医院几分钟路程的一家咖啡馆，就在荻洼站附近。

一进店门，坐在里面座位的一名男子便举手招呼。像螳螂般细瘦的身影没变，他穿着灰色西服，但上衣看起来简直像挂在衣架上。

“好久不见。”典子在藤井对面坐下。

“不好意思，突然打电话给你。”

“是什么事？”

“先点饮料吧。”

“不用了，听你说完我就要走了。”

“可是，那不是三言两语说得完的。”藤井叫来服务生，点了皇家奶茶，然后看着典子微微一笑，“你喜欢皇家奶茶，对吧？”

是，以前和他约会的时候，她常点皇家奶茶。看到他连这种事都记得，典子觉得不太舒服。

“你母亲还好吗？”她想借此挖苦他。

藤井的表情突然蒙上阴影，摇摇头：“半年前去世了。”

“啊……请节哀顺变。是因病去世吗？”

“不，是意外，噎死的。”

“啊，是吃了年糕之类的东西？”

“不，是棉花。”

“棉花？”

“她趁我不注意的时候，吃了棉被里的棉花。我实在不明白她为什么要这么做。取出来一看，棉块竟然比垒球还大。你能相信吗？”

典子摇摇头，感到难以置信。

“我又难过又自责，有一段时间没心思做任何事。可是，伤心归伤心，心里却不免感到松了一口气，想，啊，以后再也不用担心妈妈乱跑了。”藤井呼出一口气。

他的心情典子能够理解。因为工作的关系，疲于看护的家属她见多了。但是，她想，你可怨不了我。

奶茶送了上来，她喝了一口。藤井看着她，眯起眼睛。“好久没看到你这样喝红茶了。”

典子垂下眼睛，不知该如何作答。

“其实，我母亲走了，我除了松了一口气外，也有种不安分的想法。”藤井继续说，“就是，现在她应该愿意和我交往了吧。我说的她是指谁，你应该知道吧？”

“已经那么久了……”

“我一直忘不了你，所以我跑到你公寓那里去。那是在我妈去世后一个月左右，我才知道你和别的男人一起生活了。老实说，我很震惊，但是除此之外，看到他也让我非常惊讶。”

典子看着藤井：“有什么好惊讶的？”

“其实，我见过他。”

“不会吧……”

“是真的。我不知道他叫什么，但他的长相我记得很清楚。”

“你在哪里见到他的？”

“就在你身边。”

“什么？”

“那是去年四月的时候。我老实跟你说吧，那时候我只要一有时间，就到医院或公寓那边去看你，我想你一定没有发现。”

“我完全不知道。”典子摇摇头。她做梦也没想到会有人偷看她，不禁反感得起了鸡皮疙瘩。

“但是，”藤井似乎没有察觉她的不快，继续说，“那时候观察你的，不只是我，还有另一个人。他来过医院，也去过你公寓那边。我觉得一定有问题，甚至想告诉你。可是不久我就忙着工作和照顾母亲，挪不出半点时间。那人的事我一直挂在心上，但后来并没有采取任何行动。”

“你说的那人就是……”

“对，就是跟你住在一起的人。”

“怎么可能？”她摇摇头，感觉到脸颊有点僵，“你一定是弄错了。”

“绝对没错。别看我这样，我对人的长相可是过目不忘。他就是那时候的那个人。”藤井笃定地说。

典子拿起杯子，却没有心情喝茶，种种思绪像狂风暴雨般在她心中翻腾。

“我并没有因为这样就认定他是坏人。他也许只是跟我一样，是因为爱慕你才那么做。只是，要怎么形容呢？就像我刚才说的，那时候的气氛实在太不寻常了。一想到你跟他在一起，我就坐立难安。话是这么说，我又认为我不该干预，就这么忍到今天。但是，前几天，碰巧又看到你，从那天起，我满脑子都是你，今天才下定决心告诉你。”

藤井后来说了什么，典子几乎都没有听进去。他的主旨似乎是要她与同居男友分手，和他交往，但典子甚至无心应付他。并不是因为觉得太可笑，而是她的精神状态不足以支撑。她不记得自己是怎么离开的，等到她回过神来，已经走在夜晚的街道上。

他说是四月，去年四月。

那不可能，典子是五月遇到秋吉的，而且他们的相遇应该纯属偶然。

不是吗？难道不是偶然？

她回想起那时的事情。秋吉的脸因为腹痛而扭曲，在那之前，他一直在等典子回家吗？那一切，都是他为了接近她才使出的演技？

可是，目的何在？

假设秋吉接近典子带有目的，那为什么要选她呢？她清楚自己的斤两，十分确定中选的原因绝非美貌。

是她符合什么条件吗？药剂师？老姑娘？独居？帝都大学？

她心里一惊，想起婚介所。在入会时，她提供了大量个人资料。只要调阅那里的数据，要找到符合期望条件的对象并不难。或许秋吉能接触到那些数据，他以前在一家叫 Memorix 的软件公司工作，婚介所的系统会不会就是那家公司设计的？

不知不觉中，她已回到公寓，脚步有些蹒跚地爬上楼梯，走到门前，开了锁，打开房门。

“一想到你跟他在一起，我就坐立难安。”藤井的话语在她耳边响起。

“要是知道这个事实，你就没有什么好不安了吧。”她望着漆黑的房间喃喃地说。

4

有人在脑海里敲铁锤。铛——铛——铛——

同时还有细碎的笑声，听到这里，她睁开眼睛。带有花朵图案的墙上有一道光，是从遮光窗帘缝隙射进来的晨光。

筱冢美佳转过头去看枕畔的闹钟。那是康晴从伦敦买回来给她的，钟面上有会动的人偶。一到设定的时间，便会有一对少年少女配合音乐跳着舞出现。美佳把时间定在七点半，指针即将到达那个时刻。只要再等一分钟，轻快的旋律便会照常响起，但她伸手关掉了设定。

美佳下床，打开窗帘。阳光透过大大的窗户和蕾丝窗帘洒满室内，让原本昏暗的房间立刻明亮起来。墙边的穿衣镜中，一个穿着皱巴巴的睡衣、满头乱发的少女站在那里，脸上的表情难看到极点。

又传来铛的一声，接着是说话声。她听不见谈话的内容，但可以想象，反正是些无聊的对话。美佳走向窗边，俯视着草地仍显得绿油油的庭院。果然如她所料，康晴和雪穗正在草地上练习高尔夫球，应该说是康晴在教雪穗打高尔夫球。

雪穗拿着球杆摆姿势，康晴在身后贴着她，手覆在她的手上握住球杆，犹如双人羽织[①]。康晴对雪穗耳语，同时牵着她的手移动球杆，缓缓挥起，又缓缓放下。康晴的嘴唇好像随时都会碰到雪穗的脖子，不，他一定不时故意去碰。

这样练了一阵子，康晴总算离开雪穗身边。在他注视下，她试着推杆，有时打得很好，但还是没打好的居多。雪穗露出羞赧的笑容，康晴则提出建议。然后又回到最初的步骤，开始那可笑的双人羽织，这样的练习会持续三十分钟。

最近每天都看得到这幅情景。是雪穗主动说想学高尔夫球，还是康晴建议的，详情美佳并不清楚，但看来他们似乎是在培养夫妇共同的爱好。

妈妈想学高尔夫球的时候，爸爸分明大力反对……

美佳离开窗边，站在穿衣镜前。镜里映出一个刚满十五岁的少女的身子。瘦削的身体还没有女人的圆润曲线，只是手脚特别细长，肩膀的锁骨清晰可见。

---

①日本说唱艺术，A站在B身后，将双手伸进B的短外褂（即羽织），充当B的双手，做出种种动作。

美佳在脑中把雪穗的身体与自己的叠在一起。美佳曾有一次看到雪穗的裸体，她没注意到雪穗在浴室里，便打开门。雪穗一丝不挂，连浴巾都没披。出现在美佳眼里的是一具完美的女性胴体，轮廓有如以电脑精密计算过的曲线勾勒而成，同时却又简洁如以辘轳塑形的花瓶。丰满的胸部形状完美，微微透出粉红的白皙肌肤上附着细小的水珠。她身上并非毫无赘肉，但那微量的脂肪却使复杂的身体曲线显得滑顺柔美。美佳忘了呼吸。虽然只有短短的几秒钟，那胴体却烙在她眼里。

那时雪穗的反应极为高明。她不慌不忙，没有显示出一丝不悦。

“啊，美佳，要洗澡吗？”雪穗笑着说道，并没有急着遮住身体。

慌了手脚的反而是美佳，她不发一语地逃走，冲进房间，钻到床上，心脏狂跳不止。

想起那时自己的丑态，美佳脸都扭曲了，镜子里的她也做出相同的表情。她拿起梳子梳理一头乱发。头发打了结，无法梳开，她用力硬扯，弄断了好几根。

这时，传来敲门声。“美佳小姐，早安。你起床了吗？”

她没有回答，在第三次敲门声后，门打开了，葛西妙子小心翼翼地探头进来。“原来你已经起来了啊。”妙子一进房，便立刻着手整理美佳刚离开的床铺。胖胖的身躯，系在粗腰上的围裙，袖子卷起的毛衣，梳的包头发式，妙子的一身打扮与外国老电影里的女佣如出一辙。从她来家里帮佣，美佳就一直这么想。

“我本来想再多睡一会儿，却醒了，因为外面好吵。”

“外面？”妙子一脸不解，接着才恍然大悟般点点头，“最近老爷也起得很早。”

“真可笑，一大早打什么球。”

“因为老爷夫人都很忙啊，只有早上有时间。我认为运动是好事啊。”

“妈妈还在的时候，爸爸根本不会这样。”

“人啊，年纪大了就会变的。”

“所以爸爸才跟年轻女人结婚？找了个比妈妈小十岁的人。”

“美佳小姐，老爷也还年轻啊，总不能一辈子单身吧？美佳小姐迟早会出嫁，少爷也有一天会离开家里。”

“妙姨讲话真是颠三倒四。一下子说年纪大了就会变，一下子又说还年轻。”

美佳的话似乎让多年来疼爱她的妙子也感到不悦。妙子闭上嘴，走向房门。“早餐已经准备好了，请早点下楼。老爷交代，以后即使小姐快迟到了，也不会开车送你上学。”

“哼！”美佳哼了一声，“这一定也是她唆使爸爸的。”

妙子一语不发，准备离去。这时，美佳却说“等一下”，叫住了她。妙子准备关门的手停了下来。

“妙姨，你是站在我这边的吧？”美佳说。

妙子露出困惑的表情，接着呵呵笑了。“我不是任何人的敌人。”接着，胖胖的女佣关上房门。

美佳作好上学的准备来到一楼，其他三人已经在餐桌前就座，开始用餐了。康晴与雪穗并排背墙而坐，前面是美佳的弟弟优大。优大念小学五年级。

“我实在没有自信，至少要把一号木杆打好，不然会给大家添麻烦。”

“实际打，就会发现没有你想象的那么难。更何况你说至少要把一号木杆打好，那可是最难的，打得好就是职业级的了。反正，你先去球场打打看，那是第一步。”

“话是这么说，我还是很不安。”雪穗偏着头，眼睛朝向美佳。“啊，早呀。”

美佳没有回答，在她的位子坐下。康晴对她道早安，并投以责备的眼神。美佳无奈，只好在嘴里小声咕哝一声“早”。

餐桌上，火腿蛋、色拉、可颂面包分别盛放在盘子里。

“美佳小姐，请稍等一下，我马上就端汤过去。”妙子的声音从厨房传来，她似乎正在忙别的事情。

雪穗放下叉子站起来。“没关系，妙姐，我来。”

“不用了，我不喝汤。”说着，美佳抓起可颂，啃了一口，然后拿起摆在优大面前装了牛奶的玻璃杯，大大喝了一口。

“啊！姐，你怎么喝我的！”

“有什么关系，小气！”

美佳拿起叉子，开始吃火腿蛋。这时，一碗汤摆在她眼前，是雪穗端过来的。

“我都说不喝了。”她头也不抬地说。

“特地为你端来的，你这是什么话！”康晴说。

“没关系啦。”雪穗小声安抚丈夫，尴尬的沉默笼罩着餐桌。

一点都不好吃，美佳想，连她最爱吃的妙子做的火腿蛋都吃不出滋味，而且，用餐一点都不愉快。胃的上方还有点疼。

“对了，你今晚有没有事？”康晴喝着咖啡问雪穗。

“今晚？没有啊。”

“那我们一家四口出去吃个饭吧，我朋友在四谷开了一家意大利餐厅，叫我一定去捧个场。”

“哦，意大利菜呀，真棒。”

“美佳和优大也听到了吧，有什么想看的电视，要记得预约录像。”

“太棒了！那我要少吃一些点心。”优大开心地说。

美佳横了弟弟一眼，说：“我不去。”

夫妻俩的视线同时落在她身上。“为什么？”康晴问道，“你有什么事？今天没有钢琴课，也不必上家教吧？”

“我就是不想去，不去也没关系吧。”

“为什么不想去？”

“这有什么好问的。”

“你这是什么话？想说什么就说啊！”

“老公，”雪穗插话进来，“今晚还是算了吧。仔细想想，我也不是完全没事。”

康晴无言以对，瞪着女儿。雪穗显然是在替美佳说话，这反而让美佳更加焦躁难耐。她粗鲁地放下叉子，站了起来。“我去上学了。”

“美佳！”

美佳对康晴的叫声充耳不闻，拿起书包和上衣来到走廊。她在玄关穿鞋的时候，雪穗和妙子走出来。

“路上小心哦，别只顾着赶时间。”雪穗拿起放在地上的外套，递给美佳，美佳默默地抢了过去。雪穗对开始穿外套的她微笑着说：“这件深蓝色的毛衣真可爱。”然后加了句“对不对”，征求妙子的同意。

妙子也笑着点头说：“是啊。”

“最近的制服都做得很漂亮，真好。我们那个年代的都很呆板。”

一股莫名的怒气涌上心头。美佳脱掉外套，在雪穗等人的错愕之中，连拉尔夫·劳伦毛衣也一并脱掉。

“美佳小姐，你这是做什么？”妙子慌忙说。

“没关系，我不想穿了。”

“可是会冷呀！”

“我都说不用了。”

或许是听到声音，康晴走了出来。“又在闹什么脾气？”

“没事，我走了。”

“啊！美佳小姐！小姐！”

“不要管她！”康晴的怒斥声像是要盖住妙子的呼唤。美佳背对着父亲的斥骂，跑向大门。从玄关到大门是一条花木扶疏的甬道，向来是她所喜爱的。为感觉季节的变化，她有时甚至会刻意放慢脚步。但是，现在甬道的长度却让她痛苦万分。

到底是什么事情让她这么反感，美佳自己也不明白。心里的另一个她冷冷地问：你是哪根筋不对？对于这个问题，她回答：我不知道！不知道，就是很生气！我有什么办法……

第一次见到雪穗是在今年春天。康晴带着她和优大两姐弟到南青山的精品店，一个令人惊艳的美女来招呼他们，那正是雪穗。康晴对她说，他想为孩子们添购新衣，她便命店员接二连三自后面取出衣服。这时，美佳才发现店里没有别的客人，整家店都由他们包下来了。他们姐弟俩仿佛成了模特儿，在镜子前不断换装。没过多久，优大便苦着脸说：“我累了。”

美佳正处于爱美的年龄，穿着精选的名牌服饰，当然不可能不开心。只是，有件事她一直很在意，那就是，这个女人究竟是谁？同时，也感觉到她与父亲多半有特殊的关系。在挑选美佳的小礼服时，美佳怀疑她可能将与自己和弟弟产生特殊关系。

“有时全家会受邀参加宴会吧？这时美佳要是穿着这件衣服，一定会艳惊全场，做父母的也有面子。”雪穗对康晴这么说。

她亲密的口吻也让美佳感到刺耳，然而更刺激美佳神经的，是她的说法带有两种微妙的含意：一是她本人当然也会参加那场宴会，再者便是将美佳视为自己的附属品。

看过衣服后，开始讨论该买哪些。康晴问美佳想要哪几件，美佳犹豫了，她都想要，很难取舍。“爸爸决定好了，我每件都喜欢。”

听美佳这么说，康晴说着“伤脑筋”，挑了几件。看着他选的衣服，美佳想，果然是爸爸的风格，选的多半是千金小姐气质的衣服，不暴露，裙子也很长。这样的偏好与美佳逝去的母亲相同，妈妈仍不脱少女情怀，喜欢把美佳当作洋娃娃打扮。一想到爸爸毕竟受到妈妈的影响，美佳不由得有些欣喜。

最后，康晴询问雪穗："你认为这样如何？"

雪穗双臂抱在胸前，望着衣服说："我倒是认为，美佳小姐可以穿稍微再华丽、活泼一点的衣服。"

"是吗？那么，如果是你，会选哪些？"

"如果是我的话……"说着，雪穗选出几件衣服，大多是较为成熟，却也略带俏皮的风格，没有一件属于少女风。

"她才初中，会不会太成熟了？"

"她比你以为的大多了。"

"哦？"康晴搔搔头，问美佳怎么办。

"爸爸决定就好。"她说。

康晴闻言向雪穗点点头。"好，那就全部买了。要是穿起来不好看，你可要负责。"

"放心吧。"对康晴这么说后，雪穗朝着美佳笑，"从今天起，就别再当洋娃娃喽。"

那时，美佳感觉心里某处似乎被践踏了。她认为把她当作洋娃娃打扮的亡母遭到了侮辱。回想起来，那一刻可能就是她第一次对雪穗产生负面情感。

自那天起，美佳与优大就时常被康晴带出门，与雪穗一起用餐、兜风。和雪穗在一起的时候，康晴总是异常兴奋多话。美佳的母亲还在世的时候，偶尔休假出门，康晴多半闷不吭声。他在雪穗面前却滔滔不绝，而且无论大小事他都要征求雪穗的意见，对她言听计从。每当这时，父亲在美佳眼里便化身为蠢到极点的丑角。

七月的一天，康晴告诉她一个重大的消息。那不是商量，也不是询问，而是通知。他说，他打算和唐泽雪穗小姐结婚。

优大愣住了，看上去虽然不是欣喜不已，但对于雪穗将成为新妈妈似乎并不排斥。美佳认为那是因为他还没有自己的想法，而且母亲过世时，他才四岁。美佳直言她不太高兴。还说，对她而言，七年前去世的母亲是她唯一的妈妈。

"这样很好，"康晴说，"我并不是叫你忘记死去的妈妈。只是这个家会有新成员，我们会多一个新的家人。"

美佳没有说话。她低着头，在内心嘶吼：她才不是我的家人！

然而，她无法阻止已经开始转动的齿轮。一切都朝着美佳所不乐见的方向进行。康晴为了能够迎娶新欢而乐不可支，她打心底瞧不起这样的父亲。一想到父亲竟变得如此俗不可耐，她更加无法原谅雪穗。

若问她究竟不满意雪穗哪一点，她也答不上来，到头来，只能说是直觉。她承认雪穗的确美丽，也佩服她的聪慧。她那么年轻就一手掌管好几家店，必定有过人的才干。然而，一旦和雪穗在一起，美佳的身体就会不由自主地僵硬起来。她心里不断发出警告：绝不能对这个人掉以轻心！她感到这女人释放出来的气韵中含有一种异质的光，是他们生活的世界中不存在的。而这种异质的光，绝不会为他们带来幸福。

但是，也许这种想法并不是美佳独自酝酿出来的。可以确定，其中有几分的确是受到某个人的影响。

那人便是筱冢一成。

自从康晴向家族表明要迎娶雪穗，一成便频繁造访。他是众多亲人中唯一坚决反对这桩婚事的人。美佳好几次偷听堂叔与父亲在客厅的对话。

“那是因为康晴哥不知道她的真面目。至少，她不会是个安于家庭、以家人幸福为第一的人。拜托你，可不可以重新考虑？”一成以恳求的语气说。

然而康晴的态度却显得不胜其烦，根本不把堂弟的话当回事。渐渐地，康晴对一成心生厌恶，美佳好几次亲眼看到他佯装不在家，拒见一成。

就这样，三个月后，康晴与雪穗结婚了。他们并没有举行豪华婚礼，喜宴也很低调，但新郎新娘显得极为幸福，宾客也相当愉快。唯有美佳暗自担忧，她认为事情已经无可挽回了。不，也许并不止她一个人，因为筱冢一成也出席了。

家里有新妈妈的生活开始了。表面上，筱冢家并没有太大变化，但美佳感觉得到，很多事情确实在改变。过世母亲的回忆被删除，生活形态也变了样，连父亲的个性都变了。她的生母生前喜爱插花。玄关、走廊、房间角落等处，总是装饰着与季节相呼应的花朵。如今，这些地方放置的花更为华美，其气派豪华的程度，任谁都会为之惊叹。只不过，那些并不是鲜花，全是精巧的人造花。

会不会连整个家都变成人造花？美佳有时甚至会这么想。

5

搭营团地铁东西线在浦安站下车，沿葛西桥大道朝东京方向折返，走上一小段，在旧江户川这个地方左转，一幢接近正方形的白色建筑矗立在小路上，门柱上写着公司名称“SH 油脂”。因为没看到警卫，笹垣直接进了大门。

穿过卡车并排停放的停车场，一进建筑物，右边便是小小的接待台。一名四十岁左右的女人正在写东西。她抬头看到笹垣，惊讶地皱起眉头。

笹垣出示名片，表示想见筱冢一成。看过名片，那人的表情并没有缓和下来，没有头衔的名片似乎无法打消人的戒心。“你和董事有约吗？”她问。

“董事？”

“对，筱冢一成是我们的董事。”

“哦……有，我来之前和他通过电话。”

“请稍等。”

女人拿起身旁的电话，应该是拨内线到筱冢的办公室。说了几句，她边放下听筒边看着笹垣：“他要你直接进办公室。”

“啊。请问，办公室怎么走？”

“三楼。”说完，她又低头写东西。一看，是在写贺年卡的收件人住址。从一旁摊开的通讯簿看来，是她私人的东西，显然不是以公司名义寄出的。

“请问，三楼的什么地方？”

听到笹垣这么问，她露出老大不耐烦的表情，用手上的签字笔指了指他后方。“搭里面那部电梯到三楼，沿着走廊走，门上就挂着董事办公室的牌子。”

“哦，谢谢。”笹垣低头道谢。她早已埋头做自己的事了。

笹垣照指示来到三楼，便明白她为什么懒得说明。这里的空间配置很简单，就是一道口字形的走廊，所有房间都面向走廊并排。笹垣边走边看门上的标识，在第一个转角后，写着“董事办公室”的牌子便出现了。笹垣敲了敲门。

里面传来“请进”的应答，笹垣推开门。筱冢一成从窗前的位子站起来。他穿着棕色双排扣西装。

“您好，好久不见了。”一成满面笑容地招呼笹垣。

“好久不见，近况可好？”

“好歹还活着。”

办公室中央是一组沙发。一成请笹垣在双人沙发上坐下，自己则坐在单人扶手椅上。

“上次见面是什么时候啊？”一成问道。

“去年九月，在筱冢药品的会客室。”

“是啊，”一成点头，“已经过了一年多。时间过得真快啊。”

这段期间，笹垣与一成都以电话联络，没有碰面。

“这次我也是先致电筱冢药品，他们告诉我，你被调到这里来了。”

“嗯，是啊，从今年九月开始。”一成稍稍垂下视线，似乎欲言又止。

“听到你当上董事，吓了我一跳。真是高升啊！才这么年轻，真了不起！”笹垣惊叹道。

一成抬起头，微微苦笑。“您这么认为吗？”

“是啊，难道不是？”

一成一语不发地站起来，拿起办公桌上的电话：“送两杯咖啡进来。嗯，马上。”他放下听筒，站着说：“上次我在电话里提过，我堂兄康晴终于结婚了。”

“十月十日，体育节[①]，”笹垣点点头，“婚礼想必非常盛大豪华吧？”

“不，很低调。他们在教堂举行婚礼后，在东京都内的酒店宴客，只有至亲出席。据说因为双方都是再婚，不想太招摇，更何况我堂兄还有儿女。”

“筱冢先生也出席了吧？”

“是啊，亲戚嘛。但是，”他再度在椅子上坐下，叹了口气后接着

---

①日本政府自1966年起规定每年的10月10日为全国体育日。2000年后，体育日改为每年10月的第二个星期一。

说，“他们两个大概不太想邀请我。”

“你说你直到婚礼之前都持反对态度？”

“是啊。”一成说着点点头，注视着笹垣，眼里充满认真与迫切的神情。

笹垣一直到今年春天都与筱冢一成保持密切联系。一成寻求找出唐泽雪穗真面目的线索，笹垣则设法找出桐原亮司。然而，双方都无法得到关键性线索。其间，筱冢康晴与唐泽雪穗订了婚。

“难得结识了笹垣先生，到最后却仍然无法查出她的底细，也无法让我堂兄看清真相。”

“也难怪，她就是以这种方式骗过了无数男人。”笹垣接着说，“我也是其中之一。”

“十九年了……是吗？”

“是啊，十九年了。”笹垣拿出香烟，“可以抽吗？”

“可以可以，请。”一成将玻璃烟灰缸放在笹垣面前，“笹垣先生，我以前在电话里也恳求过您好几次，您今天愿意将这长达十九年的故事，将这一切告诉我吗？”

“啊，当然。我今天可说是专程为此而来。”笹垣把烟点着。这时，敲门声响起。

“正好，咖啡送来了。”一成站起身来。

喝着装在厚重咖啡杯里的咖啡，笹垣开始述说。从那栋半途停建的废弃大楼里发现尸体开始，嫌疑人一个换过一个，直到最后被搜查本部视为重点人物的寺崎忠夫死于车祸，使调查宣告结束的这段过程，时而详细、时而简要地加以说明。筱冢一成起初还拿着咖啡杯，听到一半便放在桌上，双臂抱胸，专心聆听。当西本雪穗的名字出现时，他才将跷着的脚换边，做了个深呼吸。

“这就是当铺老板命案的概况。”笹垣喝了咖啡，只剩余温了。

“就这样成为悬案了吗？”

“并没有一下子就被当作悬案，但是新的证词、线索越来越少，所以有迟早会成为悬案的气氛。”

“可是，笹垣先生并没有放弃。”

“不，老实说，我也放弃了一半。”放下咖啡杯，笹垣又继续述说。

笹垣是在寺崎忠夫车祸死亡后大约一个月才发现那则记录的。搜查本部未查获足以证明寺崎为凶手的物证，也没发现其他嫌疑人，这种状态持续下来，搜查本部内充斥着一股倦怠感，搜查本部本身也即将解散。石油危机使得整个社会充满一股杀伐之气，抢劫、纵火、绑架等暴力事件陆续发生。不能为一件凶杀案无限期地投注众多人力，这或许是大阪府警高层真正的想法吧。而且，真凶可能已经死了。

笹垣本人也产生打退堂鼓的想法。在此之前，他曾经手三件悬案，这些后来成为悬案的案子，往往有一种独特的气质。有些是一切都如坠五里雾中，令人无从着手，但比起这类案子，一些乍看之下认为可以迅速缉凶，最后却以悬案告终的例子反而更多。当时的当铺命案，便具有这种不祥的气氛。

笹垣在那时重新审视以前的所有调查报告，其实只是一时兴起。因为除此之外，此案已别无他事可做。他以近乎浏览的形式翻看为数众多的调查报告。资料多并不代表线索多，反而可以说因为调查始终没有焦点，使得毫无意义的报告一味地增加。

笹垣翻阅文件的手，在看到记录发现尸体的男孩的调查报告时停了下来。男孩叫菊池道广，九岁。男孩首先告诉上小学五年级的哥哥，哥哥在确认尸体后，告诉了母亲。报警的实际上是两兄弟的母亲知子，因此那份调查报告是根据菊池母子的话整理出来的。

报告记载了发现尸体的经过，内容已为笹垣熟知：正当男童们在大楼的通风管内移动，玩着他们称为“时光隧道”的游戏时，道广和同伴走失，在通风管内盲目乱闯，来到那个房间，发现一名男子倒在那里。他觉得奇怪，仔细一看，男子身上还流着血，这时他才发现男子好像已经死了。他知道应该要通知其他人，便急着想离开现场。

问题是接下来的记录。报告是这么写的：“男孩非常害怕，想尽速离开，门却为废弃物、砖块阻挡，难以开启。男孩设法开门来到室外，寻找朋友，却没有找到，便匆忙回家。”

看到这里，筐垣觉得奇怪。他对“为废弃物、砖块阻挡”这个部分产生了疑问。

他回想起现场的门，那是向内开启的。菊池道广的叙述指出“难以开启”，那么这些废弃物、砖块应该是放在会妨碍门开关的位置。那是凶手刻意放置的吗？为了延迟尸体被发现的时间，故意在门的内侧放置障碍物吗？

但那是不可能的。开了门来到外面，又如何在门后放置障碍物？那么，该男孩的描述该怎么解释？

筐垣立刻进行确认。这份报告上的“询问人”那一栏填的是西布施警察局小坂警部补。

小坂对这一部分记忆犹新，但解释得并不清楚。“哦，那件事啊，是有点模糊。”小坂皱着眉说，“他不太记得了，他要开门的时候，很多东西挡在脚边，但他不确定是门完全没法打开，还是可以打开到让人通过的程度。也难怪，那时他一定受到了很大的惊吓。”

“既然凶手都能通过，门至少是可以开的吧。”小坂补充道。

筐垣也把这部分鉴定报告找出来看，但遗憾的是就门与废弃物、砖块的相关位置并未详细记载，原因是菊池道广移动过那些东西，破坏了原本的样貌。

于是，笹垣放弃这方面的调查。因为他和小坂警部补一样，相信凶手应该是从那扇门离开的。而除他以外，没有任何调查人员对此有所怀疑。

笹垣大约在一年后才又想起这个小疑点，便是因西本文代之死，让他将怀疑的目光转向雪穗的时候。笹垣是这么想的：假设那扇门内确实曾放置了障碍物，那么，门能够打开的程度将成为限制条件，从而过滤出嫌疑人。那时他脑海里想的是雪穗。他认为，如果是她，即使是相当狭小的缝隙，应该也能通过。虽然不知道小孩子对一年前的事情能够记得多少，笹垣还是去找了菊池道广。男孩已经升上小学四年级了，他说出了一件令笹垣惊讶的事情。

菊池道广说，他并没有忘记一年前的事情，甚至表示，现在反而能够更有条理地加以说明。笹垣认为这是可能的，要一个发现尸体、备受冲击的九岁男孩详细描述当时的状况，想必是极为苛刻的一件事。但一年后，他已经有所成长了。

笹垣问他是否记得门的事，男孩毫不犹豫地点头。笹垣要他尽可能详细地说出当时的状况，男孩沉默片刻，不慌不忙地说："门完全打不开。"

"什么？"笹垣惊讶地问，"完全……怎么说？"

"那时我想赶快通知别人，就马上去开门。可是，门一动不动。往下一看，下面堆着砖头。"

笹垣大为震惊："真的？"

男孩用力点头。

"你那时怎么没有这么讲呢？是后来才想起来的吗？"

"我那时候一开始就这么说。可是，警察先生听了我的话，就说那很奇怪，问我是不是记错了啊。我就越来越没自信，自己也搞不清楚了。可是，后来我仔细想过，门真的是完全打不开。"

笹垣不禁扼腕。一年前宝贵的证词就已经存在，却因为调查人员的自以为是而被曲解了。

笹垣立刻将此事报告上司，但上司的反应很冷淡，表示小孩子的记忆不可靠，甚至还说，把一年后才加以修正的证词信以为真，是不是脑袋有问题？当时，笹垣的上司已经不是命案发生时的组长中冢。中冢稍早之前已调离，继任的上司极重名位，认为与其追查毫不起眼且即将成为悬案的当铺老板命案，不如破解更具话题性的案子，好扬名立万。

笹垣虽挂名当铺老板命案的调查员，但只是兼任。他的上司并不赞成部下追查没有多少绩效可言的案子。无奈之下，笹垣只好独自进行调查。他知道自己应该前进的方向。

根据菊池道广的证词，杀害桐原洋介的凶手不可能开门离开，而且现场所有窗户都自内侧上了锁。该建筑虽然未完工便遭弃置，但玻璃并未破裂，墙壁也无破损。如此一来，便只有一个可能——

凶手与菊池道广正相反，系由通风口逃离现场。

凶手若是成年人，不可能想到这个方法。唯有曾经在通风管中玩耍的孩童，才会想到这个主意。于是，笹垣将嫌疑完全锁定在雪穗身上。

但是，他的调查却不如预期。首先，他希望能证明雪穗曾在通风管中到处爬动玩耍，也就是找到她曾参与时光隧道游戏的确切证据。然而，他在这里便碰了壁。他问过与雪穗熟识的小孩，他们均说她从来没有玩过那种游戏。他又问过好几个经常在那栋大楼嬉戏的小孩，也没有任何人看见过这女孩的身影。其中一个对笹垣说：“女生才不会在那么脏的大楼里玩咧，里面有死老鼠，还有很多奇奇怪怪的虫。而且在通风管里爬一下，就全身脏兮兮的。”

笹垣不得不同意这个说法。此外，一个在通风管里爬过几十次的男孩表示，他认为女孩无法玩这个游戏。据他说，通风管中有些陡峭的斜坡，有时必须匍匐攀爬，如果不是对体力与运动细胞有十足自信，绝对无法在里面随心所欲地活动。

笹垣把这个男孩带到现场，测试是否能从发现尸体的房间经由通风管逃离。男孩花了约十五分钟，从相对于大楼玄关的另一侧通风管现身。

“累死了。”这是男孩的感受，“中间有一段爬得很吃力，要是手臂力量不够，一定爬不上去。女生不可能！”

笹垣无法忽视男孩的意见。自然，小学女生中，有些人的体力和运动细胞都不输男生，但一想起西本雪穗，他实在无法相信她会在通风管里像只猴子般攀爬。就他的调查，西本雪穗的运动能力并不特别优秀。

怀疑十一岁的女孩是杀人凶手，终究是自己胡思乱想吗？菊池道广的证词果真是小孩子的错觉吗？笹垣心里开始动摇。

“我不知道您说的通风管是什么样子，但的确很难想象女孩子会玩那种游戏，尤其是唐泽雪穗。”筱冢一成带着沉思的表情说。他以雪穗的旧姓称呼她，是纯粹因为叫惯了，还是因为不想承认她现在与自己冠有相同的姓氏，笹垣不得而知。

“这下我完全走入了死胡同。”

“您不是找到答案了吗？”

“我不知道能不能叫答案。”笹垣点起第二根烟，“我试着回到原点，把以前所有观点全部抛开，这么一来，以前完全看不见的东西就出现在我眼前了。”

“您是说……”

“很简单。”笹垣说，“女孩子不可能通过通风管，那么通过通风管离开现场的就是男孩。”

“男孩……”筱冢一成仿佛在玩味这个字眼的意思，沉默片刻后问道，“您是说，桐原亮司……杀了亲生父亲？”

“对，”笹垣点点头，“推理的结果便是如此。”

6

笹垣脑海里并非立刻便出现如此特异的想法。是因为一件微不足道的小事，让桐原亮司这名男孩再度引起笹垣的注意。

那是时隔许久，笹垣再度前往桐原当铺时的事。

笹垣假装闲话家常，想从松浦嘴里套出关于桐原洋介生前的蛛丝马迹。松浦毫不掩饰地露出厌烦的态度，对笹垣的问题也不愿认真作答。一年多来不断接受访查，也难怪他无法维持亲切友好的态度。

“警察先生，你再来多少次，也不会有什么收获。”松浦皱着眉头说。

这时笹垣的视线停留在柜台角落的一本书上。他拿起那本书，问松浦：“这是……”

“哦，那是小亮的书。”他回答，“刚才他不知道在做什么，先放在那里，大概就忘了吧。”

“亮司君爱看书吗？”

“他看书不少，那本书好像是买的，不过他以前也常上图书馆。”

“常上图书馆？”

“是啊。”松浦点头，脸上的神情像是说：这有什么不对？

“哦。”笹垣点点头，把书放回原位，内心却开始暗潮汹涌。

那本书是《飘》，就是笹垣他们去找西本文代时，雪穗正在看的书。

笹垣不知道这能不能叫作交会点：两个喜欢阅读的小学生恰好看

同一本书，这是极有可能的。再说，雪穗和亮司并不是在同一时期看《飘》，雪穗早了一年。

但这仍是令人好奇的巧合，筱垣于是前往那家图书馆。从桐原洋介陈尸的大楼朝北走二百米左右，一座小小的灰色建筑便是。

图书馆员戴着眼镜，一望便知年轻时是个文学少女。筱垣向她出示西本雪穗的照片，她一看到照片，便重重点头。“这女孩以前常来，总是借好多书，我记得她。”

“她都一个人来吗？”

“是啊，都是一个人。”说着，图书馆员微微偏着头，“啊，不过，有时也和朋友一起，一个男孩。”

“男孩？”

“是的，感觉像是同学。”

筱垣急忙取出一张照片，是桐原夫妇与亮司的合照。他指着亮司问：“是不是他？”

图书馆员眯起眼睛看着照片。“哦，感觉很像，不过我不敢百分之百确定。”

“他们总在一起吗？”

“我想不是，应该是有时候。他们常一起找书。哦，还有，也会剪纸来玩。”

“剪纸？”

“男孩手很巧，会把纸剪成一些形状给女孩看。我记得提醒过他剪下来的纸屑不要乱扔。我这样可能很啰唆，可我真的没法确定他就是照片上的男孩，只能说很像。”或许是怕自己的意见具有什么决定性的影响力，图书馆员的语气很慎重。然而，筱垣却近乎确定，他眼底出现了在亮司房里看过的那幅精美剪纸。原来雪穗和亮司常在这里碰面，命案发生时，他们便已认识。

对笹垣来说，这简直是颠覆昔日所想的新发现，他对命案的看法有了一百八十度的转变。

于是，他再度回头思考凶手自通风管脱身的假设。

若是桐原亮司，就可能在通风管中来去自如。一个在大江小学读三四年级时与亮司同班的男孩说，他们经常爬通风管玩。根据这男孩的说法，亮司熟知大楼中通风管的位置与走向。

不在场证明呢？在桐原洋介的推定死亡时间，亮司、弥生子和松浦都在家里。但后二人包庇亮司的可能性极高，而搜查本部却从未针对这一点加以审视。

但是……

儿子会杀害父亲吗？

当然，漫长的犯罪史中弑父案为数众多。然而，如此异常事件的背后，必须具备背景、动机和条件。笹垣自问桐原父子间是否存在其中任何一项，他不得不回答：一项都没有。根据他的调查，他们父子俩之间没有任何摩擦。不仅如此，几乎所有的证词都说桐原洋介溺爱独生子，亮司敬爱父亲。

笹垣一面持续进行实地访谈侦讯，一面怀疑一切会不会只是自己的想象，会不会只是因为陷入迷雾的焦虑而产生的妄想？

“我很清楚，如果告诉别人这些推测，只会被当成异想天开。所以认定亮司就是凶手的看法，就连对同事和上司我也没提过。要是说出来，他们一定会认为我脑袋有问题，也许当时就得从一线退下来了。”笹垣苦笑着，半开玩笑半认真地说。

“那么，动机这方面您后来有什么发现吗？”一成问道。

笹垣摇摇头。“那时应该说没有发现，亮司总不会为了那一百万元就杀了父亲。”

"您说那时没有，这么说，现在有了？"

一成凑过身来，筐垣伸出手要他少安毋躁。"请让我按顺序说下去。在这种情况下，我独自调查也遭遇挫折，但我后来仍一直追踪他们。不过不是随时盯着，只是偶尔到附近打探一下消息，掌握他们成长的状况、念哪所学校等等，因为我认定，他们必然会有所接触。"

"结果如何？"

筐垣报以长叹："我无法找出两人的交会点。不管是从上到下还是从里到外，怎么看他们都是毫不相干的两个人。如果照这种状态持续下去，大概连我也会放弃。"

"发生了什么事吗？"

"是的，他们初三的时候……"筐垣将手指伸进烟盒，但里面已空空如也。一成打开桌上玻璃盒的盒盖，里面装满了健牌香烟。筐垣道声谢，拿起一根。

"初三的时候……这么说，跟唐泽雪穗的同学遇袭事件有关？"一成边为筐垣点火边说。

筐垣看着一成。"你也知道那件事？"

"今枝先生告诉我的。"一成说，初中时代那件疑似强暴案，发现被害人的是雪穗，都是今枝告诉他的。一成还说，他曾告诉今枝自己大学时代遇到同样的事件，而今枝把雪穗视为两起事件的联结点。

"不愧是职业侦探，连这些都查出来了。我现在要说的就是这件强暴案。"

"果然。"

"只不过，我看的角度和今枝先生有些不同。这件强暴案最后并没有抓到案犯，但那时有一个嫌疑人，是另一所初中的初三学生。可是后来证实了他的不在场证明，洗清了嫌疑。问题在于为那个嫌疑人的不在场证明作证的人。”筱垣吐了一口对他算是高级香烟所形成的高级烟雾，继续说，“嫌疑人叫菊池文彦，就是刚才提到的发现尸体的男孩的哥哥，而为他的不在场证明作证的，就是桐原亮司。”

“咦！”一成惊呼一声，身体微微从沙发上弹起。

筱垣对他的反应很满意。“这可是件奇闻哪！不是巧合两字就解释得过去。”

“究竟怎么回事？”

“事实上，我是在案发一年多之后才听说了这件强暴案。是菊池文彦本人告诉我的。”

“他本人？”

“由于发现尸体那件事，我认识了菊池兄弟。有一次很久没见面，碰头时菊池文彦提到一年前发生了一件怪事，把强暴案和当时他遭到怀疑的事告诉了我。”

筱垣是在大江小学旁一座神社前遇见菊池文彦的，当时他已经是一名高中生了。聊了一些学校的事后，他似乎突然想到，便说起强暴案的事。

“简略地说，是这样的：强暴案发生时，菊池正在看电影。正当他苦于无法证明此事时，桐原亮司挺身而出。电影院对面有一家小书店，那天桐原和小学时代的朋友一起在那家店里，刚好看到菊池进入电影院。警察也向和桐原在一起的朋友确认过，证明他的证词不假。”

“所以就洗清了嫌疑？”

“是，菊池认为自己很幸运。但没多久，桐原便与他联络，意思是说，如果他知道好歹，就不要乱来。”

“乱来？”

“菊池说，那时他从朋友那里拿到一张照片，拍的据说是桐原的母亲和当铺员工幽会的场面。他曾经拿那张照片给桐原看。”

“幽会照片……这么说，他们两人果然有私情了。”

“应该是。先把这件事搁到一边。”笹垣点点头，抖落烟灰，“桐原要求菊池把那张照片交出来，同时要他发誓，从今以后不再管当铺命案。”

“也就是给予并索取。”

“不错。但是，菊池事后仔细回想此事，认为事情可能不那么单纯，才会想告诉我。”笹垣似乎想起了菊池文彦那张满是青春痘的脸。

“不单纯是指……”

“是指这一切可能都是设计出来的。”笹垣指间的香烟已经很短了，但他还是又吸了一口，“本来菊池之所以会遭到怀疑，是因为他的钥匙圈掉落在现场。但他说他从未去过那个地方，那个钥匙圈也不是那么容易就会掉的东西。”

“您是说，是桐原亮司偷了钥匙圈，再放在现场？”

“菊池似乎这么怀疑。所以说桐原才是真正的案犯。他在电影院前和朋友一起看到菊池后，立刻赶到现场，攻击他盯上的那个女孩，然后留下证据，让菊池遭到怀疑。”

“桐原事先知道菊池当天会去电影院吗？”一成提出了理所当然的疑问。

“问题就在这里，”笹垣竖起食指，“菊池说，他并没有将这件事告诉桐原。”

“那么，桐原不就不可能布下这个陷阱了吗？”

“的确会导出这样的结论，菊池的推理也是在这里就卡住了。”

“可是，我还是觉得事情一定是他设计的”——菊池当时不服气的表情，笹垣至今记忆犹新。

“我也觉得奇怪，所以听了菊池的话之后，便查阅了那件强暴案的记录，结果让我大吃一惊。”

“因为唐泽雪穗也牵连在内？”

“正是。”筱垣深深点头，“被害人是个名叫藤村都子的女孩，发现者是唐泽雪穗。我认为这里一定有问题，于是又把菊池找来，确认详情。”

“您说的详情是……”

“他去看电影那天的详细经过。结果，我发现了一件有趣的事。”筱垣说得口干舌燥，把冷掉的咖啡喝完，“当时，菊池的母亲在市场的甜点店工作，电影的特别优待券就是客人给他母亲的。而且，有效期限就到当天，这么一来，他只能在那天去看。”

听到这里，一成似乎明白了筱垣的意思。“给那张优待券的客人是谁？”

“不知道姓名，但菊池记得他母亲是这么说的：一个举止高雅、大约读初三或高中的女孩……”

“唐泽雪穗……”

“这么想不算突兀吧？假如唐泽雪穗和桐原亮司是为了封住菊池的嘴，才设计了那件强暴案，整件事的榫头便接得毫厘不差了。为了这个缘故，牺牲一个毫不相关的无辜女孩，除了冷酷实在无可形容。”

“不，那个姓藤村的女孩，也许不能说完全无关。”

这句话让筱垣紧盯着一成：“什么意思？”

“他们选上那个女孩是有原因的，这也是今枝先生告诉我的。”

一成将遇袭女生对雪穗怀有竞争意识、四处散播雪穗身世、事情发生后却态度丕变、对雪穗驯顺无比等情况一一告诉筱垣。这些筱垣都一无所知。

“这我倒是第一次听说。原来如此，这一事件可以同时达到唐泽和桐原的目的，真是一箭双雕的计划啊！”笹垣发出沉吟，然后，他看着筱冢，“这件事有些令人难以启齿，不过筱冢先生刚才提起的大学时代的那件事，真是偶发事件吗？”

一成回视笹垣：“您是说，那是唐泽雪穗授意的？”

“我觉得有此可能。”

“今枝先生也作了同样的推理。”

“哦，果然。”

“如果真是如此，她为什么要做那种事……”

“因为她相信这种做法能够轻易夺走对方的灵魂……”

“夺走灵魂……”

“对。杀害当铺老板的动机，多半便隐藏在让他们深信如此的根源中。”

就在一成瞪大眼睛时，办公桌上的电话响了。

7

筱冢一成啧了一声，说声“抱歉”后离座，拿起听筒低声说了几句，旋即回转。“不好意思。”

“时间没问题吗？”

“没问题。刚才的电话不是公司的公事，是我个人进行的调查。”

“调查？”

“是。”一成点点头，略显犹豫，但还是开口了，“刚才笹垣先生对我说，我高升了，嗯？”

“是啊。”笹垣想，这么说有什么不对吗？

“其实，这算是贬职。”

“贬职？不会吧，”笹垣笑了，“你可是筱冢家的少爷啊。”

但一成没有笑。“笹垣先生知道‘优尼斯制药’这家公司吧？”

“知道。”

“从去年到今年，不断发生怪事。我们和它在许多领域都是竞争对手，有几项研究，筱冢药品的内部资料却被泄露给了对方。”

“咦！有这种事！”

“是优尼斯内部人士来告的密，只不过优尼斯并不承认。”说着，一成露出一丝冷笑。

“从事研究方面的工作，内部一定很复杂吧。但这跟筱冢先生有什么关系？”

“来自该公司的内幕消息，说资料是我提供的。”

笹垣大吃一惊：“这怎么可能？”

“这怎么可能，一点也没错。”一成摇了摇头，“我完全不知道是怎么回事。告密人究竟是谁，也没有人知道，因为他只通过电话和邮件联系。只是，筱冢药品的内部资料的确泄露出去了。看到告密者送来的资料，研发部的人脸都绿了。”

“但筱冢先生不可能做这种事。”

“一定是有人设计陷害我。”

“你心里有谱吗？”

“没有。”一成当即否定。

“唔。可是，如果因为这样就贬职，实在是……”笹垣偏着头沉思。

“董事们似乎也相信我不会这么做。但既然发生这种事情，公司不能不采取行动。再说，也有人认为既然会遭到别人设计陷害，表示当事人也有问题。”

笹垣不知该说什么，沉吟不已。

“还有一点，”说着，一成竖起一根手指，“董事里有一个人，希望把我调得远远的。”

“谁？”

“我堂兄康晴。”

“哦。”笹垣明白了。

“他似乎认为这是一个好机会，可以把为难自己未婚妻的麻烦撵出去。对我则声称调动是暂时的，很快就会调回。天知道是什么时候。”

“你所说的调查是指什么？”

听到笹垣的问题，一成的表情又转为严肃。“我正在调查内部资料是怎么泄露出去的。”

“有眉目了吗？”

“某种程度上算是，”一成说，“歹徒似乎是通过电脑入侵的。”

“电脑？”

“筱冢药品正在执行电脑化，不仅公司内部以网络联结，和几个外部研究机构也可以随时交换数据。看样子似乎是从网络入侵的，就是所谓的黑客。”

笹垣不知如何作答，陷入沉默。这是令他棘手的领域。

一成显然也明白老刑警的心事，嘴角露出笑容。“不必想得那么难。总之就是通过电话线路，在筱冢药品的电脑上作怪。根据目前的调查，大致已经知道是从哪里入侵的了。帝都大学药学系的电脑是中转站，也就是说，歹徒先侵入帝都大学的系统，再从那里进入筱冢药品的电脑。只不过要查出是从哪里进入帝都大学系统的，恐怕非常困难。”

“帝都大学啊……”

笹垣觉得很耳熟，思索了一会儿，想起他与菅原绘里的对话。登门去找今枝的女子就是帝都大学附属医院的药剂师。“你说药学系？

附属医院的药剂师也能使用那里的电脑吗？”

“是的，体制上可以。只是筱冢药品的电脑虽然和外部的研究机构联结，但并不是所有信息都对外公开。系统各处都设有屏障，公司内部机密理应不会外泄。所以歹徒应该是对电脑具有相当知识的人，多半是专家。”

“电脑专家……”

筳垣脑海里出现了一个疙瘩。电脑专家，他心中有一个人选。曾经造访今枝事务所的帝都大学附属医院药剂师，陷害筱冢一成的神秘黑客——这只是巧合吗？

“怎么了？”一成诧异地问。

“没事，”筳垣挥挥手，“没什么。”

“刚才那个电话打断了您。”一成坐着挺直了背脊，“如果可以，麻烦您继续说。”

“呃，我讲到哪里了？”

“动机。您说，那多半是他们想法的根源。”

“没错。”筳垣也调整了坐姿。

8

那段时间有如置身于一股下曳的气流中一般。

星期六下午，美佳一如往常在房间边听音乐边看杂志。床头柜上放着空了的茶杯，和装了几块饼干的盘子。那是二十分钟前妙子端来的。那时她说：“美佳小姐，我待会儿要出门一下，麻烦你看家。”

“你出去的时候会锁门吧？”

“是啊，那是一定的。”

“那就好，不管谁来我都不应门。”美佳趴在床上看着杂志回答。

妙子出门后，宽敞的宅邸里便只剩美佳一个人。康晴去打高尔夫，雪穗去工作，弟弟优大到祖父家去玩，今晚要在那边过夜。

这种情况并不少见。生母去世后，美佳就经常被独自留在家里。一开始还觉得寂寞，现在反而觉得一个人更轻松自在。至少，总比和雪穗两个人单独相处好得多。

正当她从床上起来，准备换CD的时候，走廊上传来电话铃声。她皱起眉头，如果是朋友打来的，当然很开心，但多半不是。家里共有三条电话线，一条是康晴专用，一条是雪穗专用，剩下的那一条由全家共用。美佳要求康晴早点让她拥有专线电话，康晴就是不肯答应。

美佳走出房间，拿起挂在走廊墙上的无线电话分机。“喂，筱冢家。”

“啊，您好。我是杜鹃快递，请问筱冢美佳小姐在吗？”是个男子的声音。

“我就是。”

“啊，呃……有菱川朋子小姐寄给您的东西，请问现在送过去方便吗？”

听到这几句话，美佳觉得纳闷。送快递的时候会这样先通知收件人吗？不过她以为这是一种特别系统的配送方式，并没有多想，倒是菱川朋子这个名字勾起了她的好奇。朋子是她初二时的同学，今年春天因为父亲工作的缘故，举家迁往名古屋。

“方便啊。”她回答。

电话另一头的人说：“那么我现在就送过去。”

电话挂断后几分钟，门铃响了。在客厅等候的美佳拿起对讲机的听筒，屏幕上出现了一个穿着快递公司制服的男子，两手抱着一个水果纸箱大小的箱子。

“喂。”

“您好，我是杜鹃快递。”

“请进。”美佳按下开门钮，这样便可开启大门旁出入口的锁。

美佳拿着印章来到玄关等待。不一会儿，第二道门铃响了。她打开门，抱着纸箱的男子就站在门外。

“请问放在哪里？东西挺重的。”男子说。

“那，放在这里好了。”美佳指着玄关大厅的地板。

男子入内，将纸箱放在那里。男子戴着眼镜，帽子压得很低。“请盖章。”

“好。”她回答，拿好印章。

男子拿出票据：“请盖在这上面。”

“哪里？”她向他走近。

“这里。”男子也走近她。

美佳正要盖章，票据突然从眼前消失。

她正要惊呼，嘴巴却被什么塞住了，好像是布。极度惊愕之下，她吸进一口气。刹那间，意识离她远去。

时间感变得很奇怪，耳鸣得厉害，但那也只是有意识的时候，意识像信号极差的收音机，不时中断。全身无法动弹，手脚变得好像不是自己的。

分不清是梦还是现实，剧烈的疼痛是唯一确定的感觉。她并没有立刻注意到疼痛来自于身体的中心，因为太过疼痛，全身的感觉似乎都已麻痹。

男子就在眼前，看不清他的脸。气息喷在她身上，很热。

她被强暴了……

这其实是美佳本身的认知，她明白自己的身体正在遭受凌辱，心却仿佛在远观这一幕。更高一层的意识观察着这样的自己，在想：我怎么这么粗心大意呢?

另一方面，前所未有的巨大恐惧包围着她。那是一种即将掉落到一个不明深渊的恐惧，不知这场地狱般的磨难将持续到何时的恐惧。

风暴是何时离去的，她不知道，也许那时她失去了意识。

视力首先慢慢恢复正常，她看到一整排盆栽，仙人掌盆栽。那是雪穗从大阪娘家带来的。

接着听觉恢复了，耳里听到不知何处传来的车辆声，还有风声。

突然间，她意识到这里是户外，她在庭院里。她躺在草地上，看得到网，那是康晴练习高尔夫用的。

她撑起上半身，全身疼痛，有割伤，也有撞伤。而身体中心有一种不属于割伤、撞伤，像是内脏被翻搅后闷闷重重的疼痛。

她意识到空气冰冷，发现自己几近全裸。身上虽然穿有衣物，但已成为破布。我很喜欢这件衬衫——另一个意识带着冷冷的感想。

裙子还穿在身上，但不用看也知道内裤被脱掉了。美佳呆呆地望着远方，天空开始泛红。

“美佳！”突然传来人声。

美佳转头朝发出声音的方向看去，雪穗正飞奔而来。她望着这幅景象，完全没有现实感。

9

便利店的袋子深深陷进手指中，都是塑料瓶装的矿泉水和米太重了。拿着这些，费力地打开玄关的门。很想开口说“我回来了”，却没有发出声音，因为深知里面已经没有听这句话的人了。

栗原典子先把买回来的东西往冰箱前一放，打开里面西式房间的门。房里漆黑，空气冰冷。在昏暗中，浮现出一台白色的个人电脑。以前它的屏幕总是发出亮光，机体会传出嗡嗡声。现在既不发光，也不出声。

典子回到厨房，整理买回来的东西。生鲜、冷冻的东西放进冰箱，其余的放进旁边的橱柜。关上冰箱前，她拿出一罐三百五十毫升装的啤酒。

来到和室，打开电视，又扭开电暖炉。等待房间变暖的时候，她把在角落窝成一团的毯子盖在膝上。电视里，搞笑艺人正在向游戏挑战，成绩最差的艺人被迫高空弹跳作为处罚。她想，好低级的节目。以前她绝对不会看这个，现在，她反而庆幸这种愚蠢的存在。她才不想在如此阴暗冰冷的房间里看一些会让心情沉重的节目。

拉开罐装啤酒的拉环，大口喝下，冰冷的液体自喉咙流向胃，全身泛起鸡皮疙瘩，蹿过一阵战栗，但这也是一种快感。所以即使到了冬天，冰箱里还是少不了啤酒。去年冬天也一样，他在天冷时更想喝啤酒。他说，这样可以让神经更敏锐。

典子抱着膝盖，想，要吃晚饭才行。不须任何精心调理，只要把刚才在便利店买回来的东西微波加热一下就好。但是，连这样她都觉得麻烦，整个人有气无力的，其实最主要是因为她没有半点食欲。

她调高电视的音量，房间里没有声音，感觉更冷。她稍微向电暖炉靠近。

原因她很清楚，是因为自己很寂寞。待在安静的房间里，似乎会被孤独压垮。

以前并不是这样。一个人独处既轻松又愉快，就是因为这么想，才会和婚介所解约。但是，与秋吉雄一的同居生活，让典子的想法产生了极大的转变。她明白了和心爱的人在一起的喜悦，曾经拥有的东西被夺走，并不代表就会回到原来没有那种东西的时候。

典子继续喝啤酒，叫自己不要想他，但脑海中浮现的仍是他面向电脑的背影。这理所当然，因为这一年来，她心里想的、眼里看的都是他。

啤酒很快就空了，她双手压扁啤酒罐，放在桌上。桌上还有两个同样也被压扁的啤酒罐，是昨天和前天的。最近她连屋子都不怎么打扫了。

先吃便当吧，正当她这么想，奋力抬起沉重的身躯时，玄关的门铃响了。

打开门，只见门前站着一个六十开外的男子，身上穿着严重磨损的旧外套，体格结实，眼神锐利。典子凭直觉猜到男子的职业，心里有一股不祥的预感。

"栗原典子小姐吧？"男子问道，带着关西口音。

"我就是。您是……"

"敝姓笹垣，从大阪来。"男子递出名片，上面印着"笹垣润三"，但没有职衔。他又加上一句："我到今年春天都还是警察。"

果然没猜错，典子确认了自己的直觉是对的。

"其实是有些事想请教，可以耽误你一点时间吗？"

"现在吗？"

"是的。那边就有一家咖啡馆，到那里谈谈好吗？"

典子想，该怎么办呢？要让陌生男子进屋，心里不免有些排斥，但她又懒得出门。"请问是关于哪方面的事呢？"她问。

"这个嘛，有很多。尤其是关于你到今枝侦探事务所的事。"

"啊！"她不由得发出一声惊呼。

"你去过新宿的今枝先生那里吧，我想先向你请教这件事。"自称曾任警察的老先生露出亲切的笑容。

不安的思绪在她心中扩大，这个人是来问什么的呢？但另一方面，她心里也有几分期待。也许可以得到他的线索？她迟疑了几秒钟，把门大大地打开。“请进。”

“可以吗？”

“没关系，只是里面很乱。”

“那么我就打扰了。”说着，男子进入室内。他身上有股老男人的气味。

典子是九月到今枝侦探事务所的。在那之前约两周，秋吉雄一从她的住处消失了。没有任何预兆，突然不见踪迹。她立刻意识到他并未遭逢意外，因为住处的钥匙被装在信封里，投入了门上的信箱。他的东西几乎原封不动，但原本他就没有多少东西，也没有贵重物品。

唯一能够显示他曾经住在这里的便是电脑，但典子不懂得如何操作。烦恼许久后，她请熟悉电脑的朋友到家里来。明知不该这么做，还是决定请朋友看看他的电脑里有些什么。从事自由写作的朋友不但看过电脑，连他留下的磁盘也看过了，结论是：“典子，没有用，什么都不剩。”据她说，整个系统处于真空状态，磁盘也全是空白的。

典子思忖，真的没有办法找到秋吉的去处吗？她能够想起来的，只有他曾带回来的空资料夹，上面写着今枝侦探事务所。她立刻翻阅电话簿，很快就找到那家事务所。也许能有所发现？这个念头几乎让她无法自持，第二天她便前往新宿。

遗憾的是她连一丁点儿资料都没有得到。年轻女职员回答，无论是委托人或是调查对象，都没有秋吉这个人的相关记录。

看来没有寻找他的方法了。典子一心这么认为。所以，笹垣顺侦探事务所这条线索找上门来，令典子感到万分意外。

笹垣从确认她前往今枝侦探事务所一事问起。典子有些犹豫，但还是概要地说出到事务所的经过。听到和她同居的男子突然失踪，笹垣也显得有些惊讶。

"他会有今枝侦探事务所的空资料夹，实在很奇怪。你没有任何线索吗？你和他的朋友或家人联系过吗？"

她摇摇头。"即使想也不知道该怎么联系。关于他，我实在一无所知。"

"真是奇怪。"笹垣似乎相当不解。

"请问，笹垣先生到底在调查什么？"

典子这么一问，他迟疑片刻后，说："其实，这也是一件怪事：今枝先生也失踪了。"

"啊！"

"然后又发生了许多事情，我在调查他的行踪，但完全没有线索。我才抱着姑且一试的心情来打扰栗原小姐。真是不好意思。"笹垣低下白发丛生的脑袋。

"原来如此。请问，今枝先生是什么时候失踪的？"

"去年夏天，八月。"

"八月……"典子想起那时的事，倒抽了一口气。秋吉就是在那时带着氰化钾出门的，而他带回来的资料夹上就写着今枝侦探事务所的字样。

"怎么了？"退休警察敏锐地发觉她的异状，问道。

"啊，没有，没什么。"典子急忙摇手。

"对了，"笹垣从口袋里取出一张照片，"你对这人有印象吗？"

她接过照片，只一眼便差点失声惊呼。虽然年轻了几分，但分明就是秋吉雄一。

"有吗？"笹垣问道。

典子费了好大一番工夫才压抑住狂乱的心跳，脑海里百感交集。该说实话吗？但老警察随身携带这张照片的事实让她担心：秋吉是什么案件的嫌疑人吗？杀害今枝？不会吧。

“没有，我没见过他。”她一边回答，一边将照片还给筱垣。她知道自己的指尖在发抖，脸颊也涨红了。

筱垣盯着典子，眼神已转变成警察式的。她不由自主地转移了目光。

“是吗？真是遗憾。”筱垣温和地说，收起照片，“那么，我该告辞了。”起身后，像是忽然想起般说：“我可以看看你男朋友的东西吗？也许可以作为参考。”

“咦？他的东西？”

“是的，不方便吗？”

“不，没关系。”

典子领筱垣到西式房间，他立刻走近电脑。“哦，秋吉先生会用电脑啊。”

“是的，他用来写小说。”

“哦，写小说啊。”筱垣仔细地看着电脑及其周边，“请问，有没有秋吉先生的照片？”

“啊……没有。”

“小的也没有关系，只要拍到面部就可以。”

“真的连一张都没有，我没有拍。”

典子没有说谎。有好几次她想两人一起合照，但都被秋吉拒绝了。所以当他失踪后，典子只能靠回忆还原他的身形样貌。

筱垣点点头，但眼神显然有所怀疑。一想到他心里可能会有的想法，典子便感到极度不安。

“那么，有没有任何秋吉先生写下的东西？笔记或是日记之类。”

“我想应该没有那类东西。就算有，也没留下来。”

“哦。”笹垣再度环顾室内，望着典子粲然一笑，“好，打扰了。”

“不好意思没帮上忙。”她说。

笹垣在玄关穿鞋时，典子内心举棋不定。这人知道秋吉的线索，她真想问问。可她又觉得，如果告诉他照片里的人就是秋吉，一定会对秋吉造成无可挽回的后果。即使明知再也见不到秋吉，他依旧是她在这世上最看重的人。

穿好鞋子，笹垣面向她说：“对不起，在你这么累的时候还来打扰。”

“哪里。”典子说，感觉喉咙似乎哽住了。

接着，笹垣环顾室内，似乎在进行最后一次扫视，突然，眼睛停住了。“哦，那是……”

他指的是冰箱旁那个小小的柜子，上面杂乱地摆着电话和便条纸等东西。“那不是相册吗？”他问。

“哦。”典子伸手去拿他盯上的东西。那是照相馆送的简易相册。“没什么，”典子说，“是我去年到大阪的时候拍的。”

“大阪？”笹垣双眼发光，“可以让我看看吗？”

“可以，不过里面没有拍人。”她把相册递给他。

那是秋吉带她去大阪时，她拍的照片，都是一些可疑的大楼和普通的民宅，不是什么赏心悦目的风景，是她基于小小的恶作剧心态拍下来的。她没让秋吉看过这些照片。

然而，笹垣的样子却变得很奇怪。他圆瞪双眼，嘴巴半开，人完全僵住。

“请问……有什么不对吗？”她问。

笹垣没有立刻回答，而是盯着照片看了良久，才把摊开的相册朝向她。“你曾经经过这家当铺门前吧，为什么要拍这家当铺呢？”

“这个……也没有什么特殊的用意。”

“这栋大楼也令人好奇。你喜欢它什么地方，让你想拍下来？”

“这有什么不对吗？”她的声音颤抖了。

筱垣将手伸进胸前口袋，拿出刚才那张照片——秋吉的大头照。

“我告诉你一件好事，你拍的这家当铺招牌上写着桐原当铺，对不对？这人就姓桐原，叫桐原亮司。”

10

手脚像冰一样冷。即使在被窝里待再久，还是暖和不起来。美佳把头埋在枕头里，像猫一样蜷起身子。牙齿不停地打颤，全身颤抖不已。

她闭上眼睛，试着入睡。但是，当她睡着时，便会梦见自己被那个没有面孔的男人压住，因过度恐惧而醒来，全身盗汗，心脏狂跳，简直像要把胸口压碎。这样的情况不断反复。

同样的情况持续多久了？心里会有获得平静的一刻吗？她不愿相信今天发生的事是真的。她想把今天当作一如往常的一天，就和昨天、前天一样。但是，那并不是梦，下腹部残留的闷痛便是证明。

“一切有我，美佳什么都不必想。”雪穗的声音在耳边响起。

那时她是从哪里现身的，美佳不记得了。是怎么把事情告诉她的，也是一片模糊。当时自己应该什么话都说不出来，但雪穗似乎一眼便明白发生了什么。当美佳回过神来时，雪穗已经帮她穿上衣服，让她坐进宝马车里。雪穗一边开车，一边打电话。她说得很快，加上美佳思考能力迟缓，无法明白说话的内容，只隐约记得雪穗重复说“绝对要极度保密”。

她被雪穗带到医院，但她们是从类似后门的地方，而不是从正门进入。为什么不走正门？当时美佳并没有产生这样的疑问，因为她的灵魂并不在身体里。

是否进行了检查、接受了什么治疗，美佳并不清楚。她只是躺着，紧紧地闭着眼睛。一个小时后，她们离开医院。

“这样，身体方面就不需要担心了。”雪穗开着车，温柔地对她说。美佳不记得自己是怎么回答的，恐怕一个字都没有说。雪穗完全没有提起报警。不仅如此，甚至没有向美佳询问详情的意思，仿佛这些对她来说是细枝末节的小事。美佳对此求之不得，她实在无法说话，而且害怕被陌生人知道发生了什么。

回到家时，父亲的车已经停在车库里。美佳的心简直快要崩溃，这件事该怎么跟爸爸说？

雪穗却一脸平静，宛如这种程度的谎话不算什么。她说：“我会跟爸爸说，你有点感冒，我带你去看了医生。晚餐也请妙姐送到你房间。”

这时，美佳明白了，这一切将成为她们两人之间的秘密，成为自己和全世界最讨厌的女人之间的秘密……

雪穗在康晴面前展现了绝佳演技，她依言向丈夫解释。康晴有些担心，但“别担心，已经从医院拿药回来了”，妻子的这句话似乎让他放心了，对于美佳与平常截然不同的模样也没有起疑，反而对美佳让平日厌恶的雪穗带去医院一事，感到十分满意。

此后，美佳便一直待在房里。妙子大概是受雪穗的吩咐，送来晚餐。她将饭菜摆在桌上时，美佳在床上装睡。

美佳一点食欲都没有。妙子离开后，她试着小口小口地把汤和焗意大利面吞下去，但恶心反胃得随时都会吐出来，便不再吃了，一直在床上缩成一团。

随着夜越来越深，恐惧也渐渐扩大。房里的灯全关了，一个人待在黑暗里固然害怕，但暴露在光线中更加令她不安，会让她觉得似乎有人在看着自己。多希望能像海里的小鱼一样，悄无声息地躲进岩缝。

现在究竟几点了？在天亮前，还要受到多少痛苦的折磨？这样的夜晚，往后要持续到什么时候？快被不安摧毁的她啃着大拇指。

就在这时，门把手传来咔嗒的转动声。

美佳一惊，从床上看向门口。即使在黑暗中，也知道门悄悄地打开，有人进来了。隐约可以辨识银色的睡袍。“谁？”美佳问，声音都哑了。

“你果然醒着。”是雪穗的声音。

美佳移开视线。她不知道该以什么态度面对共同拥有禁忌秘密的人。她感觉到雪穗向她靠近。她用眼角扫视，雪穗就站在床边。

“出去。”美佳说，“不要管我。”

雪穗没有回答，默默地开始解开睡袍的带子。睡袍滑落，朦胧浮现出一具白皙的胴体。

美佳还不及出声，雪穗已钻上床。美佳想躲，却被用力压住了，力道比她想象的大得多。

美佳呈大字形被压在床上，一对丰满的乳房在美佳胸部上方晃动。

“别这样！”

“是这样吗？”雪穗问道，“你是被这样压住的吗？”

美佳别开脸，但脸颊却被抓住，被用力扳回来。“不要转开你的眼睛，看这边，看着我。”

美佳怯怯地看雪穗。雪穗那一双微微上扬的大眼睛正俯看着美佳，脸孔近得似乎感觉得到她的鼻息。

“想睡的时候，就会想起被强暴那时候对不对？”雪穗说，“不敢闭上眼睛，怕睡着了会做梦，对不对？”

“嗯。”美佳小声回答。雪穗点点头。

“记住我现在的面孔。快想起被强暴的事的时候，就想起我，想起我曾经对你这样。”雪穗跨坐在美佳身上，按住她的双肩，美佳完全无法动弹。“还是你宁愿想起强暴你的人，也不愿想起我？”

美佳摇头。看到她的反应，雪穗露出了一丝微笑。

“好孩子，不要怕，你很快就会重新站起来，我会保护你的。”雪穗用双手捧住美佳的脸颊，然后像是在玩味肌肤的触感一般移动手掌，“我也有跟你同样的经历，不，我更凄惨。”

美佳差点惊呼失声，雪穗伸出食指抵住她的唇。

“那时，我比现在的你更小，真的还是小孩子。但是，恶魔不会因为你是小孩子就放过你。而且，恶魔还不止一个。”

“不会吧……”美佳喃喃地说，却没有发出声音。

“现在的你，就是那时的我。”雪穗压在美佳身上，双手抱住美佳的头，“真可怜。”

这一瞬间，美佳心里好像有什么东西爆开了，感觉就像以前被切断的某根神经又被连了起来。通过那根神经，悲伤的情绪如洪水般流进美佳的心里。

美佳在雪穗怀里放声大哭。

11

笹垣决定随同筱冢一成于十二月中旬的星期日造访筱冢康晴宅邸。为此，笹垣连续两个月来到东京。

“不知他愿不愿见我。”笹垣在车里说。

“总不会把我们赶出去吧。”

“但愿他在家。”

“这一点不必担心，我有来自内线的消息。”

“内线？”

“就是女佣。”

下午两点多，一成开着奔驰来到筱冢家。访客用的停车位就在大门旁，一成把车停妥。

“真是豪宅啊，光从外面看，根本不知道里面有多大。”从大门抬头看房子的笹垣说。大门和高耸的围墙后只看得到树木。一成按下装设在大门旁的对讲机按钮，立刻有人回应。

“好久不见了，一成先生。”是中年女性的声音，似乎正通过摄影机看着这边。

“妙子你好，康晴哥在吗？”

“老爷在家，请稍等。”

对讲机挂断了。过了一两分钟，通话孔又传来声音。“老爷请您绕到院子那边。”

“好。”

在一成回答的同时，一旁的小门传来金属声响，锁开了。

笹垣跟在一成身后，踏进大宅。铺着石头的长长甬道向宅邸延伸。笹垣想，真像外国电影的景象啊。

玄关那边恰巧有两个女子走过来。不需一成介绍，笹垣便知那是雪穗与筱冢康晴的女儿，他知道那姑娘叫美佳。

“怎么办？”一成小声问。

“请随便找个名堂帮我混过去。”笹垣对他耳语。

两人缓缓走在甬道上，雪穗微笑着向他们点头，四人恰在甬道的中点停下脚步。

“你好，我来打扰了。”一成率先开口。

“好久不见了，一切可好？”雪穗问道。

“还好，你看上去气色也挺好。”

“托你的福。”

“大阪的店就要开业了吧，准备得怎么样？”

“有好多事情无法照计划进行，头疼得很呢，就算有三头六臂也不够用。我等一会儿就要为这事去开会了。”

“哦，真是辛苦。”一成朝向她身边的少女。“美佳呢？你好不好？”

少女笑着点头，她给筱垣一种单薄的印象。他曾听一成说她不肯接纳雪穗，但就他所见，没有那种气氛。筱垣有些意外。

“我想顺便帮美佳找圣诞节穿的衣服。”雪穗说。

“哦，真好。”

“一成先生，这位是……”雪穗的视线朝向筱垣。

“哦，他是我们公司的厂商。”一成流利地说。

“你好。”筱垣低头施礼，抬起头时，眼睛和雪穗的双眸撞个正着。

这是时隔十九年的对峙。长大成人的她筱垣已见过好几次，但从未像这样面对面。他想起在大阪那栋老公寓第一次见面的情况，那时的女孩就在眼前，有着一双和那时相同的眼睛。

你还记得吗，西本雪穗小姐？筱垣在心中对她说。我可是追踪了你十九年，连做梦都会梦到。但你一定不记得我了吧？像我这种老头子，只不过是被你骗得团团转的蠢人中的一个。

雪穗嫣然一笑，说：“是来自大阪吗？”

真是始料未及，大概是从口音里认出来的。“呃，是的。”筱垣有些狼狈。

“哦，果然没猜错。这次我要在心斋桥开店，请您务必莅临指教。”她从包里拿出一张卡片，是开业的邀请函。

“哦，既然这样，我问问亲戚要不要去。”筱垣说。

“真令人怀念，”雪穗说完，凝视着他，“让我想起以前的事。”她的表情里了无笑意，露出凝视远方的眼神。她的脸上突然间又绽开笑容。“我先生在院子那边，好像是不满意昨天高尔夫球的成绩，正在加紧练习呢。”这话是对一成说的。

“那好，我不会耽误他太多时间。”

“哪里，请慢慢坐。”雪穗向美佳点点头，迈开脚步。筱垣和一成让路给她们。

目送着雪穗的背影，筱垣暗想，这女人可能记得我。

正如雪穗所言，康晴正在南侧庭院里打高尔夫球，看到一成过来，便放下球杆，笑着迎接。从他的表情感觉不出把堂弟赶到子公司的冷漠无情。然而，一成一介绍筱垣，康晴脸上立刻出现警惕的神色。

“大阪的退休警察？哦。”他直盯着筱垣的脸。

“有些事无论如何都想让康晴哥知道。”

听一成这么说，康晴的脸上笑容全失，指着室内说：“那就到屋里说吧。”

“不了，在这里就好。今天还算暖和，话说完我们马上就走。”

“在这里？”康晴来回看着他们两人，然后点点头，“好吧，我叫阿妙端点热饮来。”

庭院里有一张白色餐桌和四把椅子。或许在天气晴朗的日子里，他们一家人会在这里享受英式下午茶。喝着女佣端来的奶茶，筱垣想象着幸福家庭的画面。然而，他们三人会晤的场面并没有成为和乐融融的下午茶时光。因为一成开口后，康晴的脸色便越来越难看。

一成说的是关于雪穗的故事，筱垣和一成讨论、整理出来种种暗示出她本性的事，桐原亮司的名字当然也多次出现。不出所料，话说到一半，康晴便激愤不已。他拍着桌子站起身。“无聊！简直是放屁！”

“康晴哥，请你先听完。”

“不用听也知道，我没时间陪你们胡说八道。你有时间做这种无聊事，不如想想该怎么整顿你那家公司！”

“这件事我也有情报，”一成也站起来，朝着康晴的背影说，“我找到了陷害我的歹徒。”

康晴转过身来，嘴角都歪了：“你该不会说，这也是雪穗搞的鬼吧？”

“你应该知道筱冢药品的网络被黑客入侵之事，那个黑客就是通过帝都大学附属医院的电脑进来的。那家医院有个药剂师不久前跟一名男子同居，该男子就是我们刚才数次提到的桐原亮司。”

一成的话顿时让康晴的眼睛睁得老大，或许是一时间说不出话，半张着嘴一动不动。

“这是真的。”笹垣在一旁说，“那个药剂师认出来了，的确是桐原亮司。”

康晴似乎说了些什么。无关——笹垣听到这两个字。

笹垣从外套口袋里拿出一张照片。“可以请你看一下这个吗？”

“这是什么？哪里的照片？”

“刚才一成先生说明的，将近二十年前发生命案的大楼，就在大阪。那个药剂师和桐原亮司去大阪的时候拍的。”

“那又怎样？”

“我问她他们去大阪的日期，是去年九月十八日到二十日这三天。这是什么日子，您当然记得吧？”

康晴花了一点时间，但他的确想起来了，低声的“啊”足以证明。

“不错，”笹垣说，“九月十九日是唐泽礼子女士去世的日子。她的呼吸为什么会突然停止，连院方都感到不可思议。”

“胡说八道！”康晴把照片一扔，说，“一成，带着这个脑筋不正常的老头赶快给我滚！从今以后，要是敢再提起这种事，就别想再回我们公司。我告诉你，你老子已经不是我们公司的董事了！”

接着，他捡起滚落在脚边的高尔夫球，向网猛力掷去。球打在架起网的铁柱上，大力反弹，撞上了摆在露台上的盆栽，发出破碎的声响。但他看也不看，便从露台上走进屋，唰的一声关上玻璃门。

一成叹了口气，看着筱垣苦笑："有一半和我们预料的一样。"

"他一定是死心塌地爱着唐泽雪穗，这就是那女人的武器。"

"我堂兄现在是气昏了头，等他冷静下来，应该会好好思考我们的话。我们只有等了。"

"但愿真的会有那一刻。"

两人正准备打道回府，女佣赶了过来。"发生了什么事吗？我听到很响的声音。"

"是康晴哥扔的高尔夫球，不知打到了什么。"

"咦！有没有受伤？"

"受伤的是盆栽，人没事。"

女佣嘴里喊着"哎呀呀呀"，看向并排摆放的盆栽。"糟糕，夫人的仙人掌……"

"她的仙人掌？"

"是夫人从大阪带回来的，啊！花盆整个都破了。"

一成走到女佣身边查看。"她对栽培仙人掌感兴趣？"

"不，听说是夫人去世的母亲喜欢。"

"哦，听你这么一说，我想起来了，的确。我在她母亲的葬礼时听她说过。"

一成再度准备离开，女佣惊呼了一声："哎呀！"

"怎么了？"一成问。

女佣从破了的花盆中捡起一样东西。"里面有这个。"

一成看了看。“是玻璃，应该是太阳镜的镜片。”

“好像是，大概本来就混在土里。”女佣偏着头，仍把东西放在盆栽的碎片上。

“怎么了？”笹垣也有点好奇，走近他们。

“哦，没什么，盆栽的土里有玻璃碎片。”一成指着破了的盆栽说。

笹垣朝那边看，扁平的玻璃碎片映入他眼中。看来的确是太阳镜的镜片，大约是从中破掉的，他小心地拾起。一眨眼过后，他全身的血液都沸腾起来。几段记忆复苏，令人目不暇接地交错，很快形成一条路径。“你说，仙人掌是从大阪拿来的？”他压低声音问。

“是，本来在她母亲家里。”

“那时盆栽放在院子里吗？”

“是的，摆在院子里。笹垣先生，有什么不对？”一成也察觉他神情有异。

“现在还不知道。”笹垣拿起玻璃镜片对着阳光。

镜片呈现浅浅的绿色。

12

R&Y 大阪第一家店的开业准备，一直进行到将近晚间十一点。滨本夏美跟在仔细进行最后检查的筱冢雪穗身后，在店内来回走动。无论是店面的大小，还是商品的种类和数量，这里都远超东京总店，宣传活动也十全十美、无可挑剔。现在只需静待结果了。

“这样就努力到九十九分了。”检查完毕，雪穗说。

“九十九分？还不够完美吗？”夏美问。

“没关系，缺这一分，明天才有目标啊。”雪穗说着盈盈一笑，“好了，接下来就要让身体好好休息。今天晚上，我们喝酒都要有节制。”

“等明天再庆祝。”

“没错。”

两人坐进红色捷豹时，已经是半夜十一点半。夏美握着方向盘，雪穗在副驾驶座做了一个深呼吸。“一起加油吧！别担心，你一定做得到。”

“真的吗？但愿如此。”夏美有些胆怯。大阪店的经营管理实际上交由夏美负责。

“你要有自信，相信自己是最好的，知道吗？”雪穗摇摇夏美的肩膀。

“是。”回答后，夏美看着雪穗，“可是，其实我很害怕。我觉得很不安，不知能不能做得像社长一样。社长从来都不觉得害怕吗？”

雪穗那双大眼睛笔直地望过来。“喏，夏美，一天当中，有太阳升起的时候，也有下沉的时候。人生也一样，有白天和黑夜，只是不会像真正的太阳那样，有定时的日出和日落。看个人，有些人一辈子都活在太阳的照耀下，也有些人不得不一直活在漆黑的深夜里。人害怕的，就是本来一直存在的太阳落下不再升起，也就是非常害怕原本照在身上的光芒消失，现在的夏美就是这样。”

夏美听不懂老板在说什么，只好点头。

“我呢，”雪穗继续说，“从来就没有生活在太阳底下过。”

“怎么会！”夏美笑了，“社长总是如日中天呢。”

雪穗摇头。她的眼神是那么真挚，夏美的笑容也不由得消失了。

“我的天空里没有太阳，总是黑夜，但并不暗，因为有东西代替了太阳。虽然没有太阳那么明亮，但对我来说已经足够。凭借着这份光，我便能把黑夜当成白天。你明白吧？我从来就没有太阳，所以不怕失去。”

“代替太阳的东西是什么呢？”

“你说呢？也许夏美以后会有明白的一天。”说着，雪穗朝着前方调整坐姿，“好了，我们走吧。”

夏美无法再问下去，发动了引擎。

雪穗住在位于淀屋桥的大阪天空大酒店，夏美则已在北天满租了公寓。

“大阪的夜晚，其实现在才要开始。”雪穗望着车窗外说。

“是呀。大阪不缺玩的地方，我以前也玩得很凶。”

夏美说完，便听到雪穗轻笑一声，道：“人在这边，讲起话来就会变回大阪口音呢。”

“啊，对不起，一时没注意……”

“没关系，这里是大阪啊。我到这里来的时候，也跟着说大阪话好了。”

“我觉得这样很棒。”

“是吗？”雪穗微笑。

不久她们便抵达酒店，雪穗在大门口下车。

“社长，明天要请你多关照了。”

“嗯，今晚要是有急事，就打我的手机。”

“好的，我知道了。”

“夏美，”雪穗伸出右手，“胜负从现在才开始。”

“是。”夏美回答后，握住雪穗的手。

13

时钟的指针走过十二点，正以为今天不会再有客人的时候，老旧的木门吱呀一声开了。一个身穿深灰色外套、六十出头的男子，慢步走了进来。

看清来人，桐原弥生子堆出的笑容陡然消失，她轻轻地叹了口气："原来是筱垣先生啊，我还以为财神爷上门了。"

"这什么话啊，我就是财神爷啊。"筱垣自行把围巾和大衣挂在墙上。在可以挤上十个人的L形吧台居中坐下。他在大衣下穿着一件磨损严重的咖啡色西装，从警察的岗位退下来后，他的风格还是没变。

弥生子在他面前放了玻璃杯，打开啤酒瓶盖帮他倒酒。她知道他在这里只喝啤酒。

筱垣津津有味地喝了一口，伸手去拿弥生子端出来的简陋下酒菜。"生意怎么样啊？年末的旺季就快到了吧。"

"你都看到啦，我这里从好几年前泡沫经济就已经破灭了。应该说，泡沫经济从来没在我这里发生过。"

弥生子又拿出一个玻璃杯，为自己倒了啤酒，也不向筱垣打声招呼，一口气就喝掉半杯。

"你喝起酒来还是这么爽快。"筱垣伸手拿起啤酒瓶，帮她倒满。

"谢谢。"弥生子点头致意，"这是我唯一的乐趣。"

"弥生子夫人，你这家店开多少年了？"

"嗯，多少年啦？"她扳着手指，"十四年吧……对，没错，明年二月就十四年了。"

"还挺能撑嘛，你还是最适合做这一行，嗯？"

"哈哈！"她笑了，"也许吧，以前的咖啡馆三年就倒了。"

"当铺的工作你也从来不帮忙吧？"

"对呀，那是我最讨厌的工作，和我的个性完全不合。"

即使如此，她还是做了将近十三年的当铺老板娘。她认为那是自己一生最大的错误。如果没嫁给桐原，继续在北新地的酒吧工作，现在不知已掌管多大的店了。

丈夫洋介遭人杀害后，当铺暂时由松浦管理，但不久家族便召开了会议，当铺改由洋介的堂弟主事。原本桐原家世代经营当铺，由亲戚联合成立了好几家店。所以洋介身故后，弥生子也不能为所欲为。

没多久，松浦便辞掉店里的工作。据接手的新老板、洋介的堂弟说，松浦盗用了店里不少钱，但数字方面弥生子根本不懂。事实上，她对此毫不关心。

弥生子把房子和店面让给堂弟，利用那笔钱在上本町开了一家咖啡馆。那时她打错了算盘，原来桐原当铺的土地是在洋介的哥哥名下，并非洋介所有，即土地是借来的。这事弥生子直到那时才知道。

咖啡馆刚开张时相当顺利，但过了半年客人便开始减少，后来更是每下愈况，原因不明。弥生子试着更新品种、改变店内装潢，生意仍然愈见低落，不得已只好削减人工开支，却导致服务质量降低，客人更是不肯上门。最后，不到三年便关张了。那时，做酒吧小姐时的朋友说天王寺有家小吃店，问她愿不愿试试看。条件很好，既不需要权利金，装潢设备也都是现成的。她立刻答应了，就是现在这家店。这十四年来，弥生子的生活全靠这家店支撑。一想到若没有这家店，即使是现在，她仍怕得汗毛直竖。只不过，她这家店刚开张，太空侵略者便风靡全国，客人争先恐后地进咖啡馆都不是为了喝咖啡，而是为了玩游戏，那时她因为关了那家咖啡馆而后悔得咬牙切齿。

"你儿子怎么样了？还是没消息吗？"筱垣问。

弥生子的嘴角垂了下来，摇摇头："我已经死心了。"

"今年多大啦？正好三十？"

"天知道，我都忘了。"

筱垣从弥生子开店的第四年起便偶尔来访。他本是负责侦办洋介命案的警察，但他几乎不曾提起那件案子，只是每次一定会问起亮司。

亮司在桐原当铺一直住到初中毕业。弥生子那时满脑子都是咖啡馆的生意，不必照顾儿子倒是帮了她大忙。

大约在弥生子开始经营这家店的同时，亮司离开了桐原当铺。他们并没有就此展开母子相依为命的温馨生活。她必须陪喝醉的客人直到半夜，接着倒头大睡。起床时总是过了中午时分，简单吃点东西，洗个澡化了妆后，便得准备开店。她从来没有为儿子做过一次早餐，晚餐也几乎都是外食。就连母子碰面的时间，一天可能都不到一小时。

后来，亮司外宿的情况越来越频繁。问他住哪里，只得到含糊不清的回答。但学校或警察从未找上门来说亮司惹了麻烦，弥生子也就没有放在心上。她应付每天的生活就已疲惫不堪。

高中毕业典礼那天早上，亮司照常准备出门。难得在早上醒来的弥生子，在被窝里目送他。

平时总是默默离家的他，那天却在门口回头，对弥生子说："那我走了。"

"嗯，路上小心。"睡得昏昏沉沉的她回答。

这成为他们母子最后一次对话。好几个小时后，弥生子才发现梳妆台上的便条，纸上只写着"我不会回来了"。一如他的留言，他再未露面。

若真要找他，当然不至于无从找起，但弥生子并没有积极去找。尽管寂寞，她心里也觉得出现这样的局面或许是理所当然的。她深知自己从未尽过母亲应尽的责任，也明白亮司并不把自己当母亲。

弥生子怀疑自己是不是天生缺乏母性。当初生下亮司并不是因为想要孩子，唯一的原因是她没有理由堕胎。她嫁给洋介，也是因为以为从此不必工作就有好日子。然而，妻子与母亲的角色远比她当初预料的枯燥乏味。她想当的不是妻子或母亲，她希望自己永远都是女人。

亮司离家后三个月左右，弥生子和一个经营进口杂货的男人有了深入的关系。他让弥生子寂寞的心灵得到慰藉，实现了她再做女人的愿望。他们大约同居了两年，分手的原因是男人必须回他本来的家。他已婚，家室在堺市。

此后，她和好几个男子交往、分手，现在是孤家寡人。生活很轻松，有时却感到寂寞难耐。这样的夜晚，她便会想起亮司。但她不准自己兴起想见他的念头，她知道自己没有那种资格。

筵垣叼起根七星，弥生子迅速拿起一次性打火机，帮他点着。

“呐，多少年了，从你老公被杀？”筵垣抽着烟问。

“二十年吧……”

“仔细算是十九年，真是好久以前的事了。”

“是啊。筵垣先生退休了，我也变成老太婆了。”

“都过了这么久，怎么样，有些事情应该可以说了吧？”

“什么意思？”

“我是说，有些事那时不能说，现在可以了。”

弥生子淡淡一笑，拿出自己的烟，点着火，朝着熏黄的天花板吐出细细的灰烟。“你这说法真奇怪，我可什么都没有隐瞒。”

“嗯？我倒是有很多地方想不通。”

“你还放不下那个案子？真有耐性。”弥生子用指尖夹着烟，轻轻倚着身后的柜子。不知从何处传来了音乐。

“案发当天，你说和店员松浦、儿子亮司三人在家。真的吗？”

“是啊。”弥生子拿起烟灰缸，将烟灰抖落，“关于这一点，筵垣先生不是已经查得快烂了吗？”

“查是查了，但是能具体证明的，只有松浦的不在场证明。”

“你是说人是我杀的？”弥生子从鼻子里喷出烟。

“不，你应该跟他在一起。我怀疑的是你们三个人在一起这一点，事实上，是你和松浦在一起，是不是？”

“筵垣先生，你到底想说什么？”

“你和松浦有一腿吧？”笹垣喝光玻璃杯里的啤酒，要弥生子不必帮他倒酒，自己动手。“不必再隐瞒了吧？已经过去了。事到如今，没有人会说三道四了。”

“现在才问过去的事，要做什么？”

“不做什么，只是想把事情想通。命案发生时，去当铺的客人说门上了锁。对此，松浦的说法是他进了保险库，而你和儿子在看电视。但这不是事实，其实你和松浦在里面房间的床上，是不是？”

“你说呢？”

“果然被我说中了。”笹垣坏笑着喝起啤酒。

弥生子不慌不忙地继续抽烟。看着飘荡的烟，思绪也跟着飘忽起来。

她对松浦勇并没有多少感情，只是每天无所事事，心里焦急，生怕再这样下去，自己将不再是女人了。所以当松浦追求时，她便索性接受了。他一定也是看穿了她的空虚，才找上了她。

“你儿子在二楼吗？”笹垣问。

“咦？”

“我是说亮司君，你和松浦在一楼后面的房间，当时那孩子在二楼吗？你们担心他突然闯进来，才把楼梯门加挂的锁锁上。”

“加挂的锁？”话说出口后，弥生子才用力点头，“不错，听你这么一说，我想起楼梯的门上的确加挂了一道锁。不愧是警察，记得这么清楚。”

“怎么样？那时亮司君在二楼吧？但是，为了隐瞒你跟松浦的关系，你们决定对外宣称他和你们在一起。是不是这样？”

“你要这么想就随你吧，我什么都不会说的。”弥生子在烟灰缸里摁熄烟蒂，“再开一瓶吗？”

“好，开吧。”

笹垣就着花生喝起第二瓶啤酒，弥生子也陪他共饮。一时间，两人默默无言。弥生子回想起当时的情形。一切正如笹垣所说，命案发生时，她与松浦好事方酣，亮司在二楼，楼梯的门上了锁。

但是——当警察问起不在场证明时，最好说亮司也在一起——这是松浦提议的，这样警察才不会胡乱猜测。商量的结果，决定说那时弥生子和亮司在看电视，看的是一出锁定男孩观众的科幻剧。节目内容在当时亮司订阅的少年杂志里有相当详细的介绍，弥生子和亮司看杂志记住了节目的内容。

"宫崎不知道会怎么样。"笹垣突然冒出一句。

"宫崎？"

"宫崎勤。"

"哦。"弥生子拨动长发，感觉手上缠着落发，一看原来是白发缠在中指上。她悄悄让头发掉落在地上，不让笹垣发现。"死刑吧，那种坏蛋。"

"几天前的报纸上报道了公开判决的结果。好像是说犯案前三个月，他敬爱的爷爷死了，失去了心灵支柱什么的。"

"那算什么，要是每个人这样就要去杀人，那还得了？"弥生子又点起一根烟。

一九八八年至一九八九年间，埼玉和东京接连有四名幼女遇害。弥生子看新闻得知这桩"连续诱拐幼女命案"正在审理中。辩方凭精神鉴定的结果提出反证，但对于专挑幼女下手的心态，她并不感到诧异。她早就知道具有这种变态心理的男子不在少数。

"如果能早点知道那件事就好了。"笹垣低声说。

"哪件？"

"你老公的兴趣。"

"哦……"弥生子想笑，脸颊却怪异地抽筋了。她这才明白，笹垣原来是为了引出这个话题，才提起宫崎勤。“那件事能有什么帮助吗？”她问。

“何止是帮助，要是案发时就知道，调查方向就会有一百八十度的改变。”

“哦，这样啊。”弥生子吐了一口烟，“话是这么说没错……”

“是啊，那时当然说不出口。”

“可不！”

“也不能怪你，”笹垣伸手贴住因头发稀疏而变宽的额头，“结果这一耗就是十九年。”

弥生子强忍住没有问这句话是什么意思。笹垣心里恐怕藏了什么秘密，但事到如今，她也不想知道。接着又是一阵沉默。当第二瓶啤酒剩下三分之一时，笹垣站起来：“那我走了。”

“谢谢你这么冷的天还来，想到了再来坐坐。”

“好，我下次再来。”笹垣付了账，穿上外套，围上棕色围巾，“虽然早了点，不过祝你新年快乐。”

“新年快乐！”弥生子露出和悦的笑容。

笹垣握住旧木门的门把，却又在开门前回头：“他真的在二楼吗？”

“啊？”

“亮司君，他真的一直在二楼吗？”

“你到底想说什么呀？”

“没什么，打扰了。”笹垣开门离去。

弥生子望着门半晌，在身旁的椅子坐下来。身上起的鸡皮疙瘩并不仅仅是外面渗进来的冷风造成的。

“小亮好像又出去了。”松浦的声音在耳际响起。他压在弥生子身上，鬓边冒着汗水。

松浦是听到有人踩着屋瓦的声音才这么说的。弥生子也早就知道，亮司会从窗户爬到屋外，沿着屋顶跑出去。但她从来没有就此事对亮司说过什么，他不在家，她才方便与情郎幽会。

那天也是一样。他回来的时候，瓦片发出轻微的声响。但是……

那又怎么样？又能说亮司做了什么呢？

14

店门口有圣诞老人发送卡片，店内持续播放着改编为古典曲风的圣诞歌曲。圣诞节、年底再加上开业优惠等因素交互作用，店内挤得举步维艰。放眼望去，来客几乎都是年轻女子，笹垣想，真像是成群昆虫围绕着花朵。

筱冢雪穗经营的R&Y大阪一店今天盛大开业。这里和东京的店面不同，R&Y占了整栋大楼，卖场里不仅有服装，还有饰品、包与鞋子的专卖楼层。笹垣不懂，但据说店内全是高档名牌。社会上各处正饱受泡沫经济破灭之苦，这里却采取反其道而行的营销手法。

一楼通往二楼的扶梯旁有个喝咖啡的空间，顾客可在此休息片刻。一个小时前，笹垣便坐在靠边的桌旁俯瞰一楼。天黑后客流丝毫未见减少。他也排了很久的队才得以进入咖啡馆，现在入口依然大排长龙。生怕遭店员白眼，笹垣点了第二杯咖啡。

和他隔桌相对而坐的是一对年轻人。在旁人看来，应该是一对年轻夫妻和其中一位的父亲。

年轻男子小声对他说："还是没有现身。"

"嗯。"笹垣微微点头，眼睛仍望着楼下。

这对年轻人都是大阪府警本部的警官，男方还是搜查一科的刑警。笹垣看看钟，营业时间即将结束。"现在还不知道。"他喃喃自语。

他们在这里等的自然是桐原亮司。一旦发现他，便要立刻捉拿。现阶段尚无法逮捕，但必须先将他拘押。已从刑警岗位退休的笹垣对他了解至深，来此协助办案，这是搜查一科科长古贺安排的。

桐原涉嫌谋杀。

当笹垣在筱冢家看到仙人掌盆栽里的玻璃碎片，一个念头便从他脑海里闪过，那便是松浦勇失踪时的装扮。有好几个人供称“他经常戴着绿色镜片的雷朋太阳镜”。

笹垣托古贺调查玻璃碎片。他的直觉是正确的，那的确是雷朋的镜片，而且上面残留的一小块指纹，也与从松浦房间采得的本人指纹极为近似，一致率高达百分之九十八以上。

盆栽里为何会有松浦的太阳镜碎片？依照推测，应该是仙人掌原主人唐泽礼子将土放进花盆时，镜片便已混在土中。那么，那些土又来自何方？如果不是购买园艺专用土壤，采用自家庭院的土当是最合理的推测。

但要挖掘唐泽家的庭院需要搜查证。光靠如此薄弱的证据，实在难以判断应否作出如此大胆的决定。最后，搜查一科科长古贺毅然同意。目前唐泽家无人居住虽是一大因素，但笹垣解释为古贺相信退休老刑警的执著。

搜索于昨日进行。唐泽家庭院最靠墙处有裸露的土壤。搜查老手几乎毫不犹豫地从彼处动手挖掘。

开挖约两个小时后，发现了一具白骨。尸身上衣物全无，已死亡七八年。大阪府警已寻求科学搜查研究所[1]协助确认死者身份。方法有好几种，至少要证明是否为松浦勇应该不难。

笹垣确信死者便是松浦，因为他得知白骨的右手小指上戴着一枚

---

①警视厅及各道、府、县警察本部均设有此机构，负责勘验犯罪现场、证物搜集及鉴定等工作。

白金戒指。松浦手上戴着那枚戒指的模样，回想起来如在昨日一般清晰。

而且尸体右手上还握有另一项证据——化为白骨的手指上缠着几根人类毛发，推测应是打斗之际，从对方头上扯断的。

问题是能否判断那是桐原亮司的头发。一般情况下，可依毛发的颜色、光泽、软硬、粗细、髓质指数、黑色素颗粒的分布状态、血型等要素辨识毛发的所有人。但这次发现的毛发掉落于多年前，能得出何种程度的判断尚不得而知，但古贺对此早已作好准备。

“要是真的不行，就拜托科警研[①]。”他这么说。

古贺打算进行 DNA 鉴定。用基因的组成分子 DNA 的排列异同进行身份辨识的方法，近一两年已在几起案件中应用。警察厅计划在未来四年内将此系统导入全国各级警政部门，但目前仍由科学警察研究所独家包办。

笹垣不得不承认时代变了。当铺命案已过去十九年，岁月让一切都变了样，连办案手法也不例外。但关键在于找出桐原亮司。如果无法逮捕他，空有证据也毫无意义。

笹垣提议对筱冢雪穗展开监视，因为枪虾就在虾虎鱼身边。他至今仍如此坚信。

“雪穗的精品店开业当天，桐原一定会现身。在大阪开店对他们两人有特殊意义，再说，雪穗在东京也有店要照顾，不能常来大阪。他们一定不会错过开业之日。”笹垣向古贺极力主张。

古贺认同了这位退休刑警的意见。今天从开店起，便由好几组调查人员轮番上阵，且不时更换地点，持续监视 R&Y。笹垣一早便与调查人员同行，约一个小时前，他还待在对面的咖啡馆。但桐原完全

---

①即科学警察研究所的简称，是隶属日本警察厅的科研鉴定机构。

没有现身的迹象，他便来到店里。

“桐原现在还用秋吉雄一这个名字吗？”年轻警察低声问道。

“不知道，可能已经改了。”回话后，笹垣想着不相关的另一件事——秋吉雄一这个假名。他一直觉得这个名字似曾相识，终于在不久前弄清了原委。

这个名字是他从少年时代的菊池文彦口中听说的。菊池文彦因强暴案遭到警方怀疑，是桐原亮司的证词还他清白。但是，当初为什么他会遭到怀疑呢？

因为有人向警方报告，现场遗落的钥匙圈为菊池文彦所有。菊池说，那个“叛徒”名叫秋吉雄一。

桐原为什么选这个名字作为假名？个中原因只有问他本人才知道，但笹垣自有看法。

桐原多半自知自己的生存建立在背叛一切的基础上，所以才带着几分自虐的想法，自称秋吉雄一。但事到如今，这些都不重要了。

桐原陷害菊池的理由，笹垣可说有全盘解开的把握。菊池手中的那张照片对桐原极为不利。据说照片里拍到桐原弥生子与松浦勇幽会的情景。若菊池将照片拿给警方，会造成什么影响？调查可能因此重新展开。桐原担心失去命案当天的不在场证明，既然弥生子与松浦忙于私会，那么桐原便是一人独处。从客观的角度考虑，警方不可能怀疑当时还是小学生的他，但他仍希望隐瞒此事。

昨晚和桐原弥生子碰面后，笹垣更加相信自己的推理。那天，桐原亮司独自待在二楼，但他并非一直待在那里。在那片住宅密集的区域，正如小偷能轻易由二楼入内行窃一般，要从二楼外出也不难。亮司自屋顶攀缘而下，又循原路返回。

其间他做了什么？

店内开始播放营业即将结束的广播，人潮随即改变了流向。

“看来是不行了。”男警察说，女警也带着抑郁的表情环顾四周。

警方拟定的步骤，是若未发现桐原亮司，今日便要传讯筱冢雪穗。但笹垣反对这么做，他不认为雪穗会透露任何有助于案情大白的信息。她必定会露出足以骗过任何人的惊讶表情，说：“我娘家院子里发现白骨？实在令人难以置信。这不是真的吧？”她这么一说，警方便束手无策。七年前松浦遇害时正值新年，唐泽礼子应邀前往雪穗家，这一点已得到高宫诚的证明。但是，没有任何证据证明雪穗与桐原间有所关联。

“笹垣先生，你看……”女警悄悄指了指。

往那个方向一看，笹垣不禁瞪大了眼睛。雪穗正缓步在店里走动，她穿着一袭纯白套装，脸上露出堪称完美的微笑。那已超越了美貌，是她身上的光芒，瞬间吸引了四周的客人和店员的目光。有人在经过后还回头观望，有人看着她窃窃私语，还有人憧憬地望着她。

“真是女王。”年轻刑警低声说。

然而，在笹垣眼里，女王般的雪穗却和另一个截然不同的身影叠在一起：在那间老旧公寓遇到的她，那个对一切无所依恃、不肯打开心扉的女孩。

“如果能早点知道那件事……”昨晚他向弥生子说的那句话又在他脑中回响。

弥生子是在五年前向他提起那件事的，当时她醉得相当厉害。正因如此，才会毫不隐瞒。

“现在我才敢说，我老公那方面根本就不行。其实，他本来不是那样，是后来慢慢变了。他不碰女人，却去碰那些……要怎么说？走偏锋。那叫恋童癖是不是？对小女孩有兴趣。还去向有门路的人买了一大堆那类怪照片。那些照片？他一死，我马上就处理掉了，这还用说吗？”

她接下来的话更令笹垣惊愕。

“有一次，松浦跟我说过一件很奇怪的事。他说，老板好像在买小女孩。我问他买小女孩是什么意思，他告诉我，就是出钱叫年龄很小的小女孩跟他上床。我吓了一跳，说竟然有那种店。松浦笑我，说老板娘以前分明是那一行出身的，却什么都不知道，这年头，父母都靠卖女儿来过日子了。”

听到这些，笹垣脑海里刮起了一阵风暴，一切思绪都混乱了。但在风暴过后，过去绝望地看不见的东西，如拨云见日般清晰可见。

弥生子还没有说完：“不久，我老公开始做些莫名其妙的事。跑去问认识的律师，要领养别人的孩子当养女要办哪些手续？当我拿这件事质问他，他就大发脾气，说跟我无关。这样还不够，还说要跟我离婚。我想，那时他的脑袋大概就有问题了。”

笹垣认为，这是关键所在。

桐原洋介经常前往西本母女的公寓，目的并不在于西本文代，他看上的是女儿。想必他曾多次买过她的身体，那老公寓里的房间便是用来进行这种丑恶交易的地方。

这时，笹垣理所当然产生了一个疑问：顾客是否只有桐原洋介一人？

比如死于车祸的寺崎忠夫又如何？搜查本部将他视为西本文代的情人，但没人能够断定寺崎没有与桐原洋介相同的癖好。

遗憾的是如今这些都无法证明了。即使当时尚另有嫖客，也已无从追查。

能够确定的只有桐原洋介。

桐原洋介的一百万元，果真是向西本文代提出的交易金额，但那笔钱不是要她当情妇，而是领养她女儿的代价。想必是在数度买春后，他希望将她女儿据为己有。

洋介离开后，文代独自在公园荡秋千。她心里有什么样的思绪在摇摆呢?

洋介和文代谈完后，便前往图书馆，迎接俘获了自己的心的美少女。

接下来的经过，笹垣能够在脑海里清楚地描绘：桐原洋介带着女孩进入那栋大楼。女孩曾经抵抗吗？笹垣推测可能没有。洋介一定是这样对她说的：我已经付了一百万给你妈妈……

连要想象在那个尘埃遍布的房间里发生了什么都令人厌恶。然而，如果有人看到那一光景……

笹垣不相信亮司当时是在通风管中玩耍，从自家二楼离开的他应是走向图书馆。他可能经常这样和雪穗碰面，向她展示自己拿手的剪纸。唯有那家图书馆，才是他们两人的心灵休憩之处。

但那天，亮司却在图书馆旁看到了奇异的景象：父亲和雪穗走在一起。他尾随他们进了那栋大楼。他们在里面做什么？男孩感觉到一股无法形容的不安。要窥伺他们只有一个办法，他不假思索地爬进通风管。

于是，他可能看到了最不堪的一幕。

那一瞬间，在男孩心中，父亲只是一头丑恶的野兽。他的肉体一定被悲伤与憎恶支配了。至今，笹垣仍记得桐原洋介所受的伤，那也是男孩心头的伤。

杀了父亲后，亮司让雪穗先行逃走。在门后堆放砖块，应该是小孩子绞尽脑汁想出来的做法，希望借此多少延迟命案被发现的时间。随后，他再度钻进通风管。

一想到他是抱着何种心情在通风管中爬行，笹垣便感到心痛。

事后，他们两人如何协调约定不得而知。笹垣推测，多半没有协调约定这回事，他们只是想保护自己的灵魂。结果，雪穗从不以真面目示人，亮司则至今仍在黑暗的通风管中徘徊。

亮司杀松浦的直接动机，应该是因为松浦握有他的不在场证明的秘密。松浦或许是在机缘巧合下发现亮司可能犯下弑父之罪，他极可能向亮司暗示此事，要挟他参与那次仿冒游戏软件的行动。

但筱垣认为亮司还有一个动机。因为没人能够断定桐原洋介的恋童癖不是肇始于弥生子的红杏出墙。在那个二楼的密室中，亮司必然被迫无数次听见母亲与松浦间的丑态。都是那个男人害我的父母发了狂——他如此认定也毫不为奇。

“筱垣先生，我们走吧。”

警察的招呼声让筱垣回过神来，四下一看，咖啡馆里已没有其他客人了。没有出现啊……

心里感到一阵空虚。筱垣觉得，如果今天没有在这里找到桐原，恐怕就再也抓不到他了，但总不能赖在这里不走。“走吧。”他无奈地支撑起沉重的身躯。

走出咖啡馆，三人一同搭上扶梯。客人三三两两离去。店员们似乎为开业第一天的优惠活动圆满落幕而心满意足。在店面发卡片的圣诞老人正搭乘上行的扶梯，他看来也带着一身愉快的疲惫。

下了扶梯，筱垣扫视店内一周，不见雪穗的踪影，此时她或许已开始计算今天的营业额了吧。

“辛苦了。”走出店门前，男警察悄声说。

“哪里。”筱垣说着，微微点头。以后就只能交给他们了，交给年轻的一辈。

筱垣和其他客人一起离开店面。假扮情侣的警察迅速离开，走向在其他地点监视的同事。也许接下来他们便要去找雪穗进行侦讯。

筱垣拉拢外套，迈开脚步。走在他前面的是一对母女，她们似乎也刚从 R&Y 出来。

“收到一个很棒的礼物呢，回去要给爸爸看哦。”母亲对孩子说道。

“嗯。”点头回答的是一个三四岁的小女孩，她手里拿着什么东西，正轻飘飘地晃动。一瞬间，笹垣圆睁双眼。

女孩拿的是一张红色的纸，剪成一只漂亮的麋鹿轮廓。

“这个……这从哪里来？”笹垣从身后抓住小女孩的手。

母亲露出恐惧的神情，想保护自己的女儿。“有……有什么事？”

小女孩似乎随时会放声大哭，路过的行人无不侧目。

“啊！对不起。请问……这是哪里来的？”笹垣指着小女孩手里的剪纸问道。

“哪里来的……送的啊。”

“哪里送的？”

“就是那家店。”

“是谁送的？”

“圣诞老公公。”小女孩回答。

笹垣立刻转身，不顾因寒气而疼痛的膝盖，全力狂奔。

店门已经开始关闭，警察们还在附近没有离开。他们看到笹垣的模样，都变了脸色。“怎么了？”其中一人问道。

“圣诞老人！”笹垣大喊，“就是他！”

警察们立刻醒悟，强行打开正要关上的玻璃门，闯入店内，无视阻止他们的店员，踩着停止运作的扶梯往上冲。

笹垣原本准备跟在他们身后冲进去，但下一秒钟，脑子里冒出一个念头。他拐进建筑物旁的小巷。

真蠢！我真是太蠢了！我追踪他多少年了？他不总是在人们看不见的地方守护雪穗吗？

绕到建筑物后面，看到一道装设了铁质扶手的楼梯，上方有一扇门。他爬上楼梯，打开门。

眼前站着一个男子，一个身着黑衣的男子。对方似乎也因为突然有人出现而吃惊。

这真是一段奇异的时间，筐垣立刻明白眼前这人就是桐原亮司。但他没有动，也没出声，大脑的一角在冷静地判断：这家伙也在想我是谁。

然而，这段时间大概连一秒钟都不到。那人一个转身，朝反方向疾奔。

“别跑！”筐垣紧追不舍。

穿过走廊就是卖场。警察们的身影出现了，桐原在陈列着箱包的货架间逃窜。“就是他！”筐垣大喊。

警察们一齐上前追赶。这里是二楼，桐原正跑向业已停止的扶梯，筐垣相信他已无法脱身。但桐原并没有跑上扶梯，而是在那之前停下脚步，毫不迟疑地翻身跳往一楼。

耳边传来店员的尖叫，巨大的声响接踵而至，好像撞坏了什么东西。警察们沿扶梯飞奔而下。几秒后，筐垣也到达扶梯。心脏快吃不消了，他按着疼痛的胸口，缓缓下楼。

巨大的圣诞树已倒下，旁边就是桐原亮司。他整个人呈大字形，一动不动。

有一名警察靠近，想拉他起来，但随即停止动作，回头望向筐垣。

“怎么了？”筐垣问。对方没有回答。筐垣走近，想让桐原的脸部朝上。这时，尖叫声再度响起。

有东西扎在桐原胸口，由于鲜血涌出难以辨识，但筐垣一看便知。那是桐原视若珍宝的剪刀，那把改变他人生的剪刀！

“快送医院！”有人喊道，奔跑的脚步声再度传来。筐垣明白这些都是徒劳，他早已看惯尸体了。

感觉到有人，筐垣抬起头来。雪穗就站在身边，如雪般白皙的脸庞正俯向桐原。

“这个人……是谁？”笹垣看着她的眼睛。

雪穗像人偶般面无表情。她答道：“我不知道。雇用临时工都由店长全权负责。”

话音未落，一个年轻女子便从旁出现。她脸色铁青，以微弱的声音说：“我是店长滨本。”

警察们开始采取行动。有人采取保护现场的措施，有人准备对店长展开侦讯，还有人搭着笹垣的肩，要他离开尸体。

笹垣脚步蹒跚地走出警察们的圈子。只见雪穗正沿扶梯上楼，她的背影犹如白色的影子。

她一次都没有回头。

图书在版编目（CIP）数据

白夜行／（日）东野圭吾著；刘姿君译．-- 3版
．-- 海口：南海出版公司，2017.7
ISBN 978-7-5442-9116-3

Ⅰ．①白… Ⅱ．①东… ②刘… Ⅲ．①长篇小说－日本－现代 Ⅳ．①I313.45

中国版本图书馆CIP数据核字（2017）第150420号

著作权合同登记号 图字：30-2012-100

白夜行
〔日〕东野圭吾 著
刘姿君 译

出　　版　南海出版公司　(0898)66568511
　　　　　海口市海秀中路51号星华大厦五楼　邮编 570206
发　　行　新经典发行有限公司
　　　　　电话(010)68423599　邮箱 editor@readinglife.com
经　　销　新华书店

责任编辑　张　锐
特邀编辑　黄莉辉
装帧设计　韩　笑
内文制作　王春雪

印　　刷　北京盛通印刷股份有限公司
开　　本　850毫米×1168毫米　1/32
印　　张　19
字　　数　474千
版　　次　2008年9月第1版　2017年7月第3版
　　　　　2017年7月第85次印刷
书　　号　ISBN 978-7-5442-9116-3
定　　价　59.60元